El viajero del siglo

Andrés Neuman

El viajero del siglo

ALFAGUARA

© 2009, Andrés Neuman
c/o Guillermo Schavelzon & Asoc., Agencia Literaria
www.schavelzon.com

© De esta edición:
D. R. © Santillana Ediciones Generales, S.A. de C.V., 2008
Av. Universidad 767, Col. del Valle
México, 03100, D.F. Teléfono 5420 7530
www.alfaguara.com.mx

Primera edición: abril de 2009

ISBN: 978-607-11-0226-3

Diseño:
Proyecto de Enric Satué

© Cubierta:
Paso de Zebra

Impreso en México

Índice

A la memoria de mi madre, que suena y suena.
A mi padre y mi hermano, que la escuchan conmigo.

Viejo extraño, ¿debiera
quedarme yo contigo?
¿Querrás seguir mi canto
al son de tu organillo?

WILHELM MÜLLER/FRANZ SCHUBERT

Europa, arrastrando tus andrajos,
¿algún día vendrás, vendrá ese día?

ADOLFO CASAIS MONTEIRO

Los vegetales tienen raíces;
los hombres y las mujeres tienen pies.

GEORGE STEINER

WANDERNBURGO: ciudad móvil sit. aprox. entre los ant. est. de Sajonia y Prusia. Cap. del ant. principado del m. nombre. Lat. N y long. E indefinidas por desplazamiento (...) Hidrogr.: r. Nulte, no navegable. Activ. econ.: cult. de trigo e ind. textil (...) Pese a los testim. de cronistas y viajeros, no se ha det. su ubic. exacta.

I. Aquí la luz es vieja

¿Tie-ne frí-o-o?, gritó el cochero con la voz entrecortada por los saltos del carruaje. ¡Voy bie-e-en, gra-cias!, contestó Hans tiritando.

Los faroles se desenfocaban al ritmo del galope. Las ruedas escupían barro. A punto de partirse, los ejes se torcían en cada bache. Los caballos inflaban las mandíbulas y soltaban nubes por la boca. Sobre la línea del horizonte rodaba una luna opaca.

Hacía rato que Wandernburgo se dibujaba a lo lejos, al sur del camino. Pero, pensó Hans, como suele pasar al final de una jornada agotadora, aquella pequeña ciudad parecía desplazarse con ellos. Encima de la cabina el cielo pesaba. Con cada latigazo del cochero el frío se envalentonaba y oprimía el contorno de las cosas. ¿Fal-ta-a mu-cho?, preguntó Hans asomando la cabeza por la ventanilla. Tuvo que repetir dos veces la pregunta para que el cochero saliera de su ruidosa atención y, señalando con la fusta, exclamase: ¡Ya-a lo ve us-te-e-ed! Hans no supo si eso significaba que faltaban pocos minutos o que nunca se sabía. Como era el último pasajero y no tenía con quién hablar, cerró los ojos.

Cuando volvió a abrirlos, vio una muralla de piedra y una puerta abovedada. A medida que se acercaban Hans percibió algo anómalo en la robustez de la muralla, una especie de advertencia sobre la dificultad de salir, más que de entrar. A la luz ahogada de las farolas divisó las siluetas de los primeros edificios, las escamas de unos tejados, torres afiladas, ornamentos como vértebras. Tuvo la sensación de ingresar en un lugar recién desalojado, de que los golpes de los cascos y las sacudidas de las ruedas sobre los adoquines producían demasiado eco. Todo estaba tan quieto que parecía que alguien los espiaba conteniendo la respiración. El carruaje giró en una esquina, el sonido del galope se ensordeció: ahora el suelo era de tierra. Atravesaron la calle del Caldero Viejo. Hans divisó un letrero de hierro balanceándose. Le indicó al cochero que parase.

El cochero descendió del pescante y al pisar tierra pareció desconcertado. Dio dos o tres pasos, se miró los pies, sonrió con extravío. Acarició el lomo del primer caballo, le susurró unas palabras de gratitud a las que el animal replicó resoplando. Hans lo ayudó a desatar las cuerdas de la baca, a retirar la lona mojada, a bajar su maleta y un gran arcón con manijas. ¿Qué lleva aquí, un muerto?, se quejó el cochero dejando caer el arcón y frotándose las manos. Un muerto no, sonrió Hans, unos cuantos. El cochero soltó una carcajada brusca, aunque una ráfaga de alarma le cruzó el rostro. ¿Usted también va a pasar la noche aquí?, preguntó Hans. No, explicó el cochero, yo sigo hasta Wittenberg, ahí conozco un buen sitio para dormir y hay una familia que necesita ir a Leipzig. Después, mirando de reojo el letrero que chirriaba, agregó: ¿Seguro que no quiere seguir un poco más? Gracias, dijo Hans, aquí está bien, necesito descansar. Como quiera, señor, como quiera, dijo el cochero antes de carraspear varias veces. Hans le pagó, rechazó las monedas que sobraban y se despidió de él. A sus espaldas sonó un latigazo, el estremecimiento de la madera, la percusión de los cascos alejándose.

Fue al quedarse solo con su equipaje frente a la posada cuando notó aguijones en la espalda, un vaivén en los músculos, un zumbido en las sienes. Conservaba la sensación del traqueteo, las luces seguían pareciendo parpadeantes, las piedras movedizas. Hans se frotó los ojos. Las ventanas empañadas no dejaban ver el interior de la posada. Llamó a la puerta, de la que aún colgaba una corona navideña. Nadie acudió. Probó el picaporte helado. La puerta cedió a empujones. Divisó un pasillo alumbrado con candiles de aceite que pendían de un garfio. Sintió el beneficio cálido del interior. Al fondo del pasillo se oía un alborotar de chispas. Hans arrastró con esfuerzo la maleta y el arcón dentro de la posada. Permaneció debajo de un candil, intentando recobrar la temperatura. Se sobresaltó al reparar en el señor Zeit, que lo miraba tras el mostrador de la recepción. Iba a ir a abrirle, dijo. El posadero se movió con extrema lentitud, como si se hubiera quedado atrapado entre el mostrador y la pared. Tenía una barriga en forma de tambor. Olía a tela viciada. ¿De dónde viene usted?, preguntó. Ahora vengo de Berlín, dijo Hans, aunque eso en realidad no importa. A mí sí me importa, caballero, lo interrumpió el señor Zeit sin sospechar que Hans se refería a otra cosa, ¿y cuántas noches piensa quedarse? Supongo que una, dijo Hans, no estoy seguro. Cuando lo sepa, contestó el posadero, por favor comuníquemelo, necesitamos saber qué habitaciones van a estar disponibles.

El señor Zeit buscó un candelabro. Condujo a Hans a través del pasillo, después por unas escaleras. Hans miraba su figura oronda escalando cada peldaño y temió que se le viniera encima. Toda la posada olía a aceite quemándose, al azufre de las mechas, a jabón y sudor mezclados. Pasaron la primera planta y siguieron subiendo. A Hans le extrañó observar que las habitaciones parecían desocupadas. Al llegar a la segunda planta, el posadero se detuvo frente a una puerta con un número siete escrito en tiza. Recuperando el aliento, aclaró con orgullo: La siete es la mejor. Sacó de un bolsillo un aro, un aro sufrido, cargado de llaves, y tras varios intentos y maldiciones en voz baja, entraron en la habitación.

Candelabro en mano, el posadero fue haciendo un surco en la oscuridad hasta llegar a la ventana. Al abrir los postigos, la ventana emitió un acorde de maderas y polvo. La luz de la calle era tan débil que, más que alumbrar la habitación, se sumó a la penumbra como un gas. Por las mañanas es bastante soleada, explicó el señor Zeit, está orientada al este. Hans forzó la vista entornando los párpados. Distinguió una mesa, dos sillas. Un catre, mantas de lana plegadas encima de él. Una tina de estaño, un orinal con óxido, un aguamanil sobre un trípode, una jarra. Una chimenea de ladrillos y piedra, con una pequeña cornisa en la que parecía imposible apoyar cualquier objeto (sólo la tres y la siete tienen chimenea, anunció el señor Zeit), algunos utensilios herrumbrosos a un costado: un badil, una pala, unas tenazas ennegrecidas, una escobilla casi pelada. Dentro de la chimenea había dos troncos calcinados. En la pared opuesta a la puerta, entre la mesa y la tina, a Hans le llamó la atención un cuadrito que le pareció una acuarela, aunque no pudo verlo bien. Una cosa más, concluyó en tono solemne el señor Zeit acercando el candelabro a la mesa y deslizando una mano sobre ella: esto es roble. Hans acarició la mesa con agrado. Se fijó en los candelabros con velas de sebo, en el quinqué herrumbroso. Me la quedo, dijo Hans. Inmediatamente sintió cómo el señor Zeit lo despojaba de la levita para engancharla en uno de los clavos que asomaban junto a la puerta: el perchero.

¡Mujer!, gritó el posadero como si hubiera amanecido de repente, ¡mujer, ven!, ¡un huésped! Enseguida se oyeron unos pasos ascendiendo. Tras la puerta apareció una mujer ancha, vestida con una saya de algodón y un delantal con un bolsillo enorme entre los pechos. Al revés que su marido, la señora Zeit se movía con brusquedad y eficacia. En un instante mudó las sábanas del catre por otras no tan amarillas, dio un barrido fugaz al cuarto, bajó a llenar la jarra. En cuanto la trajo de vuelta Hans bebió en abundancia, casi sin respirar. ¿Le subes el equipaje?, sugirió el señor Zeit. Ella suspiró. Su marido decidió que ese suspiro significaba sí, saludó a Hans con la cabeza y se perdió por las escaleras.

Boca arriba en el catre, Hans tanteó la aspereza de las sábanas con la punta de los pies. Al entornar los párpados, le pareció escuchar rasguños bajo las tablas del suelo. Mientras el sopor lo envolvía y todo dejaba de importarle, se dijo: Mañana junto mis cosas y me voy a otro sitio. Si se hubiera acercado al techo con una vela, habría descubierto las grandes telarañas de las vigas. Entre las telarañas un insecto asistió al sueño de Hans, hilo por hilo.

Se levantó tarde con un hueco en el estómago. Un sol tibio caracoleaba sobre la mesa, se derramaba en las sillas como un jarabe. Hans se lavó en el aguamanil, abrió su maleta, se vistió. Después se acercó al cuadrito y confirmó que se trataba de una acuarela. El marco le pareció demasiado aparatoso. Al descolgar la acuarela para examinarla, descubrió un espejito en el reverso. Volvió a colgarla con el espejo de frente. Llenó el aguamanil con el agua que quedaba en la jarra, partió un trozo de jabón, buscó su brocha, su navaja, sus esencias. Se afeitó silbando sin saber qué silbaba.

Mientras bajaba por las escaleras se cruzó con el señor Zeit, que traía un cuaderno y subía los peldaños como si los contara. El señor Zeit le pidió que le pagara la noche antes de desayunar. Es norma de la casa, dijo. Hans volvió a su habitación y salió con el importe exacto más un gros de propina, que le entregó al posadero con una sonrisa irónica. Una vez en la planta baja, curioseó por la posada. Al fondo del pasillo vio una sala grande con un hogar y una marmita sobre el fuego. Frente al hogar descansaba un sofá que, según comprobó Hans, empezaba a hundirse en cuanto alguien se sentaba. Al otro lado del pasillo había una puerta distinta que, supuso, sería la vivienda de los Zeit, junto a un pequeño abeto decorado con una exquisitez que le pareció impropia de ellos. Encontró un patio trasero con letrinas y un pozo. Aprovechó una de las letrinas, volvió reconfortado. Entonces lo atrajo una ráfaga de aromas. Se acercó a paso rápido y vio a la señora Zeit cortando acelgas en la cocina. Como inertes guardianes colgaban jamones, longanizas, morcillas, tocinos. Una olla hervía en la lumbre. Las hileras de sartenes, cucharones, calderos y cazuelas descomponían la mañana en radios. Llega tarde, siéntese, ordenó la señora Zeit sin levantar la vista del cuchillo. Hans obedeció. Normalmente servimos el desayuno en la sala, continuó la señora Zeit, pero siendo la hora que es mejor tómelo aquí, no puedo descuidar el fuego. A lo largo de la mesada se extendían las verduras, la carne encharcada, la piel ondulante de las patatas. Un grifo tintineaba sobre una pila colmada de cacharros. Debajo se acumulaban espuertas con leña, carbón, cisco. Al fondo, entre botijos y cántaros, se apretujaban sacos de legumbre, arroz, harina, sémola. La señora Zeit se secó las manos en el delantal. Abrió de un solo corte una barra de pan, la untó de jalea. Puso una taza delante de

Hans, la llenó de leche de oveja, añadió un chorro de café hasta desbordarla. ¿Va a querer huevos?, preguntó.

Recordando la desolación de la noche anterior, Hans se sorprendió de la actividad de Wandernburgo, del trajín de sus calles. Aunque en el bullicio se insinuaba cierta cautela, Hans se rindió a la evidencia de que la ciudad estaba habitada. Caminó sin rumbo definido. Varias veces creyó perderse por las callejuelas inclinadas, otras tantas regresó al mismo punto. Comprobó que los cocheros de Wandernburgo evitaban frenar para no dañar las bocas de sus caballos, y apenas le dejaban un instante para apartarse. A lo largo del paseo notó que los visillos se corrían y descorrían. Hans había intentado sonreír cortésmente hacia algunas de esas ventanas, pero las sombras se retiraban de inmediato. Una nieve ligera amagó con blanquear el aire, la niebla la engulló. También las palomas, cuando aleteaban por encima de Hans, volteaban la cabeza para mirarlo. Aturdido por las curvas de las calles, con los pies doloridos por los adoquines, Hans se detuvo a descansar en la plaza del Mercado.

La plaza del Mercado era el punto donde confluían todas las direcciones de Wandernburgo, el centro de su mapa. En un extremo estaba el ayuntamiento con su tejado rojo, su fachada puntiaguda. En el extremo opuesto se elevaba la Torre del Viento. Oteándola desde el empedrado, lo que más destacaba era el reloj cuadrado que salpicaba la hora sobre la plaza. Contemplada a su altura, sin embargo, lo más impresionante de la torre era la aguja de la veleta que temblaba, crujía, erraba.

Además de los puestos de alimentos donde la gente hacía sus compras, a la plaza del Mercado acudían campesinos de los alrededores con sus carros cargados de productos. Otros se ofrecían como jornaleros para las labores del día. Por alguna razón que Hans no alcanzó a entender, los comerciantes pregonaban sus mercancías en voz baja y los tratos se cerraban casi al oído. Compró fruta en un puesto. Vagó otro rato y se entretuvo contando los visillos que se alteraban a su paso. Cuando alzó la vista hacia el reloj de la Torre del Viento, cayó en la cuenta de que acababa de perder la posta de la tarde.

Resignado, describió tres o cuatro espirales hasta dar nuevamente con la calle del Caldero Viejo. La noche había caído
como una tabla.

Transitando las calles de Wandernburgo al anochecer,
entre arcos mohosos y farolas esporádicas, Hans recobró las
sensaciones que lo habían asaltado a su llegada. Confirmó que
los vecinos se retiraban pronto, por no decir que huían despa-
voridos a sus hogares. El relevo de la gente lo tomaban gatos
y perros, que campaban a sus anchas enredándose entre sí,
royendo los restos de comida que quedaban a la intemperie.
Justo antes de entrar a la posada, mientras se percataba de la
desaparición de la corona navideña, Hans escuchó el salmo de
un sereno que doblaba la esquina con la cabeza encapuchada
y un lanzón con una luz tenue en la punta:

> *¡A casa, gente, vamos!*
> *En la iglesia han tocado seis campanas,*
> *vigilad vuestro fuego y vuestras lámparas.*
> *¡Loado Dios! ¡Loado!*

El señor Zeit lo recibió con extrañeza, como si hubiera esperado que su huésped se esfumase sin avisar. En la posada todo volvía a estar quieto, aunque al pasar junto a la
cocina Hans vio seis platos sucios apilados en la mesada, de
lo que dedujo que había otros cuatro huéspedes. Ese cálculo
no era exacto: mientras se dirigía a la escalera, una silueta fina
atravesó la puerta de la vivienda de los Zeit sosteniendo un
abeto navideño y una caja de bujías. Le presento a Lisa, mi
hija, se anticipó la señora Zeit pasando velozmente por el
pasillo. El señor Zeit, encajonado entre el mostrador y la pared,
oyó el silencio que se hizo después y gritó: ¡Lisa, saluda al
señor! Lisa le dedicó a Hans una mirada de pícaro interés, alzó
los hombros con suavidad y entró en la vivienda sin decir una
palabra.

Los Zeit habían tenido siete hijos. Tres estaban casados,
dos habían muerto de sarampión. Con ellos vivían Lisa, la
mayor, y Thomas, un niño saltimbanqui que no tardó en

irrumpir en la sala mientras Hans comía pastas y pan con mantequilla. ¿Tú quién eres?, dijo Thomas. Yo soy Hans, dijo Hans, y Thomas contestó: Entonces no sé quién eres. Acto seguido le birló una pasta, hizo una pirueta y desapareció por el pasillo.

Cuando oyó los pasos de Hans subiendo los primeros peldaños, el posadero hizo un esfuerzo por liberar su barriga y fue a preguntarle si pensaba irse mañana. Hans ya había decidido que sí, pero la insistencia del señor Zeit lo hizo sentirse expulsado, y por llevarle la contraria contestó que no lo sabía. El posadero pareció alegrarse extraordinariamente con la respuesta, incluso tuvo la inesperada amabilidad de consultarle si necesitaba algo para la habitación. Hans le dijo que no y le dio las gracias. Viendo que el señor Zeit no se movía, añadió en tono amistoso que, salvo la plaza del Mercado, las calles de Wandernburgo le parecían un poco oscuras y mencionó el alumbrado de gas de Berlín o Londres. Aquí no necesitamos tanta luz, sentenció el señor Zeit subiéndose el pantalón, tenemos buena vista y costumbres ordenadas. Salimos de día, dormimos de noche. Nos acostamos temprano, madrugamos. ¿Para qué queremos gas?

Boca arriba en el catre, bostezando con una mezcla de cansancio y perplejidad, Hans se prometió seriamente: Mañana junto mis cosas y me voy a otro sitio.

La noche ladraba, maullaba.

En lo alto de la Torre del Viento, perforando la niebla, la veleta parecía salirse de su gozne.

Tras un nuevo paseo sobre la escarcha, Hans tuvo la impresión absurda de que el plano de la ciudad se desordenaba mientras todos dormían. ¿Cómo podía extraviarse tanto? No lograba explicárselo: la taberna donde había almorzado aparecía en la esquina opuesta a la que su memoria le indicaba, la herrería que debía estar girando a la derecha lo sobresaltaba con sus golpes por la izquierda, esa cuesta que sin duda bajaba se ofrecía de pronto empinada, cierto pasaje que él recordaba haber atravesado y que debía desembocar en una avenida se interrumpía en una tapia ciega. Desafiado en su orgullo de viajero, tras negociar con un cochero un asiento en el próximo carruaje hacia Dessau, Hans mantuvo su empeño por identificar las callejuelas que recorría. Pero lo mismo acertaba dos o tres veces y cantaba victoria, que se desalentaba comprobando que había vuelto a perderse. El único lugar que se mostraba invariablemente accesible era la plaza del Mercado, a la que regresaba sin cesar para orientarse. Ahí estaba Hans de nuevo, haciendo tiempo hasta la salida del carruaje, intentando fijar en su mente los puntos cardinales, vuelto un reloj de sol que proyectaba una lanza de sombra sobre el empedrado, cuando vio llegar al organillero.

De barbas canas, moviéndose con una mezcla de dificultad y delicadeza, como si al arrastrar los pies pensase que bailaba, el organillero llegó a la plaza tirando de su carretilla, dejando un rastro en la nieve incipiente. Lo acompañaba un perro negro que, con instinto rítmico, se mantenía siempre a la misma distancia respetando sus pausas, tambaleos, síncopas. El viejo iba abrigado, si no es mucho decir, con un capote pardo y una capa traslúcida. Se detuvo en un costado de la plaza. Acomodó sus cosas con extrema parsimonia, como ensayando la mímica de lo que haría más tarde. Al terminar de instalarse levantó el maltrecho paraguas que llevaba atado al mango de la carretilla. Lo abrió cuidadosamente y lo colocó sobre el organillo, para que la nevisca no le cayera a su instrumento. Este último gesto conmovió a Hans, que se quedó esperando a que el organillero empezase a tocar.

El viejo no tenía ninguna prisa o disfrutaba de la demora. Bajo sus barbas se insinuaba una sonrisa de complicidad con su perro, que lo miraba alzando las orejas triangulares. El tamaño del organillo era modesto: encaramado a la carretilla apenas superaba la cintura del viejo, por lo que él debería encorvarse incluso más para tocarlo. La carretilla estaba pintada de verde y naranja. La madera de las ruedas había sido roja. Recubiertas por un aro que a duras penas las mantenía compactas, esas ruedas no eran redondas sino de otra forma más accidentada, golpeadas como el tiempo que llevaban rodando. El frontal del instrumento había sido decorado con un paisaje de primor infantil, que figuraba un río con árboles.

Cuando el organillero empezó a tocar, algo rozó el límite de algo. Hans no añoraba nada: prefería pensar en el siguiente viaje. Pero al escuchar el organillo, su pasado metálico, le pareció que alguien, otro anterior a él, se estremecía en su interior. Siguiendo la melodía como se lee un papel al viento, a Hans le sucedió algo infrecuente: sintió cómo sentía, se contempló emocionándose. Su oído atendía porque el organillo sonaba, el organillo sonaba porque su oído atendía. Más que tocar, a Hans le pareció que el viejo hacía memoria. Con una mano de aire, los dedos ateridos, movía la manivela y la cola del perro, la plaza, la veleta, la luz, el mediodía giraban sin interrupción, porque cuando la melodía rozaba su final la mano relojera del organillero hacía no una pausa, ni siquiera un silencio, apenas una rasgadura en un manto, le daba la vuelta y la música volvía a comenzar, y todo seguía girando, y ya no hacía frío.

Regresando a sus pies, Hans se extrañó al notar que nadie parecía atender a la música del organillo. Los transeúntes pasaban sin mirarlo, acostumbrados a su presencia o demasiado apresurados. Por fin un niño se detuvo frente al organillero. El viejo lo saludó con una sonrisa a la que el niño respondió tímidamente. Dos zapatos enormes se posaron detrás de sus cordones desatados y una voz se agachó diciendo: No mires al señor, ¿no ves cómo va vestido?, no lo molestes, vamos, vamos. Delante del viejo relucía un plato en el que de vez en cuando alguien depositaba una monedita de cobre. Hans observó que quienes tenían esa deferencia tampoco se tomaban un minuto para seguir la melodía, lo hacían como dejando caer una limosna. Pero el organillero no perdía la concentración, la cadencia de la mano.

Al principio Hans se limitó a contemplar al viejo. Después, como despertando de un sueño, cayó en la cuenta de que él también formaba parte de la escena. Se acercó con sigilo y, procurando transmitirle su atención, se agachó para dejarle una recompensa que dobló la cantidad que había en el plato. Entonces el organillero, por primera vez desde que había llegado, alzó del todo la cabeza. Le dedicó una mirada franca, de reposada alegría, y siguió tocando sin inmutarse. Hans pensó que el viejo no había detenido la manivela porque sabía que él estaba gozando de la música. Con más sentido práctico, el perro del organillero sí pareció hallar conveniente algún tipo de protocolo: entrecerró los ojos como si hubiera salido el sol, abrió desmesuradamente la boca y desplegó su larga lengua rosada.

Cuando el organillero se tomó un descanso, Hans decidió dirigirse a él. Conversaron un rato ahí mismo, de pie, empapados por la nevisca. Hablaron del frío, del color de los árboles de Wandernburgo, de las diferencias entre la mazurca y la cracoviana. A Hans lo cautivaron los modales cuidadosos del organillero, y a este le agradó el timbre profundo de la voz de Hans. Consultando el reloj de la Torre del Viento, y calculando que le quedaba una hora antes de regresar a la posada para recoger su equipaje y esperar el coche, Hans invitó al organillero a beber algo en una de las tabernas de la plaza. El organillero aceptó el ofrecimiento con una inclinación y dijo: En ese caso tendré que presentarlos. Le preguntó su nombre a Hans y añadió: Franz, te presento al señor Hans, señor Hans, le presento a Franz, mi perro.

Hans tuvo la impresión de que el organillero lo seguía como si esa mañana hubiera estado esperándolo. A mitad de camino el viejo se detuvo a saludar a unos mendigos. Intercambió con ellos unas frases que denotaban familiaridad y al despedirse les entregó la mitad del contenido de su plato, reanudando la marcha sin mayores ceremonias. ¿Siempre hace eso?, le preguntó Hans señalando a los mendigos. ¿El qué?, dijo el organillero, ¿lo de las monedas?, no, no podría permitírmelo, hoy les he dado lo que usted me dio para que vea que no acepto su invitación por interés, sino porque me cae simpático.

Cuando llegaron a la puerta de la Taberna Central, el viejo le ordenó a Franz que esperase fuera. Entraron custodiando el instrumento, Hans delante, el organillero detrás. La Taberna Central estaba repleta. La suma de las estufas, el horno y el tabaco formaba un tejido caliente donde las voces, las respiraciones, los olores quedaban atrapados. Las volutas que despedían los fumadores adquirían forma de costilla, un animal de humo devoraba a los clientes. Hans torció el gesto. Con dificultad, procurando que el organillo no sufriera ningún daño, ganaron un pequeño lugar frente a la barra. El organillero mantenía una sonrisa distraída. Más incómodo, Hans parecía un príncipe espiando un carnaval. Pidieron cerveza de trigo, brindaron con los codos apretados, continuaron su charla. Hans le comentó al viejo que ayer no lo había visto. El organillero le explicó que en invierno iba a la plaza del Mercado todas las mañanas, pero por las tardes no, que refrescaba. Hans seguía teniendo la sensación de que faltaba el primer tema, de que ambos conversaban como si ya se hubieran dicho todo lo que no se habían contado. Pidieron otras dos cervezas y más tarde otras dos. Qué rica, dijo el viejo con la barba teñida de espuma. Vista a través de su jarra, la sonrisa de Hans se combó.

Ha venido un cochero preguntando por usted, anunció el señor Zeit, lo esperó unos minutos y se fue muy molesto. Después, pensativo, como si se tratase de una ardua conclusión, exclamó: ¡Hoy ya es martes! Por seguirle la corriente, Hans contestó: Martes, exacto. El señor Zeit pareció complacido y le preguntó si iba a quedarse más noches. Hans dudó, esta vez sinceramente, y dijo: No creo, tengo que ir a Dessau. Y como había vuelto de buen ánimo, añadió: Aunque nunca se sabe.

Hundida en el sofá de la sala, anaranjada frente al fuego, la señora Zeit zurcía calcetines de un tamaño desmesurado: Hans se preguntó si serían de su marido o suyos. Al verlo entrar, ella se puso en pie. Le comunicó que su cena estaba lista y le pidió que no hiciera ruido porque los niños acababan de acostarse. Casi en el acto Thomas la contradijo irrumpiendo a la carrera con un puñado de soldaditos de plomo. Al toparse con su madre se frenó y dejó en el aire, temblando, un pie pálido y pequeño. Y con la misma velocidad con la que había llegado, se perdió en dirección contraria. Se oyó un portazo dentro de la casa de los

Zeit. De inmediato una voz adolescente y aguda chilló el nombre de Thomas y algunas quejas más que no alcanzaron a entenderse. Demonio, murmuró entre dientes la posadera.

En el catre, con la boca medio abierta como si esperase una gota del techo, Hans se escuchó pensar: Por supuesto mañana, a más tardar pasado, junto mis cosas y me marcho. Mientras perdía la consciencia le pareció que unos pasos livianos se desplazaban por el pasillo y se detenían frente a su habitación. Incluso creyó percibir una respiración algo agitada al otro lado de la puerta. Tampoco podía estar seguro. A lo mejor se trataba de su propia respiración, cada vez más profunda, de su propia respiración, de su propia, de su, de.

Hans había ido a la plaza del Mercado a buscar al organillero. Lo había encontrado en el mismo rincón, en la misma postura. Al verlo llegar, el viejo le había hecho una señal al perro y Franz había salido a recibirlo haciendo oscilar el rabo como un metrónomo. Habían almorzado juntos sopa tibia, queso de oveja duro, pan con paté de hígado, varias cervezas. El organillero había terminado su jornada y ahora caminaban juntos por el Paseo del Río hacia la Puerta Alta, límite entre el núcleo urbano de Wandernburgo y el campo. Tras haber protestado cuando Hans había pagado el almuerzo, el viejo había insistido en invitarlo a merendar a su casa.

Marchaban a la par, esperándose mutuamente cada vez que el organillero se detenía para tomarse un respiro con la carretilla, Hans se entretenía curioseando en alguna calle o Franz hacía un alto para orinar aquí y allá. Y hablando de todo un poco, dijo Hans, ¿cuál es su nombre? Verás, empezó a tutearlo el viejo, es un nombre feo, y como nunca lo digo ya casi ni me acuerdo. Llámame organillero, sin más, es el mejor nombre que tengo. ¿Y tú cómo te llamas? (Hans, dijo Hans), eso ya lo sé, ¿pero cómo es tu nombre? (Hans, repitió Hans riéndose), bueno, qué más da, ¿no?, ¡eh, Franz!, haz el favor, ¿podrías no mear en cada piedra?, hoy tenemos un invitado en casa, compórtate, va a oscurecer y todavía no hemos llegado, muy bien, así me gusta.

Atravesaron la Puerta Alta. Pasaron a un camino de tierra más angosto y el campo se abrió ante ellos liso, blanqueado. Hans vio por primera vez la inmensidad de la pradera, que dibujaba una U al sur y al este de Wandernburgo. A lo lejos divisó los cercos de la zona de cultivos, los pastos yertos para el ganado, los trigales sembrados en su helada espera. Al final del camino distinguió un puente de madera, la cinta del río y detrás un pinar con colinas rocosas. Fue entonces cuando Hans, extrañado de que no hubiera casas a la vista, se preguntó adónde lo estarían llevando. Intuyendo los pensamientos de Hans, y a la vez incrementando su confusión, el organillero soltó la carretilla un momento, lo tomó de un brazo y dijo: Ya estamos llegando.

Hans calculó que desde la plaza del Mercado habrían recorrido más de media legua. Si hubiera podido escalar las colinas rocosas que veía tras el pinar, habría oteado la extensión del campo y la ciudad completa. Habría podido avistar el camino principal por el que había llegado la primera noche, que rozaba el extremo este de la ciudad y que en aquel momento transitaban unas cuantas diligencias hacia el norte, en dirección a Berlín, o en dirección a Leipzig, hacia el sur. En el extremo opuesto, al oeste del campo, removían el aire las aspas de los molinos alrededor de la fábrica textil, cuya chimenea de ladrillos envenenaba el cielo. Dentro de los terrenos cercados, los puntos diminutos de algunos campesinos se dispersaban ejecutando las primeras labores de alza, arañando la tierra lentamente. Y discurriendo entre todo, sigiloso testigo, serpenteaba el Nulte. El Nulte era un río anémico, sin caudal para ser navegado. Sus aguas parecían viejas, resignadas. Custodiado por dos hileras de álamos, el Nulte surcaba el valle como pidiendo ayuda. Visto desde lo alto de las colinas, era un rizo de agua doblado por el viento. Menos un río que el recuerdo de un río. El río de Wandernburgo.

Cruzaron el pequeño puente de madera que pasaba por encima del Nulte. El pinar y las colinas rocosas eran lo único que parecían tener por delante. Hans no se atrevía a preguntar nada, en parte por educación y en parte porque, fueran adonde fuesen, le había gustado conocer las afueras de la ciudad. Atravesaron el pinar casi en línea recta. El viento zumbaba entre las ramas, el organillero contestaba a los zumbidos silbando y Franz contestaba a los silbidos ladrando. Cuando estuvieron al pie de las primeras rocas, Hans se dijo que la única alternativa que les quedaba era traspasar las piedras.

Y, para su sorpresa, eso fue lo que hicieron.

El organillero se detuvo frente a una cueva y empezó a descargar su carretilla. Franz entró corriendo y salió con un trozo de arenque entre los colmillos. Lo primero que pensó Hans fue que aquello era un disparate. Lo segundo fue que, bien mirado, era una maravilla. Y que hacía mucho tiempo que nadie lo asombraba tanto como ese viejo, que ahora volvía a sonreírle. Adelante, dijo el organillero estirando un brazo en señal de bienvenida. Devolviéndole una teatral reverencia, Hans se alejó unos pasos para apreciar mejor el entorno de la cueva. Estudiada con atención, y olvidando que aquello no tenía el menor parecido con una casa, la cueva no podía estar mejor situada. Estaba rodeada de pinos, los suficientes para suavizar las corrientes de aire o las lluvias sin obstaculizar el acceso. Se encontraba a poca distancia de un recodo del Nulte, así que el agua estaba garantizada. A diferencia de otros sectores del pie de la colina, desprovistos de verde y embarrados, una hierba compacta agraciaba la entrada de la cueva. Como corroborando las conclusiones de Hans, el organillero dijo: De todas las grutas y cuevas de la colina, esta es la más acogedora. Al agacharse para pasar, Hans comprobó que el interior conservaba una temperatura más agradable de lo que había imaginado, si bien era muy húmeda. El viejo prendió una yesca, unos velones de sebo. El interior quedó alumbrado y el organillero fue presentándole cada rincón de la cueva como si se tratara de un palacio. Es una gran ventaja que la casa no tenga puertas, empezó a decir, así Franz y yo podemos disfrutar del panorama sin salir de nuestras camas. Como verás, las paredes no son muy lisas que digamos, pero estos salientes le dan variedad a la vivienda y crean un interesante juego de luces, ¡oh, qué luces! (el viejo alzó la voz girando con sorprendente destreza: la vela que sostenía dibujó un tenue círculo en las paredes, amagó con apagarse, permaneció encendida), y además, cómo decirlo, ofrecen una gran cantidad de rincones donde se puede tener intimidad o dormir protegido. Lo de la intimidad (susurró el organillero guiñando un ojo) te lo digo porque Franz es un poquito entrometido, siempre quiere saber qué estoy haciendo, a veces parece que el dueño de casa es él. ¡En fin, no he dicho nada, sigamos! Por aquí tenemos el fondo de la cueva, que como ves es sencillo, pero fíjate qué tranquilidad, qué silencio, sólo se escuchan las hojas. Ah, y sobre la acústica déjame decirte que los ecos son impresionantes, tocar el organillo aquí dentro te hace sentir como si te hubieras bebido una botella de vino de un solo trago.

Hans lo escuchaba fascinado. Aunque lo incomodaban la humedad, la penumbra, la suciedad de la cueva, pensó que sería una idea estupenda pasar ahí la tarde e incluso la noche. El viejo encendió una fogata con algo de retama, restos de forraje, papeles de periódico. Franz había bajado al río a beber agua y había vuelto helado, con el pelaje erizado y las manchas de las patas un poco más pálidas. Cuando vio la fogata, corrió junto a ella y casi se quema el rabo. Hans soltó una carcajada. El organillero le ofreció una damajuana de vino que guardaba en un rincón. Sólo entonces, con el resplandor del fuego que acababan de encender, Hans pudo ver la cueva en toda su altura y observar su peculiar mobiliario. A la entrada, una soga cruzaba la cueva de lado a lado con unas cuantas prendas tendidas. Debajo de la soga, el paraguas se hundía de punta en el suelo. Junto al paraguas se veían dos pares de zapatos, uno de ellos casi deshecho, con bolas de papel dentro. Ordenados por tamaños y pegados a la pared se alineaban vasijas de cerámica, platos, botellas vacías con corcho, jarritas de latón. En una esquina había un jergón de paja, encima un conglomerado de sábanas y trenzas de lana roñosa. Alrededor del jergón, como un tocador devastado, se dispersaban cuencos, tijeras, cajitas de madera, trozos de jabón. Un hatillo de periódicos se sostenía entre dos salientes. Al fondo se apilaban cajas de zapatos llenas de púas, tornillos y un buen número de piezas, utensilios, herramientas para el mantenimiento del organillo. En el centro, impecable, maravillosamente fuera de contexto, resplandecía una alfombra donde posarlo. No había un solo libro a la vista.

La temperatura de la cueva se había dividido. En un radio de medio metro alrededor de la fogata, el aire se había entibiado y acariciaba la piel. Un centímetro más allá, el recinto se enfriaba y endurecía los objetos. Franz parecía dormido o concentrado en calentarse. Hans se frotó las manos, sopló dentro de ellas. Se ajustó el birrete al cráneo, le dio un par de vueltas más a su pañuelo, se levantó las solapas de la levita. Se fijó en el capote raído y sin espesor del organillero, en la flacidez de las costuras, en la erosión de los botones. Oiga, dijo Hans, ¿no tiene frío con ese capote? Bueno, contestó el viejo, ya no es lo que era. Pero me trae buenos recuerdos, y eso también abriga, ¿no?

La fogata se encogía poco a poco.

Unos días después de conocer al organillero, Hans todavía planeaba marcharse de Wandernburgo de un momento a otro. Pero, sin saber muy bien por qué, seguía prorrogando su partida. Además de su manera de tocar, una de las cosas que más le llamaban la atención del organillero era la relación que mantenía con su perro. Franz era un hovawart de frente ancha, hocico atento, cola inquieta y poblada. Economizaba sus ladridos como si fueran monedas. El viejo se dejaba orientar por él cuando iban por el campo, le hablaba y le silbaba las melodías del organillo para que se durmiera. Franz parecía tener una insólita memoria auditiva: si una pieza quedaba interrumpida, el perro protestaba. De vez en cuando ambos intercambiaban miradas de inteligencia, como si percibiesen sonidos inaudibles.

Sin darle demasiados detalles, Hans le había explicado al viejo que en cierta forma era un viajero, que iba de un sitio a otro y paraba en lugares desconocidos para ver cómo eran. Y que solía quedarse hasta que se aburría, notaba el impulso de irse o encontraba algo mejor que hacer en otro sitio. Un par de días atrás le había propuesto que lo acompañara a Dessau. El organillero, que nunca hacía preguntas que Hans no pareciera dispuesto a contestar, le había sugerido quedarse una semana más haciéndole compañía antes de partir.

Hans solía despertarse tarde, al menos más tarde que esos escasos huéspedes que, a juzgar por los restos de comida, los pasos en las escaleras, el abrir y cerrar de puertas, se alojaban también en la posada. Desayunaba vigilado por la señora Zeit, cuya furiosa pericia con los cuchillos de cocina terminaba de despertarlo, o salía a comer algo en la Taberna Central. Leía un rato, se tomaba un café, o para ser exactos dos, y después iba a buscar al organillero. Lo escuchaba tocar, lo miraba girar la manivela dejando que su memoria diese vueltas. Al compás del rodillo pensaba en la multitud de lugares que había visitado, en los viajes que aún le quedaban por hacer, en gente de la que no siempre quería acordarse. Algunos días, cuando las agujas de la Torre del Viento marcaban la hora de irse, Hans acompañaba al organillero en su camino de regreso. Dejaban atrás el centro de la ciudad, recorrían el Paseo del Río, franqueaban la Puerta Alta, transitaban el angosto camino de tierra hasta el puente, pasaban por encima del murmullo del Nulte y, atravesando el pinar, llegaban a las colinas rocosas. Otros días Hans pasaba más tarde por la cueva, el organillero lo recibía con la damajuana abierta y la fogata encendida. Se entretenían bebiendo vino, hablando, escuchando el río. Tras las primeras noches, Hans le perdió el miedo al camino y se habituó a volver andando a la posada. Franz lo acompañaba un trecho, y lo dejaba solo cuando ya se divisaba el resplandor de la Puerta Alta. El señor Zeit se levantaba a abrirle con los mofletes rayados, gruñía, maldecía entre dientes, roncaba de pie. Él subía a acostarse preguntándose cuánto tiempo más soportaría aquel catre desvencijado.

Los Zeit se levantaban al alba, cuando Hans llevaba apenas unas horas durmiendo. El padre los reunía, leía un

breve pasaje de la Biblia y los cuatro desayunaban en su vivienda. Después se dispersaban, marchando cada uno a sus tareas.
El señor Zeit se apostaba detrás del mostrador de recepción,
extendía el periódico sobre el formidable atril de su vientre
y dejaba pasar las horas hasta poco antes del mediodía, cuando
salía a ocuparse de algunos pagos y facturas. En el camino de
vuelta paraba a beber unas cervezas y enterarse de las novedades
de los vecinos, lo que según él formaba parte de su trabajo.
Mientras tanto la señora Zeit afrontaba una larga serie de labores que incluía cocinar, ir a por leña, planchar, revisar las habitaciones, y que no concluía hasta después de la cena, con los
últimos zurcidos frente a la lumbre. Entonces desarrugaba la
frente, cambiaba el delantal por una prenda ligera de franela
que se empeñaba en llamar quimono, y se paseaba con ella por
el dormitorio contoneándose con una mezcla de tristeza y remota gracia.

Thomas se marchaba a la escuela acompañado por su
hermana Lisa. Además de brincar a todas horas y dejar los deberes a medias, el niño tenía una costumbre que enfurecía a su
hermana: adoraba aliviarse el vientre soltando pequeños gases.
Cada vez que lo hacía, Lisa abandonaba la habitación que compartían e iba a buscar a su madre para que lo reprendiera. Mientras
la señora Zeit gritaba encolerizada amenazando con castigarlo,
Thomas empezaba de nuevo. Así, entre pedito y risa, entre risa
y pedito, terminaba de vestirse. Regresaba para comer, volvía
a clase y, dos veces por semana, asistía a catequesis. Lisa no iba a
la escuela, aunque siempre había sido más aplicada que su hermano para aprender lo que le enseñaban. Después de acompañarlo Lisa volvía para ayudar en la posada, ir a comprar a la
plaza del Mercado o lavar ropa en el Nulte, la tarea más dura
del invierno, cuando había que buscar tramos líquidos en el
hielo. Lisa era alta para su edad y bastante delgada, aunque en
el último año había comenzado a dejar de serlo, de lo cual se
sentía orgullosa y vagamente asustada. Tenía una piel muy suave, de vello leve, salvo las manos: en contraste con la tersura del
cuello o los hombros, las manos de Lisa estaban arrasadas. Los
nudillos enrojecidos, los dedos despellejados, el nacimiento de

las muñecas quemado por el agua gélida. Hans lo advirtió una mañana en que quiso darse un baño caliente. Lisa acudió a llenar la bañera subiendo y bajando cazos de agua hervida. De pronto él se quedó mirando sus manos, ella las retiró avergonzada y las escondió detrás de la espalda. Hans, apenado, trató de darle conversación para distraerla. Lisa pareció aceptar la estratagema y le dirigió, por primera vez desde su llegada, más de dos frases seguidas. A Hans le sorprendió la desenvoltura y sagacidad de aquella chica que al principio había creído tímida. Cuando la bañera estuvo colmada hasta el borde, él se volvió para abrir su maleta y tuvo la sensación de que Lisa se demoraba en salir de su habitación. En cuanto la puerta se cerró, se sintió ridículo por haberse planteado esa posibilidad.

Preocupado por la frugalidad del organillero, que no probaba otra cosa que patatas cocidas, arenques asperjados, sardinas o huevos duros, Hans adquirió la costumbre de llevar a la cueva un poco de carne, un buen queso de oveja o las salchichas que preparaba la señora Zeit. El organillero aceptaba estos manjares y se los cedía a Franz en cuanto Hans se marchaba. Él descubrió la treta y el viejo le explicó que, aunque agradecía su generosidad, hacía muchos años que se había prometido vivir con lo que el organillo proveyera, que para eso él era organillero. Finalmente Hans consiguió convencerlo argumentando que se trataba de cenar juntos. Una noche, mientras compartían frente a la fogata una porción de ternera mechada y un cuenco de arroz con verduras, Hans le preguntó si no se sentía solo en la cueva. Cómo voy a sentirme solo, contestó el organillero masticando, si Franz siempre me vigila, ¿verdad, pillo? (Franz se acercó a lamerle la mano y aprovechó para llevarse media pieza de ternera), además mis amigos vienen a visitarme (¿quiénes?, preguntó Hans), ya los conocerás, ya los conocerás (el organillero se llenó el vaso), seguro que mañana o pasado aparecen por aquí.

En efecto, un par de días más tarde, Hans se encontró con dos invitados al llegar a la cueva: Reichardt y Lamberg. Aunque nadie sabía su edad, era evidente que como mínimo Reichardt le doblaba la edad a Lamberg. Reichardt sobrevivía trabajando de jornalero eventual, ofreciéndose para escardar, arar, segar o desempeñar por unos días las labores de la estación. Vivía a unos veinte minutos de la cueva, hacinado con otros jornaleros, en tierras de la Iglesia. Reichardt era de esos viejos que, por conservar su físico relativamente joven, parecen aun mayores: un cuerpo fibroso donde los residuos de la juventud delataban con más claridad las pérdidas del tiempo. Sufría de rigidez en las articulaciones, tenía grietas en la piel lampiña y una textura como irritada por el castigo del sol. No conservaba más de media dentadura. A Reichardt le gustaba decir palabrotas, disfrutaba de ellas más que del propio tema de conversación. Aquella noche, cuando vio llegar a Hans, lo saludó diciéndole: Mierda, tú eres el tipo que no se sabe de dónde ha salido. Encantado de conocerlo, dijo Hans. ¿No me digas?, contestó Reichardt soltando una carcajada, ¡mierda, organillero, es todavía más delicadito de lo que me habías contado!

A su lado, como de costumbre, Lamberg escuchaba y callaba. A diferencia de Reichardt, que pasaba a menudo por la cueva, Lamberg iba sobre todo los sábados por la noche o los domingos, que era su día de descanso. Trabajaba desde los doce años en la fábrica textil de Wandernburgo. Habitaba en la zona de viviendas que circundaba la fábrica, compartiendo un cuarto cuyo alquiler se le descontaba del sueldo. Iba siempre con los músculos contraídos, como si soportara un perpetuo calambre. A causa de las emanaciones de la fábrica, llegaba a todas partes con los ojos inyectados. Todo lo que miraba fijamente parecía teñirse, arder. Lamberg era de pocas palabras. Jamás levantaba la voz. Rara vez contradecía a su interlocutor. Se limitaba a clavarle de frente, como dos émbolos, su mirada rojiza.

Franz no parecía tener la misma confianza con ambos: mostraba una juguetona familiaridad con Reichardt, al que lamía sin cesar y reclamaba caricias en la barriga, mientras de cuando en cuando olfateaba recelosamente las piernas de Lamberg, como si no terminara de acostumbrarse a su olor. Sentado frente a ellos mientras el vino giraba, Hans observó la manera tan distinta que tenían de emborracharse. Reichardt era un bebedor veterano: hacía numerosos ademanes con el vaso, pero se lo llevaba pocas veces a los labios. Guardaba cierta vigilancia dentro de la embriaguez, parecido al jugador que espera la ebriedad definitiva de sus contrincantes. En la sed de Lamberg había en cambio un atolondramiento juvenil. Aunque, pensó Hans, quizá Lamberg buscaba una inconsciencia fulminante, y por eso bebía como si se tragara no sólo el alcohol sino también las palabras que nunca decía.

Al principio de la noche, Hans hubiera deseado estar a solas con el organillero para poder conversar sosegadamente como solían. Con el paso de las horas, sin embargo, Hans notó que Reichardt empezaba a insultarlo con cariño y que Lamberg ablandaba la mano al palmearle la espalda. De mantenerse en un altivo segundo plano, Hans pasó a una cómica incontinencia. Les narró anécdotas de sus viajes, algunas inverosímiles y verdaderas, otras creíbles y falsas. Después habló de la posada, de cómo cortaba pescado la señora Zeit, cómo Thomas soltaba peditos y Lisa chillaba su nombre. Mientras Hans se balanceaba intentando parecerse al señor Zeit, por primera vez Lamberg soltó una carcajada larga, se quedó desconcertado y la sorbió como un fideo.

Entre el humo de los fumadores y el calor de las estufas, un edil del ayuntamiento se le había acercado a darle los buenos días. Cosa que a Hans le extrañó por partida doble, ya que jamás había visto a ese hombre y además estaba atardeciendo. El edil se había acodado en la barra sonriéndole con una amabilidad manchada de algo. Hans había inclinado la cabeza mientras le daba sorbos a su cerveza de trigo. Pero el edil seguía ahí, y no había venido a saludarlo.

Después de dedicarle algunas frases de protocolo, trufadas de *gnädiger Herr, apreciado visitante, estimado señor mío,* el edil lo miró de otra manera, como enfocando una lente, y Hans supo que entonces le diría lo que había venido a decirle. Estamos encantados de tenerlo entre nosotros, dijo el edil, Wandernburgo es una ciudad que se complace con el turismo, porque usted ha venido a hacer turismo, ¿verdad? (sí, más o menos, contestó Hans), y eso a nosotros, ya le digo, nos complace mucho, ya verá lo hospitalarios que son los wandernburgueses (eso ya lo he notado, acotó Hans), me alegro, me alegro, sepa, en fin, que es usted muy bienvenido. Si me permite la curiosidad, ¿es usted de por aquí, de por la zona?, ¿y piensa quedarse mucho tiempo en nuestra tierra? (estoy de visita, resumió Hans, y vengo de otra parte), ajá, comprendo. (El edil pidió cerveza para ambos chasqueando dos dedos. El camarero llegó corriendo a servirla.) Bueno, bueno, señor mío, da gusto conversar con un hombre de mundo como usted, nos gusta que nos visite gente de mundo. Pensará que peco de indiscreto, en ese caso le ruego que me disculpe, lo mío es simple apego al conocimiento, ya sabe, ¡la curiosidad, amigo!, ¡qué valor fundamental!, así que le decía, y disculpe, que al entrar me fijé en su vestimenta (¿en mi vestimenta?, fingió asombrarse Hans), eso mismo, en su vestimenta, y observándolo me he dicho: este caballero que nos visita es un hombre refinado, qué duda cabe, y eso, ya le digo, nos complace. Ahora bien, también me he dicho: ¿no resulta, en el fondo, algo atrevida? (¿algo atrevida?, dijo Hans dándose cuenta de que la mejor manera de contestar al interrogatorio era repitiendo las preguntas con gesto interesado), ¡atrevida, eso mismo, veo que nos entendemos!, por eso pensé, y se dará cuenta de que se lo digo con mi mejor intención, sugerirle que en la medida de lo posible, y por supuesto dentro de su entera libertad, evite usted excitar la susceptibilidad de las autoridades (el edil volvió a sonreír señalándole su traje clásico alemán, que el régimen restaurado veía con malos ojos), me refiero, claro (se apresuró a añadir, para evitar que Hans repitiera su última frase), al uso de determinadas prendas, especialmente el birrete (¿mi birrete?, dijo Hans. El edil arrugó el ceño). En efecto, el birrete. Dentro de su entera libertad, insisto (comprendo, dijo Hans, es usted muy amable, mi libertad y yo le quedamos muy agradecidos por la sugerencia), bien, muy bien.

Antes de despedirse, para compensar el efecto hostil de sus observaciones o para seguir estudiándolo, el edil lo invitó a una recepción que el ayuntamiento organizaba esa misma noche con motivo del aniversario de cierto prócer local. Irán las mejores familias de Wandernburgo, dijo el edil, ya sabe, gente culta, periodistas, empresarios. Y visitantes ilustres, añadió como adornado por una súbita luz radiante. Hans pensó que lo menos sospechoso, y lo más divertido, sería asistir. Aceptó, imitando los modales rimbombantes del edil. Cuando se quedó solo salió a la plaza del Mercado, oteó el reloj de la Torre del Viento. Calculó que le quedaba el tiempo justo para volver a la posada, darse un baño y cambiarse de ropa.

Para su decepción, Hans no notó nada extraño durante la velada. Más allá del aburrimiento, todo transcurría con lamentable placidez. Por dentro el ayuntamiento era como todos: una combinación de solemnidad y yeso. El edil se había acercado a saludarlo, se había mostrado histriónicamente afectuoso y le había presentado al alcalde Ratztrinker. Excelencia, había pronunciado, tengo el placer de presentarle... El alcalde Ratztrinker, que tenía la nariz picuda y un bigotito brillante, le había dado la mano sin mirarlo y se había desplazado para saludar a otra persona. Contemplado desde las arañas, el salón de recepciones parecía una pista de baile donde se alternaban las curvas de los redingotes, las esclavinas puntiagudas de los carrics, las irrupciones coloridas de los corbatines, el destello parcial de las lámparas en el lustre de los zapatos. Hans había cambiado su levita cerrada hasta el cuello, sus pantalones ceñidos, su pañuelo anudado y su birrete por un frac y un chaleco que, pese a detestarlos, le quedaban bien.

Hablando con unos y otros, conversando con ninguno, Hans había terminado arrinconado en una esquina esperando un momento elegante para marcharse. Entonces había coincidido por casualidad con un señor de vivísimos bigotes y pipa de ámbar que volvía de los aseos. Cuando dos desconocidos critican el tedio de una reunión, significa que se divierten juntos: algo así sucedió con Hans y el señor Gottlieb, quien decía estar fatigadísimo pero no dejaba de mojar el bigote, ave peluda al borde de una fuente. A falta de interlocutores más interesantes, Hans aceptó de buen grado la compañía y se mostró más o menos ingenioso. El señor Gottlieb era el patriarca viudo de una familia pudiente y, según le contó, se había dedicado a la importación de té y al comercio textil, negocios de los que ahora, a su edad, se encontraba retirado. Había dicho *a mi edad* con un temblor de bigote, lo que había despertado la simpatía de Hans. Al señor Gottlieb pareció entretenerlo el tono informal de la charla. Al cabo de tres vinos y tres bromas, decidió que Hans era un muchacho raro pero bastante agradable, y en un arranque de entusiasmo lo invitó a tomar el té en su casa al día siguiente. Él prometió ir y ambos se despidieron rozando sus copas. La luz de las arañas flotó, se ahogó en el vino.

Cuando Hans se volvió, pisó el pie del edil. ¿Todo bien, caballero?, sonrió el edil frotándose el zapato contra su pantalón como una garza.

La casa Gottlieb estaba a pocos metros de la plaza del Mercado, en una esquina de la calle del Ciervo. La entrada se dividía en dos contundentes portones. El de la izquierda, el más amplio, tenía un aldabón de bronce en forma de león rugiente y conducía a una galería abovedada donde estaban las cocheras. El portón de la derecha tenía un aldabón en forma de golondrina y servía para acceder a pie a las escaleras y al patio. Hans llamó al aldabón de la golondrina. Al principio pareció que nadie bajaría a abrirle. Mientras Hans agarraba las alas del aldabón para volver a golpear, se oyeron unos pasos apresurados escalera abajo. Los pasos se acercaron y se moderaron antes de detenerse al otro lado del portón. Hans clavó los ojos en el labio de Bertold.

Bertold, el criado personal del señor Gottlieb, tenía una leve cicatriz que le partía en dos el labio superior, haciéndolo parecer siempre a punto de decir algo. La cicatriz se movió y Bertold le dio las buenas tardes. Antes teníamos un cancerbero, se disculpó el criado estirándose las mangas, pero... Subieron las escaleras de piedra, cubiertas por una alfombra de color burdeos sujeta con varillas de latón. La barandilla, rematada en un pasamanos de roble, se retorcía haciendo geometrías. Se detuvieron al llegar a la planta principal, la primera, ocupada por la vivienda de los Gottlieb. Si hubieran continuado subiendo Hans habría podido ver cómo la escalera se transformaba, cómo iba estrechándose y perdía la alfombra, cómo los peldaños se volvían de madera crujiente, cómo los falsos mármoles de las paredes eran reemplazados por una mano de cal. En la segunda planta estaban los cuartos del servicio. En la buhardilla de la tercera planta dormía la cocinera con su hija.

Atravesaron un vestíbulo helado y un pasillo largo donde el aire soplaba como en un puente. Los techos eran tan altos que apenas se distinguían. Al final del pasillo, los caudalosos bigotes del señor Gottlieb se entreabrieron. Adelante, adelante, dijo humeando por la pipa, está bien, Bertold, gracias, sea usted bienvenido, por aquí, por aquí, sentémonos en la sala.

Cuando llegaron a la gran sala de estar, Hans fue leyendo en ella la historia y sus confusas mudanzas: los objetos de estilo imperial, la proliferación algo provinciana de motivos clásicos, el esmero de capiteles y columnas, los pretenciosos paralelismos, las insistencias cúbicas. Casi todos los muebles, que Hans supuso de caoba, tenían paneles chapeados, aplicaciones cinceladas con primor excesivo, como sucede en los países que quisieron imitar a Francia. Dispersos sobre esta base se veían añadidos decorativos, en general Luis XVIII, que pretendían disimular que el tiempo había pasado sin lograrlo: en los muebles más recientes se percibía una sobriedad de otra naturaleza, una metamorfosis, como si los objetos fueran insectos mutando con inconcebible lentitud hacia las líneas curvas y las maderas claras (olmo, diagnosticó Hans, o a lo mejor fresno, cerezo), como si las batallas, los tratados, la nueva sangre derramada y los nuevos armisticios hubiesen arrinconado el antiguo poder de la caoba, asediándola con incrustaciones de amaranto y ébano, venciéndola con rosetas, liras, coronas de menor peso, desmemoriadas. Mientras el señor Gottlieb le señalaba un asiento frente a una mesita baja, Hans advirtió por los aislados detalles Biedermeier que su dueño no atravesaba un momento de bonanza. Apenas se apreciaba el aleteo hogareño, abochornadamente germánico de algún aparador o alguna mesita ovalada, su ausencia de ángulos triunfales, apenas nogal joven o abedul. Esta casa, concluyó Hans sentándose, ha buscado la paz sin conseguirla.

Mientras esperaban el té charlaron de negocios (el señor Gottlieb habló, Hans escuchó), de viajes (Hans habló, el señor Gottlieb escuchó), de cuestiones tan amables como anecdóticas. El señor Gottlieb era un anfitrión veterano: tenía la virtud de dejar que sus invitados se sintieran relajados sin descuidarlos un segundo. Notando que Hans miraba de reojo hacia los ventanales, se puso en pie y lo invitó a asomarse. Los amplios ventanales tenían un balcón del mismo ancho de la fachada que se interrumpía en la esquina de la calle del Ciervo. Asomándose hacia la izquierda podía verse media plaza del Mercado, la silueta centinela de la Torre del Viento. A la inversa, a través de un ventanuco de la torre, el balcón de la casa Gottlieb apenas era una línea suspendida y la figura de Hans, un punto incierto en la fachada. De pronto Hans oyó a sus espaldas el tintineo de las tazas, las instrucciones del señor Gottlieb y, finalmente, su voz más elevada llamando a Sophie.

La falda de Sophie Gottlieb susurraba por el pasillo. El sonido cosquilloso de esa falda le provocó a Hans cierta ansiedad. Al cabo de unos segundos, la silueta de Sophie pasó de las sombras del pasillo a la luz de la sala. Hija, anunció el señor Gottlieb, te presento al señor Hans, que está de visita en la ciudad. Estimado Herr Hans, le presento a Sophie, mi hija. Sophie lo saludó arqueando una ceja. A Hans lo asaltó una intensa necesidad de alabarla o de salir corriendo. Sin saber qué decir, observó con torpeza: No imaginé que fuera usted tan joven, señorita Gottlieb. Estimado señor, contestó ella con indiferencia, estaremos de acuerdo en que esa es una virtud más bien involuntaria. Hans se sintió profundamente estúpido y volvió a tomar asiento.

Hans había perdido el tono, extraviado la sintaxis. Intentó reponerse. La respuesta entre cortés e irónica de Sophie a otro comentario suyo, uno de esos comentarios inoportunos que los hombres formulan para ganarse demasiado rápido la simpatía de su interlocutora, lo obligó a afinar su estrategia. Por fortuna Elsa, la doncella de Sophie, se acercó a servir el té. Hans, el señor Gottlieb y su hija inauguraron la ronda de generalidades de rigor. Sophie no intervenía demasiado en la conversación pero, de algún modo, Hans tenía la sensación de que ella marcaba su ritmo. Además de la perspicacia de sus acotaciones, a Hans lo impresionó la manera de hablar de Sophie, como eligiendo cada palabra, entonando bien las frases, casi a punto de cantarlas. Al escucharla, él se balanceaba del tono al sentido y del sentido al tono, procurando no perder el equilibrio. En varias ocasiones trató de formular alguna observación que la desconcertara, pero no pareció hacer mella en la serena distancia de Sophie Gottlieb, que pese a todo se fijó en el cabello largo de Hans, en cómo se despejaba la frente mientras hablaba.

Tomando el té, Hans tuvo otro sobresalto: las manos de Sophie. No el aspecto de sus manos, que eran insólitamente alargadas, sino su modo de tocar los objetos, de palpar cada forma, de interrogarla con las yemas. Al rozar cualquier cosa, la taza, el costado de la mesa, algún pliegue del vestido, las manos de Sophie parecían medir su relevancia, leer cada objeto que tomaban. Siguiendo el veloz sigilo de esas manos, Hans creyó entender mejor la actitud de Sophie y supuso que esa aparente lejanía era en realidad una intensa desconfianza que todo lo examinaba. Hans experimentó cierto alivio ante esta conjetura y pasó a una disimulada ofensiva. Como el señor Gottlieb continuaba interesado en sus palabras, Hans comprendió que la manera más eficaz de hablarle a Sophie sería hacerlo a través de las respuestas que le dirigía a su padre. Entonces dejó de intentar impresionarla, se encargó de hacerle ver que ya no la observaba, y se concentró en mostrarse todo lo espontáneo y ocurrente que pudo con su padre, que hacía oscilar el bigote en señal de aprobación. Este cambio de enfoque pareció dar algún resultado, porque Sophie le hizo una señal a Elsa para que descorriera por completo las cortinas. La luz cambió de acorde, y Hans tuvo la sensación de que el último resplandor de la tarde le daba una oportunidad. Sophie acarició pensativa su taza de té. Desenlazó el dedo índice del asa. La apoyó delicadamente sobre el plato. Y tomó un abanico que había sobre la mesa. Mientras hacía reír al señor Gottlieb, Hans oyó que el abanico de Sophie se desplegaba como una baraja que empezaba a mezclar la suerte.

El abanico se extendía, hacía péndulos. Se contraía, se refregaba. Ondulaba un momento, se detenía de pronto. Daba pequeños giros que dejaban ver la boca de Sophie, la ocultaban de inmediato. Hans no tardó en percatarse de que, aunque ahora Sophie guardase silencio, su abanico reaccionaba ante cada una de sus frases. Procurando mantener la coherencia en el diálogo con el señor Gottlieb, el nivel más profundo de su atención se aplicó a traducir de reojo los gestos del abanico. Mientras se prolongaron las vaguedades y los rodeos característicos de una primera visita, Sophie no abandonó su aleteo displicente. Superados los preámbulos, el señor Gottlieb quiso llevar la conversación a un terreno que Sophie calificó para sus adentros de banalmente viril: ese intercambio no muy sutil de méritos y supuestas hazañas con que dos hombres desconocidos empiezan a intimar. Sophie esperaba que Hans, si era tan ingenioso como él parecía considerarse, lograse desviar cuanto antes aquella previsible charla. Pero su padre estaba lanzado, y ella veía cómo aquel joven invitado no hallaba el modo de rectificar la trayectoria sin resultar descortés. Sophie se cambió de mano el abanico. Alarmado, Hans redobló sus esfuerzos pero sólo consiguió que el señor Gottlieb se entusiasmara más creyendo que el asunto que trataban era de gran interés para ambos. Sophie inició un lento repliegue del abanico, pareció abandonar la escucha, extravió la mirada en los ventanales. Hans comprendió que el tiempo se le agotaba y, en una maniobra desesperada, tendió un súbito puente entre el tema en el que tanto insistía el señor Gottlieb y otra cuestión que nada tenía que ver con él. El señor Gottlieb se mostró desconcertado, como si le hubieran retirado el suelo en el que patinaba. Hans se lanzó sobre sus dudas y cubrió de argumentos aquella inesperada asociación hasta tranquilizarlo, yendo y viniendo del asunto anterior al nuevo como una pelota que va perdiendo altura, alejándose progresivamente del primer asunto hasta quedar instalado en el segundo tema, mucho más afín a los probables intereses de Sophie. La tela detuvo su repliegue, el abanico quedó a medio cerrar, el cuello de Sophie se ladeó hacia la mesa. Los diálogos siguientes fueron acompañados por unas plácidas ondulaciones del abanico, que en su fricción regular daban la grata sensación de estar yendo en la dirección correcta. En un arranque de euforia Hans interpeló a Sophie con oportuna gracia, incitándola a abandonar su posición de espectadora para sumarse al animado debate que mantenía con su padre. Sophie no quiso concederle tanto terreno, pero el borde del abanico bajó varios centímetros. Envalentonado por estas victorias parciales, Hans se aventuró demasiado y soltó una impertinencia: el cierre brusco del abanico dibujó en el aire una rotunda negativa. Hans retrocedió, matizando su comentario con ejemplar cinismo hasta hacerlo significar prácticamente lo contrario, sin que su fisonomía registrase la menor alteración. Sophie apoyó las varillas sobre los labios, con cierto recelo y evidente interés. Esta vez Hans esperó, escuchó al señor Gottlieb con paciencia y eligió el momento indicado para hilvanar dos o tres aciertos que obligaron a Sophie a alzar el abanico con precipitación para ocultar un rubor de complicidad. Entonces el aleteo aceleró su frecuencia, y Hans supo que ese abanico estaba de su parte. Disfrutando de cierta deliciosa temeridad, se permitió adentrarse por una vertiente incómoda que podría haber desembocado en la vulgaridad (el abanicado se interrumpió, y la respiración de Sophie, y hasta su parpadeo) de no ser porque Hans hizo enseguida una pirueta coloquial y aligeró con ironía lo que había parecido arrogante. Cuando Sophie se llevó una larga, concesiva mano a la mejilla para ordenarse un bucle que ya estaba en perfecto orden, Hans suspiró hacia dentro y sintió una dulzura en los músculos.

Finalizada la travesía del abanico, que acaso durase unos minutos pero que a Hans se le hizo larguísima, Sophie se sumó al diálogo con aparente normalidad volviendo a sus concisas, agudas incursiones. El señor Gottlieb quiso integrarla y los tres acabaron riendo de buena gana. Después del segundo té, antes de levantarse de la mesita baja, Sophie miró un instante a Hans acariciando las varillas con la punta del dedo índice.

Sólo al iniciarse las despedidas formales, los movimientos de Sophie se disiparon ante la vista de Hans como absorbidos por un remolino y el sonido de la casa pareció regresar a sus oídos. Hans se estremeció, temiendo haber estado demasiado ausente o haber parecido poco atento a las palabras del señor Gottlieb. Pero su anfitrión se mostraba encantado, lo acompañó hasta la puerta sin llamar a Bertold y no hacía más que repetirle que su visita había sido un placer: Herr Hans, un verdadero placer, una tarde agradabilísima, ¿de veras?, me alegra que le gustara tanto el té, nos lo traen directamente de la India, ahí está el secreto, ha sido un gusto, amigo, créame, no deje de pasar a despedirse si se marcha pronto, por supuesto, buenas tardes, muchas gracias, es usted muy amable, lo mismo digo.

Al entrar en contacto con el aire de la calle, Hans echó a andar sin saber adónde dirigirse, sintiéndose muy mal, muy bien.

En la sala de estar de la casa, Elsa había empezado a encender las bujías, Bertold se ocupaba de la chimenea. Fumándose la pipa y el bigote, el señor Gottlieb miraba por los ventanales pensativo. Un muchacho simpático, opinó. Bah, murmuró Sophie apretando fuerte el abanico.

¡Eh, Franz, mira quién ha venido!, exclamó el organillero cuando vio asomar la cabeza soñolienta de Hans. Franz corrió a su encuentro y se colgó de su chaqueta. Te hemos echado un poco de menos, admitió el organillero. Inclinado sobre su instrumento, que tenía la tapa abierta, el viejo revisaba el interior con una llave. Encima de un periódico desplegado había dos rodillos con púas, cuerdas ovilladas, una caja de zapatos con herramientas. Hans se acercó al organillo. Vio las púas desparramadas como insectos por el rodillo, pero milimétricamente dispuestas si uno se detenía a observarlas. Vio los martillos descansando, los tornillos alineados de tres en tres, sujetando las cuerdas.

Estas púas de aquí, empezó a explicarle el organillero, giran al compás de la manivela y van pulsando los martillos.

Los martillos, que son treinta y cuatro, percuten sobre las cuerdas. Las notas graves van a la izquierda del rodillo, las agudas a la derecha. A cada púa le corresponde una nota, y a cada conjunto de clavos una canción. Para llevar cada canción al rodillo hay que marcar las notas sobre estos pergaminos, ¿ves?, los pergaminos envuelven el cilindro, después se clavan las púas sobre las marcas. Pero ahí está el secreto, porque el grosor y la altura de las púas son ligeramente diferentes para alargar o abreviar los sonidos, destacarlos o suavizarlos. Cada púa es un misterio. No exactamente una nota, digamos la posibilidad de una nota. Las cuerdas se desgastan, claro, y de vez en cuando hay que cambiar alguna. Eso sí es un problema, porque son caras. Yo se las compro usadas al señor Ricordi, el de la tienda de música. Toco en la puerta de su tienda y le doy lo que hay en el plato. Hace falta tensar las cuerdas con esto de aquí, ¿ves?, ayer estaba tocando una pavana y, ay, qué si bemoles, un espanto.

¿Cuántas canciones tienen los rodillos?, preguntó Hans. Depende, contestó el organillero, estos no son muy grandes, ocho piezas cada uno. Yo alterno los rodillos por temporadas o según para quién toque, en verano no puedes poner melodías lentas porque nadie las escucha, todo el mundo prefiere danzas vivas. En cambio ahora, en invierno, la gente va con el ánimo más reflexivo y acepta las piezas clásicas, sobre todo si llueve. No sé por qué la gente quiere música lenta cuando llueve, pero es así, y dan monedas (y lo que le dan, quiso saber Hans, ¿le alcanza para vivir?), bueno, vamos tirando, no me doy grandes lujos, Franz tampoco es exigente. A veces me llaman para tocar en un baile cuando no tienen dinero para una orquesta. Los sábados son buenos días, se celebran muchas fiestas (¿y los domingos?, dijo Hans), los domingos depende, si la gente sale arrepentida de la iglesia, sí. Gastan más cuando se sienten culpables. De todas formas no me preocupa mucho, me gusta tocar, me gusta estar en la plaza, sobre todo en primavera. Ojalá puedas ver la primavera en Wandernburgo.

Cuando el organillero terminó de afinar las cuerdas y cerró la tapa, Hans no pudo reprimir la tentación de acariciar la manivela. ¿Puedo?, sugirió. Claro, sonrió el viejo, pero cuidado:

hay que mover la manivela, no sé, como si alguien te estuviera moviendo a ti, no, no tan fuerte, el brazo relajado, eso, ahora antes de empezar elijamos la pieza, ¿no?, ¿ves esta otra manivela más pequeña?, para cambiar de canción hay que empujarla un poco o tirar de ella, ¡ay!, deja, lo hago yo, ¿qué prefieres, una polonesa, un minué?, mejor un minué, es más fácil llevar el ritmo, adelante, ¡no, Hans, hacia ese lado no, que la desmontas!, hay que girarla en el sentido de las agujas del reloj, tranquilo, ¿a ver?

Hans se sorprendió de lo sencillo y a la vez incómodo que era tocar el organillo. A veces la manivela se le aceleraba, otra veces giraba tarde. No conseguía dar dos vueltas a la misma velocidad y la música le salía deformada, hecha una goma, una burla tartamuda. El organillero exclamó riendo: ¿Te gusta, Franz, qué opinas? El perro hizo una excepción y soltó varios ladridos: Hans pensó que era mala señal. Al terminar, sin querer, hizo girar la manivela en sentido contrario antes de que el rodillo se hubiera detenido. Se oyó un crujido. El organillero se puso serio, le apartó la mano, abrió la tapa sin decir una palabra. Revisó los extremos del eje, desmontó la manivela, volvió a ajustarla. Mejor que no volvamos a probar, resopló. Lo entiendo, dijo Hans, disculpe mi torpeza. No es nada, se serenó el organillero, últimamente está un poco débil, creo que los cambios de temperatura le han afectado. Ya no los hacen así, por aquí se fabrican organillos de viento, de tubos, por eso este es único, un modelo italiano de excelente calidad. ¿Italiano?, preguntó Hans, ¿cómo lo consiguió? Ah, dijo el organillero, esa es una vieja historia. Hans no dijo una palabra: se limitó a sentarse al borde de una roca, apoyando los codos sobre las rodillas y el mentón entre las manos. Franz fue a sentarse a sus pies.

Qué raro, dijo el viejo, ahora me doy cuenta de que no se la había contado a nadie. Este organillo lo construyó un amigo napolitano que tuve hace mucho tiempo, Michele Bacigalupo, que en paz descanse. Michele estaba muy orgulloso de este instrumento, cuando lo contrataban en alguna fiesta siempre se lo llevaba porque decía que sonaba más alegre que los otros que tenía. Se ganó la vida con él hasta que una tarde, mientras Michele hacía sonar una tarantela en una fiesta, apuñalaron a un joven por negarse a que su novia bailara con otro. De repente se formó un remolino de hombres que en vez de atender al herido empezaron a pegarse. Viendo que su novio se desangraba, la pobre chica dio un grito y se tiró por la azotea. Al ver caer a la chica, el joven que había apuñalado a su novio se tiró tras ella. Parece ser que la pelea continuó un buen rato, porque al principio nadie reparó en ellos. ¿Y sabes qué hizo Michele? ¡Seguir tocando! Muerto de miedo, el pobre terminaba la tarantela y volvía a empezarla una y otra vez. Desde aquel día en el pueblo se creó una superstición con este organillo, porque las familias de las víctimas dijeron que estaba maldito. Nadie quiso volver a bailar con él y Michele no pudo volver a tocarlo en público. Años después conocí a Michele y entré a trabajar en su taller. Él me enseñó a tocar este organillo, a apreciar su sonido y repararlo, hasta que un día me lo regaló. Dijo que no podía soportar que nadie lo escuchara, y que sabía que en mis manos estaría a salvo. Yo lo pinté, lo barnicé y le prometí a Michele que nunca jamás tocaría una tarantela (¿y lo ha cumplido durante todos estos años?, intervino Hans), querido, ¿cómo me lo preguntas?, con la tarantela no se juega.

Así fue, dijo el organillero acariciando la madera, como acabó en mis manos esta criatura. ¿Y sabes qué?, aquel fue mi último viaje, yo era muy joven y nunca más he vuelto a salir de Wandernburgo (y esos paisajes del frente, dijo Hans, ¿los pintó usted?), ¿estos?, ah, sí, no son gran cosa, es lo que se ve desde la cueva en primavera, los pinté para que fuera acostumbrándose al aire de nuestro río, que es pequeño y de buen sonido igual que él (algún mérito tendrá también la mano, ¿no?, sonrió Hans, ya ha visto el estropicio que hice yo), bueno, no es que sea difícil, lo importante es el tacto, esa es la cuestión, el tacto (Hans, que empezaba a plantearse la posibilidad de llevarse una libreta a la cueva, insistió: A ver, explíqueme eso), querido, ¡tú pareces detective! (parecido, dijo Hans, viajero), en fin, mi idea es esta: todas las canciones cuentan una historia, casi siempre triste. Cuando giro la manivela me imagino que soy el personaje de la historia que cuenta la canción y trato de sentir lo mismo que su melodía. Aunque a la vez es como si fingiera, ¿entiendes?, no, no como si fingiera, digamos que mientras me emociono tengo que pensar en el final de la melodía, porque uno ya sabe cómo termina, claro, pero los que la escuchan quizá no o no se acuerden. Eso sería el tacto. Cuando funciona pasa desapercibido, pero si falla todo el mundo lo nota (o sea, dijo Hans, que para usted el organillo es una caja con historias), ¡eso, exacto!, caramba, qué bien explicas las cosas, tocar el organillo se parece a contar historias alrededor del fuego, como tú la otra noche. La melodía viene escrita en el rodillo y puede parecer que ya está hecha, muchos creen que uno sólo tiene que mover la manivela mientras piensa en otra cosa. Pero a mí me parece que la intención cuenta, no puede ser lo mismo empujarla sin más que esforzarse con ella, ¿me explico?, la madera también sufre o agradece. Yo de joven, porque yo también fui joven, escuché a bastantes organilleros, y te aseguro que incluso cuando tocaban el mismo instrumento las melodías no sonaban igual. Así son las cosas, ¿no?, cuanto menos amor les pongas más parecidas se vuelven. Es como las historias, aunque todos las conozcan, si las cuentas con amor, no sé, parecen nuevas. Bah, digo.

El organillero agachó la cabeza y se puso a pasar un trapo sobre el organillo. Hans pensó: ¿De dónde habrá salido?

Afuera había empezado a caer una nieve liviana. El viejo terminó de acondicionar su instrumento. Perdona, dijo, ahora vuelvo. Salió a la intemperie y se bajó los pantalones con naturalidad. Los álamos pelados que flanqueaban el río dejaban pasar una luz lenta, que se quedaba enredada entre las ramas antes de pasar al otro lado y recaer en las nalgas escuálidas del organillero. Hans contempló la orina quemando la nieve, los excrementos magros. Mierda corriente, mierda sin nada, mierda de mierda.

Estás preciosa esta mañana, hija, dijo el señor Gottlieb tomándola del brazo mientras entraban en la iglesia de San Nicolás. Gracias, padre, sonrió Sophie, todavía hay esperanzas de que por la tarde vuelva a la normalidad.

Los feligreses hacían cola a lo largo de la calle Ojival, frente al pórtico de la iglesia. La iglesia de San Nicolás estaba algo apartada de la plaza del Mercado. La protegía un pequeño parque con bancos de madera. La iglesia era el edificio más antiguo de Wandernburgo y también el más extraño. Vista desde cerca, desde donde se agolpaban ahora los feligreses, lo más llamativo era el color tostado de sus piedras, como si el sol las hubiera calentado demasiado. Además del pórtico, que se expandía en arcos apuntados dentro de más arcos, tenía numerosas puertas laterales en forma de cerradura. Si uno se alejaba unos metros y la contemplaba en perspectiva, lo que destacaba eran las torres desiguales de San Nicolás: una acabada en punta, semejante a un gigantesco lápiz, la otra más redonda y rematada por un campanario de campanada seca, con un hueco tan estrecho que apenas pasaba el aire. Sin embargo, lo que más le extrañó a Hans fue la fachada visiblemente inclinada hacia delante, como si se dispusiera a caer de bruces.

Desde su visita a la casa del señor Gottlieb, Hans había insistido en sus cortesías. Lo que le preocupaba era que el señor Gottlieb, pese a saludarlo de manera afectuosa y pararse a hablar con él cuando se cruzaban por la calle, no había vuelto a invitarlo formalmente. Por el momento se limitaba a vaguedades como «me he alegrado de verlo» o «espero que coincidamos pronto», amabilidades demasiado tibias como para presentarse sin mayor pretexto en la casa. Por este motivo Hans llevaba unos días rondando con disimulo la calle del Ciervo, demorándose en sus alrededores para provocar un encuentro con Sophie. Lo había logrado en un par de ocasiones, y ella se había mostrado más bien enigmática. Le contestaba con inflexible parquedad, pero lo miraba de una manera que lo dejaba nervioso. No prolongaba las conversaciones ni le reía las bromas, aunque se detenía a hablarle a una distancia física que, de haber estado más seguro de sí mismo, Hans habría calificado de sospechosa. Decidido a perseverar, y enterado de que Sophie acudía con su padre a la iglesia de San Nicolás cada domingo, siempre a Tercia, aquel domingo tímidamente soleado Hans madrugó para ir a misa. Viéndolo en la cocina a las ocho en punto, la señora Zeit se había quedado con el cuchillo a medio caer y la boca abierta, igual que el bacalao que estaba a punto de sajar.

Al entrar en la iglesia Hans se había sentido doblemente forastero. En primer lugar, porque hacía años que no asistía a una misa. Y en segundo lugar porque, desde que había puesto un pie en la penumbra, no había dejado de sentirse observado. Las muchachas lo miraban con curiosidad desde las bancas, y los hombres mayores vigilaban sus movimientos con el ceño fruncido. Descúbrase, le ordenó una señora: sin darse cuenta, Hans acababa de entrar a la iglesia de San Nicolás con el birrete puesto y su aire de turista. Olía a cera, aceite, incienso. Hans avanzó por la nave central. Algunas caras empezaban a sonarle, aunque no sabía muy bien de dónde. Hizo un rastrillo con la mirada y no vio a Sophie, pese a que antes había creído reconocerla a lo lejos. No era fácil distinguir el fondo de la nave, los vitrales eran opacos y apenas dejaban pasar un polvo de luz, una arenisca blanca. Como la liturgia aún no había dado comienzo, Hans siguió caminando hacia las primeras filas. Al final del murmullo vio con más claridad el altar mayor con su crucifijo temible, un candelabro triple a cada lado, cuatro cirios encima y un retablo adusto con acantos. El retablo estaba rematado por dos ángeles que sostenían un óvalo con menor levedad de la esperable, quizá porque encima reposaba un tercer ángel fofo que se aferraba a los bordes como en un ataque de vértigo. A la izquierda del óvalo se veía una serpiente enroscada en un báculo, a la derecha una planta espinosa enredada en una rama. Solamente desde cierta altura, por ejemplo desde el hombrito redondo del ángel superior, habría sido posible contemplar lo cerca que Hans se hallaba de Sophie, anticiparse al momento en que la vería e incluso complacerse de la generosa casualidad: a la altura de la fila de Sophie, del lado de los hombres, había un espacio libre.

En teoría, la nave central y la franja de luz que la recorría separaban a ambos sexos. En la práctica, esta división no hacía más que incentivar el interés y propiciar un repertorio de claves de intercambio: mientras buscaba asiento, Hans captó gestos, guiños, pañuelos, recados, suspiros, muecas, fruncimientos, cabeceos, medias sonrisas, abanicos, parpadeos. La diversión de Hans se vio súbitamente interrumpida por el estruendo del primer acorde del órgano, cuya portentosa proa se elevaba por encima de la entrada. La asamblea entera se puso en pie. El coro de niños comenzó a entonar una aguda, larga nota. Salidas de la bruma, varias siluetas circularon entre las bancas pidiendo una limosna para la parroquia. En ese momento empezaron a desfilar un monaguillo adolescente, un turiferario algo bizco, un diácono que caminaba con las rodillas dobladas y en último lugar el padre Pigherzog, párroco de San Nicolás y autoridad católica del principado de Wandernburgo en ausencia del arzobispo. Hans buscó el primer lugar libre entre las bancas. La santa procesión se acercó al altar, los cuatro hombres hicieron una genuflexión frente al sagrario. Hans se acomodó entre dos hombres corpulentos. El padre Pigherzog besó el altar e hizo la señal de la cruz. Hans carraspeó, y uno de los hombres corpulentos lo miró de reojo. El turiferario incensó el altar, el padre Pigherzog leyó el Introito y el Kyrie. ¡Ahí!, se estremeció Hans, ¡ahí está! Quieta y elegante, como esperando a ser retratada de perfil, Sophie tenía la mirada perdida por encima del altar.

El padre Pigherzog entonó con esmero el Gloria in excelsis, el coro le contestó. Sophie se mantenía en la pose secretamente coqueta de la joven a quien, en apariencia, ni se le ocurre que alguien pueda estar fijándose en ella. Dominus vobiscum, saludó el padre Pigherzog, Et cum spiritu tuo, le contestaron al unísono. Hans no estaba seguro de si Sophie estaba prestando una atención superlativa o se encontraba completamente distraída.

Mientras el señor Gottlieb intercambiaba cortesías con unos conocidos a la salida de la iglesia, el padre Pigherzog, ya vestido de sotana y manteo, se había acercado a hablar con Sophie. Tomó una mano de la joven entre las suyas: las manos espigadas de Sophie siempre habían fascinado al sacerdote, que las encontraba particularmente aptas para la oración. ¿Te acuerdas de cuando venías a confesarte, hija?, evocó el padre Pigherzog, y mírate ahora, es un milagro cómo el Señor deja pasar el tiempo por las almas, mírate, eres toda una mujer, ¿pero por qué dejaste de acudir, hija mía?, me lo pregunto hace años, ¿por qué ya no vienes? Padre, contestó Sophie evaluando de reojo cuánto podía quedarle a la charla del señor Gottlieb con sus conocidos, usted sabe que el tiempo no abunda, ¡y son tantas las tareas que debe atender una muchacha de mi condición! Precisamente, hija, señaló el sacerdote, es esa condición tuya la que aconseja el trato constante con la palabra de nuestro Señor. Usted lo ha dicho, padre, replicó Sophie, con tanta razón como acostumbra su santa persona: el tiempo pasa por las almas, por eso las almas cambian. Has tenido talento desde niña, dijo el padre Pigherzog, y una mente despierta, aunque, cómo decirlo, tienes esa tendencia a dispersarte, a querer conocer demasiadas cosas juntas, y al final ocupas tanto tu cabeza en distintos saberes que terminas distra-yéndola del saber más importante. Explica las cosas tan admira-blemente, padre, dijo Sophie, que no me deja usted nada más que añadir. Hija, hija, se impacientó el párroco, ¿por qué no vienes al menos a orar de vez en cuando? Verá, noble padre, dijo ella, si me permite la sinceridad, y sé que junto a la casa de Dios sólo cabe mostrarse tan sincera como lo es su misión, digamos que actualmente no necesito ninguna liturgia para comunicarme con mi conciencia. El padre Pigherzog se tomó un respiro para seguir la estela de la respuesta de Sophie. Cuando pareció cap-tarla en todo su sentido, sentido que ella procuró amortiguar dedicándole al sacerdote una mirada de ejemplar inocencia, él balbuceó: Hija mía, escúchame, esas ideas están haciendo que te extravíes, tu alma está en peligro, yo puedo ayudarte, si tú quisieras yo podría, en fin. Agradezco mucho su desvelo, dijo Sophie, y le ruego que perdone mis divagaciones, pero a veces pienso que insistir demasiado en la fe esconde una necesidad exagerada de tener razón. Y una duda de todo, padre, y es de-masiado débil para cargar con tanta certeza. ¡Ave María purísima!, se santiguó el padre Pigherzog, sé que no piensas eso, te gusta el desafío y en el fondo te arrepientes. Podría ser, padre, dijo Sophie haciendo ademán de ir a buscar al señor Gottlieb. Escucha, hija, se aproximó el sacerdote, yo sé que alguna cosa te atormenta, que los domingos, cuando vienes, aunque sólo vengas los do-mingos, te sientas en las bancas y te quedas como ausente, no

creas que no lo he notado, y sé que esa turbación busca su penitencia. ¿Ya hay que volver a casa, entonces?, exclamó Sophie
estirando el cuello hacia el señor Gottlieb, que no se había dirigido a ella. Te propongo, dijo el padre Pigherzog tomándola del
brazo, que reanudemos esta conversación, podemos discutir
cuanto gustes, eso te aliviará y te hará ver todo más claro. No sé
cómo agradecérselo, padre, lo eludió Sophie. ¿Vendrás, hija?,
se afanó el párroco, ¿qué dices?, ¿te negarás a que repasemos unos
pasajes de las Escrituras, tú que tanto lees? Su generosidad, dijo
Sophie, supera mis merecimientos, y voy a confesarle, ya que me
invita a ello, que últimamente estoy interesada en lecturas sagradas que su Dignidad desaprobaría. ¿Por ejemplo?, dijo el padre
Pigherzog. Por ejemplo, contestó ella, el *Catecismo de la razón*
del pastor Schleiermacher, que con todo respeto parece ser el
único teólogo que se ha percatado de que las mujeres, padre mío,
además de descarriadas, somos la mitad del mundo como mínimo. ¿Como mínimo?, preguntó estupefacto el padre Pigherzog.
¡Sophie!, la llamó al fin el señor Gottlieb, Sophie, ¿vamos? El
padre Pigherzog dio un paso atrás y dijo: No te preocupes, hija,
sé que estas cosas tuyas son rebeldías transitorias. Ve con Dios,
hija mía. Sigo rezando por ti.

De regreso a casa, el señor Gottlieb y su hija cruzaron la
plaza del Mercado. De pronto Sophie se detuvo, se desenlazó
del brazo de su padre y se acercó a un costado de la plaza, atraída por el sonido dulcemente cansado de aquel viejo instrumento en el que más de una vez se había fijado mientras paseaba. El
organillero hacía girar una mazurca, levantando cada tres tiempos una ceja entrecana. Frente al organillero, satisfecho, radiante, instalado entre dos músicas, Hans observaba a Sophie observando. En realidad no la había perdido de vista desde la salida
de la iglesia, pero su diálogo con el padre Pigherzog se había
extendido demasiado y ya no había encontrado pretexto ni pose
para continuar ahí, a un par de metros, esperando la ocasión de
saludarla. Así que se había resignado y había ido a la plaza para
ver al organillero. Ahora Sophie, en el único momento en que
él había dejado de buscarla, se había acercado dedicándole una
risueña inclinación de cabeza. Hans le correspondió en silencio

y, al moderado compás de la mazurca, contempló impunemente su nuca blanca, sus dedos entretejidos tras la espalda.

Sí, sí, contaba Hans, se paró justo enfrente, tiene que recordarla (me acuerdo de que vino una muchacha, dijo el organillero, y me di cuenta de que tú parecías muy interesado, pero no consigo ver su cara, ¿cómo era?), ah, cómo, ¿a usted también le pasa? (¿pasarme el qué?), la cara de Sophie, ¿usted tampoco puede imaginarla?, le sonará raro, es difícil de explicar, pero cuando me la imagino sólo veo sus manos. Le veo las manos y escucho su voz. Nada más, ningún rasgo. No logro recordarla. Y no puedo olvidarme de ella. (Entiendo, mala cosa.) Es raro lo que siento cuando pienso en ella, estoy solo, paseando, de pronto se me aparece la imagen borrosa de Sophie y tengo que pararme, entiende, mirar lejos, como si en mi memoria se estuvieran mezclando pinceladas, instantes de la cara de Sophie, y yo tuviera que ordenarlos para no perderlos. Pero cuando estoy a punto de juntar los detalles y ver su cara algo vuela, algo se me escapa, y entonces siento la necesidad urgente de volver a encontrarla para memorizarla de nuevo. ¿A usted qué le parece? (Me parece, sonrió el organillero, que vas a tener que quedarte un tiempo más en Wandernburgo.)

Al rato llegó Reichardt y poco después Lamberg, cada uno con una botella envuelta en papel de periódico. Cercana al ocaso, la tarde se había volcado abruptamente derramando el frío de una sola vez. Reichardt se tumbó en el suelo y dijo: Mierda, viejo, ¿eres faquir o qué?, ¡enciende un flueguecito, vamos! Buenas tardes a todos, saludó Lamberg insuflándole fuego a la lumbre con sus ojos inyectados. Hizo una pausa y le dijo a Hans: Esta mañana te he visto en la iglesia. ¿Tú, en la iglesia?, se despatarró Reichardt, ¡hay que joderse!, ¡eh, viejo, tu amiguito nos ha salido beato! Hans iba a ver a una muchacha, resumió tranquilamente el organillero. Ya me parecía, dijo Reichardt, ¡qué sinvergüenza! Entró con el birrete puesto, informó Lamberg. ¿Ah, lo viste?, sonrió Hans. Sí, dijo Lamberg, las chicas te señalaban. ¿Y se burlaban de él?, preguntó Reichardt. No sé, contestó Lamberg, creo que les gustaba. ¡Brindo por ese birrete!, gritó Reichardt. Brindemos, asintió el organillero.

Una hora después, el frío era tan intenso que ni la fogata ni las fricciones de manos y piernas conseguían aliviarlos. Cada vez que alguien hablaba, el vapor ascendía. La corriente penetraba por la boca de la cueva y se infiltraba en las grietas, entre la ropa, debajo de las uñas. Hans sentía un vacío dentro de los dedos. Lamberg apretaba las mandíbulas. Franz zarandeaba el rabo como un niño intentando sacudir la escarcha de un sonajero. El organillero se había ovillado entre sus mantas y sonreía plácidamente. En pleno escalofrío, a Reichardt le entró un violento ataque de risa. Rió con fuerza, rió como sólo ríen quienes están a punto de helarse, soltó un globo de vaho y se puso a vociferar: ¡Mayordomo, la estufa!, ¡mayordomo, encienda la puta estufa! El organillero se echó hacia atrás de una carcajada, golpeándose la cabeza contra una roca. Reichardt vio el golpe, lo señaló con el dedo y se ahogó de tos helada. Hans, señalando a ambos, tuvo una contracción cómica. Viendo a los tres reírse sin parar, Lamberg se quedó quieto y no pudo evitar sumarse a la carcajada. ¡Franz, dinos algo!, ¡dinos algo!, se retorcía Reichardt con las encías teñidas de vino.

La fogata languidecía. Las botellas se habían vaciado. ¿Escucháis?, susurró el organillero, ¿lo escucháis? (yo sólo escucho mi estómago, dijo Reichardt, ¿no tienes nada más?), shh, ahí, entre las ramas (¿qué hay, organillero?, preguntó Hans), ¡ahora, están hablando! (hay ruidos, dijo Lamberg), no son ruidos, son las voces del viento (¿qué dices?, dijo Reichardt), es el viento, el viento hablando. Franz y el organillero aguzaron el oído, entornando los párpados. Reichardt insistió: Aquí sólo hay silencio, viejo. El organillero contestó: El silencio no existe. Y siguió atendiendo a la noche, con la cabeza erguida. No sé para qué haces eso, viejo, dijo Reichardt. El viento es útil, resopló el organillero.

Al cabo de una semana de encuentros calculados y enfáticas cortesías, Hans logró su objetivo y empezó a frecuentar

la casa Gottlieb. El señor Gottlieb lo recibía frente a la chimenea
de mármol de la sala de estar, fumando su pipa de ámbar. Sobre
la chimenea se extendía una hilera de estatuillas indolentes, como
a punto de dejarse caer al fuego. Durante aquellas visitas Hans
tuvo ocasión de fijarse mejor en los cuadros que colgaban de las
paredes: junto a viejos retratos familiares, un par de malas copias
de Tiziano, algún bodegón oscuro y lamentables escenas de caza,
le llamó la atención un cuadro que mostraba a un caminante
de espaldas en un bosque con nieve, perdido o quizá marchándose, y un cuervo posado en un tronco.

El señor Gottlieb solía reírse de improviso, sin que nada
lo anunciase, y casi siempre lo hacía por algo que decía su hija.
Era una risa admirada y al mismo tiempo nerviosa, esa risa de
los hombres cuando escuchan a una mujer inteligente y mucho
más joven que ellos. Cuando el señor Gottlieb soltaba una de sus
carcajadas se miraba los extremos del bigote, como asombrado
de su envergadura. Hans pasaba más tiempo tomando el té con
él que con Sophie, que solía salir con Elsa al sastre, a leer partituras con una amiga o a devolver alguna visita. Sólo si conseguía
entretener al señor Gottlieb hasta el atardecer, Hans tenía la
oportunidad de verla y conversar con ella un rato. Sophie mostraba una equívoca reticencia: parecía evitar los diálogos intensos
o quedarse a solas con él, pero seguía mirándolo de un modo que
a él le producía vértigo. Cuando no había suerte y salía más
temprano de la casa, iba directo a la plaza del Mercado para
acompañar al organillero en el camino de vuelta a la cueva.

Sin tener especiales afinidades con él, el señor Gottlieb
pareció encontrar en Hans un interlocutor complementario. El
señor Gottlieb era una de esas personas que mientras huyen de
las conversaciones íntimas evidencian su necesidad de mante-
nerlas. Hans sentía que el señor Gottlieb malinterpretaba sus
preguntas y, no obstante, le daba las respuestas que él había
venido a buscar. Así fue como, después de un trivial comentario
suyo sobre la belleza de la casa, su anfitrión pareció entender
que Hans se refería a Sophie y le reveló ciertas preocupaciones
acerca de su hija. Hans se abstuvo de aclarar el malentendido
y se dispuso a escuchar interesado. El señor Gottlieb, que tenía

otro hijo casado en Dresde, había sido desde siempre el responsable único de Sophie: la madre había fallecido durante el parto. Él la había criado con esa mezcla de esmero y pánico con que se educa a los últimos hijos de una casa. El señor Gottlieb estaba sin lugar a dudas orgulloso de su hija, aunque también, o por eso mismo, estaba lleno de temores. Sophie es, dijo el señor Gottlieb, usted lo ha visto, una chica extraordinaria (Hans trató de asentir sin demasiado entusiasmo), pero siempre he temido que con ese carácter y esa exigencia le costara encontrar un buen marido, ¿comprende? Quizá, se atrevió Hans, no sea necesario preocuparse tanto, su hija parece una chica fascinante y con mucha personalidad (Hans pensó de inmediato: No debería haber dicho *fascinante*), en fin, una muchacha distinguida, y estoy seguro de que ella misma. Si mi hija, lo interrumpió el señor Gottlieb, insiste en ser tan fascinante y personal, cosechará una legión de enamorados y ningún esposo.

Antes de que Hans pudiera contestar, el señor Gottlieb añadió: Por eso es tan urgente que la boda con Rudi Wilderhaus se celebre cuanto antes.

Hans tardó en reaccionar, como si sólo le hubiera llegado el eco de las palabras y él se hubiese quedado esperando la voz que venía detrás. Inmediatamente después sintió algo parecido a un golpe en la frente. ¿Disculpe?, ¿cómo?, tartamudeó Hans, y de nuevo la fortuna le ofreció un malentendido adecuado: el señor Gottlieb interpretó que Hans se interesaba por Rudi Wilderhaus. Así es, dijo el señor Gottlieb, nada menos que los Wilderhaus, ¿y sabe usted?, en realidad son gente muy amable, mucho más de lo que se dice por ahí, gente refinadísima, imagínese (por supuesto, dijo Hans sin tener ni idea de quiénes eran), pero sobre todo generosa. Los Wilderhaus estuvieron aquí mismo, bueno, aquí no, en el comedor, hace unas semanas, los padres me hicieron la petición formal de matrimonio, y yo, imagínese, ¡Dios mío, un Wilderhaus! (¡me imagino!, exclamó Hans cruzando violentamente una pierna), en fin, me hice de rogar un poco, claro, era lo que correspondía, y después acordamos la fecha más temprana posible, para octubre, a la vuelta del verano. Sin embargo, le confieso...

En ese instante se oyeron unos pasos y unas voces al otro lado del pasillo que comunicaba el vestíbulo con la sala de estar. Hans reconoció el rumor de la falda de Sophie. El señor Gottlieb dejó la frase a medias, y anticipó una sonrisa que mantuvo invariable hasta que su hija apareció por la puerta.

¿Entonces por qué me mira así, si está prometida con no sé quién?, dudó Hans. Se le ocurrió una respuesta tan sencilla como lógica, pero la descartó por demasiado optimista. Aquella tarde Sophie pareció prestar particular atención a lo que él decía y no dejó de contemplarlo inquisitivamente, como si hubiera intuido a qué se debía la mueca de decepción que enfriaba el rostro de Hans. Durante el transcurso de su conversación con Sophie, que estaba desarrollándose en un tono más cercano que en ocasiones anteriores, Hans advirtió cómo, progresiva y quizás insensata, renacía su expectativa. Se prometió a sí mismo que no analizaría esa expectativa, que se limitaría a dejarse empujar por ella como un objeto al viento. Por eso decidió que aceptaría en cuanto Sophie empezó a explicarle que él sería para ella una grata presencia (grata presencia, paladeó Hans, mmm, ¿grata presencia?) en su Salón. Las reuniones del Salón de Sophie Gottlieb se celebraban los viernes a la hora del té, y en ellas se debatían de manera general cuestiones literarias, filosóficas, políticas. La única virtud de nuestro sencillo Salón, continuó Sophie, es que carece de censuras. Tan sólo, digamos, el decoro de mi señor padre (Sophie miró al señor Gottlieb con una sonrisa irresistible). Nuestra única norma es la sinceridad en las opiniones, lo cual, señor Hans, créame, resulta todo un milagro en una ciudad como esta. Los invitados entran y salen cuando gustan. Cada tarde es distinta, algunas muy interesantes, otras más previsibles. Como no tenemos prisa, las reuniones suelen terminar bastante tarde. Tengo entendido que en esto último, estimado señor Hans, sería usted un contertulio ejemplar (Hans no pudo reprimir una ligera contracción de placer ante esta pequeña complicidad de Sophie). Bebemos té y algunas cosas más, servimos aperitivos y canapés, no puede decirse que pasemos hambre. De vez en cuando hay música o improvisamos alguna lectura dramatizada de Lessing,

Shakespeare, Molière, dependiendo del humor. Hay bastante confianza entre todos nosotros, los participantes fijos no son más de ocho o nueve contándonos a mi padre y a mí. En fin, suelen ser tardes agradables, si no encuentra usted nada mejor que hacer este viernes, ¿o quizá se marchará usted antes? ¿Yo?, contestó Hans irguiéndose como un resorte, ¿marcharme?, en absoluto, en absoluto.

El viernes, acostumbrado al denso reposo de la casa Gottlieb, Hans se sorprendió al entrar en la sala y encontrar tanta animación. Mientras Bertold le retiraba el abrigo y se marchaba palpándose la cicatriz del labio, la primera impresión que recibió Hans fue la de un concierto de murmullos con percusión de tazas. El grupo principal estaba sentado en sillas y butacas dispuestas alrededor de la mesita baja. También había un hombre de pie junto a los ventanales en actitud pensativa, y otras dos personas intercambiando palabras más confidenciales en un rincón. Sophie se sentaba a la derecha de la chimenea de mármol, o mejor dicho rozaba su asiento con los encajes de la falda, siempre a punto de levantarse. Con serena velocidad, Sophie se ponía en pie para servir más té, acercarse a algún invitado o pasearse alrededor de la sala como quien atiende un telar por partes. Ella era el discreto eje de la reunión, la mediadora que escuchaba, proponía, acotaba, buscaba asociaciones, suavizaba los choques, incitaba a la réplica, intercalando siempre comentarios oportunos o preguntas movilizadoras. Hans se quedó admirado. Vio a Sophie tan luminosa, alegre y dueña de sus movimientos que no terminó de traspasar la arcada principal y estuvo contemplándola durante un buen rato, hasta que ella misma vino a buscarlo, ¡pero no sea usted tímido!, trayéndolo hasta el centro de la sala.

Uno por uno, con la única excepción de Rudi Wilderhaus, ausente aquella tarde, le fueron presentando a todos los contertulios del Salón. En primer lugar al profesor Mietter, doctor en Filología, miembro honorario de la Sociedad Berlinesa para la Lengua Alemana, de la Academia Berlinesa de las Ciencias, y catedrático jubilado de la Universidad de Berlín. Verdadera eminencia cultural en Wandernburgo, había participado en varias ediciones del *Almanaque de las musas* de Gotinga y cada domingo publicaba un poema o una crítica literaria en el diario local, *El Formidable*. El profesor Mietter mantenía un leve rictus en la boca, como si acabara de probar un grano de pimienta. Iba vestido de azul opaco y ostentaba sobre su calva una peluca de bucles blancos que ya no se estilaba. A Hans le llamó la atención su tranquila seriedad ante las risas que lo rodeaban, como si, más que desagradarle, al profesor le parecieran fruto de algún razonamiento fallido o un error metodológico. Frente a él se sentaba el dubitativo señor Levin, corredor de comercio aficionado a la teosofía, sosteniendo una taza a medio camino entre sus labios y el plato. El señor Levin no miraba a los ojos de sus interlocutores, sino más bien a las cejas. Hombre de contadas y misteriosas intervenciones, justo al contrario que el profesor Mietter, el señor Levin tenía la actitud nerviosa de quien se esfuerza en parecer honrado incluso cuando no mueve un músculo. A su lado se sentaba su esposa, la imperceptible señora Levin, que tenía la costumbre de participar tan sólo cuando su marido lo hacía, ya fuera para apostillar lo dicho por él, darle la razón o, muy ocasionalmente, llamarlo al orden. A continuación le fue presentada a Hans la señora Pietzine, viuda de largo duelo, ferviente devota de los sermones del padre Pigherzog y de las joyas del Brasil. La señora Pietzine, que solía tener un bordado en el regazo con el que se entretenía mientras charlaba, se dejó besar la mano entornando los párpados. Hans se fijó en su boa de plumas amarillas, en la sortija de diamantes, en el collar de pesadas perlas que se hundían como dedos en la piel colorada del escote.

Por último, Sophie se detuvo ante el caballero que Hans había visto de pie junto a los ventanales. Mein Herr Hans, dijo Sophie, tengo el gusto de presentarle al señor *Urquiho*, Álvaro de *Urquiho*. Urquijo, la corrigió él, es Urquijo, mi querida señorita. ¡*Urquixo*, eso es!, rió Sophie, disculpe mi torpeza. Hans pronunció su apellido con corrección. Álvaro de Urquijo le dedicó una inclinación de cabeza y rodeó la estancia con los ojos, como diciéndole «bienvenido a *esto*». Hans percibió en aquel gesto un destello de ironía que le simpatizó de inmediato. Comprobó que el alemán de Urquijo era perfectamente fluido, aunque impregnado de un acento que lo hacía parecer exaltado. Nuestro querido señor Ur, eh, Álvaro, dijo Sophie, por mucho que a él le pese, ya es un vecino más de Wandernburgo. Créame, señorita, sonrió Álvaro, que una de las pocas razones por las que no me pesa haberme convertido en un wandernburgués es que usted me considere como tal. Querido amigo, le contestó Sophie alzando un hombro y acercándolo al mentón, no sea usted tan hábil en sus galanterías, recuerde que debe comportarse como un wandernburgués. Álvaro soltó una carcajada recia y se quedó callado, concediéndole el tanto a su anfitriona. Sophie les hizo un gesto de despedida transitoria y se deslizó en auxilio de la señora Pietzine, que apretaba su bordado con cara de aburrirse.

La tarde transcurrió con ligereza. A instancias de Sophie, que de vez en cuando propiciaba diálogos entre él y los demás, Hans tuvo ocasión de observar con más detenimiento a los miembros del Salón. Cada vez que le preguntaban por su trabajo, Hans contestaba: Viajar, viajar y traducir. Algunos entendían que era intérprete, otros que era diplomático, otros que estaba de vacaciones. Todos, sin embargo, respondían educadamente: Oh, comprendo. Las conversaciones iban y venían. Sophie, ayudada por Elsa y Bertold, intervenía en carrusel en todas ellas. El señor Gottlieb, un tanto retirado del centro de la reunión, enredando el bigote en la pipa, guardaba silencio y lo observaba todo con socarrona distancia, escéptico hacia cuantos temas se tratasen y, pese a todo, orgulloso de la desenvoltura de su hija. Cuando ella hablaba, sonreía con la benevolencia de quien cree conocer muy bien a la persona a la que escucha. Mientras tanto Sophie lo miraba de reojo con la sonrisa opuesta, la de quien piensa que su oyente desconoce por completo sus razones. A quien más parecía atender el señor Gottlieb era al profesor Mietter, y asentía a menudo a sus palabras. Contra lo que había supuesto inicialmente, Hans tuvo que admitir que el profesor poseía una erudición considerable. Peroraba de forma cansina, pero sus argumentos progresaban con rigor e impecable orden sin que la peluca se le deslizara un milímetro. El profesor Mietter, pensó Hans, era una persona casi irrebatible: o persuadía por la propia razón o se imponía por la pereza ajena, ya que para refutar su punto de vista primero era necesario contradecir uno por uno los documentados argumentos que disponía a modo de cortafuegos. Aunque por precaución apenas discrepó de él en aquella primera visita, Hans supo que si seguían viéndose estarían destinados a discutir. Por su parte, el profesor Mietter lo trató con una enfática deferencia que de algún modo a Hans se le hizo hostil. Cada vez que el profesor escuchaba sus comentarios, tan distintos de los suyos, se llevaba la taza de té a los labios con aprensión, como si no quisiera empañarse los anteojos.

A Hans le pareció que Bertold seguía a Elsa, o que Elsa huía de Bertold, o ambas cosas. Pese a su diligencia, Hans dedujo que Elsa era una chica disconforme: su mirada era más frontal de lo habitual entre el personal de servicio, como si tras su silencio hubiera un desafío. Aunque los dos llevaban más o menos el mismo tiempo trabajando en la casa Gottlieb, Bertold parecía instalado y Elsa de paso. Bertold pasaba entre los invitados con solicitud, mientras Elsa lo hacía con aburrimiento. ¡Querida!, la llamó de pronto la señora Pietzine, querida, ve a la cocina y pregunta si queda más merengue, sí, gracias, querida, entonces dime, Sophie, encanto, ¿hoy no vas a deleitarnos con el piano?, ¿de verdad?, ¡no sabes cómo lo lamento!, ¡es que el piano bien tocado resulta tan, tan, tan!, ¡me gusta tanto, el piano!, ¿no cree usted, Herr Hans, que nuestra querida Sophie debería, no sé, interpretar alguna pieza de bienvenida en su honor?, yo creo que si le insistimos, ¿cómo que no?, ¡oh, por favor, mi niña, no te hagas de rogar!, ¿seguro?, ¿la semana que viene?, ¿me lo prometes?, bueno, bueno, de acuerdo, ¡pero conste que has hecho una promesa!, es que una a su edad, ¿sabe usted, Hans?, ¡a mi edad se pone una tan emotiva con la música!

Cada vez que mencionaba su edad, la señora Pietzine hacía una breve pausa de efecto, esperando el cumplido de algún contertulio. Hans, que aún no lo sabía, no acudió en su halago. La señora Pietzine alzó la barbilla, parpadeó tres veces seguidas y se volvió para intervenir en la conversación que mantenían el señor Levin y Álvaro. Hans se desplazó discretamente procurando situarse junto a este último para reanudar, cuando hubiera ocasión, la charla que habían dejado a medias. En cuanto Hans cruzó un par de ideas con el señor Levin, le pareció que se mostraba demasiado condescendiente con él como para estar realmente de acuerdo. Sospechó que el señor Levin tendía a darle la razón a todo el mundo no por modestia, sino porque estaba íntimamente seguro de otra cosa y no se avenía a discutir. También tuvo la sensación de que la señora Levin se comportaba con su marido siguiendo el mismo patrón que él aplicaba con los demás. Respecto al contertulio español, Álvaro, Hans pudo confirmar su impresión: era distinto al resto, no por su extranjería sino por algún tipo de convicción disidente que despertó su interés. Álvaro parecía dispuesto a satisfacer su curiosidad: cuando el profesor Mietter monologaba, tendía a buscar la mirada de Hans con un esbozo de sonrisa que se completaba al hallar correspondencia.

Aquella tarde Hans pudo hacer estas y otras observaciones. Pero todas giraron sobre un único eje, como hilos distintos alrededor de una rueca: el foco principal, el verdadero sentido de su visita al Salón Gottlieb, no dejó de ser ni un solo instante la proximidad de Sophie. De vez en cuando ella le dirigía la palabra, aunque sus diálogos nunca se extendían, y era Sophie quien los interrumpía siempre con cualquier pretexto. O eso le parecía a Hans. ¿Era pudor? ¿Altivez? ¿Acaso él se estaba comportando de forma inadecuada? ¿O quizás ella se aburría con su conversación? Pero si él la aburría, ¿para qué lo había invitado? Aquella tarde Hans gozó y sufrió interpretando los movimientos de Sophie, otorgándole a cada cual una significación desmesurada, pasando una y otra vez del entusiasmo a la decepción, de la súbita euforia al pequeño despecho.

Por su parte Sophie no dejó de tener en toda la tarde la sensación de que Hans, con impecable elegancia en las formas pero cierta impertinencia en el fondo, se empeñaba en generar minúsculas intimidades con ella durante las charlas. Actitud que Sophie no estaba en absoluto dispuesta a consentir por diversas razones. En primer lugar, ella tenía un sinfín de detalles que atender en las reuniones, y de ningún modo iba a descuidarlos por el afán de nadie. En segundo lugar, Hans era un invitado nuevo y no podía esperar ninguna clase de preferencia, eso no era razonable ni justo con el resto de los invitados. En tercer lugar, obviamente ella era una mujer recién prometida y su padre no dejaba de vigilarla tras el humo de la pipa. Por último, no sabía muy bien por qué, Sophie notó con fastidio que si hablaba con Hans empezaba a distraerse y a pensar en asuntos del todo inoportunos que nada tenían que ver con el Salón.

Sin embargo, se decía Sophie mientras hacía ondear su falda de un extremo al otro de la sala, estas pequeñas inconveniencias no eran motivo suficiente para dejar de invitar a Hans a su Salón: no podía negarse que sus intervenciones, que aumentaban con el transcurrir de las horas, eran originales y un punto provocativas, por lo que enriquecerían el interés de los debates. Y eso era lo único, se repetía Sophie, lo único que la convencía de que Hans debía seguir viniendo.

No sé qué me pasa con esta ciudad, dijo Hans devolviéndole el cuenco de arroz al organillero, es como si no me dejara irme. El organillero masticaba, asentía y se estiraba la barba. Primero apareció usted, dijo Hans, y después ella, siempre hay un motivo para retrasar mi viaje. A veces me parece que acabo de llegar, y otros días me levanto con la sensación de llevar toda la vida en Wandernburgo. Cuando salgo miro los carruajes y pienso: vamos, sube, es muy fácil, has viajado en miles. Y los dejo pasar, y no sé qué me pasa. Imagínese, ayer el señor Zeit ni siquiera me preguntó cuándo me iba. Al cruzarnos en la escalera me quedé esperando, pero en vez de preguntármelo como todas las noches, me miró y me dijo *hasta mañana*. Me pareció terrible. Odio saber el futuro. Casi no he podido dormir pensando en eso, ¿cuántos días llevo aquí?, al principio llevaba la cuenta exacta, pero ahora no podría asegurarlo (¿y por qué te preocupas?, dijo el organillero, ¿qué tiene de malo quedarse?), no sé, supongo que me asusta seguir viendo a Sophie y después tener que irme, eso sería peor, ahora todavía estoy a tiempo, quizá debería seguir viaje (pero un amor es eso, ¿no?, dijo el viejo, un amor es ser feliz quedándose), no estoy seguro, organillero, yo siempre he creído que el amor es puro movimiento, una especie de viaje (y si el amor ya es un viaje, razonó el viejo, ¿para qué necesitarías irte?), buena pregunta, bueno, por ejemplo para volver, para estar convencido de dónde querías estar, ¿cómo vas a saber si estás en el lugar indicado si nunca te has ido? (yo sé que amo Wandernburgo por eso, contestó el organillero, porque no quiero irme), sí, sí, ¿pero y las personas?, ¿con las personas es lo mismo?, para mí no hay mayor alegría que volver a ver a un amigo que no veía hace tiempo, quiero decir, uno también regresa a los lugares porque los ama, ¿no?, y un amor puede ser como volver de viaje (yo, como soy más viejo, pienso que el amor, el amor a los lugares, las personas o las cosas, tiene que ver con la armonía, y para mí la armonía es descansar, observar lo que tengo alrededor, estar contento estando donde estoy, en fin, por eso toco siempre en la plaza del Mercado, no puedo imaginarme otro lugar mejor), las cosas y los lugares están quietos, pero las personas cambian, uno cambia (querido Hans, los lugares también cambian todo el tiempo, ¿te has fijado en las ramas?, ¿te has fijado en el río?), nadie se fija en esas cosas, organillero, todo el mundo camina sin mirar, se acostumbran, se acostumbran a su casa, a su trabajo, a sus seres queridos, y al final se convencen de que esa es su vida, de que no puede ser otra, es pura costumbre (cierto, aunque el amor también es una costumbre, ¿no?, querer a alguien sería, no sé, como habitar en esa persona). Creo que me estoy emborrachando, suspiró Hans tumbándose en el jergón. El organillero se levantó. Me parece que necesitamos una tercera opinión, anunció sonriendo. Se asomó a la boca de la cueva y exclamó: Franz, ¿tú qué opinas? Pero Franz no ladró, y siguió orinando tranquilamente junto a un pino. El organillero miró a Hans, que se cubría la frente con una mano. Vamos, dijo el viejo, anímate. ¿Qué prefieres escuchar? ¿Vals o minué?

El señor Zeit vio las ojeras de Hans y se aclaró la garganta. Buenos días, lo saludó, ¡hoy ya es viernes! Sí, contestó Hans sin ganas. Pero inmediatamente pensó: ¡Viernes!, y recordó que esa tarde había Salón. Se recompuso un poco, se peinó instintivamente y lo asaltó una súbita simpatía por la barriga flotante del posadero. ¿Sabe qué, señor Zeit?, dijo por darle conversación, el otro día me preguntaba por qué no habría más huéspedes en la posada. ¿No está conforme con el servicio?, pareció ofenderse el señor Zeit. No quería decir eso, se apresuró a explicar Hans, sólo me extraña que esté tan vacía. No tiene nada de extraño, intervino a sus espaldas la voz de la señora Zeit. Hans se volvió y la vio acercarse con una pila de leña entre los brazos. Todos los años pasa lo mismo, dijo ella, en invierno apenas tenemos clientela, pero a partir de la primavera y sobre todo en verano hay bastante trabajo, incluso contratamos a dos criadas para atender a todos los huéspedes. El señor Zeit se rascó la barriga. Si se queda hasta que empiece la temporada, dijo el posadero, podrá verlo con sus propios ojos. También me preguntaba, agregó Hans, dónde pueden mandarse telegramas, no he visto ninguna oficina. En Wandernburgo no hay telégrafo, contestó el señor Zeit, no lo necesitamos. Cuando tenemos algo que decirnos, vamos y lo decimos personalmente. Cuando queremos mandar una carta, esperamos al cartero y se la damos. Somos gente sencilla. Nos gusta serlo.

¡Lisa!, ¿traes esa ropa o qué?, gritó de pronto la señora Zeit. Lisa salió del patio trasero con un cesto lleno de ropa yerta. Traía una mueca de fastidio y el cabello salpicado de nieve. Al ver a Hans en el pasillo, dejó caer el cesto en el suelo como si no le perteneciera y se estiró los bordes del jersey, que se abultó ligeramente. Aquí la tiene, madre, dijo mirando a Hans. Buenos días, Lisa, saludó Hans. Buenos días, sonrió ella. ¿Hace mucho frío afuera?, preguntó él. Un poco, dijo ella. Viendo que Hans sostenía una taza, Lisa dijo: Madre, ¿queda café? Después, contestó la señora Zeit, ahora ve a la compra, que es tarde. Lisa

suspiró. En fin, dijo, hasta luego, ¿no? Hasta luego, sí, asintió
él. Cuando Lisa cerró la puerta, Hans, el señor Zeit y su esposa
se quedaron callados. Lisa se cubrió las mejillas con las solapas
del abrigo. Sonreía.

La calle del Caldero Viejo, las ventanas, los tejados, los
caminos circundantes, los senderos del campo estaban casi borrados por la nieve. Encima de Wandernburgo, en el suelo del
cielo, se oían movimientos de muebles.

La chimenea de mármol alumbraba la peluca del profesor Mietter, que conversaba con el señor Gottlieb. La señora
Pietzine daba puntadas en su bordado, siguiendo de reojo la
charla. El señor y la señora Levin se observaban mutuamente
y sonreían con mesura. Álvaro hablaba con Hans gesticulando
con ímpetu. A un lado de la chimenea, de pie junto al sillón de
su padre, Sophie tendía hilos trasladando los temas de unos
a otros. Hans estaba contento: a causa de cierto compromiso
inaplazable con un conde recién llegado, esa tarde Rudi Wilderhaus tampoco había podido asistir al Salón. A Hans le había
sido asignada una butaca a un costado de Sophie, de manera
que para verle la cara cuando ella estaba en su asiento era necesario girar por completo la cabeza. Como recién llegado, Hans
estaba o se sentía demasiado vigilado para atreverse a realizar
movimientos dudosos. Así que, desplazando poco a poco su
butaca cada vez que se levantaba o se erguía, consiguió situarse
en el campo visual del gran espejo redondo que colgaba de la
pared opuesta a la chimenea, y gracias al cual se acostumbraría
a espiar los gestos y miradas de Sophie sin parecer indiscreto.
Hans no supo si se había percatado de esta maniobra óptica,
aunque las complejas posturas que ella adoptaba en su asiento
le parecieron sospechosas.

Al menos yo, personalmente, intervino el señor Gottlieb,
dudo de la conveniencia de la Unión Aduanera. Piensen ustedes,
queridos amigos, en la terrible competencia que desataría, y quién
sabe si no terminaría hundiendo a los pequeños comerciantes

y a todos esos negocios familiares que tanto trabajo cuesta sacar adelante. Al contrario, Herr Gottlieb, opinó el señor Levin, la Unión Aduanera reactivaría el mercado, las transacciones se multiplicarían, aumentarían las posibilidades de intercambio (y las comisiones, ¿verdad?, se burló el profesor Mietter), ejem, sólo es un pronóstico. Yo no estaría tan seguro, contestó el señor Gottlieb, mañana podría llegar un corredor de comercio, no sé, pongamos de Maguncia, y hacerse cargo de las operaciones que antes le correspondían a usted, ¿no? Creo que es mejor quedarnos como estamos, todo puede ir siempre a peor, créame, he visto unas cuantas cosas. Bueno, dijo el señor Levin, si hablamos de repartir las tareas, quizá mister Smith no se equivoque tanto proponiendo que cada país se concentre en producir aquello para lo que está naturalmente capacitado (¿naturalmente?, dijo Álvaro, ¿pero qué es naturalmente?), en fin, ya sabe, según sus condiciones, clima, tradición, eso, y poder intercambiarlo con toda libertad con el resto de países, ejem, es una idea. Y es una idea interesante, señor Levin, tomó la palabra Hans, aunque para hablar de libertad comercial antes habría que ver quiénes serían los dueños de esa producción única, natural o como queramos llamarla. Porque si los dueños fueran unos pocos, entonces se convertirían en los verdaderos amos del país y decidirían las reglas de juego y las condiciones de vida de todos los demás. Las teorías de Smith pueden hacer rico a un estado y perfectamente pobres a sus trabajadores. Antes del librecambismo pienso que habría que tomar otras medidas, reformar el campo, deshacer latifundios, repartir mejor las tierras. No se trataría sólo de abrir el comercio sino de abolir las auténticas fronteras, empezando por las socioeconómicas. Oh, dijo el profesor Mietter, ¿ahora va a salirnos con Saint-Simon? No exactamente, Herr Professor, contestó Hans, tampoco sé qué tendría de malo. Los trabajadores no pueden depender sólo de los propietarios, el estado debería no digo controlar, intervenir hasta cierto punto, para garantizar derechos básicos. Por supuesto, dijo el profesor Mietter, hace falta un estado fuerte que nos enseñe el camino, ¡un estado como el de Napoleón o Robespierre! No me refiero a eso, se defendió Hans, distribuir la riqueza no tiene por qué llevar al terror (¿y quién garantiza que no se llegue a ese extremo?, preguntó el profesor, ¿quién controla al estado?), permítame decirle, profesor, en fin, ¡a ver si las fábricas van a estar controladas solamente por Dios! Ejem, intervino el señor Levin, volviendo a Smith... Yo estoy de acuerdo con la Unión Aduanera, lo interrumpió Hans sospechando que no debía hablar tanto, sólo como un primer paso. Con todos mis respetos, señor Levin, la comunidad comercial sería lo de menos, un detalle importante, qué duda cabe, pero no esencial (¿y lo esencial qué sería, si puede saberse?, dijo el profesor Mietter), bueno, para mí lo esencial sería acordar unas políticas exteriores comunes. Muy diferentes a la Santa Alianza, claro, que es un simple mecanismo de defensa de las monarquías. No hablo de unidad militar, sino parlamentaria. Hablo de que Europa llegue a pensar como país, como un conjunto de ciudadanos y no como una suma de socios económicos. Lo primero, de acuerdo, sería reducir las fronteras. Y después de eso, ¿por qué no seguir uniendo aduanas?, ¿por qué no pensar en la unidad alemana como parte de la unidad continental? El profesor Mietter redondeó la boca como quien sorbe un cóctel. ¡Qué ingenuidad la suya!, dijo, ¿y unirnos con quién, Herr Hans? ¿Con los franceses, que nos invadieron? ¿Con los ingleses, que tienen acaparada la industria? ¿Con España, que igual corona dos veces al mismo rey que proclama una república salvaje? Seamos prácticos, ¡dejemos de soñar! En todo caso, se encogió de hombros Hans, me parece un sueño digno de soñarse. Divagaciones, sí, reflexionó el señor Levin, aunque...

Sophie entrelazó las manos sonriendo con diplomacia, y dijo: En principio concuerdo con las divagaciones del señor Hans. El señor Gottlieb entrecerró los ojos, encendió la pipa y pareció quemar sus pensamientos. Profesor, dijo Álvaro, tampoco es para tanto (¿no es para tanto el qué?, preguntó el profesor Mietter), lo de España (ah, dijo el profesor). ¿Alguien quiere más hojaldre?, dijo Sophie levantándose y esquivando a Hans en el espejo redondo.

Hans tardó en volver a atender al debate. Cuando lo hizo, era Álvaro quien hablaba. ¿En España?, decía, bueno, depende, yo solía leer a Jovellanos y a Olavide. Amigo mío, dijo el profesor Mietter con sincero interés (aunque Hans, que aún no distinguía sus entonaciones, creyó que ironizaba), me temo que ignoramos quiénes son. Será un honor contárselo, dijo Álvaro (y ahora Hans no estuvo seguro de si lo decía irónicamente), y no se preocupe, profesor, los españoles ya estamos acostumbrados: en mi país se piensa poco, los pocos que han pensado lo han hecho muy bien, y en el extranjero nadie piensa que pensemos. Olavide fue un valiente, demasiado volteriano para ser sevillano, o demasiado sevillano para hacer una revolución francesa. Apenas lo leyeron y cada vez lo leen menos. Jovellanos en cambio llegó a ser bastante conocido. Fue un hombre sabio aunque, digamos, partido en dos. Su vocación de cura castigaba sus intenciones de reformista, no sé si me explico. Por supuesto, era demasiado inteligente para no molestar a nadie. En mi país los liberales, queridos amigos, incluso los liberales moderados, terminan en el destierro. A Jovellanos le bastó un cambio de rey para pasar de la corte de Madrid a las minas de Asturias, y de ahí a la cárcel y a bañarse en el mar bajo vigilancia, sin apenas variar sus prudentes opiniones (¡qué interesante!, exclamó la señora Pietzine, me recuerda una novela que leí hace poco. Querida, dijo Sophie acariciándole un brazo, enseguida nos la cuenta), en fin, hasta que el hombre se murió de pulmonía. Incluso yo diría, amigos, que en España es casi imposible ser liberal y no morirse de pulmonía. Para asombro de Hans, el profesor Mietter sacó una libreta de un bolsillo, tomó algunas notas y preguntó: ¿Y a su juicio cuál es, señor *Urquiho*, la mejor obra de *Hovellanos*? *Urquijo*, sonrió Álvaro, ¿su mejor obra?, es difícil saberlo. Para mí lo mejor que hizo Jovellanos fue hacerle ver a España que la forma en que su gente juega, se divierte o torea depende de la forma en que vive, trabaja y es gobernada. Ah, comprendo, dijo Mietter levantando la vista de su libreta, un ilustrado francés. Álvaro suspiró: Uno de verdad, sí. Hans adivinó que faltaba algo y preguntó: ¿Pero? Complacido por la sintonía, Álvaro le dedicó una inclinación de cabeza al contestar: Nada, ¡que comulgaba cada quince días! (Hans soltó media risa, miró al señor Gottlieb y se tragó la otra media), así son las cosas, la ilustración española fue un chiste melancólico.

Viéndola apaciguar al profesor Mietter con halagos mientras sonreía entusiasmada, Hans empezó a sospechar que el silencio de Sophie no se debía a una falta de opinión sino a una estratagema. Quizá Sophie disfrutaba con el ardor de los debates. Quizás incentivaba la polémica evitando interrumpir sus réplicas y manteniendo, al mismo tiempo, lo más contento posible al profesor. Esta chica, pensó Hans, va a destrozarme los nervios. Pero, mein Herr, dijo el profesor Mietter empujando la montura de sus anteojos, es absolutamente necesario que haya orden en Europa, no necesito recordarle las guerras e invasiones que hemos vivido. Profesor, contestó Hans mirando el espejo de reojo, Europa jamás podrá ordenarse si no hay un orden justo en cada país. Que las constituciones de nuestros invasores sean las que más libertades nos han dado ¿no merecería al menos una reflexión?

En ese instante se produjo un enredo de miradas: Hans vio en el espejo redondo cómo el señor Gottlieb volvía la cabeza para mirarlo, y que a su vez Sophie lo buscaba en el reflejo para indicarle que lo mirase. Hans se volvió velozmente justo a tiempo para decirle: Le ruego que disculpe mi vehemencia, señor. El dueño de casa negó con la cabeza, como renunciando a emitir juicios. Estimado señor Hans, intervino Sophie, mi padre es respetuoso con todas las opiniones y aprecia la libertad con la que nos expresamos en este Salón, y esa es precisamente, ¿verdad, padre querido?, una de las cosas que más admiro de él. El señor Gottlieb contrajo los bigotes en un gesto de pudor, le tomó una mano a su hija y se reclinó de nuevo en su sillón. Eso, ejem, comentó el señor Levin en un gesto de inesperada picardía, es lo que yo decía: laissez faire, laissez passer. Todos rieron a un tiempo. Algún engranaje invisible pareció desbloquearse y volver a girar. Hans encontró en el espejo el arqueamiento de cejas de Sophie.

Gnädiger Herr Hans, reanudó el profesor Mietter, ¿puede saberse por qué detesta tanto a Metternich? Porque tiene demasiada nariz, contestó Hans. Sophie no pudo reprimir una minúscula sonrisa. Después miró a su padre, desvió la vista y corrió a buscar más bizcochos llevándose a Elsa consigo. Álvaro apoyó a Hans: Su majestad Federico Guillermo tampoco anda escasa de hocico, será por eso que olfatea cualquier cosa que huela a republicanismo. El profesor Mietter, que tenía una asombrosa capacidad para redoblar su serenidad cuando parecía a punto de alterarse, les contestó en tono paternal: Liberté, fraternité, ¿y quién no las desea? Sans rancune, bien sûr, mais qui ne voudrait pas ça? ¡El mismísimo Salvador las predicaba! Sinceramente, caballeros, me asombra la antigüedad de sus innovaciones. Recuerden, intervino el señor Gottlieb levantando un dedo índice y asomando el bigote tras el sillón como un repentino castor, en qué desembocó la toma de la Bastilla. Apreciado señor, contestó Hans, y viendo cómo está Francia, no nos extrañemos de que vuelvan a tomarla. El profesor Mietter emitió una carcajada seca. Je vois, agregó Hans, que vous avez l'esprit moqueur. Mirándose a los ojos, ambos tuvieron que reconocer que el otro poseía un impecable acento parisino. En ese momento Sophie volvió del pasillo. El aletear de su falda se detuvo junto a la chimenea. Herr Hans, joven amigo, insistió el profesor Mietter en un tono más melifluo, seamos razonables, consideremos adónde nos condujo la revolución, como ha dicho nuestro buen señor Gottlieb, y díganos: ¿eso es justicia?, ¿son esos nuevos tiempos?, ¿cortar cabezas?, ¿pasar del absolutismo al superabsolutismo?, ¿derrocar monarcas para coronar emperadores?, explíquenos entonces, ¿cómo se consigue la famosa liberté? No lo sé, contestó Hans, pero estoy seguro, créame, de cómo *no* se consigue. Por ejemplo, no se consigue aboliendo constituciones ni prohibiendo la libertad de prensa. En Francia, acotó Álvaro, se prometió una revolución y sólo hubo una insurrección. Una revolución verdadera sería otra cosa. ¿Pero cómo?, pareció despertar el señor Levin, ¿cómo sería? Supongo que muy distinta, dijo Hans, algo que nos transformara a nosotros antes que a nuestros gobiernos. Por lo menos en Francia, ironizó Álvaro, las revoluciones las hacen los gobiernos, aquí los únicos que las hacen son los filósofos. Si vamos al latín, sentenció el profesor Mietter, está bastante claro: una *revolución* es una vuelta atrás. Lo único que hace es repetirse. Y me temo, caballeros, que lo que ustedes llaman libertad es pura impaciencia histórica. La impaciencia, profesor, dijo Álvaro, es el principio de la libertad. O no, matizó el señor Levin. O sí, intervino sorprendentemente la señora Pietzine. ¿Señor Hans?, lo invitó Sophie. Preferiría, sonrió Hans, no impacientarme, señorita.

Atajando el silencio, Sophie dijo de pronto: ¿Y usted, señora Levin? La señora Levin levantó la vista y la miró con pánico. ¿Yo?, balbuceó, ¿yo qué? Querida amiga, dijo Sophie, ¡es que se la ve tan callada! Le preguntaba cuáles son sus opiniones políticas. Si no es mucho atrevimiento preguntarlo (agregó mirando al marido y pestañeando encantadoramente). En realidad, dijo la señora Levin palpándose el rodete, no tengo grandes opiniones políticas. Señora, dijo Álvaro, ¿quiere decir que nunca piensa en la política, o que está cansada de ella? El señor Levin dijo: A mi esposa las discusiones políticas la cansan porque nunca piensa en eso. Señor Levin, suspiró Sophie, ¡tiene usted una forma de romper el silencio!

El vapor de los caldos se infiltraba en el humo de la pipa del señor Gottlieb. Elsa y Bertold encendían bujías. Bertold le decía algo al oído, ella sacudía la cabeza. A la luz de las bujías, las facciones del profesor Mietter adquirían un filo de prócer. Y pienso que los franceses, dijo el profesor, no se han tomado la derrota de Bonaparte y la destrucción de sus fuerzas como el final de una aberración, sino como el principio de una reconstrucción grandiosa. Los políticos franceses están despechados y se comportan con una especie de inocencia ofendida. No sé si así levantarán el país o se liquidarán dos veces. Si hacen demasiada memoria sentirán vergüenza, pero si fingen un ataque de amnesia jamás entenderán cómo han llegado hasta allí. Tiene mucha razón, intervino Hans, aunque los alemanes deberíamos recordar que eso ya nos pasó a nosotros y podría volver a pasarnos. Precisamente, dijo el profesor Mietter, algo así están haciendo los desleales que se aliaron con Bonaparte y ahora pretenden unirse a Prusia ignorando los antecedentes y, por qué no mencionarlo, las diferencias culturales. Mi admirado profesor, dijo el señor Levin, ¿acaso somos tan diferentes unos de otros?, ¿hace falta insistir en nuestras divisiones en vez de? Escúcheme, lo interrumpió el profesor Mietter, ustedes los que hablan alegremente de unidad, hermandad entre estados y no sé qué más, creen que las diferencias entre los pueblos desaparecerán dejando de tenerlas en cuenta. Las diferencias históricas están para estudiarlas (pero no para aumentarlas, matizó Hans), para estudiarlas, Herr Hans, y para considerarlas una por una con el objeto de trazar fronteras razonables, no para jugar a borrarlas irresponsablemente o desplazarlas como nos parezca. Así se está comportando Europa, como si todos nos hubiéramos puesto de acuerdo para correr sin mirar atrás. Y permítanme añadir que, con el antiguo régimen, nuestros ducados, principados y ciudades eran más libres y tenían más autonomía. Cierto, replicó Hans irguiéndose en su butaca, tenían tanta autonomía que no dejaron de guerrear libremente para ver cuál mandaba. Caballeros, opinó Álvaro, esto me recuerda a la Edad Media española. ¿Y eso es malo?, preguntó la señora Pietzine interesada en la Edad Media o en Álvaro de Urquijo. Malo no, contestó él, peor. ¡Yo adoro España!, suspiró la señora Pietzine, ¡es un país tan cálido! Querida señora, dijo Álvaro, no se preocupe, ya lo conocerá mejor. Herr Hans, continuó el profesor Mietter, a mí lo que me extraña es que usted, que tanto nos habla de libertades individuales, se resista a admitir que los nacionalismos expresan la individualidad de los pueblos. Eso habría que verlo, dijo Hans, a veces pienso que los nacionalismos son otra forma de suprimir a los individuos. Ejem, interesante, opinó el señor Levin. Yo sólo le digo, insistió el profesor, que si Prusia hubiera hecho lo que debía para frenar el avance de la revolución, los franceses jamás nos habrían ocupado. Y yo le digo, replicó Hans, que simplemente nos equivocamos de ocupación, y que en vez de dejarnos invadir por las ideas francesas, nos dejamos invadir por sus ejércitos.

Viendo que el profesor Mietter tomaba aire para contestar, Sophie le alcanzó un plato de sagú tibio y dijo: Señor Hans, por favor, continúe explicándonos esa idea. Sí, añadió Hans, de acuerdo, hemos sido humillados y traicionados por Napoleón. Pero hoy los alemanes nos gobernamos a nosotros mismos y curiosamente, después de haber expulsado al invasor, es nuestro propio gobierno el que se encarga de oprimirnos, ¿qué les parece? Estimado señor Hans, intervino el señor Gottlieb, comprenda usted que en estas tierras hemos soportado la humillación de ver pasar a las tropas francesas durante veinte años, igual que los han visto establecerse junto al Rin, atravesar Turingia, tomar Dresde, por cierto, hija, ¿te ha escrito tu hermano?, ¿no?, ¡y después se queja de que no vamos a visitarlo!, en fin, ¿qué les decía?, ah, las tropas, también ocuparon Berlín y hasta Viena, estimado señor Hans, y Prusia dejó casi de existir, en fin, ¿cómo no iba a reaccionar violentamente? No olvidemos, querido señor Gottlieb, dijo Hans, que además fueron nuestros propios príncipes los que consintieron que. No me olvido, lo interrumpió el señor Gottlieb, no me olvido, pero, sinceramente, ojalá algún día los prusianos nos venguen de todas las afrentas. Padre, protestó Sophie, no diga eso. Voilà ma pensée, apostilló el señor Gottlieb levantando las manos y ocultándose tras las orejas de su sillón. Para destrozar Europa, dijo Hans pensativo, no necesitamos a Napoleón, nos bastamos solitos. Precisamente vengo de Berlín, señor, y le aseguro que no me gusta nada el entusiasmo bélico de los jóvenes, ojalá tuviéramos más política inglesa y menos policía prusiana. No sea frívolo, se disgustó el profesor Mietter, esa policía nos defiende a usted y a mí. Conmigo no han hablado, ironizó Hans. Caballeros, intervino Sophie, caballeros, un poco de calma, todavía queda té y sería una pena que sobrase. Elsa, querida, por favor...

Hans vio en el espejo redondo que Sophie se dirigía al señor Levin, y volvió a prestar atención al otro lado. Señor Levin, dijo Sophie, se lo ve un tanto ensimismado, díganos, ¿qué opina usted de nuestro monstruo predilecto? Ejem, dijo el señor Levin, nada definitivo, en fin, ya sabe. Reconozcamos que entre otras cosas, ejem, dignas de mención, Napoleón implantó cierta igualdad cívica, quiero decir que. Comprendemos perfectamente, dijo el profesor Mietter torciendo el gesto, me pregunto qué dirá la Torá de la igualdad cívica. Querido profesor, lo contuvo Sophie, no nos pongamos bromistas. Y ya que estamos, dijo entonces Álvaro, ¿qué pensará de este asunto nuestra encantadora anfitriona? Exacto, aprobó el profesor Mietter, nos intriga saberlo. Querida, dijo la señora Pietzine, ¡te han cercado! Los bigotes del señor Gottlieb se combaron de expectativa. La señora Levin dejó de sorber su té. Hans regresó al espejo y abrió bien los ojos. Opino, caballeros, comenzó Sophie, y sé que a su lado soy una ignorante en política, que la desilusión de una revolución no tendría por qué causar un retroceso en la historia. Quizá me excedo en mis conjeturas, ¿pero han leído ustedes *Lucinde*?, ¿no les parece que ese librito es un legítimo fruto de las esperanzas revolucionarias? Mi querida señorita, dijo el profesor Mietter, ¡ese libro no tiene nada que ver con la política! Lieber Professor, sonrió Sophie sacudiendo los hombros con gracia para amortiguar el desacuerdo, permítame desvariar y supongamos por un momento que sí, que *Lucinde* es una novela profundamente política porque no habla de cuestiones de estado sino de la vida íntima, de la nueva intimidad de sus ciudadanos. ¿Hay mayor revolución que la de las costumbres? El profesor Mietter suspiró: Los Schlegel, qué pesados. Y qué fijación estúpida contra el racionalismo protestante. El hermano menor ha terminado siendo igual que sus aforismos: un polen. Y al mayor, pobre, lo único interesante que se le ha ocurrido es traducir a Shakespeare. Pero Hans, maravillado, había salido del espejo. ¿Así que le agrada Schlegel, señorita?, preguntó en voz baja. Él no, contestó ella, o depende. Adoro su novela, el mundo que propone esa novela. No sabe usted, susurró Hans, hasta qué punto estamos de acuerdo. Sophie bajó la vista y se puso a mover las tazas. También, dijo Sophie comprobando que su padre y el profesor Mietter habían empezado a conversar por su cuenta, me parece que Schlegel ha terminado como Schiller: con pánico al presente. De hecho, si fuera por ellos, ni siquiera podría estar hablando de su obra porque estaría probándome ropa. Queridos amigos, dijo de pronto el señor Gottlieb poniéndose en pie, espero que finalicen con placer la velada. Después se acercó al reloj de pared, que marcaba las diez en punto. Le dio cuerda como todas las noches a esa hora. Hizo una reverencia y se retiró a sus aposentos.

Algo más tarde, comprendiendo que no debía ser el último en retirarse, Hans se levantó de su asiento. Bertold fue a buscar su sombrero y su levita. Hans hizo una inclinación general, demorándose al posar los ojos sobre el profesor Mietter. Sophie, que parecía más divertida desde que su padre se había marchado, se acercó para despedirlo. Señorita Gottlieb, dijo Hans, le ruego que no crea que estoy siendo cortés si le digo que he pasado unas horas deliciosas gracias a usted. Ha sido muy considerada invitándome a su Salón, espero no haber merecido la expulsión por lenguaraz. Al contrario, estimado señor Hans, contestó Sophie, soy yo quien le agradece, el de hoy ha sido uno de los debates más animados e interesantes que hemos tenido, y me temo que su presencia ha tenido algo que ver en ello. Su complicidad me abruma, dijo Hans excediéndose en su coquetería. Descuide, lo castigó Sophie, el próximo viernes discreparé más de usted y seré menos hospitalaria. Señorita Gottlieb, carraspeó Hans (dígame, se apresuró ella), si me permite, en fin, quisiera, me gustaría felicitarla por sus brillantes palabras sobre Schlegel y *Lucinde*. Señor Hans, se lo agradezco, sonrió Sophie y se acarició el costado de una mano con la otra, ya se habrá dado cuenta de que, aunque procuro no llevarles la contraria a mis invitados, cuando me preguntan por Napoleón no me siento capaz de darles la razón a los restauradores. Ahora bien, estimado amigo (al escuchar la palabra *amigo* Hans sintió que el corazón se le volcaba), si no es mucho atrevimiento, me gustaría puntualizar algo sobre la revolución francesa (por favor, adelante, dijo él), supongo que esta tarde ambos la hemos defendido por lealtad a ciertas convicciones, pero para no traicionarme a mí misma también debo recordarle una cosa que usted no mencionó. Verá, de los muchos reproches que podríamos hacerles a los jacobinos, uno de ellos es que se escandalizaran tanto cuando las mujeres francesas reclamaron su derecho a participar en la vida pública. Por eso decía que, además de nuevos proyectos políticos, hacen falta subversiones privadas. Espero que coincida conmigo en que, si esa revolución íntima se hiciera como es debido, su consecuencia natural sería un cambio de las funciones públicas, ya me comprende, que las mujeres pudiéramos aspirar al parlamento además de al bordado, aunque le aseguro que no tengo nada contra el bordado y de hecho lo encuentro de lo más relajante. En fin, estimado Hans, no me tome por una ocurrente, confío en que el próximo viernes encontrará algo interesante que contestarme, ¡Bertold, Bertold!, ¡ya era hora!, ¡pensé que te habías llevado la levita del caballero!, que tenga buenas noches, y vaya con cuidado, Hans, que la escalera está oscura, adiós, gracias a usted, adiós, adiós.

Mientras caminaba aturdido hacia el portón de la casa Gottlieb, Hans escuchó que lo llamaban desde las escaleras y se detuvo. Álvaro pasó de una penumbra a otra, y en mitad de las dos le brilló la mirada. Estimado Hans, dijo palmeándole la espalda, ¿no le parece a usted que es una hora demasiado decente para que dos caballeros como nosotros se retiren a casa?

Pisando barro frío y orina seca, dejaron atrás la calle del Ciervo. Las farolas de gas le daban a la plaza del Mercado una realidad intermitente: su luminosidad aumentaba o disminuía como un instrumento cambia de acorde, el empedrado desierto variaba de grado, la fuente barroca se ausentaba por un instante y volvía, la Torre del Viento se emborronaba. Álvaro y Hans atravesaron la plaza escuchándose los pasos. A Hans no dejaba de impresionarlo el contraste entre las mañanas y las noches, entre el colorido de la fruta y la oscuridad amarilla, entre la maraña de transeúntes y esa quietud helada. Parecía, pensó Hans, que una de las dos plazas, la diurna o la nocturna, fuera un espejismo. Levantando la vista se divisaban las puntas asimétricas de la iglesia de San Nicolás, su silueta inclinada. Álvaro se quedó mirándola y dijo: Algún día tendrá que caerse.

A diferencia del campo abierto y sus alrededores, donde las tardes caen poco a poco, en Wandernburgo los días se cierran de golpe, a la misma velocidad alarmada con que los postigos clausuran las ventanas. La luz del ocaso se absorbe como en un desagüe. Entonces los escasos viandantes empiezan a tropezar con los toneles de las bodegas, los enseres de los carruajes, los bordes de las baldosas, los leños extraviados, los sacos de desperdicios. Junto a cada portal la basura se licua con la noche, en torno a su hedor se reúnen perros y gatos a devorar al compás de las moscas.

Vista desde el cielo, la ciudad parece una vela flotando en agua. En el centro de la vela, en el pabilo, el resplandor de gas de la plaza del Mercado. Alrededor de la plaza, amplificada en ondas, la oscuridad progresiva. Ramificándose, red de nervios, el resto de las calles se aleja del centro arrastrando hilos de luz. Surgiendo de los muros como pálidas hiedras, los faroles de aceite apenas dejan ver el suelo. La noche en Wandernburgo no es la boca del lobo: es lo que el lobo, ávido, mastica.

Desde hace algún tiempo, algunas noches, adentrándose en los callejones cercanos a la plaza, huyendo de los serenos, mimetizado con los muros, apostado en la sombra, alguien espera. A veces en el callejón de la Lana, otras veces en la angosta calle de la Oración o al fondo del callejón del Señor, respirando hacia dentro, vestido con su abrigo largo y su sombrero de ala negra, medio brazo sumido en los bolsillos, las manos recubiertas de unos guantes ceñidos, entre los dedos un cuchillo, una máscara a un lado y una cuerda al otro, agazapado en las esquinas, alguien atiende a cada paso, cada mínimo ruido.

Y como todas las noches y también esas noches, cerca de los oscuros callejones donde alguien espera, a veces incluso muy cerca, cruzan los lanzones con punta de farol de los serenos, que a cada hora en punto se descubren la cabeza, soplan su cuerno y dan la voz:

> *¡A casa, gente, vamos!*
> *En la iglesia han tocado ocho campanas,*
> *vigilad vuestro fuego y vuestras lámparas.*
> *¡Loado Dios! ¡Loado!*

Y la plaza del Mercado a la deriva con su veleta helada. Y detrás las torres desiguales de San Nicolás. Y la torre puntiaguda de la iglesia pinchando el borde de la luna, que sigue perdiendo líquido.

Los bebedores colmaban la barra y ocupaban las mesas de pino arañado. Hans echó un vistazo circular, saltando de jarra en jarra, y se sorprendió al reconocer a alguien. ¿Pero ese?, preguntó, ¿ese no era? (¿quién?, dijo Álvaro, ¿ese de ahí?), sí, el del chaleco brillante, el que está brindando con los otros dos, ¿ese no es? (¿el alcalde?, completó Álvaro, sí, ¿por?, ¿lo conoces?), no, bueno, me lo presentaron en una recepción hace algunas semanas (ah, ¿tú también estabas?, qué lástima no habernos conocido ahí), cierto, fue una fiesta aburridísima, ¿qué hará aquí a estas horas? (no tiene nada de raro, al alcalde Ratztrinker le gusta mucho la Taberna Central y la cerveza ya no digamos, él siempre dice que vive para servir al pueblo, me imagino que pasarse las noches bebiendo con él es la mejor manera de conocerlo).

Álvaro pidió una cerveza clara. Hans la prefirió de trigo. Al calor del vaho y las palabras dichas hombro con hombro, los dos confirmaron que su complicidad en el Salón no había sido casual. En confianza, Álvaro hablaba mucho y sin pudores, liberando un vigor que en sociedad permanecía aplacado. Como todas las personas de carácter muy vivo, reunía dos corrientes: la cólera y la ternura. Ambas asomaban en su entusiasmo cuando conversaba. A Álvaro le atrajo la convicción discreta de Hans, que parecía seguro de algo que no contaba. Lo intrigó su estar y no estar, esa especie de frontera cordial desde la que escuchaba, con aire de estar a punto de dar media vuelta. Conversaron como rara vez consiguen hacerlo dos hombres: sin interrumpirse ni desafiarse. Entre risas y sorbos largos, espiando de reojo la mesa del alcalde, Álvaro le relató a Hans la asombrosa historia de Wandernburgo.

En realidad, decía Álvaro, es imposible saber dónde está exactamente Wandernburgo en el mapa, porque ha cambiado de lugar todo el tiempo. Está tan de paso entre unas regiones y otras que se ha vuelto un poco invisible. Como esta es una zona que siempre ha basculado entre Sajonia y Prusia sin un dominio claro, Wandernburgo se ha desarrollado casi exclusivamente gracias a las tierras que pertenecían a la Iglesia católica. Desde el principio la Iglesia llegó a un acuerdo con unas pocas familias de la región para explotarlas, entre ellas la familia Ratztrinker, que es dueña de las fábricas y explota buena parte del comercio textil, y también la familia Wilderhaus (¿Wilderhaus?, se sobresaltó Hans, ¿los mismos que...?), exacto, la familia de Rudi, el prometido de Sophie, en fin, parece que los Wilderhaus actuales son descendientes de uno de los primeros príncipes de Wandernburgo, ¿por qué pones esa cara?, en serio, he oído que Rudi y sus hermanos son algo así como sobrinos de un tataranieto de ese príncipe. Además de un montón de tierras, los Wilderhaus tienen parientes en el ejército prusiano y otros son funcionarios en Berlín. El caso es que en su día estas viejas familias se comprometieron a no ceder ante las presiones de los príncipes protestantes, fueran sajones o prusianos, a cambio de que la Iglesia les cediera parte de sus tierras. Tierras que todavía les dan a sus descendientes excelentes beneficios, de los que ellos entregan a su vez un divino tercio a la Iglesia (entiendo la trama, dijo Hans, ¿pero cómo es que nunca los invadieron?, ¿por qué los príncipes protestantes aceptaron esa resistencia?), probablemente porque no valía la pena invadirlos. Los terratenientes de por aquí siempre han sido grandes explotadores, gestores muy eficaces, de hecho es posible que nadie sea capaz de sacar más rendimiento a unos terrenos y un ganado que tampoco valen tanto como para llegar a las armas. ¿O a quién te crees que iba a parar hasta hace poco uno de los dos tercios restantes de las ganancias? Naturalmente, al príncipe sajón de turno. Así que el negocio era redondo para todos: nadie tenía que invadir a nadie, no hizo falta litigar demasiado, y cada cual tuvo su premio. La Iglesia mantuvo tierras en plena región hereje. Los príncipes sajones evitaron seguir complicando los conflictos fronterizos y la situación con los príncipes católicos, ganándose de paso cierta reputación de tolerantes que ya aprovecharán cuando les interese. Y la oligarquía wandernburguesa tributaba para los dos bandos sin verse amenazada, no sé si me explico (te explicas de maravilla, dijo Hans, ¿cómo has averiguado todo eso?), negocios, amigo, no te imaginas las cosas de las que uno se entera haciendo negocios (a mí me sigue sorprendiendo que seas comerciante, no hablas como un empresario), un momento, un momento, ten en cuenta dos cosas. *Número uno,* mi querido Hans, no todos los empresarios somos tan idiotas como parecen los empresarios. And number two, my friend, esa es una historia que empezó en Inglaterra y que te contaré otro día.

¿Y tú cómo te llevas con todas esas familias?, preguntó Hans. Oh, contestó Álvaro, ¡maravillosamente!, yo los desprecio en silencio y ellos fingen que no me vigilan. Ahora mismo, de hecho, nos están vigilando, *¡pues que les den bien por el culo!* (¿cómo?, dijo Hans, no te he entendido), nada, no importa. Nos sonreímos y hacemos negocios juntos. Sé que algunas familias han tratado de encontrar otros distribuidores para sus tejidos. Pero los más rentables somos nosotros, así que por ahora les conviene soportarme para mantener la relación comercial con mis socios ingleses (¿y por qué no estás en Inglaterra?), bueno, contestar esa pregunta es triste, eso también te lo cuento otro día. El caso es que necesitan a nuestros distribuidores en Londres. Después del bloqueo, cuando cayó Napoleón, en Wandernburgo no tenían contactos ingleses y vieron la ocasión de ampliar su mercado con mis socios. Tampoco están en condiciones de elegir demasiado, este es un distrito pequeño, alejado del Atlántico y con poco intercambio con los puertos del mar del Norte o del Báltico. Simplemente nos necesitan. ¡Paciencia, señor alcalde! (murmuró Álvaro elevando su jarra hacia la mesa del alcalde Ratztrinker, que no pudo escuchar sus palabras y le correspondió con una mueca).

Hay una sola cosa que no entiendo, quiso saber Hans, ¿por qué aquí había tierras de la Iglesia?, ¿qué hacía un principado católico en zona protestante?, esta ciudad me parece cada vez más rara. Sí, dijo Álvaro, al principio a mí también me sorprendió. Verás, durante la guerra de los Treinta Años estas tierras estuvieron prácticamente en la frontera entre Sajonia y Brandemburgo, puede decirse que eran sajonas por los pelos. La zona fue invadida por las tropas católicas, que la tomaron como enclave para obstruir las comunicaciones enemigas. Así, por casualidad, Wandernburgo se convirtió en bastión de la Liga Católica en pleno corazón de la Unión Protestante. Con la paz de Westfalia lo declararon principado eclesiástico, ¡camarero, otras dos jarras!, ¿cómo que no?, a la última nunca se le dice que no, de ninguna manera, ya pagarás tú la próxima vez, ¿o no piensas volver a una taberna conmigo? ¿Qué iba diciendo? Ah, y pasó a llamarse Principado Wandernburgués, que es como todavía se llama oficialmente. Recordarás que en Westfalia se acordó respetar la religión de cada estado según la decisión del príncipe, lamentable criterio, sí. Y por lo visto el príncipe de aquel momento era católico. Parece ser que sus padres, para evitar la destrucción de la ciudad, habían colaborado con las tropas contrarreformistas. Así es como Wandernburgo fue y siguió siendo católica (qué curioso, dijo Hans, no conocía esa historia, ni siquiera sabía que fuera un principado eclesiástico, había pasado algunas veces de largo, pero), me lo imagino, les pasa a todos, yo llegué por otras razones, si no nunca, en fin, dejémoslo para otro día. Sí, y algo todavía más curioso: la situación apenas ha variado en dos siglos. Sólo era un pequeño territorio, rodeado de enemigos y confundido entre cientos de estados dispersos por toda Alemania, y la reunificación del imperio no iba a decidirse por unas cuantas hectáreas (¿y con Napoleón qué pasó?, ¿todo eso no cambió con los franceses?), ¡esa es la parte más divertida! Como Sajonia se puso de parte de Napoleón, Wandernburgo fue pacíficamente ocupada por sus tropas, que iban y venían de la frontera con Prusia. A cambio de los servicios prestados como lugar de paso, el hermano de Napoleón decidió respetar la potestad católica de Wandernburgo. Pero al caer el emperador Prusia ocupó parte de Sajonia, y resulta que Wandernburgo quedó del lado prusiano por unas pocas leguas. Y pasó a ser de nuevo una zona fronteriza, pero del otro lado. Por eso, amigo, ¡choca esa jarra!, ahora somos prusianos y hay que proclamarlo, ¡coño, inflamémonos de ardor prusiano! (Y brindando con aquel extranjero, Hans se sintió en casa por primera vez en Wandernburgo.)

Ahora, rió Álvaro, es Prusia la que recibe su parte del tributo, y por eso consiente la excepcionalidad de Wandernburgo. Los Wilderhaus, los Ratztrinker y los demás terratenientes siguen declarándose católicos, mantienen toda clase de privilegios de la Iglesia como bastión que son, y por supuesto también se declaran tolerantes, interconfesionales y prusianos ante el rey de Prusia, con la misma convicción con la que antes se sentían sajones, afrancesados o lo que fuera. Por eso han vuelto algunos descendientes de familias luteranas exiliadas, como el profesor Mietter. Antes del congreso de Viena hubiera sido imposible que las autoridades y la prensa respetaran tanto a alguien como el profesor, pero ahora es políticamente oportuno. (Supongo, dijo Hans, que Sajonia no va a quedarse cruzada de brazos.) Bueno, Sajonia todavía no ha hecho ningún movimiento, me imagino que confía en que las fronteras de Viena tampoco duren mucho, como no dura nada en Alemania. Eso, te lo aseguro, tampoco sería ningún problema para las autoridades: se echarían en brazos del príncipe sajón correspondiente y le contarían los atroces sufrimientos soportados con el enemigo prusiano, pondrían a la ciudad entera de fiesta y recibirían al príncipe con la mayor pompa sajona. Y así será eternamente, hasta que esta tierra se hunda o Alemania se unifique. Y por ahora ambas cosas son igual de improbables. ¡Espero no haberte aburrido con esta perorata! (¿perorata?, ¿y tú dónde has aprendido esa palabra?), bueno, modestamente, también sé decir monserga (¡pareces una abuelita sajona!), en fin. Como verás, Wandernburgo nunca sabe dónde están sus fronteras, hoy aquí y mañana allá (oye, bromeó Hans, ¿será por eso que me pierdo cuando camino? Álvaro se quedó mirándolo con inesperada seriedad), ah, ¿a ti también te pasa? ¿Tú también tienes a veces la sensación de que? (¿de qué?, ¿de que las calles se, digamos, se movieran?), ¡eso, eso! Nunca me había atrevido a confesárselo a nadie porque me daba vergüenza, pero suelo salir de casa mucho antes, por si en cualquier momento algo cambia de sitio. ¡Creí que era el único! Salud.

El alcohol empezaba a enredar la lengua de Hans, que pasó una mano por encima del hombro de Álvaro. Eh, perrrdona, le dijo, ¿te he pisado?, lo siento, sssí, mira, desde que empezamos a hablar tengo ggganas de prrreguntarte una cosa, tú, ¿tú cómmmo hablas tan bien el alemán? Álvaro se encorvó de repente. Eso, contestó, era lo que prefería no contarte. Estuve casado con una alemana. Muchos años. Con Ulrike. Ella nació muy cerca de aquí. A unas tres leguas. Le gustaba mucho este lugar. El paisaje. Las costumbres. No sé. Sus recuerdos de infancia eran esos. Por eso nos vinimos a vivir aquí. Ulrike. Muchos años. Ahora quién va a irse.

Hans se quedó contemplando los restos de espuma en los bordes de la jarra, la oreja transparente de las asas, todo eso que se mira cuando está todo dicho. Después, en un susurro, preguntó: ¿Cuándo? Hace dos años, dijo Álvaro. De tuberculosis.

Álvaro y Hans apuraban sus cervezas con parsimonia. Los camareros limpiaban las mesas con ese aire de reproche de las horas de cierre. Oye, balbuceó Hans, ¿no hay mmmucha gente viuda en Wandddernburgo?, el padre de Sophie, la ssseñora Pietzine, puede que el prrrofesor Mietter. No es casual, contestó Álvaro, las ciudades de frontera alivian, te hacen pensar que cerca hay otro mundo, no sé cómo decirlo. Aquí llegan viajeros, perdidos, solitarios, gente que iba a otros lugares. Y todos, Hans, se quedan. Ya te irás acostumbrando. Lo dddudo mucho, dijo Hans, yo estoy de paso. Ya te irás acostumbrando, repitió Álvaro, yo llevo de paso aquí más de diez años.

Sentado encima de su arcón, el aguamanil a un lado, al otro la toalla sobre el respaldo de una silla, las piernas separadas, procurando no mojarse los pies descalzos, Hans se afeitaba mirando el espejito que había apoyado en el suelo. Le gustaba afeitarse de esa forma, asomándose como a un pequeño estanque, porque le parecía que así era más fácil pensar: cuando uno se despierta, sobre todo si es noctámbulo, la cabeza necesita que la vuelquen un poco. Hay días, pensó Hans, en que el día no alcanza. Se había levantado con fuerzas y prisa por cumplir sus propósitos. Pretendía terminar el libro que tenía a medias mientras almorzaba, ir a ver al organillero para proponerle que cenaran juntos, tomar café con Álvaro y perseguir un poco a Sophie si se la encontraba, como otras veces, paseando con una amiga, saliendo de una tienda con Elsa o de camino a alguna visita. Sentado con la cuchilla en la mano, lleno de espuma, sin siquiera vestirse, le parecía que todo podría hacerse velozmente.

Lo sacaron de su ensimismamiento unos gritos provenientes de la planta baja. Dando por comenzado el día, Hans se secó la cara, colocó la acuarela en su sitio, se clavó una astilla en la planta del pie, se la quitó maldiciendo, terminó de vestirse y bajó al pasillo. Los gritos continuaban. Lisa intentaba aproximarse a la puerta de la cocina mientras su madre y los jamones colgados le cerraban el paso. Di lo que quieras, exclamaba la señora Zeit, a mí no me engañas: aquí faltan quince groses, por lo menos diez. Madre, se defendía Lisa, ¿no se da cuenta de que he traído una libra más de carne y más tomates? Claro que me doy cuenta, contestó la señora Zeit, y no sé quién te ha pedido que compres tantos tomates, la carne vaya y pase, la que sobre puede salarse, pero esos tomates, ¿quién pretendes que se coma el cesto entero, dime, a ver? Además una libra de carne no puede costar tanto, ¿te crees que soy tonta? Madre, replicó Lisa, ya se lo he dicho, los precios han subido esta mañana, por cada siete loths han aumentado un. ¡Eso ya lo veremos!, la interrumpió su madre, mañana iré yo misma a la plaza y te juro que. Haga lo que quiera, la interrumpió Lisa a su vez, y si no me cree puede ir usted mañana, y pasado, y todos los días. A mí no me interesa el carnicero ni los tomates ni discutir con usted. Pero hija, dijo la señora Zeit tomando a Lisa por las muñecas, aunque sea verdad lo que dices, ¿no te das cuenta de lo que cuestan las cosas?, ¿cuándo vas a aprender? Si una mañana los precios aumentan porque sí, hay que dejar el orgullo y regatear, ¿me oyes?, ¡regatear!, y no hacerte pasar por una dama.

Lisa iba a contestar cuando vio a Hans de reojo, inmóvil en el pasillo, escuchando. Volvió la cabeza de inmediato, intentando dejar claro que no había reparado en él. A Hans le pudo más la curiosidad que el pudor y se quedó ahí sin cambiar de postura. Lisa siguió replicando con pocas, altivas palabras a los reproches que recibía. Ya no cabía duda de que, pese a la autoridad materna, la señora Zeit estaba sufriendo más que su hija con aquella discusión. Ambas se desplazaron y Hans las vio casi de frente. Al resplandor de cobre y estaño de la cocina, pudo distinguir los surcos en la cara de la posadera, que se multiplicaban con sus exclamaciones. Y también las cicatrices, manchas y pellejos en las manos de Lisa mientras gesticulaba. Por un instante las diferencias entre ambas, los contrastes de silueta, belleza y actitud quedaron suprimidos, y Hans vio fugazmente a una misma mujer descompuesta en dos momentos, a dos mujeres idénticas en edades distintas. Entonces se alejó de la cocina.

Hans tuvo que esperar a la irrupción de Thomas para recobrar el buen ánimo con que se había despertado. Era imposible resistirse al entusiasmo radical, a esa especie de esperanza instintiva de aquel niño. Thomas lo saludó distraídamente, le preguntó si le gustaban los alces, le escondió la taza de café detrás del sofá, hizo una pirueta en forma de tijera y se perdió por el pasillo. Hans se levantó y Thomas, creyendo que había decidido perseguirlo, echó a correr escaleras arriba. No queriendo decepcionar la expectativa del niño, Hans subió las escaleras fingiendo el enfado de un ogro y reclamándole su taza de café, que ya había recogido del suelo. Cuando Thomas llegó al final del pasillo de la segunda planta y se topó con la ventana, se volvió hacia su perseguidor con el rostro súbitamente demudado, con tal pánico en la mirada que Hans estuvo a punto de creerse un verdadero ogro. Justo cuando se disponía a acariciarle la cabeza para disipar su miedo, Thomas estalló en una ruidosa carcajada y Hans comprendió que el niño había estado fingiendo más que él. Perplejo, miró por la ventana y se dio cuenta de que había empezado a llover.

¡Thomas, demonio!, bramó la señora Zeit con la furia redoblada de quien ha reñido en vano a su otro hijo, ¡Thomas, te he dicho que bajes a terminar los deberes inmediatamente!

¡Por el amor de Dios, ni siquiera has terminado el primer ejercicio! ¡Tendrían que abrir la escuela los sábados! ¡Ah, y ve olvidándote de salir en trineo! El niño miró a Hans, recobró la compostura y se encogió de hombros como quien da por terminado un juego. Caminó hacia la escalera con la cabeza gacha. Bajaron juntos sin decir una palabra. Al llegar al pasillo Thomas dejó escapar dos rápidos gases. Su padre llegó indignado desde la recepción, recogió su oreja al pasar y se lo llevó pasillo arriba hasta la vivienda. Al volver, agitado, le dijo a Hans: Como verá, esta es una familia como cualquier otra. Por supuesto, contestó Hans, no se preocupe. El posadero hundió una mano en el bolsillo de sus pantalones caídos y anunció: Por cierto, en vista de su permanencia y de sus, en fin, costumbres tardías, aquí tiene unas llaves. Por favor, no las pierda. Y lléveselas siempre cuando salga de noche.

El mediodía se ahogaba. Los paraguas competían en la acera angosta. Las botas de Hans chapoteaban confundiendo sus pasos. Levantando agua sucia, los carruajes corrían a su lado como una posibilidad. En la plaza del Mercado los tenderos desmontaban sus puestos. Hans divisó al organillero inclinado en el rincón de siempre, concentrado en sus canciones, haciendo girar la plaza. Las barbas le asomaban fuera de la capucha, goteando lentamente. Viéndolo ahí, imperturbable, Hans se reconcilió con el día nublado: mientras el viejo siguiera en el centro de Wandernburgo, la ciudad estaría ordenada. Como de costumbre, Franz fue el primero en intuir su presencia: alzó el vértice de sus orejas negras, despegó el hocico del suelo, enderezó las patas y se sacudió el pelaje.

¿Qué tal el día, organillero?, saludó Hans apretándole el morro a Franz mientras este se revolvía. Precioso, contestó el viejo, ¿has visto cómo brilla la niebla? ¿La niebla?, no, admitió Hans, no me había fijado. Ha estado cambiando de color toda la mañana, explicó el organillero, ¿a ti te gusta la niebla? ¿A mí?, dijo Hans sorprendido, no especialmente, creo. A Franz y a mí nos divierte, dijo el organillero, ¿verdad, bicho? ¿Y la gente?, preguntó Hans señalando el plato en un arranque de pragmatismo que lo avergonzó un poco, quiero decir, ¿ha tenido público? Poca cosa, contestó el organillero, suficiente para la cena, vendrás, ¿no? Hans asintió dudando si ofrecerse a comprar el vino, porque el viejo solía ofenderse si adivinaba que lo que él llevaba a la cueva no suponía una cortesía sino un intento de abastecerlo. Lamberg dice, continuó el organillero, que va a pasar un rato después de cenar. Me preocupa ese muchacho, en la fábrica trabaja hasta desmayarse y se ríe muy poco, cuando alguien bebe mucho y ríe poco es mal asunto. Tratemos de animarlo esta noche, ¿de acuerdo?, tú le cuentas historias de tus viajes, yo toco alguna cosa viva, y espero que Reichardt cuente chistes verdes. Y tú, bandido, ¿has ensayado algún ladrido nuevo?

Por si el tiempo empeoraba, Hans fue a hablar con un cochero para que al anochecer lo acercara al camino del puente. El cochero lo informó de que las calesas llevaban todo el día ocupadas y no estaba seguro de poder ofrecerle un vehículo con capota. Hans le dijo que entonces le reservara un tílburi descubierto, y que llevaría paraguas. El cochero carraspeó y volvió a contestar que no estaba seguro de poder ofrecerle un tílburi. Hans lo miró con fijeza y, suspirando, le entregó un par de monedas. De inmediato el cochero recordó que a lo mejor habría lugar en la última calesa.

De vuelta hacia la posada, donde pensaba leer un rato, Hans paseó por las amplias aceras de la avenida Regia, flanqueada por acacias y transitada por ruedas limpias, caballos más robustos, cocheros con librea. Entre milords encapotados, relucientes landós, graciosos cabriolés, le llamó la atención uno que pasaba al ceremonial galope de dos caballos blancos. Hans tardó en reenfocar la vista del exterior al interior del vehículo: cuando lo hizo distinguió, sobresaltado, media cara de Sophie haciéndose pequeña tras las gotas, y el perfil de un sombrero a su lado. Sophie retiró con precipitación la cabeza del cristal y oyó que le preguntaban si se encontraba bien.

El coche abandonó la avenida Regia. Al fondo del Paseo de la Orla, una figura caminaba en dirección a la calle Ojival. Mientras el coche pasaba junto a ella, la figura se volvió: tocado con un sombrero de teja, envuelto en un manteo que cubría su sotana, el padre Pigherzog bajó el paraguas y se inclinó para saludar. Desde el interior de la cabina forrada en paño rojo, el acompañante de Sophie se irguió para corresponder el ademán. Ella permaneció quieta. Guten Tag, mein lieber Herr Wilderhaus!, pronunció el padre Pigherzog girando el cuello a medida que el coche lo adelantaba. Y añadió, quizá tarde: ¡Que el Señor los bendiga! Al enderezar el paraguas, el sombrero del párroco cayó al suelo y se manchó de barro. Contrariado, remontó la calle Ojival sosteniéndolo con dos dedos.

El sacristán les sacaba brillo a los vasos sagrados. Tengas paz, hijo mío, dijo el padre Pigherzog entrando en la sacristía. El sacristán lo ayudó a despojarse del manteo, puso en remojo el sombrero y terminó de ordenar las reliquias. Hijo, preguntó el párroco, ¿cómo ha ido la colecta? El sacristán le extendió la cajita de acero que llamaban recipiente de la santa voluntad. Ve con Dios, dijo el padre Pigherzog, puedes retirarte.

Cuando se quedó a solas, el padre Pigherzog contempló el orden de la sacristía y suspiró. Consultó la hora en el reloj de pared y tomó asiento junto a las lámparas, colocándose en el regazo una de las pilas de libros que reposaban sobre la mesa. Devolvió a su sitio el libro sacramental y el *Misal Romano*. Se demoró un momento en el catecismo de Pío V, marcó una página y lo apiló con los otros libros. Encima de su regazo quedó un grueso volumen titulado *Libro sobre el estado de las almas*, en el que el padre Pigherzog tomaba nota de diversos asuntos de su pía incumbencia: pormenores de la práctica y el cumplimiento pascual de la parroquia, familia por familia; impresiones personales sobre los feligreses, incluyendo sucintas noticias relacionadas con ellos; evaluación e incidencias de la liturgia semanal; carencias y posibles necesidades de la parroquia, así como aportaciones o donaciones dignas de mención; y un último apartado de redacción más esporádica, dirigido «a su Altísima Dignidad» y consagrado al «Balance de cuentas trimestrales de las tierras otorgadas en concesión por la Santa Madre Iglesia», que una vez completado el sacerdote revisaba, pasaba a limpio y enviaba por correo al arzobispo. Todo ello anotaba el padre Pigherzog con primorosa letra, distinguiendo los asuntos por epígrafes.

Abrió el *Libro sobre el estado de las almas* por la última página escrita. Releyó las entradas recientes. Tomó la pluma, la mojó parsimoniosamente en el tintero, anotó la fecha y comenzó su tarea.

... que me preocupa es Frau H. J. de Pietzine, cuyas desdichas hemos comentado en anteriores oportunidades. No son pocas las inquietudes que oscurecen su conciencia y turban su alma, cuya salvación dependerá en gran medida de la disposición con que se entregue a la penitencia, ejercicio este último que tiende a observar con mucho menor ahínco que la oración. No debiera una mujer en su estado de fe y condición familiar prodigarse tanto en frívolas alternancias y ocasiones mundanas. Considerar dicha tendencia en próximas confesiones.

... como queda de manifiesto en el referido episodio, el excelente señor Wilderhaus hijo, de cuya alta alcurnia y generosidad con esta humilde parroquia hemos dado ya conmovida cuenta, ha hecho una elección comprensible atendiendo a según qué virtudes de la señorita Gottlieb, virtudes, si se me permite, indecorosamente eclipsadas por xxxxxx ciertas resistencias y levedades en las que ella viene persistiendo durante los últimos años. No se trata, empero, de nada que el buen matrimonio, la placidez doméstica y sus maternales quehaceres no puedan corregir. Enviar sacristán a Mansión Wilderhaus con nuevas gratitudes por su piadosa donación, con membrete de la parroquia. Sugerir al señor Gottlieb entrevista a solas con su hija.

... habiendo abandonado de esta forma su condición de catecúmena. No deja de ser digno de encomio su esfuerzo por renegar de las pasadas herejías, ya se verá más adelante si definitivo. Mucho más arduo resulta el caso de su marido, A. N. Levin, quien no sólo no cede en su xxxxxx aberración semita ni reconoce sus desvíos arrianos; sino que confunde a la esposa con espurias teosofías que van desde un adopcionismo que atenta contra la consustancialidad del Padre y el Hijo, hasta adulteradas mescolanzas de cristología preniceica, ontología cartesiana y panteísmo brahmánico.

Por lo oído hasta ahora, la parte del panteísmo llegó a hacer dudar a la esposa. Fue preciso explicarle que dicho sistema provoca la indiferencia del espíritu, pues si en todo lo existente estuviera Dios en igual medida, daría lo mismo ocuparse de las nubes, las piedras o el Espíritu Santo. Todo no es Dios, hube de recordarle entonces, sino que Dios es todo. Precaver nuevamente a Frau Levin. Rogarle asimismo que consulte a su marido sobre las transacciones descritas en páginas subsiguientes.

... con inaudito descaro. Indagar en el correspondiente grupo de catequesis. Amonestar seriamente al profesor responsable.

... de estas esperanzadoras señales. Dedicar oración colecta del domingo, tomando como ejemplo su tarea, a la supremacía de la abnegación.

... sino también de gula. Dirigirle postrera advertencia so pena de retirarlo del comedor.

... pensamientos impuros con frecuencia alarmante y ✗✗✗✗✗ vívidos contornos. Insistir en penitencia. Hablar con sus tutores.

... recogidas en nuestro recipiente de la santa voluntad, que tan benditos efectos ha venido teniendo en nuestra humilde parroquia y en la absolución de las almas, me veo en el deber de comunicarle que en el último mes han descendido en un 17%, pasando del anterior promedio de medio tálero por feligrés a los actuales 8 groses por feligrés en misa dominical, lo que equivale a un empobrecimiento de nuestros recursos de unos 15 luises o 22 ducados brutos, razón por la que ruego encarecida y suplicantemente a su Altísima Dignidad que vea y halle el modo de enderezar dicha pérdida aunque sólo fuera en parte. Por último, y debido a su menor actividad, los tributos por cultivo se mantendrán inmutables hasta el tercer trimestre, momento en que experimentarán una revisión que los situaría en torno a los 3 táleros y fracción por campesino contribuyente. Lo que certifico ante su Altísima Dignidad, cuya nueva visita aguarda un servidor para besarle las manos,

tratar de estos asuntos personalmente y celebrar una misa pontifical en toda su solemnidad y belleza.

Me alegra que mencione a Fichte, señor Hans (comentó Sophie acariciando el borde interior del asa de su taza de té, sin llegar a introducir el dedo, retirándolo y volviendo a aproximarlo, lo cual observaba Hans progresivamente inquieto), porque si no recuerdo mal el viernes pasado ninguno de nosotros lo mencionó cuando discutíamos sobre nuestro país, ¿no cree usted, querido profesor Mietter (dijo ella cambiando el tono y la orientación de la voz, interrumpiendo el roce del asa y trasladando sus dedos al exterior de la taza, acariciando con las yemas el relieve de la porcelana como quien descifra un texto en braille), que sería oportuno detenernos en él? Estimado joven (se dirigió a Hans el profesor Mietter, que hasta entonces había llevado la voz cantante en la discusión y mantenía los dedos de ambas manos firmemente entrelazados), veo que muestra usted interés por algunos filósofos, ¿podría preguntarle qué estudió? (Las manos de Sophie se separaron de la taza y se quedaron un momento abiertas, suspendidas como orejas.) ¿Yo?, filosofía (contestó Hans, pero no inmediatamente sino después de una pausa en la que se frotó las palmas en un gesto que a Sophie le pareció de incomodidad). Ah, filosofía (dijo el profesor Mietter desenlazando los dedos y dejándolos en alto), interesante, ¿y dónde estudió usted? En Jena (contestó Hans volviendo a demorarse en la respuesta, recostando las manos encima de los muslos como diciendo: Eso es todo).

Por lo que sé (comentó el señor Gottlieb sin retirar la pipa de la boca), estoy de acuerdo con ese Fichte en sus ideas sobre Alemania, aunque tengo entendido que era casi ateo. Padre (le dijo Sophie acercando las manos), ¡qué interesante ha sonado ese *casi*! El Yo de Fichte (observó el señor Levin, que solía mantener las manos inmóviles, casi atadas) es una categoría divina. A mí me parece (dijo Hans alisándose el pantalón, quizá para atenuar su discrepancia con un gesto de falsa humildad) que ningún yo puede ser divino, salvo, claro, que en el fondo ese yo se crea un poco Él. (El dedo índice de Sophie volvió a buscar el borde interior del asa.) Ah, pero (reflexionó el señor Levin señalando un punto imaginario en la mesita) lo más importante sería el Nosotros que hay debajo de ese Él. Querida (dijo la señora Pietzine soltando el bordado), ¿no quedaría un poco más de bizcocho?

Al comienzo de la reunión Sophie había anunciado que Rudi Wilderhaus, en una nota que acababa de enviarle, rogaba a todos los invitados que disculparan su ausencia y prometía asistir sin falta el próximo viernes. Hans había pensado que, por tanto, aquella era su última oportunidad para impresionar a Sophie antes de que su prometido entrase en escena. Así que se lanzó a debatir sobre Fichte. A mí, dijo, me atrae bastante su teoría del individuo, y muy poco su teoría de Alemania. Si cada uno es su propia patria, entonces todo pueblo sería un país de países, ¿no?, pero entonces ningún individuo, por muy sagrado que se crea, puede encarnar a un país ni describir su esencia (díganos, objetó el señor Levin, ¿acaso Bach, Beethoven no nos representan de la mejor manera? Ah, touché!, exclamó el profesor Mietter intentando parecer divertido y sonando rencoroso. Pero Hans ya sólo le hablaba a Sophie), no, no en ese sentido. Si alguien llega a representar la sensibilidad de un país, si un músico o un poeta logra esa identificación, será siempre algo casual, un fenómeno histórico y no un programa metafísico. ¿O de verdad creen ustedes que Bach componía desde su alemanidad? Eso es lo que me hace desconfiar de Fichte, ¿cómo se puede defender una subjetividad radical y deducir de ella una nación entera? Cuando habla del alemán en sí, digo yo, ¿a qué demonios se refiere?, ¿quién sería el modelo?, ¿y quiénes se quedarían fuera? En sus discursos explica cómo las singularidades alemanas se formaron emigrando, mientras el resto de tribus germánicas se quedaba en sus lugares de origen. Lo que me sorprende es que, después de admitir eso, Fichte se atreva a decir que el cambio de residencia no tuvo tanta importancia, que las características étnicas predominan sobre el lugar y bla, bla, bla.

Profesor, usted mismo (Hans hablaba casi sin respirar y el profesor, que no encontraba un hueco en aquel monólogo veloz, desvió la mirada como si no se hubiera dado por aludido) ha viajado y lo sabe, cualquiera que se haya mudado sabe que los cambios de lugar traen cambios interiores. La historia demuestra que los pueblos son cambiantes como un río. Fichte los describe como un mármol, una pieza que puede trasladarse o cincelarse pero que desde el principio es lo que es. Subestima la mezcla del linaje germánico con los pueblos conquistados, y después para colmo insinúa que nuestros males, nuestros viejos males, no son realmente alemanes sino de origen extranjero, ¡qué desfachatez!, ¿qué trata de decirnos con eso?, ¿de quién nos recomienda alejarnos para evitar contaminaciones? (El señor Levin tosió dos veces.) Todo lo que yo sé lo he aprendido viajando, o sea mezclándome con extraños. De acuerdo, supongamos que Fichte dijo lo que dijo para levantarnos el ánimo después de la ocupación francesa o lo que sea. Muchas gracias, Herr Fichte, ha sido usted muy estimulante para nuestras glándulas alemanas, y ahora que hemos recuperado el ánimo, busquemos principios comunes y no tribus germánicas.

Por fin Hans se quedó callado, igual que los demás. Fue apenas un instante. A Sophie le costó disimular el impacto que las palabras de Hans acababan de causarle. Y sobre todo le costó distinguir si ese impacto había sido filosófico o de otra naturaleza muy ajena a Fichte. Pero enseguida alguien golpeó una cucharilla contra una taza, otro pidió el azúcar, otro se puso en pie y pidió utilizar el aseo, y asomaron los ruidos, las voces, los gestos de siempre.

Frotándose los nudillos, Álvaro sostuvo que Alemania era el único lugar de Europa donde la Ilustración y el feudalismo habían tenido la misma fuerza. Agregó que, en su opinión (y el profesor Mietter encontró su idea demasiado republicana), la naturaleza del gobierno alemán se oponía frontalmente al pensamiento alemán. Y que esa contradicción explicaba que los alemanes fueran tan audaces pensando y tan sumisos obedeciendo. El profesor volvió a Fichte para argumentar que por eso mismo, por las raíces feudales de Alemania, el único camino del progreso era tomar un eje para unir la nación, y que ahora ese eje sólo podía ser Prusia. La señora Pietzine (para sorpresa de todos) soltó el bordado y citó a Fichte. La cita no era filosófica, pero era de Fichte, y se refería a la educación física de la juventud alemana. ¡Ah, la gimnasia!, trató de ironizar Hans, ¡esa gran manifestación cultural! El profesor Mietter defendió la disciplina física como expresión de un orden espiritual. Sin ir más lejos (confesó con un destello de coquetería), yo todavía hago ejercicio cada mañana. Y no dude, querido profesor, dijo Sophie, que se lo ve espléndido, no le haga caso al señor Hans, se mantiene usted saludable y hace muy bien. Vielen Dank, meine liebe Fräulein, contestó complacido el profesor Mietter, lo que pasa es que algunos creen que van a ser siempre jóvenes.

Los temas se alternaban en carrusel, unos ligeros, otros densos. Pero cada vez que volvían a la filosofía, por alguna razón personal, ni el profesor Mietter ni Hans se mostraban dispuestos a ceder un milímetro. El profesor se reclinaba en su asiento y cruzaba una pierna, como dejando claro que la experiencia y el sosiego estaban de su parte, mientras los nervios y la incertidumbre eran de Hans. Hans se despegaba del respaldo y se erguía, sugiriendo que la fuerza y las convicciones estaban de su lado, y el cinismo y el cansancio del lado del profesor Mietter. Cuando ambos discutían, el señor Gottlieb extraviaba los bigotes en el humo de la pipa. El señor Levin tomaba tímido partido por uno u otro según el caso, desdiciéndose a continuación. La señora Levin no decía una palabra, aunque miraba a Hans de una manera vagamente hostil. Álvaro intervenía poco, casi siempre a favor de Hans, unas veces porque estaba de acuerdo con él y otras porque la autoridad del profesor le resultaba molesta. Le sorprendió advertir que Elsa, la doncella, aquietaba la pierna y parecía escuchar con atención. Sophie citaba autores, títulos, conceptos, y se replegaba discretamente, haciendo esfuerzos para no inclinarse por ninguno de los dos, para que ambos se sintieran cómodos y pudieran replicar a gusto. Sin embargo las opiniones se le agolpaban, y varias veces estuvo a punto de tomar la palabra para contradecirlos a ambos. Hay tardes, pensó Sophie mientras servía el té, en que a una le entran ganas de dejar de comportarse como una dama.

Puestos a elegir un discurso nacional, decía Hans, yo me quedo con Herder, sin historia no somos nada a priori, ¿no les parece? Ningún país debería preguntarse qué es, sino cuándo y por qué. El profesor Mietter le respondió comparando los conceptos de nación en Kant y Fichte, para probar que el segundo no había traicionado al primero sino que lo había llevado más lejos. Hans dijo que con Kant le pasaba al revés que con Fichte: lo prefería hablando de países que de individuos. Toda sociedad, opinó Hans, necesita un orden, y Kant propone uno muy sabio. Pero un ciudadano necesita también cierto desorden, y eso Kant no lo admite. Para mí una nación libre sería, digamos, un conjunto de desórdenes respetuosos con el orden que los contiene. Para mí, lo relevó el profesor Mietter, la aspiración nacional de Fichte tiene un gran valor en la situación que vivimos (¿y qué situación vivimos, profesor?, dijo Hans), lo sabe usted de sobra, Alemania no puede seguir eligiendo entre la ocupación extranjera o el desmembramiento, es hora de dar un paso adelante y decidir nuestro destino (pero nuestro destino, objetó Hans, también depende del destino de los otros países de Europa, no se puede fundar una nación sin refundar el continente), ¿lo dice por su Napoleón, gnädiger Hans? (no, reaccionó Hans, ¡lo digo por su Santa Alianza!).

Sophie estaba tan entusiasmada como inquieta: por primera vez veía al profesor seriamente discutido por un invitado, y no se decidía a remediarlo porque sabía que ciertas ideas de Hans no las podría expresar ella misma con tanta facilidad, en parte por la presencia de su padre y en parte por la neutralidad que le imponía su rol de anfitriona. Esto último empezaba a parecerle cuestionable, y cuantas más dudas tenía más hacía correr sus largas manos de un lado a otro, más se aplicaba en hacer circular los canapés, las gelatinas, los hojaldres, el chocolate caliente. Mientras tanto el profesor Mietter, sorprendido de que Sophie no censurase los desplantes de Hans, aunque deseoso de que no lo hiciera para refutarlos debidamente, contestaba sin alterarse.

Estimado amigo, dijo el profesor, le recuerdo que no hay derecho internacional que valga sin naciones fuertes. Y yo, estimado profesor, dijo Hans, insisto en que me siento mucho más ciudadano de la Europa de Kant que de la Alemania de Fichte, ¿qué le vamos a hacer? Siéntase como quiera, dijo el profesor, el hecho es que el republicanismo federal no ha traído la paz a Europa, sino guerras por el dominio. Todo lo contrario, replicó Hans, hemos tenido guerras por el fracaso federal. Kant proponía una sociedad entre estados libres, y eso es incompatible con el imperialismo. El problema es que en Europa cada tratado de paz firma la guerra siguiente. Europa, joven, dijo el profesor Mietter, tiene una base religiosa común, ese es el único factor de unión duradera, ¿no se da cuenta de que negarlo sería contraproducente? Me extraña (intervino Álvaro tratando de apartar la vista del tobillo de Elsa) que esas cosas las diga un luterano. Soy luterano, se ofendió el profesor Mietter, pero antes que nada cristiano, cristiano y alemán. Caballeros, ejem, se aventuró el señor Levin, si me lo permiten, eh, el único lazo seguro no es el moral sino el comercial, quiero decir, ya me entienden, si Europa compartiera negocios no podría permitirse una guerra, no, no tanto bizcocho, así está bien, gracias. De acuerdo, dijo Hans, pero ese comercio no puede formarse al margen de un proyecto político común, porque si exageramos la identidad de cada nación seguirá habiendo guerras para decidir quién controla el mercado, la economía también se educa, ¿no? Sí, contestó el señor Levin, sin olvidar que la educación depende de la economía. La educación económica, precisó el profesor Mietter, forma parte de la construcción nacional, ahí Fichte da en la diana. En la diana dio Kant, insistió Hans, cuando escribió *La paz perpetua*. ¡Esto sí que es bueno! (dijo el profesor devorando un canapé, sin especificar si se refería al canapé o a Kant), sepa, joven, que la utopía de la paz la inventó un tal Dante hace más de quinientos años. Pero Dante, se opuso Hans, creía que la paz dependía de una élite política, ¡más o menos lo mismo que ahora!, Kant propuso que la garantía de paz fuese la ley, una ley pactada entre estados iguales. Encargarle la paz a un puñado de líderes legitima el despotismo. Ejem, lo que yo creo (propuso el señor Levin eludiendo la caricia que, a modo de advertencia, intentó prodigarle su esposa) es que a veces nos puede la abstracción, o sea, con todos mis respetos, ¿no les parece que la paz tiene que ver con la riqueza? Pero eso, asintió Hans, también entra en el terreno moral, sin reparto de riqueza nunca podrá haber paz, la pobreza es potencialmente bélica. ¡Suscribo!, dijo Álvaro. Por favor, caballeros, suspiró el profesor Mietter, no nos pongamos cándidos. La paz busca los mismos fines que la guerra con medios distintos, que a nosotros nos gusta llamar pacíficos: decidir quién manda, y punto. Ejem, puede, matizó el señor Levin, aunque hay otra realidad, muchas veces la guerra causa más gastos que beneficios incluso para el vencedor, así que una evaluación objetiva de los gastos de una guerra debería bastar para renunciar a ella.

Caballeros, dijo el señor Gottlieb levantándose de su butaca, les ruego que se sientan cómodos. Yo debo retirarme a mi despacho para resolver unos asuntos. Ha sido, como siempre, una velada muy estimulante.

A Hans le pareció que, al decir *estimulante,* el señor Gottlieb lo había mirado a él. El señor Gottlieb le dio cuerda al reloj de pared, cuyas agujas marcaban las diez en punto. Le indicó a Bertold que encendiera más velas, besó a su hija en la frente, hizo una reverencia que le combó el bigote y desapareció por el pasillo. Al verse a solas con sus invitados, Sophie infló el busto: ahora podría opinar sin preocuparse tanto. Cuando se disponía a intervenir, la señora Pietzine la interceptó para despedirse también, la tomó de las manos y la retuvo con unas palabras que nadie más escuchó. Sophie asentía mirando de reojo al grupo que formaban el profesor Mietter, Hans, Álvaro y el matrimonio Levin. Una vez que Elsa trajo el echarpe de lana azul y el sombrero de lazos de la señora Pietzine, Sophie corrió a sentarse. Para su decepción, los demás ya no hablaban de política, sino de Schopenhauer.

No, no ha tenido mucho éxito, decía el señor Levin, aunque a mí me ha parecido, ejem, un libro interesante, por lo menos distinto. Algo bueno tendrá ese Schopenhauer, bromeó Álvaro, si ha traducido a Gracián, habla español, no es poca cosa viniendo de un alemán. Bah, sentenció el profesor Mietter, plagios hindúes, no saben cómo sustituir a Dios y rebuscan en el budismo. A mí me cae simpático, dijo Hans, porque desprecia a Hegel. Pero tanto pesimismo, dijo el señor Levin, ¿no lo encuentra usted trágico? Quizá, contestó Hans, aunque también podemos leer a Schopenhauer con optimismo. Podemos aceptar el principio de la voluntad y negar que siempre deba conducir al dolor. Así estaríamos condenados a intentar ser felices, ¿no? Sin embargo, caballeros, sugirió el profesor.

Y así, etcétera, etcétera, con las bocas ondulantes a la luz de las velas, como si el resplandor inflamara sus argumentos, los caballeros del Salón siguieron opinando. Sophie los escuchaba con una mezcla de atención e irritación: apreciaba lo que decían, pero aborrecía lo que omitían. Se fijó en la señora Levin, quieta, ovillada, adherida al hombro de su marido, que gozaba sabiéndose escuchado por ella. Sophie los imaginó volviendo a casa, caminando en busca de un carruaje, ella apoyada en un brazo de su marido, él ligeramente inclinado hacia ella, preguntándole: ¿Vas bien, querida?, ¿tienes frío?, o comentando: Ejem, ¡una discusión interesante, la de Schopenhauer!, esperando a que ella contestara que sí, que había sido de lo más interesante y que él había dicho cosas de lo más inteligentes, aunque ella no sabía demasiado de eso, y entonces él se erguiría, sujetaría su brazo con mayor firmeza y le explicaría quién era Schopenhauer, dónde daba clases, qué había publicado, no es tan complicado, ¿sabes, querida?, y así el señor Levin le contaría todo lo que no había tenido oportunidad de decir en el Salón, volviendo a ser escuchado, escuchándose a sí mismo.

Sophie se retorció los dedos como quien estruja un papel.

¿Y usted, querida amiga?, le preguntó de pronto a la señora Levin, ¿no nos dice usted nada? La señora Levin sonrió con extravío. Ella, se adelantó su marido, ejem, está de acuerdo conmigo. ¡Qué feliz coincidencia!, exclamó Sophie. Es verdad, dijo la señora Levin con una pizca de voz, estoy de acuerdo. Sophie se mordió el labio.

¿Y usted qué, señorita?, la desafió Hans sin perder de vista ese labio.

¿Yo?, contestó Sophie curvando la muñeca a la altura del pecho, yo, sabios caballeros, me siento honrada sólo de escucharlos, porque a nosotras nada nos deleita más, ¿verdad, querida amiga?, que presenciar semejante despliegue de saber. Se pasaría una, ¡ya lo creo!, días enteros admirando este viril intercambio de pareceres. Pero hete aquí que, en pleno arrobamiento, me interrogan ustedes sobre Schopenhauer, ¡a mí, siendo tan joven!, y debo confesarles mi sonrojo, porque la sola pregunta me concede un valor inmerecido. Por eso, meine Herren, les suplico que sean indulgentes y sepan disculpar mi escasa formación en estos terrenos, ya conocen la ligereza con que las muchachas hojeamos a los grandes pensadores. Y ahora, en fin, osaré entrometerme en tan arduas materias para expresarles que hasta donde una alcanza, que sin duda es poco, el señor Schopenhauer es uno de los autores más miserables que he tenido ocasión de malinterpretar. De hecho no hace mucho me atreví a leer su libro y parecía algo inseguro con las mujeres, insistía en que nos aplicáramos a las labores domésticas o a la jardinería, pero que jamás se nos ocurriera instruirnos en literatura y mucho menos en política. Y eso es, caballeros, paradójico, porque para llevar a buen término esa propuesta, quiero decir, para que la doctrina de Schopenhauer no caiga en saco roto, hubiera sido más práctico recomendarnos a todas las mujeres el estudio atento de las obras filosóficas, y muy en particular las suyas. Desde mi carencia de teoría, me embarga la impresión de que a los mayores filósofos de nuestro tiempo los persigue una contradicción: todos aspiran a fundar un pensamiento distinto, pero todos piensan lo mismo de las mujeres. ¿No les parece sumamente divertido, caballeros? Estoy segura de que quedan más canapés de palmito.

Se habían citado al mediodía en la Taberna Central. Álvaro lo esperaba con los codos clavados en la barra y un pie en el zócalo, en postura de buen jinete. Media hora más tarde, Hans llegó a la taberna tambaleándose. Buenos días y bienvenido al mundo, dijo Álvaro más burlón que ofendido al verle las ojeras. Disculpa, dijo él, anoche estuve en la cueva, después volví a la posada y me quedé leyendo, ¿qué hora es? Cómo, se asombró Álvaro, ¿no llevas reloj? La verdad, contestó Hans, no les veo utilidad a los relojes, nunca marcan la hora que necesito. Bueno, sonrió Álvaro, esto se llama intercambio cultural: yo parezco alemán y tú español.

Mis antepasados, contaba Álvaro masticando, eran vizcaínos. Nací en Guipúzcoa pero soy andaluz de adopción, me crié en Granada, ¿la conoces?, sí, preciosa, ahí pasé mi niñez, mi padre consiguió trabajo en el Hospital Real y nos quedamos. Pienso que todo el mundo debería ver dos cosas antes de morirse: la primavera en el Generalife y las mañanas en el mercado de la Romanilla. Tendrías que ver a las señoras granadinas, tan arregladas para comprar pescado, y a sus maridos paseándose con ese aire malhumorado y en el fondo simpático. A veces abro los ojos y pienso que me he despertado en Granada. Tú ni siquiera sabrás dónde te despiertas, ¿no?, me imagino, en fin, paciencia. Nunca he vuelto a tener amigos como los de Granada. También es una ciudad triste, en eso se parece a Wandernburgo, la gente está orgullosa de su tristeza. Salvo los primeros años aquí, con Ulrike, te diría que no he vuelto a ser tan feliz como en esa época. A lo mejor es por la edad, pero entonces todo parecía a punto de ocurrir. En realidad en toda España el destino estaba por escribirse: o nos invadían las tropas extranjeras, o volvía un rey traidor, o levantábamos una república. Las cortes de Cádiz fueron emocionantes, ¿tú sabes lo que fueron las cortes de?, perdona, ¡es que a los alemanes la política española les importa un!, y bueno, ¡faltó tan poco para que el país fuera distinto! En fin, cuando el rey Fernando volvió para desmantelar nuestra constitución, recuperar la inquisición, fusilar gente, yo decidí exiliarme. ¿Obligado, dices? Sí y no. Cierto, podían vigilarte, despedirte, arrestarte, pasaba todos los días. Pero sobre todo me fui por decepción, ¿entiendes?, nos habían quitado el país que defendíamos, habíamos ganado para perder. Así que incluso antes de irnos muchos teníamos la sensación de que ya no vivíamos en nuestro país.

Sí, gracias, otras dos, ¡salud! Cuando llegó la gente de Napoleón, te confieso que me sentí raro. Nos habían invadido, sí, pero traían una cultura que admirábamos y unas leyes que deseábamos. ¿Tenía sentido pegar tiros por un estado podrido y medieval? ¿No llevábamos toda la vida siendo independientes sin ser libres? Al final me enrolé y combatí unos meses en Andalucía y Extremadura. Después me destinaron a las guarniciones de Madrid y Guadalajara, con milicianos de toda España. Y ahí te juro, Hans, que escuchando nuestras discusiones, conociendo las ideas de mis compatriotas, más de una vez pensé en desertar. Pero, *coño*, era mi país, ¿no? Mi plan era recibir al enemigo, aprender de él todo lo posible, expulsarlo y seguir la revolución por nuestra cuenta. Estuve en la guerrilla con un ojo puesto en las juntas y en la corte constituyente, que era lo que más me interesaba. Y no podía evitar preguntarme dónde mierda estaba la patria, qué era exactamente lo que defendíamos. ¿Si logré averiguarlo?, ah, ahí está el punto. Aunque te parezca raro, hablando con los milicianos me di cuenta de que lo que estábamos defendiendo eran nuestros recuerdos de infancia.

Durante la ocupación lo que más, ¿otra?, ¡esto ya es abusar!, pero si pagas tú, es broma, lo que más me jodía era ver cómo los curas nos apoyaban, ¡los cabrones estaban aterrorizados de terminar como en Francia! Todavía recuerdo de memoria los catecismos vomitivos que repartían por las parroquias. «¿Quién eres tú, niño? Español por la gracia de Dios. ¿Qué son los franceses? Antiguos cristianos convertidos en herejes. ¿De dónde procede Napoleón? Del pecado. ¿Es pecado matar a un francés? No, padre, matando a uno de esos perros herejes se gana el cielo.» Lo suyo no era patriotismo, era instinto de conservación (el patriotismo es eso, dijo Hans), no seas cínico. Por las noches no podía dormir y me venían las dudas: ¿y si nos estábamos equivocando de enemigo?, ¿y si luchar por España era justo lo contrario, como hacían los afrancesados que tanto odiábamos?, ¿qué traicionaba más al país? No quiero aburrirte. El caso es que al final, con la restauración, me fui de España. Peregriné por media Europa y llegué a Somers Town. En mi primer paseo por Londres me palpé la faltriquera y vi que llevaba un *duro,* ¿sabes cuánto es eso?, apenas un duro para cambiar por libras, o mejor dicho por chelines. Así que fui hasta el Támesis, me quedé mirándolo y tiré las monedas al agua (¿las tiraste?, se sorprendió Hans, ¿por qué?), amigo mío, ¡un caballero como yo no podía llegar a una gran capital con tan poco dinero! Prefería empezar de cero que administrar una miseria. Entré en contacto con la comunidad española, viví de prestado un tiempo y tuve algunos trabajos de esos que son tristes de hacer e interesantes de contar. Fui sereno, camarero, limpiador de pescado, cuidador de caballos de carreras, ayudante de encuadernador, instructor suplente en una escuela de esgrima (¿tan buen espadachín eres?), no, ¡por eso era el suplente! Al final, un poco por casualidad, entré en el negocio textil. Tuve un golpe de suerte, invertí mis ahorros y se duplicaron. Hice alguna inversión más con un amigo mío, nos empezó a ir bien y entonces decidí correr el riesgo y meterme de lleno en la industria. Y mira tú por dónde, eso es lo que me ha dado un buen pasar. Varios parientes míos entraron en el negocio, hasta que hace unos años fundamos una distribuidora que comercia entre Alemania e Inglaterra. Operamos en Londres, Liverpool, Bremen, Hamburgo y en Sajonia y alrededores, que es la zona de la que yo me encargo. No se puede decir que mi trabajo me divierta, pero da buenos dividendos y en fin, ya sabes, hay una edad, una edad un poco lamentable si tú quieres, en la que los dividendos empiezan a parecerte más urgentes que la diversión. Y estaba Ulrike, claro.

(Pásame las albóndigas, pidió Hans, ¿y no volviste nunca a España?) No, sí, bueno, fui de visita con la amnistía del 18. Para ver cómo estaban las cosas, yo qué sé. Pero el ambiente me pareció inquietante y volví a Londres enseguida. Así, de viaje de negocios por Alemania, conocí a Ulrike. Fue tan, tan. Hubo una especie de, todo de golpe. Una historia muy, la única. (Toma, bebe.) Ella era de por aquí, soñaba con volver, así que nos vinimos a vivir a Wandernburgo. Una de las cosas que más me duelen es pensar que Ulrike no conoció España, me entiendes, nunca llegué a mostrarle mis lugares. No. Y estábamos pensándolo, lo hablamos varias veces, siempre decíamos «un día de estos», «del verano que viene no pasa», yo qué sé. Después llegó la mierda de los hijos de San Luis, y con esa santa alianza que el diablo tenga en su vergüenza se acabaron las posibilidades de ir, al carajo la política, la constitución, y al carajo mis parientes. Ahí fue cuando el resto de mi familia se exilió a Inglaterra. Hans, tú y yo somos de países patéticos. A los dos los invadió Napoleón, en los dos reinó un hermano suyo, ambos lucharon para liberarse y retrocedieron después de conseguirlo. España es mi lugar, pero no el país que hay, otro que sueño. Uno republicano, cosmopolita. Cuanto más española pretende ser España, menos es. En fin, así son las patrias, ¿no?, algo indefinido que nos guía (no sé, contestó Hans, no creo que nos guíen las patrias, nos mueven las personas, que pueden ser de cualquier parte), sí, pero a muchas personas queridas las conocemos en nuestro país, no en cualquier otro (nos mueven los idiomas, continuó Hans, que pueden aprenderse, o los recuerdos, como tú dijiste. ¿Pero y si los recuerdos también se mueven?, ¿qué pasa si tus recuerdos están en lugares y momentos diferentes?, ¿entonces cuáles te pertenecen más?, eso me pasa a mí, eso es lo que me pasa), oye, ¿estás bien?

Sus hombros empezaban a plegarse como paraguas. La Taberna Central se había ido apretando, los comensales se agolpaban en los rincones, el humo y el olor de las frituras buscaban las vigas del techo, las bocas masticaban, reían y tragaban. Al perder la moderada intimidad que habían tenido en la barra, Álvaro y Hans se sintieron un poco ridículos: la risa ajena actuaba como un espejo irónico sobre su seriedad. ¿Qué les hará tanta gracia?, dijo Álvaro. Nada especial, contestó Hans, la gente es así en todas partes: se ríe porque come. ¿Y no será que tú y yo somos unos tristes?, sugirió Álvaro. Esa, concedió Hans, es otra manera de decirlo. Ambos soltaron una carcajada y, al hacerlo, recuperaron la locuacidad. Conversaron sobre los extraños modales de los wandernburgueses, que combinaban la antipatía con unas normas de urbanidad que cumplían con fanatismo. Cuando llegué a Wandernburgo, contó Hans, no sabía cómo comportarme. Rara vez te sonríen o te ayudan, pero tienen media docena de reverencias y un repertorio interminable de saludos. Eso, claro, si llegan a reconocerse entre la maldita niebla. ¿Cómo harán para flirtear, si ni siquiera se ven?, ¿cómo se reproducen? Creo, dijo Álvaro, que se aparean sólo en verano. Aquí, continuó Hans, los hombres pueden estar una hora entera sin soltar el sombrero, si el dueño de casa no los invita a hacerlo. Las señoras no se quitan los tocados, con tal de no tener que pedir permiso para ir al aseo a acomodarse el peinado. Nunca sabes si debes sentarte o seguir de pie, inclinar la cabeza, doblar la espalda o meter el culo hacia dentro. En una palabra, resumió Álvaro, viven del protocolo porque son maleducados.

Hans vio entrar a cinco hombres exageradamente bien vestidos, o fastuosamente mal vestidos. Lo que más le llamó la atención fue que, aunque no cabía un alfiler en la taberna, un camarero atravesó el local dando empujones y desalojó a dos jóvenes de una mesa. Despejada y bien frotada con un trapo, los cinco hombres tomaron asiento con aire imperial, como si en vez de una taberna con olor a chorizo se tratara de un salón de plenos. Tres de ellos se embutieron unos puros enormes que brillaron en sus bocas. El camarero se acercó para traerles cinco jarras de cerveza negra y una fuente con fresas. Álvaro le explicó a Hans que esos hombres eran el señor Gelding y sus socios, los dueños de la fábrica textil de Wandernburgo. En esa fábrica, dijo Hans, trabaja Lamberg. ¿Quién?, dijo Álvaro, ¿el tipo que el otro día me presentó tu organillero?, no le envidio los jefes. Y es imposible librarse de ellos, porque en esta ciudad los empresarios, industriales, contratistas, accionistas y banqueros son todos parientes. Se huelen la entrepierna. Se casan entre sí. Conviven. Se reproducen. Se protegen. Y no dejan de beber cerveza ni un solo minuto. Toda esa gran familia vive contratando a los miembros de otra gran familia, la de los abogados, médicos, notarios, arquitectos y funcionarios municipales. Si sumas las dos familias tendrás todo el dinero de la burguesía local, salvo dos o tres monedas. Quizás una de ellas sea del señor Gottlieb. Y poco más. Puede decirse que esta ciudad sustenta su economía en un incesto organizado. Veo, rió Hans, que los conoces bien. Los conozco *muy* bien, asintió Álvaro, y eso no es lo peor. Lo peor es que en cuanto me vean tendremos que saludarlos. Porque, entre otras cosas, yo vivo de distribuir lo que ellos producen.

Al cabo de cinco minutos, Álvaro y Hans estaban sentados en la mesa del señor Gelding y sus socios. A Hans lo sorprendió la exasperada formalidad que Álvaro empleaba para dirigirse a ellos, musculando su acento, trabajándolo en las mandíbulas, inoculándole un matiz marcial muy distinto de la cantarina prosodia hispana que empleaba al conversar con él. Enseguida el señor Gelding sacó el tema de los plazos de liquidación, que Álvaro defendió recitando de memoria cifras, índices, fechas.

A mí lo que me indigna, decía el señor Gelding lamiendo el puro con las comisuras manchadas de fresa, es la cultura de la lamentación, eso de que se quejen tanto cuando sus condiciones no hacen más que mejorar. Aunque claro, ¡bribones!, ¡mejoran porque se quejan! En fin, si yo no digo, no digo que no existan puntos negociables, y hasta puedo entender que el personal provisorio aspire a ser contratado, digamos, a medio plazo. Lo que digo, señores, es que aquí donde me ven yo trabajo más horas que ellos para mantener la producción. Y como es natural, exijo el mismo compromiso por parte de mis trabajadores. Se quejan de la elasticidad de las contrataciones, esa elasticidad que le ha permitido a esta maldita ciudad crecer un siete por ciento anual desde hace veinte años, perfecto, bravo, son ustedes un gremio muy valiente, ¿pero saben qué pasa, señores míos?, ¿a que no adivinan qué pasa en cuanto cedes y haces fijo a un empleado?, ah, qué casualidad, ¡empieza a rendir menos! Mira, el trabajo cuesta trabajo. ¿Qué más quieren ahora, parar las máquinas para echar una cabezadita? Yo les juro, señores, les juro que no sé, no sé, no sé. A ver, los operarios de maquinaria, por ejemplo. Los operarios de maquinaria llegan a la fábrica media hora más tarde que los demás porque las calderas tardan en calentarse. Muy bien, no digo nada, las calderas funcionan como funcionan, que alguien las encienda y ustedes lleguen después. ¡Ah, pero ellos también, también se quejan!, ¡díganme si no es como para, díganme! Los malditos operarios de maquinaria se levantan más tarde que yo y tienen una jornada de doce horas, ¿qué significa eso?, señores, significa, si no he perdido el don de la aritmética, que trabajan medio día, ¡medio!, y la otra mitad del día descansan. ¿Es como para extenuarse?, ¿es como para decir no sé qué y no sé cuánto?, ¿o pretenden tener más tiempo libre del que trabajan? ¡En mis tiempos, señores, en mis tiempos! ¡Qué pensarían estos operarios de las jornadas de mi santo padre, al que el Señor tenga en su gloria, que jamás se lamentó en la vida y puso en pie una fábrica él solito! En fin, no quedan fresas, qué desgracia. ¡Mi padre sí que!, pero no hay remedio. ¡Así no se levanta un país ni levantamos nada!

Empujado por las muecas de Hans, Álvaro carraspeó y dijo: Mi querido señor Gelding, no habrá dejado usted de advertir que sus trabajadores pasan la mayor parte de ese tiempo libre durmiendo. El señor Gelding se quedó mirándolo con el puro inclinado y un rastro de estupefacción en la boca. No parecía ofendido sino desconcertado, como si Álvaro hubiera malinterpretado sus palabras. Ah, pero, Herr *Urquiho*, contestó el señor Gelding, nosotros no podemos ser intervencionistas, no, en eso no me meto, ¡cada trabajador hace lo que le da la gana con su tiempo de ocio, sólo faltaría! No sé cómo serán estas cosas en su país, pero una de las normas de mi empresa, sépalo, es la absoluta libertad del empleado fuera del recinto de trabajo. ¡Supongo que en eso estaremos de acuerdo!

Los golpes en la puerta lo despertaron y terminaron por expulsarlo del catre. Unos hilos de luz se infiltraban entre los postigos entornados y reptaban hasta los pies fríos de Hans. Se abrigó con lo primero que encontró en la silla, se acercó a la puerta y la abrió tratando de despegar los párpados: sonriente, Lisa extendió un brazo y le entregó un billete de color violeta. Hans quiso decirle gracias, aunque bostezó algo así como *gda-*

shias. Tomó el papel violeta de entre los dedos heridos de Lisa y volvió a cerrar la puerta.

A la luz relativa que admitían los postigos, Hans entrevió la tarjeta que acompañaba el billete: llevaba impreso el nombre de Sophie Gottlieb.

Dio un brinco, fue a mojarse la cara en el aguamanil, apartó los postigos y se sentó junto a la ventana. La tarjeta estaba impresa en papel fino de porcelana, con un tenue relieve a modo de recuadro. La tipografía era de un color infrecuente, un gris algo anaranjado, como quien mezcla seriedad y una pizca de coquetería. Pese a su impaciencia Hans se demoró al desplegar el billete, disfrutando de la incertidumbre, paladeando ese instante de esperanza por si después le sobrevenía alguna decepción. Le llamó la atención la caligrafía veloz, resuelta y un tanto desparramada de Sophie: más que la letra de una señorita, era la de alguien con pulso felino. El billete carecía de encabezamiento o saludo.

He estado meditando, un poco casualmente, sobre los argumentos que sostuvo usted en la reunión del viernes pasado. Y aunque no le oculto que algunos me disgustaron un poco cuando los dijo, o tal vez me disgustara el tono en que los dijo (¿por qué tiene usted esa costumbre de hacer parecer desafiante lo sagaz y altanero lo razonable?), he de admitir que también los encontré interesantes, y hasta cierto punto originales.

¡Interesantes! ¡Hasta cierto punto! Hans contempló un momento el sol en la ventana, sorbiendo la delicia del orgullo de Sophie. Supo que, dijera lo que dijese a continuación, la carta iba a gustarle.

Por ese motivo, estimado señor Hans, siempre que lo tuviera usted a bien y no encontrase mejor entretenimiento, me sería muy grato tener ocasión de conversar con usted un rato fuera del horario del Salón, el cual requiere de mí, como tal vez haya observado, una atención demasiado dispersa, e incluso alguna maña de anfitriona de la que no dudo que se hace usted cargo.

Esta fugaz complicidad con él, *de la que no dudo que se hace usted cargo,* le alteró la respiración. ¡Así que ella admitía hacerse cargo de que él se hacía cargo! De *qué* se hacían cargo exactamente, ya se vería después. Pero si Sophie pretendía salir impune de aquel pequeño desliz, se equivocaba: Hans estaba dispuesto a aferrarse a esas palabras como a una rama en mitad de la caída.

Si cuenta entonces con tiempo para ello, mi padre y yo estaremos complacidos de recibirlo en nuestra casa mañana a las cuatro y media. Espero no haberlo importunado con un nuevo compromiso: según parece lee usted muy asiduamente, y nadie que lea con asiduidad se prodiga demasiado en reuniones sociales. Ruego a usted que responda cuando guste a lo largo del día de hoy. Se despide afectísima,
Sophie G.

Hans percibió en la distante y algo apresurada despedida una omisión, la sutil omisión de una palabra por lo general rutinaria y, pensó él, en este caso extraordinariamente significativa: la palabra *suya.* Si Sophie no se había despedido con la fórmula de rigor *suya afectísima,* en esa pudorosa ausencia del posesivo latía un temor sensual que no podía ser inocente. ¿O sí? ¿O no? ¿Estaba desvariando? ¿Estaba haciendo el ridículo de puro susceptible? ¿Exageraba al traducir? ¿Se pasaba de listo? ¿Confundía de nuevo, sin querer, lo razonable con lo altanero?

Lo rescató de la zozobra la posdata que con su trazo distinto, de apariencia posterior, revelaba una vacilación ansiosa:

P. S.- Me atrevo también a rogarle encarecidamente que se abstenga de presentarse ante mi padre ataviado con el birrete y la camisa de cuello amplio con los que alguna vez lo he visto pasear por la ciudad. Sin negarle mi simpatía por las connotaciones políticas de ese atuendo, sírvase usted imaginar su inoportunidad en un hogar tradicional como el mío. De preferencia lo más formal posible. Tenga desde ya mi gratitud por su comprensión ante estas

engorrosas inconveniencias de protocolo. Procuraré compensar su
benevolencia con canapés y pastas dulces. S. G.

Y *dulces* eran las últimas palabras, la última palabra de
Sophie.

Hans no cabía en sí de regocijo y también de nerviosismo. ¿Cómo debía responder? ¿Cuánto debía tardar en hacerlo? ¿Qué ropa elegiría para mañana? Se puso en pie, volvió
a sentarse y volvió a ponerse en pie. Sintió una oleada de alegría,
después tuvo una erección violenta y después se emocionó.
Comprendió que lo primero que debía hacer era leer la carta de
Sophie con un ánimo más sereno. Se obligó a esperar unos
minutos, se asomó a la ventana, vio pasar las cabezas, los sombreros y los pies de un lado a otro de la calle del Caldero Viejo,
dejó enfriar la carta. Releyó varias veces los reproches del principio. Sonrió ante el suave látigo de las críticas de Sophie, que
aludían a él tan certeramente como autorretrataban a su propia
autora. Repasó los disimulos de la invitación, su desdén persuasivo, el aderezo seductor de las complicidades. Se detuvo en la
brusquedad final, tratando de sopesar cuánto había de frialdad
y cuánto de prudencia. Y para terminar se recreó en la maravillosa petición de la posdata, que confesaba a su manera que
Sophie también lo observaba a él por la calle. Hans tomó la
pluma, mojó la punta en el tintero.

Al terminar de escribir la respuesta, evitó repasarla para
no arrepentirse de ciertas audacias que se había permitido bajo
el efecto de la euforia. Respiró hondo, firmó y dobló el billete.
Terminó de vestirse. Bajó a entregarle su carta a Lisa, aprovechando para preguntarle quién había traído el billete y si había
dicho algo. Por la descripción que ella hizo, él supo que la emi-
saria había sido Elsa. Que no había dicho nada especial aunque,
en opinión de Lisa, se había mostrado bastante antipática e incluso había echado una mirada de desaprobación al interior de
la posada. Y que (esto ya no se lo dijo Lisa, pero Hans lo dedujo divertido) tanto ella como su madre creían que el billete
violeta lo había escrito la propia Elsa. Lisa se quedó mirando
con una mezcla de codicia y melancolía los papeles que le ten-

día Hans. En un primer momento a él le pareció entrometida la manera en que ella los sostuvo frente a sus ojos. Enseguida se sintió avergonzado: era evidente que Lisa no estaba leyendo los nombres del remitente y la destinataria, sino que hubiera deseado saber leerlos. Ella alzó la mirada y escrutó la cara de Hans, como haciéndole ver que al menos era capaz de leer sus pensamientos. La belleza a medio hacer de Lisa se endureció súbitamente, anticipándose a sí misma. Él no supo qué decir ni cómo disculparse. La muchacha pareció darse por satisfecha con aquella breve intimidación, ablandó las mejillas, retrocedió a su edad y dijo: Enseguida la llevo, señor. Hans se sintió humillado por la palabra *señor*.

Hans bebía un caldo de legumbres en la sala cuando vio asomar la punta del tocado de Elsa. La invitó a sentarse y, para su sorpresa, ella aceptó. Transcurrido un rato de desconcertante silencio, él dijo sonriendo: ¿Y bien? Elsa no había dejado de mover una pierna, pedaleando imaginariamente. ¿Traes algún mensaje para mí?, preguntó Hans sin darse cuenta de que no la miraba a los ojos sino que miraba el vaivén de su pierna. Elsa la detuvo en seco. Le entregó un billete. Es de la señorita Gottlieb, dijo. Lo cual, por evidente, a él le pareció que debía de significar otra cosa. Ya veo, probó Hans prolongando el sobreentendido. Me lo dio hace una hora, dijo Elsa, y me pidió que se lo trajera a la posada. Comprendo, asintió él cada vez más expectante. No he podido venir antes, dijo Elsa. No te preocupes, dijo él, gracias por traerlo. No tiene nada que agradecerme, contestó ella, es mi obligación. (¿Qué habrá querido decir?, pensó Hans, ¿que me ha traído el billete de buena gana, aunque de todas formas le correspondía hacerlo?, ¿o que, por el contrario, no me lo habría traído de no estar obligada? Hans tenía exasperados los sentidos y las conjeturas. Quizás Elsa no había querido decir ni lo uno ni lo otro. Quizás estaba distraída o simplemente había querido descansar un momento en el sofá. Pero entonces, ¿por qué no se levantaba?) La señorita Gottlieb, continuó Elsa, me ha indicado que no es necesario que usted responda, a menos que lo desee. (¿Y ahora cómo traducir eso? ¿Debía abstenerse de contestar, era este nuevo billete de Sophie una especie de interrupción? ¿O, a semejanza de los gestos que Sophie solía hacer con su abanico, aquella advertencia era en realidad una invitación a continuar con la correspondencia? No era fácil pensar después de un generoso caldo de legumbres.)

Elsa se había ido dejándole la sensación de que no había llegado a decirle lo que quería, o de que no había querido decirle lo que debía. Se había mostrado hermética y educada, omitiendo sus preguntas sin rechazarlas. Hans acababa de leer con avidez el billete y sus dudas seguían intactas: con esquiva, impecable sintaxis, Sophie celebraba la confirmación de su asistencia mañana por la tarde, le especificaba algún detalle trivial acerca de la reunión y sobre todo (y esto era casi lo único que él había buscado en la carta) enfriaba el tono de las misivas anteriores, repeliendo sus cumplidos con renuente ironía. Resignado, Hans entendió que podría pasarse el día entero intentando descifrar lo invisible, pero que ningún esfuerzo le evitaría la espera ni ese titubeo goloso que, según empezaba a temer, acompañaría todos sus movimientos a partir de ahora.

Hans, el organillero y Franz atravesaban la ciudad juntos mientras atardecía. La carretilla anaranjada y verde daba pequeños saltos sobre los adoquines y la tierra trillada. A Hans lo admiraba la placidez con que el viejo tiraba cada día del instrumento y recorría los casi tres cuartos de legua que separaban la plaza de la cueva. Tampoco dejaba de sorprenderlo que el organillero jamás vacilase ante ningún recodo, ningún cruce, ninguna bifurcación. Él llevaba por lo menos mes y medio allí, y aún no había logrado repetir un itinerario idéntico varias veces seguidas: acababa llegando al lugar al que se dirigía, pero siempre había algún cambio en el recorrido. Ahora Hans intuía que, más que desplazarse en secreto, Wandernburgo rotaba de repente, cambiaba de orientación igual que un girasol se adapta a los caprichos solares.

El lodo del día anterior empezaba a secarse. Los parches de escarcha encogían humeando levemente. Un denso olor a trasiego de barro y orines ascendía desde el suelo. En los muros grises de la ciudad relucían las manchas de humedad y los restos de la tarde. Hans contempló la suciedad antigua, esa dejadez grumosa de Wandernburgo a la que no terminaba de acostumbrarse. El organillero suspiró y, posando una mano flaca sobre su hombro, exclamó: ¡Qué bonita es Wandernburgo! Hans lo miró incrédulo. ¿Bonita?, dijo, ¿no la encuentra un poco sucia, gris, pequeña? Por supuesto, contestó el organillero, ¡y muy bonita! ¿A ti no te gusta? Lástima. No, por favor, no te disculpes, ¡no seas tan formal!, te entiendo, es lógico. Quizá cuando la conozcas mejor te guste. A mí, contestó Hans, lo que me gusta de Wandernburgo es que está usted. Usted, Álvaro, Sophie. Son las personas, ¿no le parece?, las que hacen la belleza de un lugar. Tienes razón, dijo el organillero, pero a mí además, no sé cómo decirte, estas callejuelas me siguen asombrando, no me canso de mirarlas porque, ¡Franz, deja en paz a los caballos!, ¡bandido, vuelve aquí!, cuando este perro tiene hambre se vuelve más sociable, el pobre espera que todo el mundo le dé una chuleta en vez de una coz, ¿qué era lo que?, ah, estas calles me resultan, ¿cómo te diría?, como nuevas de tan viejas, ¡qué tonterías digo! Me entusiasman. Pero dígame, preguntó Hans, ¿qué es lo que le entusiasma?, ¿qué le gusta exactamente? Nada, todo, explicó el organillero, la plaza, por ejemplo, me parece cada vez más interesante, y mira que llevo años tocando ahí. Antes, ¿sabes?, tenía miedo de aburrirme, de que se me acabara la plaza, pero ahora cuanto más la miro más me parece que no la conozco, ¡si vieras cómo cambia la torre con nieve y la torre en verano!, parece como, como hecha de otra cosa. Y el mercado, las frutas, los colores, nunca sabes qué van a traer cada cosecha, este invierno, por ejemplo, ¡Franz, cuidado!, ¡quédate cerca!, yo qué sé, o me gusta cuando empiezan a encender las farolas, ¿las has visto? Me gusta ver cómo la gente va cambiando sin darse cuenta y sigue pasando por ahí, los hombres pierden pelo, las mujeres engordan, los niños se hacen altos, aparecen otros nuevos. A mí me da tristeza oír que a los jóvenes la ciudad no les gusta, hacen bien en ser curiosos y pensar en otros sitios, pero por eso mismo digo, ¿no?, sería bueno que fueran curiosos también aquí, en su lugar, porque a lo mejor no lo han mirado lo suficiente. Son jóvenes. Todavía creen que las cosas son bonitas o feas, así sin más. ¿Sabías que me encanta hablar contigo, Hans? Nunca hablo tanto con nadie.

A lo lejos, tras los pastos cercados, las ovejas terminaban de amamantar a sus crías, que se aferraban a las ubres como a un rastro de luz. La lana de la noche se tejía rápido.

Primero habían llegado Reichardt y Lamberg, que ahora compartían una botella y una hogaza gomosa. Algo más tarde había llegado Álvaro, que a instancias de Hans pasaba de vez en cuando por la cueva y traía, también a instancias de Hans, una generosa ración de comida que preparaba su cocinera. Desde que había enviudado, Álvaro vivía solo en su casa de campo, cerca de la fábrica textil. Solía ir y venir cabalgando. Una vez en la ciudad, dejaba su montura en una caballeriza y se movía en coche o a pie. Álvaro montaba muy erguido, con los talones bien pegados al caballo y los brazos relajados, casi sueltos. Viéndolo cabalgar daba la sensación de que, más que obedecer a los tirones de las riendas, su brioso animal estaba de acuerdo con él. No se quedaba hasta muy tarde en la cueva. A cierta hora consultaba su reloj de cadena, se despedía del grupo y montaba su caballo.

Álvaro llegó a la cueva desaliñado, cosa infrecuente en él. Traía los cabellos revueltos y sus mejillas presentaban el aspecto irritado de quien realiza un esfuerzo físico y se lava la cara. Siento la tardanza, murmuró sentándose frente al fuego, pero me tocó un tílburi desastroso. Primero casi volcamos, después se le atascó una rueda y tuve que bajarme a empujar mientras el cochero azotaba al caballo. ¡El bruto lo golpeaba tanto que temí que el pobre animal no pudiera seguir viaje! A Hans le pareció que su amigo daba demasiadas explicaciones para la informalidad de la cueva. Recordó el paseo que acababa de dar con el organillero, el aspecto de las calzadas, y sin pensarlo demasiado dijo: Qué raro que tu tílburi se atascara, esta tarde la tierra estaba casi seca. ¡Bueno, qué quieres!, contestó Álvaro con brusquedad, ¡por donde fue mi tílburi había barro!

El apetito saciado y el fuego compartido encendieron la camaradería. Álvaro parecía haber recobrado la serenidad, volvía a mostrarse cómplice y hacía lo posible por reír con Hans, rozarle el codo, palmearle un hombro. Las conversaciones se desordenaban. Antes de conducirlos a la ebriedad, el vino les había concedido un par de horas de lucidez. Entonces Álvaro le preguntó a Hans algo que todavía no le habían preguntado. Siempre hablas de irte a Dessau, le dijo, ¿qué tienes que hacer allí? Allí, contestó Hans muy serio, me espera el señor Lyotard. ¿Y ese quién es?, quiso saber Álvaro. Otro día te cuento, dijo Hans guiñándole un ojo. Oye, preguntó Álvaro, ¿y nunca piensas en regresar a Berlín? No, contestó Hans, no tendría sentido. Aunque allí tenga recuerdos, ¿puedo ir a buscarlos? Podría retroceder, regresar no. Regresar es imposible. Por eso prefiero los lugares nuevos. Y antes de Berlín, se interesó el organillero, ¿dónde estuviste? Mucho más lejos, dijo Hans. Pero muchacho, preguntó el viejo mientras doblaba una oreja de Franz como un pañuelo, ¿tú por qué viajas tanto? Digamos, contestó Hans, que no puedo vivir de otra manera. Creo que si sabes adónde vas y qué harás, lo más probable es que termines sin saber quién eres. Trabajo traduciendo, eso puede hacerse en cualquier sitio. Trato de no hacer planes y que la suerte decida. Por ejemplo, hace unas cuantas semanas salí de Berlín. Pensaba ir a Dessau, se me ocurrió hacer noche aquí, y fíjese: aquí sigo por casualidad, encantado de conversar con usted. Las casualidades, opinó el organillero, no existen, las ayudamos. Siempre las ayudamos. Y si la cosa sale mal, les echamos la culpa. Seguro que sabes por qué te quedas, ¡y me alegro mucho!, igual que también sabrás por qué te fuiste. ¡Eh, profesores!, se quejó Reichardt, ¡si siguen filosofando me voy a quedar dormido!

No, no, intervino repentinamente Lamberg entrecerrando los ojos, lo que dice Hans es cierto. Yo nunca estoy seguro de por qué sigo aquí, no sé qué hago en la fábrica ni adónde podría ir. A mí me pasa lo mismo que a él, pero quieto.

El fuego comerciaba con los ojos de Lamberg, intercambiaba chispas.

Es que no puedo evitarlo, continuó Hans, cuando estoy mucho tiempo en un mismo lugar noto que veo peor, como si empezara a quedarme ciego. Todo va pareciéndose, se vuelve borroso y dejo de maravillarme. En cambio cuando viajo todo me parece un misterio, incluso antes de llegar. Me gusta por ejemplo ir en las diligencias y observar a los desconocidos que viajan conmigo, me gusta inventar sus vidas, adivinar por qué se van o por qué llegan. Me pregunto si pasará algo que nos una por azar o si nunca volveremos a cruzarnos, que es lo más probable. Y como seguramente no volveremos a cruzarnos, pienso que esa intimidad es única, que podríamos seguir callados o confesarnos cualquier cosa, yo qué sé, mirando por ejemplo a una señora pienso: ahora mismo podría decirle «la amo», podría decirle «señora, sepa que usted me importa», y habría una posibilidad entre mil de que en vez de mirarme como a un demente ella me contestara «gracias» o me sonriera (¡y una mierda!, dijo Reichardt, ¡lo que haría la señora es darte una bofetada, por calenturiento!), sí, claro, pero también podría preguntarme: «¿lo dice usted en serio?», o de pronto podría confesarme: «hace veinte años que nadie me lo decía», ¿entiendes? Quiero decir que me emociona sospechar que es la única vez que veré a los pasajeros de esa diligencia. Y al verlos tan callados, tan serios, no puedo evitar preguntarme en qué estarán pensando mientras me miran a mí, qué sentirán, qué secretos tendrán, cuánto sufren, a quién aman, eso. Es igual que con los libros, los ves apilados en una librería y te gustaría abrirlos todos, saber al menos cómo suenan. Piensas que podrías estar perdiéndote algo importante, los ves y te intrigan, te tientan, te hablan de lo pequeña que es tu vida y lo inmensa que podría ser. Todas las vidas, recitó Álvaro en tono cómico, son pequeñas e inmensas. Qué joven eres, Hans, dijo el organillero. Mucho menos de lo que parece, sonrió Hans. ¡Y qué coqueto!, agregó Álvaro. Hans le golpeó la cabeza con una rama, Álvaro le hundió el birrete en la cara y se echó encima de él. Rodaron muertos de risa y Franz se les unió excitado, buscando algún hueco para participar en la pelea.

A mí, dijo el organillero pensativo, también me pasa que veo misterios en todas partes, pero me pasa aquí, como te contaba hoy, sin salir de la plaza. Comparo lo que veo con lo que vi el día anterior, y te juro que nunca se repite. Me pongo a mirar y noto si falta un puesto de frutas, si alguien llega tarde a la iglesia, si una pareja está peleada, si algún niño está enfermo, esas cosas. ¿Tú crees que me daría cuenta de eso si no hubiera estado tantas veces en la plaza? Si me moviera tanto como tú me marearía, no tendría tiempo de concentrarme. Eso tan bonito, se burló Reichardt, te pasará a ti, que te emboba mirar paisajes. A mí, que soy casi tan viejo como tú (¿cuál de los dos es más viejo?, preguntó Hans divertido), ¡eso no se pregunta, mocoso!, ¿o no lo ves tú mismo?, ¡él, él!, ¡mira qué brazos tengo, toca!, a mí me pasa que me aburro. Ya no tengo la misma curiosidad de antes, como si los lugares hubieran envejecido igual que yo. O sea, todo es igual, pero menos.

Hans se quedó mirando a Reichardt, vació su vaso y dijo: Lo que acabas de decir es genial. «Todo es igual, pero menos.» Mierda, es genial, no sé si te das cuenta. Mientras me pases la botella, contestó Reichardt, yo me doy cuenta de lo que tú quieras. En resumen, dijo Álvaro, parece que hay dos tipos de persona, ¿no?, los que siempre se van y los que se quedan para siempre. Bueno, y también estaríamos los que primero nos fuimos y después nos quedamos. Eh, creo, opinó el organillero, que más bien sería así: los que quieren quedarse y los que quieren irse. De acuerdo, dijo Álvaro, pero querer moverse es una cosa y hacerlo es otra. Yo, por ejemplo, desde que, da igual, bueno, desde hace un tiempo pienso que debería irme de Wandernburgo y fíjese, aquí sigo. Pensar en irse es una cosa, y marcharse de veras es otra. Querido, sonrió el organillero, ¿y acaso yo no me muevo, empujando mi organillo cada día y dándole a la manivela? Uno puede quedarse en un lugar y moverse todo el tiempo. Pero usted es diferente, dijo Hans (no, no, dijo el organillero dejándose lamer la palma de la mano, ¿verdad que somos como todo el mundo, Franz?), usted sabe cuál es su lugar, lo ha encontrado, pero salvo excepciones como usted (no te olvides de Franz, dijo el organillero), en serio, pienso que para saber dónde quiere estar uno necesita ir a lugares distintos, conocer cosas, gente, palabras nuevas (¿eso es viajar o escapar?, preguntó el organillero), buena pregunta, déjeme pensar, a ver: es las dos cosas, también se viaja para escapar, eso no es malo. Tampoco es lo mismo huir que mirar hacia delante.

Yo, volvió a hablar Lamberg, siempre he soñado con escaparme a América. A América o cualquier sitio donde se pueda empezar de nuevo. A mí sí me gustaría empezar todo de nuevo.

Lamberg calló y siguió estudiando el fuego como quien trata de leer un mapa en llamas.

Los dedos huesudos del organillero jugueteaban en el lomo de Franz, que ahora dormitaba. Yo apenas he viajado, dijo, y sinceramente, Hans, admiro todo lo que has visto. A mí de joven me daban miedo los viajes, pensaba que podían engañarme. ¿Engañarlo?, se extrañó Hans. Sí, explicó el organillero, pensaba que viajar podía hacerme creer que mi vida había cambiado, pero que esa ilusión me duraría lo mismo que el viaje. No sé, meditó Álvaro, ¿irse?, ¿quedarse?, puede que sea ingenuo verlo así. En realidad es imposible estar completamente en un lugar o irse del todo. Los que se quedan siempre pudieron haberse ido o podrían hacerlo en cualquier momento, y los que se han marchado quizá pudieron quedarse o podrían volver. Casi todo el mundo vive así, ¿no?, entre irse y quedarse, como en una frontera. Entonces, dijo Hans, en una ciudad con puerto, por ejemplo en Hamburgo, tú te sentirías como en casa. Yo ya tuve una casa, suspiró Álvaro, y la perdí. Acabo de acordarme de un refrán árabe, le dijo Hans apoyando una mano en su hombro, que dice que quien va por un camino se convierte en el camino. ¿Y eso qué mierda quiere decir?, dijo Reichardt. No sé, sonrió Hans, los refranes son así de misteriosos. El mejor camino, recitó Álvaro, es el que se tuerce. ¿Ese es otro refrán?, preguntó Reichardt lanzando un eructo. No, contestó Álvaro, se me acaba de ocurrir. El mejor camino, probó Reichardt, es el que da al mar, ¡hace como treinta años que no veo el mar! El mejor camino, sugirió el organillero, es el que te conduce al punto de partida.

Para mí el mejor camino, volvió a hablar Lamberg, sería el que me haga olvidar el punto de partida.

El organillero se quedó pensativo. Iba a contestar algo, cuando Lamberg se puso en pie de un salto y se sacudió la chaqueta de paño y el calzón de lana. Tengo que irme, dijo sin apartar los ojos de la fogata menguante, mañana trabajo. Es tarde. Gracias por la cena. El organillero se levantó con esfuerzo y le ofreció un último trago de vino. Los otros cuatro saludaron desde el suelo. Antes de cruzar la boca de la cueva, Lamberg dijo volviéndose hacia Hans: Voy a pensar en lo que has dicho. Y se sumó a la noche.

¿Y por qué no vas a poder tener otra casa?, preguntó el organillero. Ya es tarde para eso, balbuceó Álvaro con una mitad de tristeza y otra mitad de vino. ¿No estás cómodo aquí?, dijo el organillero. Yo no quería venir, se lamentó Álvaro. ¿Y por qué no te largas?, preguntó Reichardt. Porque ya no sé irme, contestó Álvaro. Lo mejor, dijo Hans, sería ser extranjero. ¿Extranjero de dónde?, dijo el organillero. Extranjero, se encogió de hombros Hans, así, a secas. Es que conozco extranjeros muy distintos, dijo el viejo, algunos nunca se adaptan a su nuevo lugar aunque lo intenten, porque no son aceptados. Otros simplemente no quieren pertenecer a ese lugar. Y otros son como Álvaro, que podría ser de cualquier parte. Habla usted, se asombró Hans, como Chrétien de Troyes. ¿Como quién?, preguntó el organillero. Un francés antiguo, contestó Hans, que dijo algo fantástico: los que creen que el lugar donde nacieron es su patria, sufren. Los que creen que cualquier lugar podría ser su patria, sufren menos. Y los que saben que ningún lugar será su patria, esos son invulnerables. A ver, se quejó Reichardt, ya estás complicando las cosas, ¡a qué viene tanto francés del año de mi abuela!, yo nací en Wandernburgo, soy de aquí y no podría vivir en otra parte, punto. Sí, Reichardt, dijo Hans, pero dime, ¿tú cómo estás tan seguro de que este lugar es el tuyo?, ¿cómo puedes saber que es este y ningún otro? Porque lo sé, mierda puta, contestó Reichardt, ¿cómo no voy a darme cuenta? Yo me siento de aquí, soy sajón y alemán. Pero ahora, objetó Hans, Wandernburgo es prusiana, ¿por qué te sientes sajón y no prusiano?, ¿o por qué alemán y no germánico, por ejemplo? Este lugar ha sido sajón, prusiano, medio francés, casi austríaco, vete a saber mañana. ¿No es puro azar?, las fronteras se mueven como rebaños, los países se reducen, se dividen o se expanden, los imperios empiezan y terminan. Y nosotros tenemos una sola cosa segura, nuestra vida, que puede transcurrir en cualquier sitio. A ti, repitió Reichardt, te gusta complicar las cosas. A mí, dijo el organillero, me parece que los dos tenéis razón. La única cosa segura que tenemos es la vida, cierto, Hans. Pero por eso mismo yo sé que soy de aquí: de esta cueva, de este río, de mi organillo. Son mis lugares, mis cosas, lo único que tengo. De acuerdo, dijo Hans, pero usted podría estar tocando ese organillo en cualquier parte. En cualquier otra parte, sonrió el viejo, ni siquiera nos habríamos conocido.

Ahora sólo eran tres. Reichardt se había ido a dormir la mona. Apenas quedaba vino y el habla de Álvaro se había llenado de eses sordas y jotas extranjeras. A Hans le pareció que cuanto peor pronunciaba Álvaro mejor hablaba alemán, como si la ebriedad pusiera definitivamente de manifiesto su extranjería, y esa misma imposibilidad de adaptarse por completo a otra lengua lo hiciera más consciente, más osado. Con la boca pastosa y la lengua suelta, Álvaro atravesaba su última media hora de pensamiento lógico. Ahora se detenía en casi todas las palabras que los otros dos decían, y se quedaba pronunciándolas con extrañeza, paladeándolas como si acabaran de inventarse. Gemütlichkeit?, repitió Álvaro, qué, ¿qué maravilla, no?, y qué difícil: *Gemütlichkeit...* Al principio se te aprietan los labios, mira, como si silbaras, *Gemü...*, pero de pronto, eh, de pronto tienes que sonreír, ¡qué bueno!, *tlich....*, ¡pero a joderse!, la alegría no te dura demasiado, y viene el golpe en el paladar, *keit*, ¡toma, *keit*!, y se te queda la mandíbula suelta... Hans, que escuchaba divertido y movía los labios junto con él, le preguntó cómo traduciría esa palabra al español. No sé, dudó Álvaro, depende, a ver, déjame pensar, el problema es que, claro, uno puede decir *Gemütlichkeit* como quien dice, como quien dice simplemente *comodidad*, eh, *placidez*, ¿no?, bah, pero esas cosas son una tontería, porque también está lo otro, lo que tú decías, Gemütlichkeit, o sea, ¡ay, que no sé hablar!, el, el placer de estar, ¿no?, de estar donde estés, la alegría de quedarte, de, de tener un hogar. Eso era lo que tú decías y lo que yo no tengo. Eso, dijo Hans, es lo que ningún alemán encuentra. Ah, ¿pero sabéis qué?, continuó Álvaro sin hacerle caso, se me ocurre otra palabra, una, una que es la contraria de la otra y, bueno, en realidad no es castellana, es gallega, pero la conocemos todos los españoles, es una palabra bien bonita, escuchad cómo suena, qué graciosa: *morriña*. Al oír la música de esta palabra, el organillero aplaudió muerto de risa y le pidió a Álvaro que la pronunciara seis veces seguidas, tratando de repetirla y riéndose cada vez que la escuchaba. Repentinamente eufórico, Álvaro explicó que la morriña era una especie de nostalgia por la tierra natal, un sentimiento lejano y triste pero también un poco dulce. Y que ser republicano y español era como la morriña, un sentimiento agridulce, un honor y un lamento. Es una pena con vaivén, de marineros, dijo Álvaro, pero un poco marineros somos todos.

Con alguna incoherencia y unos cuantos hipidos, Hans contó que los tibetanos llamaban al ser humano «el que migra», por la necesidad de romper sus cadenas. El organillero, que aparentemente se mantenía sobrio, contestó señalando el pinar: Yo no tengo cadenas, como mucho raíces. Sí, bueno, claro, se atropelló Hans, claro, bueno, sí, pero lo que los tibetanos vienen a decir es que las cadenas y las raíces y esas cosas nos impiden movernos, y que viajar es vencer esas limitaciones y superar las ataduras del cuerpo, ¿me explico o no?, ¿Alvarito querido, tú me entiendes? ¡Por supuesto, camarada!, chilló Álvaro, ¡superemos la morriña y la nostalgia y el Gemüt... Gemütlichkeit! Muchachos, sonrió el viejo, yo ya no tengo edad para superar las ataduras del cuerpo, yo más bien me dedico a conservarlas. Y la nostalgia, bueno, ¿no se puede viajar con la nostalgia? A Hans se le cortó el hipo, contempló al organillero y exclamó: ¡Álvaro, escúchame!, ¡si llevamos a este a Jena, más de uno deja la cátedra!, ¿me escuchas, Alvarito? Ay, no, balbuceó Álvaro, ya no te escucho ni me escucho.

Álvaro dormitaba con la boca abierta, tendido en el jergón de paja. Había articulado un par de veces sílabas pastosas en un idioma extraño. Hans tenía una sonrisa boba y los párpados entornados. El organillero lo tapaba y se cubría a sí mismo con una manta vieja. Tiene razón, murmuró Hans de pronto. No, contestó el organillero, tienes razón tú. Estamos de acuerdo, entonces, dijo Hans medio dormido. Después se quedaron un buen rato en silencio, viendo llegar la luz mojada del amanecer. Los pinos se aclaraban poco a poco y el río empezaba a dibujarse a través de la cueva.

Aquí la luz es vieja, comentó el organillero, le cuesta salir, ¿no?

Qué encierro, susurró Hans, qué impotencia.

O qué tranquilidad, suspiró el viejo, qué descanso.

Y aquel viernes sí: finalmente aquel viernes, poco después de comenzada la reunión, la cicatriz del labio superior de Bertold se contrajo solemnemente para anunciar la visita de Rudi Wilderhaus al Salón Gottlieb. El señorito Wilderhaus, entonó Bertold, ha llegado. Intentando deshacerse de una ola de celos, Hans tuvo que admitir que se había acostumbrado a oír hablar del prometido de Sophie y a actuar como si en realidad no existiera, como si procediendo negligentemente pudiera impedir su existencia. Todos los contertulios se pusieron en pie. El señor Gottlieb se adelantó unos pasos para recibir a su invitado al final del pasillo. Hans vio cómo Sophie se estiraba el escote y le daba la espalda en el espejo redondo.

Los dos pares de pasos fueron aumentando de volumen pasillo arriba: ligeros y nerviosos los de Elsa, demorados y crujientes los de Rudi Wilderhaus. Lo que tanto crujía eran los zapatos de charol del visitante, que venían y se acercaban y parecían resonar dentro de la sala y ya tardaban demasiado y por fin aparecieron, resplandecientes, deteniéndose frente al señor Gottlieb. Rudi Wilderhaus era más alto de lo que Hans hubiera deseado. Llevaba una levita de terciopelo que Bertold tomó con delicado temor, unas charreteras doradas, un chaleco con dos hileras de botones de pedrería, unos pantalones blancos ceñidos con franjas al costado y calzas finas hasta la rodilla. Las mangas eran cónicas, pegadas a la muñeca. El cuello tieso

parecía ofrecer en bandeja la robusta cabeza de Rudi Wilderhaus, cuya cima ostentaba un impecable tupé rizado. Gnädiger, gnädiger Herr!, exclamó el señor Gottlieb haciendo una
reverencia y estrechándolo por los antebrazos. Las damas flexio-
naron con levedad las rodillas, mientras los caballeros (Hans,
sintiéndose profundamente imbécil, también) inclinaron el
tronco. Rudi Wilderhaus avanzó hasta Sophie, tomó una de
sus blancas, largas manos, la rozó con los labios y pronunció:
Meine Dame...

En cuanto se lo presentaron formalmente, Hans observó tres cosas. En primer lugar, Rudi Wilderhaus iba con el
cutis empolvado y un toque de colorete. En segundo lugar, sus
ropas despedían perfume reciente, una corriente cítrica demasiado intensa. En tercer lugar, Rudi Wilderhaus hablaba con los
hombros alzados, como si sus músculos sustentaran sus palabras,
por el momento todas previsibles. Para sorpresa de Hans, Rudi
lo saludó, si no con cordialidad, al menos con cierta deferencia
que no había empleado al dirigirse al matrimonio Levin o a la
señora Pietzine. Ya me habían contado, dijo Rudi, que el Salón
disfrutaba de un nuevo miembro. Celebro su incorporación. Ya
habrá usted comprobado lo agradable que resulta ser recibido
en esta casa. Nuestro apreciado Herr Gottlieb y mi querida
Fräulein Sophie son sin duda unos perfectos anfitriones.

Nuestro apreciado y *mi querida,* masticó Hans. *Nuestro
apreciado* y *mi querida.*

El señor Wilderhaus, le explicó Sophie a Hans mientras
tomaban asiento otra vez, no siempre tiene ocasión de honrar-
nos con su visita por los numerosos compromisos que lo reclaman. De hecho hoy no podrá quedarse hasta el final de la
velada, pero nos acompañará hasta las ocho. ¿Nada más que té?
Se lo ruego, no sea tan frugal, querido señor Wilderhaus, pruebe
al menos una cucharadita de gelatina, ¡no irá usted a desairarme!,
Elsa, por favor, así me gusta, ¡ve cómo hay que insistirle para
que pruebe bocado!, antes de que usted llegara, querido señor
Wilderhaus, hablábamos de las interesantes diferencias entre
Alemania, Francia y España, esto último gracias a las observaciones del señor *Urquiho,* no, discúlpeme, ¿era *Urquixo?,* en

fin, sobre eso conversábamos. Oh, contestó Rudi procurando aparentar entusiasmo, muy bien, qué bien.

¿Por qué le dice siempre *querido señor Wilderhaus?*, pensaba Hans, ¿no parece mecánica esa fórmula?, ¿no suena demasiado poco íntima?, ¿no es impropia de alguien que?, ¿acaso no es señal de?, ¿por qué soy tan estúpido?, ¿por qué me hago ilusiones?, ¿por qué no me concentro?, ¿por qué?, ¿por qué?, ¿por qué?

Simplificando mucho, peroraba el profesor Mietter, podemos decir entonces que los franceses toman los objetos exteriores como móviles de sus ideas, mientras los alemanes los consideramos móviles de nuestras impresiones. Es cierto que en Alemania tendemos a incluir en las conversaciones cosas que quedarían mejor en los libros, pero en Francia se comete el error de incluir en los libros lo que sólo queda bien en una conversación, y eso es mucho peor. Yo diría que los franceses escriben sobre todo para gustar, igual que los alemanes escribimos para pensar o los ingleses lo hacen para ser entendidos. ¿Usted cree, profesor?, dijo la señora Pietzine, ¡pero la elegancia francesa es tan grande, ils sont si conscients du charme! Estimada señora, dijo el profesor Mietter, entre un valor y otro, francamente... Ejem, opinó el señor Levin, digo yo, tampoco habría por qué elegir, ¿verdad? Toda estética, sentenció el profesor, se basa en la elección. Sí, claro, retrocedió el señor Levin, pero bueno, no sé. Mi admirado profesor, terció Sophie, si me lo permite, a mí me parece que a Alemania no le vendría nada mal una dosis de intrascendencia. Sin duda la estética, cuánta razón tiene, depende de las elecciones. Pero también podemos elegir la mezcla, una estética es todo: conceptos, abstracciones, objetos y anécdotas, ¿no le parece? Psé, concedió el profesor Mietter. (Hans se cercioró de que Rudi no estaba mirándolo y espió las microscópicas porosidades de los antebrazos de Sophie, tuvo ganas de lamerlas.) ¿Y usted, Rudi?, preguntó Sophie, ¿qué opinión le merecen los franceses? (*¡Rudi!*, maldijo Hans, ¡ahora le dice *Rudi*!, aunque no le ha dicho *querido,* ¿por qué soy tan estúpido?) ¿Yo?, se sobresaltó Rudi elevando los hombros, yo, querida mía, en esto no opino nada distinto de usted (*usted,* se fijó Hans, le dice *usted,* ¿la tratará de tú a solas?), quiero decir que no existe ninguna diferencia entre mi pensamiento y el suyo. ¿Absolutamente ninguna?, insistió Sophie, lo invito a discrepar, no sea tímido. No es eso, sonrió Rudi, es que se explica usted como los ángeles. Entonces, bromeó Sophie, ¿tampoco duda usted de la existencia de los ángeles? Mi querida señorita, contestó Rudi, le confieso que cuando la veo a usted, no.

(¡Agh! Hans se mordió el labio.)

¿Y qué hay de malo en la austeridad?, dijo el profesor Mietter, ¿acaso no es más noble que el espíritu decorativo? Querido profesor, sugirió Sophie, quizá merezca que lo llamemos espíritu social. Aquí todo lo guardamos, lo escondemos. En Francia todo se muestra. Aquí somos huraños por naturaleza, o por lo menos creemos que esa es nuestra naturaleza, y terminamos pareciendo torpes. Eso, aprobó la señora Pietzine, no podemos negarlo. Hace unos años estuve en París y, en fin, era otra cosa. Esos vestidos. Esos restaurantes. Esas fiestas. Ay. ¡Te juro, querida, que un cadáver francés se divierte más que cualquier alemán vivo! Alemania, dijo misteriosamente el señor Levin, es la cocina de Europa, y Francia es el estómago. Fiestas aparte, reanudó el profesor Mietter, en Francia se lee menos. Profesor, dijo Sophie, está usted tan bien informado que temo contradecirlo, ¿pero y si no se leyera menos, sino de otra manera? Quizás los lectores franceses leen para poder hablar con alguien sobre libros, y en cambio los alemanes vemos en los libros una compañía en sí misma, una especie de refugio. La diferencia es otra, señorita, objetó el profesor Mietter, el problema es que en Francia no sólo se lee para los demás, sino que además se escribe siempre para otros, para el público. Un autor alemán forma su propio público, lo moldea, le exige. Un escritor francés se conforma con satisfacerlo, con darle lo que espera. He ahí la sociabilidad de los franceses, et je ne vous en dis pas plus! Profesor, intervino Hans malhumorado, ¿y no será que en Francia sencillamente hay mucho más público que aquí? En París hay más teatros y librerías que en Berlín. Aquí los artistas apenas tienen público al que satisfacer o despreciar. Quizá por eso nos consolamos con la idea de que nuestros autores son más rigurosos, independientes, etcétera. En París, señor mío, dijo el profesor Mietter, imperan el éxito fácil y el gusto general. En Berlín se valoran la personalidad y la altura, ¿no aprecia usted ninguna diferencia? Usted mismo lo ha dicho, replicó Hans: en ambos casos manda un modelo previo. En París se valora un estilo y en Berlín se prestigia otro. En ambos casos los autores buscan el aplauso de su público. Unos buscan la aprobación de la gente leída, que en Francia por suerte abunda, y otros buscan la aprobación de críticos y profesores, que en Alemania son los únicos que leen. Ninguna de las dos opciones es menos social o interesada. Ni veo diferencia en la nobleza de sus intenciones. Señor Hans, y si eso fuera así (dijo Sophie en tono cómplice, inclinando el busto hacia él, pero a la vez sonriéndole encantadoramente al profesor Mietter), ¿qué sugeriría usted para acercar a los lectores de los dos países?

Hans, que había pensado a menudo sobre eso mismo, se disponía a contestarle a Sophie cuando de pronto le cruzó por la mente una idea más malévola. Apoyó su taza en la mesita, fingió que Rudi acababa de interpelarlo con la mirada, y dijo en voz muy alta: Adelante, por favor, estimado señor Wilderhaus.

Rudi, que en la última hora no había hecho otra cosa que aspirar rapé y contestar «desde luego, desde luego» a las ideas de Sophie, se enderezó en su asiento y arqueó una ceja. Le dirigió una mirada perforadora a Hans, que la esquivó dedicándose a estudiar con extremada atención las pastas dulces de las bandejas. Rudi advirtió que su prometida lo observaba con interés y comprendió que debía dar alguna respuesta significativa. No por el resto de los invitados, cuya opinión le importaba un comino, ni siquiera por su honor, que se sostenía en valores más altos que aquellas bagatelas literarias. No: debía contestar por Sophie. Por ella y quizá, también, por darle una lección a aquel advenedizo impertinente que ni siquiera llevaba guantes. Rudi se sacudió unas motas de tabaco del chaleco, carraspeó, alzó los hombros y enunció: Puede ser que París nos supere en imprentas y teatros, pero de ningún modo alcanza a Berlín, ni la alcanzará nunca, en nobleza y rectitud.

El debate continuó como si nada. Pero ahora los labios de Hans sonreían, y a Rudi se le volcaba el rapé de la cajita.

Así es, amigos, decía la señora Pietzine, para mí no hay mejor entretenimiento que la lectura. ¿Acaso hay algo que pueda distraernos y atraparnos más que una novela? (veo, señora mía, se burló el profesor Mietter, que se *entretiene* usted mucho leyendo), ¡y que lo diga profesor, y que lo diga! Para mí la cultura siempre ha sido, ¿cómo decirle?, un gran consuelo. Yo les digo siempre a mis hijos, igual que le decía a mi difunto esposo, que Dios tenga en su gloria: no hay nada como un libro, nada te enseñará tanto, ¡no importa qué, pero lee! Ya saben ustedes cómo son los jóvenes de hoy, no se interesan por nada que no sean sus amistades, sus juegos y sus bailes (¿pero estamos seguros?, dijo el señor Levin, ejem, ¿estamos tan seguros de que no importa *qué* leamos?), bueno, no hay lectura mala, ¿verdad? (con todos mis respetos, intervino Álvaro, creo que esa es una idea ingenua, claro que hay libros malos, y libros inútiles, y hasta contraproducentes, igual que hay comedias lamentables y cuadros que no valen un gros), en fin, no sé, visto así... Coincido, dijo el profesor Mietter, con la apreciación de Herr *Urquiho:* la educación lectora debería incluir el rechazo de los malos libros. No hay nada terrible en eso. Me pregunto por qué veneramos tanto cualquier palabra impresa, aunque no diga más que bobadas (¿pero quién decide?, objetó Hans, ¿quién decide qué libros dicen bobadas?, ¿los críticos?, ¿la prensa?, ¿las universidades?), oh, vamos, no va a venirnos usted ahora con eso de la relatividad de las opiniones, por favor, seamos valientes, alguien tiene que atreverse a (no digo, lo interrumpió Hans, que todas las opiniones valgan lo mismo, la suya, por ejemplo, profesor, es mucho más autorizada que la mía, lo que yo me pregunto es cómo se reparte la responsabilidad de decidir las jerarquías literarias, que no digo que no existan), muy bien, si le parece, Herr Hans, si no lo considera usted una osadía por mi parte, le propongo una ecuación bastante simple: un filólogo tiene más responsabilidad que un frutero, o un crítico literario más que un ordeñador de cabras, ¿le parece un buen comienzo?, ¿o consultamos la idea con el gremio de artesanos? (profesor, dijo Sophie, ¿no se le enfría el té?), gracias, querida, ahora (consultarlos no, contestó Hans, pero le aseguro que si un filólogo observara aunque sea media hora la vida de los artesanos, cambiaría de opiniones literarias), sí, un poco más, querida, que ya está frío.

Algún novelista actual, siguió diciendo el profesor Mietter, ha sugerido que la novela, gracias, con azúcar, que la novela moderna es un espejo de nuestras costumbres, que no existen los argumentos sino la observación y que todo lo que ocurre puede caber en ella. Es una idea interesante, aunque también justifica el mal gusto imperante: cualquier barbaridad o estupidez merece ser contada porque *cosas así ocurren,* ¿no les parece? Eso, intervino Sophie, se repite mucho últimamente, las novelas modernas son como un espejo, bien, ¿pero y si fuéramos nosotros los espejos?, quiero decir, ¿y si nosotros, los lectores, fuéramos el reflejo de las costumbres y los sucesos narrados en las novelas? Esa idea, la apoyó Hans, me parece mucho más atractiva, en cierta forma así cada lector sería un libro. Querida mía, se apresuró a confirmar Rudi tomándole una mano, eso es brillante, estoy de acuerdo. Eso, dijo Álvaro, ya lo inventó Cervantes.

Cuando los contertulios empezaron a charlar sobre España, Rudi miró el reloj de pared y se levantó diciendo: Si me disculpan... El señor Gottlieb se puso en pie y todos los invitados lo imitaron de inmediato. Elsa echó a andar hacia el pasillo, pero Sophie le hizo una señal y salió ella misma a buscar el sombrero y la capa de Rudi. Él aprovechó para decir: Esta dichosa cena a la que estoy comprometido me resulta del todo inoportuna. Los debates me tenían, créanme, absolutamente subyugado. Ha sido un placer, meine Damen und Herren, un auténtico placer. Volveremos a vernos pronto, quizás el próximo viernes. Y ahora, con su amable permiso...

Hans tuvo que reconocer que Rudi, en cuanto salía del terreno de las reflexiones para pisar el mundo de los gestos, los modales y las cortesías, inspiraba una seguridad inaudita. Esperando de pie ahí, sólido, rutilante, estatuario, Rudi Wilderhaus daba la impresión de ser capaz de quedarse inmóvil una hora entera sin experimentar la menor incomodidad. Cuando Sophie volvió con la capa y el sombrero el señor Gottlieb se les acercó, murmuró unas palabras íntimas que le ablandaron el bigote y los tres se perdieron por el pasillo. Hans se quedó mirándolos hasta que sólo quedó el humo ascendente de la pipa, los crujidos de los zapatos de charol y las fricciones de la falda. Los invitados se observaron súbitamente avergonzados y volaron los Así Es, los En Fin, los Ya Ven Ustedes, los Qué Tarde Tan Agradable. Después se callaron, aceptando todas las bandejas que Elsa les ofrecía. El profesor Mietter se puso a hojear un libro junto a un candelabro. Álvaro le guiñó un ojo a Hans, como diciendo «después hablamos». Hans se sorprendió entonces del rapto de locuacidad que, en ese momento de silencio general, le sobrevino a la siempre callada señora Levin: le hablaba al oído a su marido, rápido y sin pausa, gesticulando mucho, mientras él asentía con la vista en el suelo. Hans trató de entender lo que decía la señora Levin, pero sólo alcanzó a descifrar palabras sueltas. Una de ellas le llamó la atención y lo inquietó un poco: le pareció que era su nombre.

Cuando Sophie reapareció en la sala todos se activaron, y la estancia volvió a llenarse de risas y rumores. Sophie le pidió a Bertold que encendiera más velas y a Elsa que le encargase a Petra, la cocinera, unos caldos de pollo. Después vino a sentarse y los contertulios se arrimaron al borde de la mesita. Hans se dijo que, definitivamente, Sophie tenía el don sublime del movimiento: nada permanecía nunca quieto o indiferente a su alrededor. Enseguida regresó también el señor Gottlieb para dejarse caer en su butaca y enredar un dedo carnoso en su bigote. Aunque la conversación se reanudó como si nada, Hans percibió que Sophie evitaba su mirada en el espejo redondo. Lejos de preocuparlo, Hans interpretó ese pudor repentino como una señal favorable: era la primera vez que su prometido y él la acompañaban al mismo tiempo.

¿Así que usted también conoce España, señor Hans?, se entusiasmó la señora Pietzine, ¡me pregunto cómo ha tenido tiempo de visitar tantos países! Estimada señora, contestó Hans, no tiene ningún mérito, es cuestión de sentarse en carruajes y barcos. A juzgar por los viajes que nos ha descrito, ironizó el profesor Mietter, deduzco que ha tenido que pasarse la vida entera en ellos. En cierta forma, sí, dijo Hans renunciando a defenderse y escondiendo la nariz en la taza. Querido amigo, viró Sophie hacia Álvaro para disipar la tensión, si gusta usted, entonces, podría contarnos algunas cosas más sobre la literatura actual de su país. Dicho así, sonrió Álvaro, no sé si hay mucha. Literatura *actual* tenemos poca. Demasiado han hecho nuestros pobres ilustrados. Pongamos por caso a Moratín, ¿les suena?, no me extraña, atravesó los Alpes y media Alemania sin enterarse de la existencia del Sturm und Drang, imagínense. Sin embargo, comentó la señora Pietzine, estar à la page no lo es todo, ¿verdad?, porque no me negará usted el encanto de esos pueblos españoles, el hechizo de su gente humilde, su espíritu festivo, sus. Señora, la interrumpió Álvaro, no me lo recuerde. Tengo entendido, intervino el señor Gottlieb desencajando la pipa de los dientes, que el fervor religioso es más puro que aquí, más sincero (papá, suspiró Sophie con fastidio). Y la música, apuntó el profesor Mietter, la música brota de otra fuente, brota del pueblo mismo, de las entrañas de la tradición y...

Álvaro escuchaba a sus germánicos contertulios con una sonrisa triste en los labios.

Amigos, amigos míos, dijo Álvaro tomando aire, les aseguro que en toda mi vida jamás he visto tanto gitano, tanta guitarra y tanta maja como en los cuadros de los pintores ingleses o en los diarios de los aventureros alemanes. Ya lo ven, mi país es así de extraordinario: media Europa poética, o romántica como se dice ahora, escribe sobre España mientras los españoles nos educamos leyéndolos. Nosotros escribimos poco. Preferimos ser tema. ¡Cuánto horror!, ¡jóvenes madrileños enamorando a sus morenas con canciones!, ¡muchachas matando o matándose por puro fervor mediterráneo!, ¡trabajadores ociosos, preferentemente andaluces, descansando en los balcones!, ¡beatas profesionales, manolas de Lavapiés que parecen amazonas, ventas embrujadas, carruajes anticuados!, bueno, esto último es verdad. Comprendo que ese folclore puede llegar a ser muy gracioso, siempre y cuando se refiera a un país extranjero.

Se hizo un silencio en la sala, como si todos se hubieran quedado viendo caer una pompa de jabón.

A las diez en punto el señor Gottlieb despegó la espalda de su butaca. Le dio cuerda al reloj de pared y se despidió de los invitados.

En vista del clima un tanto melancólico que había cobrado la reunión, Sophie propuso dedicar el rato que quedaba a la música y el recitado, idea que fue acogida con entusiasmo por todos y en especial por el profesor Mietter, que de vez en cuando interpretaba con ella dúos de Mozart o Haydn, incluso alguna sonata de Boccherini (el *incluso* era del profesor). Sophie se sentó al piano y Elsa trajo el estuche del violonchelo para el profesor. Antes de que la música sonara, Elsa pudo tomar asiento por primera vez desde que la reunión había comenzado y, también por primera vez, pareció prestar verdadera atención. Con la punta del pie aplastó unas migas de pan tostado que habían caído sobre la alfombra: las migas se astillaron coincidiendo con el primer golpe de arco del profesor Mietter. Hans sólo tuvo ojos para los elásticos, telegrafiantes dedos de Sophie.

El dúo transcurrió con placidez, sólo alterada por los bruscos asentimientos del profesor Mietter, a los que Sophie respondía con mesuradas sonrisas de reojo. Al terminar de tocar y recibir la ovación de los contertulios, Sophie le rogó a la señora Pietzine que se acercase al piano. Encantada con su insistencia, la señora Pietzine se resistió como correspondía y, justo en el momento en que el empeño de Sophie pareció decaer, accedió haciendo ruborizados aspavientos. Todos volvieron a aplaudir: el collar de la señora Pietzine se despegó del escote y quedó oscilando en el aire durante un instante. Después ella se volvió hacia el teclado y, con estrépito de anillos y pulseras, cantó irremediablemente.

¿Qué les ha parecido?, preguntó la señora Pietzine enrojecida. Con infinita astucia, Sophie contestó: Ha tocado usted muy bien el piano. Intentando que la señora Levin saliera de su letargo, Sophie la invitó a tocar a cuatro manos con la señora Pietzine. Todos aprobaron la idea entre exclamaciones, rogaron, rogaron más y por último aplaudieron cuando la atribulada señora Levin abandonó su asiento y miró a su alrededor, como asombrada de haberse puesto en pie. Llegó hasta el piano, temerosa. Las caderas acampanadas de la señora Pietzine se deslizaron a lo largo de la banqueta. Ambas espaldas se irguieron, los hombros se tensaron y las dos mujeres acometieron un Beethoven con más furor de lo que la decencia aconsejaba. Contradiciendo las previsiones de Hans, la señora Levin tocó de manera excelente, disimulando los errores y compensando las lagunas de su compañera. Durante la audición el señor Levin permaneció con los ojos clavados en la banqueta del piano, no exactamente en la falda de su esposa.

Al borde de la medianoche, la velada se cerró con una ronda de clásicos. La señora Pietzine pidió a Molière, Álvaro mencionó a Calderón y el profesor Mietter exigió a Shakespeare. Al señor Levin se le ocurrió Confucio, pero en la casa no había ningún libro de Confucio. Hans no hizo peticiones y prefirió concentrarse en el vello de los brazos de Sophie, que cambiaba de forma, color y (presumía él) sabor según el resplandor de las velas. Por unanimidad, y pese a sus protestas, Sophie fue designada para recitar los pasajes elegidos. Hans sentía verdadera curiosidad por escucharla, no sólo porque así podría contemplarla impunemente, sino porque además tenía la idea de que escuchando leer a alguien era posible leer sus inflexiones eróticas. Lo que Hans ignoraba es que Sophie tenía una opinión parecida. Por eso las miradas de Hans, sus círculos, deslices y demoras la incomodaron y turbaron, honestamente más lo segundo que lo primero.

Hans sintió que, sin tener una voz hermosa, Sophie la modulaba con la intensidad justa, logrando un tono persuasivo sin sonar enfática, huyendo tanto de la inexpresividad como de la afectación, manteniendo una dicción de apetito medido, de labios a medio beso, hilvanando los acentos con intención, posándose un instante en los fuertes y dejando pasar los débiles, resbalando de los agudos a los graves como quien se hamaca, desplazando la puntuación según las necesidades respiratorias y no gramaticales, gozando de las pausas sin dilatarlas de más. Siendo, en definitiva, sensual consigo misma y no para impresionar a sus oyentes. Hans se dijo: Esto es terrible. Entrecerró los párpados y quiso entrar con la imaginación en la garganta de Sophie, circular por ella, formar parte de su aire. El aire que ensanchaba su cuello como un líquido tibio. Habla como se bebe té, pensó Hans. Le pareció una asociación absurda, y de pronto tuvo sed, y se mojó los labios con la punta de la lengua, y se dio cuenta de que había vuelto a distraerse de los textos. Alguna línea de los pensamientos de Hans debió de hacerse legible para Sophie, porque al concluir el recitado del penúltimo fragmento se quedó en silencio, cerró el libro dejando un dedo índice atrapado en él, se lo extendió a Hans y dijo: Estimado señor, le ruego que nos deleite leyéndonos usted el último pasaje. Dicho esto, se estiró los pliegues de la falda, cruzó despacio una pierna y se reclinó en su asiento, mirando a Hans con una sonrisa provocadora. De pronto se fijó en la garganta de Hans, que revelaba un bulto suculento, un nido de palabras. Adelante, se relamió Sophie, lo escuchamos.

De pie junto a la puerta, ninguno de los dos acertaba a decir la última palabra. Todos los invitados acababan de salir, y tanto Sophie como Hans los habían saludado uno por uno sin moverse de ahí, haciendo como que terminaban de despedirse y demorando sin cesar la despedida. Entre ellos corría, haciéndolos tiritar, una brisa indefinida. A falta de poder besarla con violencia y acabar con aquel erizamiento insoportable, Hans se desahogó lanzándole varias frases hostiles, incluyendo en cada una el tratamiento formal de *Frau*. *Señorita,* lo corrigió Sophie, soy señorita. Pero pronto, objetó Hans, estará usted casada. Usted lo ha dicho, contestó ella, pronto, no todavía.

Se quedaron callados uno muy cerca del otro, conmovidos por su malicia semejante, hasta que Sophie añadió: No sea usted impaciente, ya lo invitaré a la boda.

Siguieron tratándose de usted con el paso deslizante de los días, repitiendo las mismas fórmulas corteses, cada uno imitando el tono formal del otro, pero entonando esas palabras idénticas con una música impaciente, cada vez más paladeada, más entreabierta. En apariencia no sucedía nada. Ambos mantenían la compostura al modo que le era propio: Sophie disimulaba sus sofocos con ademanes de oportuna altivez, mientras él combatía la ansiedad con disertaciones abstractas y citas librescas. Sophie obtenía fuerzas del fragor mismo de los debates, de la distancia crítica a la que se obligaba a situarse para dialogar con él. Hans conseguía parecer sereno concentrándose en el tema, ensimismándose en sus argumentos. Los dos se acostumbraron a conversar un rato en el pasillo como si fueran a irse, sin irse del todo, los viernes a medianoche cuando el Salón terminaba. Procuraban hacerlo a la vista de Elsa o Bertold, como dejando claro que no tenían para ocultar todo lo que tenían para ocultar. A partir de aquel primer billete de Sophie, empezaron a tomar el té en la casa. Esas tardes el señor Gottlieb salía del despacho, se sentaba con ellos y los tres conversaban amigablemente. El señor Gottlieb recibía a Hans con la simpatía de siempre, aunque con menos locuacidad. Ahora Hans era amigo de su hija, y él debía dar un ligero paso atrás para no parecer un padre entrometido y, sobre todo, para poder vigilarla con perspectiva. El señor Gottlieb conocía bien el carácter intempestivo de su hija. Sabía que bastaba una oposición frontal o una prohibición explícita para que ella se empeñase en desobedecerlo con una tenacidad que a veces lo espantaba. Así que lo más práctico era dejarla hacer y mantenerse muy atento.

Si Hans hubiera sido capaz de meditar con frialdad, habría entendido por qué el trato de Sophie variaba tanto. Al quedarse frente a frente, mirándose a los ojos con nerviosismo, ella se mostraba contestataria con él. Cuando algún invitado criticaba sus opiniones, en cambio, solía salir diplomáticamente en su defensa. Pero estos indicios aún no resultaban demasiado visibles para nadie. En parte porque el mundo de los gestos no es transparente como un cristal, sino reflexivo como un espejo. Y en parte porque todos tenían razones íntimas para interpretarlos a su modo.

Además de su costumbre de no participar en los debates, por lo que tampoco se daba por aludido en ellos, Rudi

Wilderhaus se sentía demasiado seguro de su posición, jerarquía y compromiso como para inquietarse realmente. O mejor dicho *no debía* inquietarse, porque hacerlo habría significado rebajarse al nivel de un forastero desconocido y sin rango. Tampoco el profesor Mietter pareció extrañarse de la discreta y constante solidaridad de Sophie hacia Hans, ya que (como él mismo había comprobado durante sus primeros meses de asistencia al Salón) la eficaz anfitriona tenía por norma proteger a los recién llegados para asegurarse su permanencia. No en vano las reuniones se habían iniciado con tres o cuatro asiduos, y ahora sus componentes doblaban ese número. Por otra parte, el temperamento ávido y un tanto tumultuoso de la señorita Gottlieb justificaba, a ojos del profesor, esa tendencia suya a avivar los debates dándole la razón a quien se hallara en minoría. Y allí se daba el caso de que, muy a menudo, el estrafalario Hans estaba en minoría. De todas formas (terminaba de tranquilizarse el profesor) Sophie jamás había dejado de dispensarle un trato preferencial y hasta honorífico, que seguía señalándolo como referencia indiscutible del Salón y punto de partida de cualquier debate. Quizá la señora Pietzine, entre risitas y bordados, sí sospechase algo. Pero ella se sentía demasiado encantada con la presencia de aquel joven invitado, demasiado entretenida con la novedad, como para no dejarse llevar por la corriente. En cuanto al señor Levin, que respetaba al profesor Mietter casi tanto como lo temía, en algún rincón inconfesable de su prudencia se complacía con la incorporación de Hans. No porque coincidiera con sus puntos de vista, sino por el efecto disolvente que tenían en la totémica seguridad del profesor, a quien tanto le gustaba censurar sus propias intervenciones. Álvaro se había puesto del lado de Hans desde el principio, y posponía cualquier discrepancia para la confidencialidad de las cervezas en la Taberna Central. No lo hacía sólo por lealtad, sino por conveniencia: nunca había encontrado en Wandernburgo a nadie tan afín como Hans, y su llegada había aliviado un poco su soledad. ¿Y la señora Levin? La señora Levin guardaba silencio, aunque fruncía el ceño pensando quién sabía qué.

Aquella tarde había magnolias en la sala. Después del té, en vez de encerrarse en su despacho como solía, el señor Gottlieb se había quedado conversando con ellos dos. Después de un rato de charla insustancial, Sophie se había retirado precipitadamente a su alcoba. No se había retirado porque estuviera ofendida con Hans o molesta con su padre por interponerse. Muy al contrario, ella había comprendido que si quería seguir recibiendo las visitas de Hans con normalidad, debía permitir que su padre mantuviera la amistad con él. Ninguno de los dos hombres supo interpretar esta sencilla estrategia, y por eso su padre mordió complacido su pipa y miró a Hans, y por eso él tosió decepcionado y miró al señor Gottlieb.

Durante la hora y media que duró su conversación, acompañada de una botella de coñac que trajo Bertold, el señor Gottlieb le confesó a Hans su preocupación por las cenas de esponsales que estaban a punto de celebrarse. Por fortuna, según le había explicado, la primera cena debía celebrarse en casa de la novia. Imagínese usted, había dicho el señor Gottlieb llenándose la copa, qué desgracia la mía si fuera al revés, primero los Wilderhaus, ¡nada menos que los Wilderhaus!, recibiéndonos en su mansión, y después nosotros, ¡ay, nosotros!, devolviéndoles el honor aquí mismo. Le aseguro que apenas duermo, ¡apenas duermo!, pensando por ejemplo en el menú, ¿qué puede uno, comprende usted, ofrecerles a los Wilderhaus? Por supuesto celebraremos la cena en el comedor, no en esta sala, ¿un poco más de coñac, amigo mío?, ¿ni siquiera un dedito?, en fin, figúrese, esta semana lo acondicionaremos, sí, ¿pero será suficiente?, ya le he pedido a Petra, ¿conoce usted a Petra?, ¿y a su hija?, una buena mujer, cuando la contratamos era la mejor cocinera de su generación, ¿que por qué era?, no, si todavía es excelente, lo que pasa es que ya no es lo mismo, ¿comprende?, ya no recibimos tantas visitas como antes, ¡el tiempo corre para todos, amigo mío!, y esta casa, esta casa, en fin, da igual, ¡estamos tan nerviosos!, no, Sophie no, ella nunca está nerviosa, pero yo le confieso, ¿de verdad no quiere un poco más de?, le confieso que a mí me cuesta serenarme, ¿y a usted qué le parecería consomé de pollo, fideos azucarados con canela, carbonada y no sé, una compota, un poco de merengue, a usted qué le?, y champán, evidentemente champán para el final, ¿pero y antes?, ¿usted sabe qué vinos se sirven ahora en Berlín?, sí, pregunte, se lo agradecería mucho, es muy amable. ¿Sabe qué?, es un verdadero alivio conversar con usted. ¿Entonces ternera mejor no?

Y le juro, organillero, dijo Hans esa misma madrugada, que me costó la vida mantenerme tranquilo mientras me hablaba de esa maldita cena, Sophie se fue a su cuarto y el padre se quedó hablándome dos horas de los Wilderhaus, ¿pueden ir peor las cosas? El organillero, que había estado escuchándolo con la vista distraída y jugueteando con los colmillos de Franz, habló por fin para decir algo completamente inesperado: ¿Y dices que había flores? Sí, sí, contestó Hans sin ganas. ¿Pero cuáles?, insistió el organillero. ¿Y eso qué importa?, dijo Hans, ¿qué más le da? ¿Cuáles?, repitió el viejo. Me parece, se rindió Hans, que eran magnolias. ¡Magnolias!, se alegró el viejo, ¿estás seguro? Creo que sí, dijo Hans desconcertado. Las magnolias, dijo el organillero, significan perseverancia, son una invitación para que insistas. ¿Y eso es así desde cuándo?, preguntó Hans. Desde toda la vida, sonrió el organillero, ¿tú en qué mundo vives? Entonces, dijo Hans, ¿usted cree que debo decirle algo, mostrarle mis sentimientos? No, no, contestó el viejo, hay que esperar, no seas torpe, lo que ella está pidiéndote no es acción, es tiempo. Ella necesita pensarlo, pero para pensarlo necesita saber que tú sigues ahí, ¿entiendes? El tiempo de su amor es suyo, no puedes dominarlo. Te conviene insistir, pero esperando. ¿Los campesinos tiran de los girasoles para que se acerquen al sol? Bueno. De las magnolias tampoco se tira.

A través de la boca de la cueva entraba y salía el vapor del alba. Hans y el organillero habían pasado la noche en vela. Acababan de sentarse el uno junto al otro a contemplar el pinar, el río, la tierra blanca. La fogata calentaba sus espaldas. A Hans lo fascinaba la atención silenciosa con que el organillero asistía al paisaje, a veces durante horas. Hans miraba de reojo al viejo. El viejo miraba el paisaje nevado. El paisaje vacío se observaba a sí mismo.

Se observaba abrumado de tierra tiesa, de escarcha añeja, de nieve fija. El pinar sumergido. Las ramas incompletas. Los troncos vulnerables. El Nulte, pese a todo, insistía bajo la corteza del hielo, insistía en ser el tenue río de Wandernburgo. Los álamos desprovistos se doblaban.

¿Escuchas?, dijo el organillero.

¿Escucho qué?, dijo Hans.

El crujido, contestó el organillero, el crujido del Nulte.

La verdad, dijo Hans, me parece que no.

Ahí, dijo el organillero, un poco más abajo.

No sé, dijo Hans, bueno, un poco. ¿Y le dice algo, el río?

Dice, susurró el viejo, que ya viene. Que está llegando.

¿Que está llegando qué?, preguntó Hans.

La primavera, contestó el organillero. Aunque no la veamos, aunque esté congelada, está viniendo. Quédate un mes más. Tienes que ver la primavera en Wandernburgo.

¿No le dan pena los árboles petrificados?, dijo Hans, ¿toda esta tierra helada?

¿Pena?, dijo el organillero, a mí me dan esperanza. Son como una promesa.

Al ritmo de la manivela, pausados, continuos, rodaron los días y tuvieron lugar las cenas que el señor Gottlieb tanto esperaba. Durante la primera cena de esponsales en la calle del Ciervo, bajo la memoriosa araña del comedor que Hans no había visto, entre vitrinas repletas de porcelanas y estatuillas de Sajonia, alrededor de la gran mesa rectangular antaño concurrida, Rudi le había hecho entrega a Sophie de la sortija de pedida, y ocho días más tarde, justo antes de la segunda cena de esponsales en la Mansión Wilderhaus, ella le había correspondido enviándole su retrato enmarcado en un medallón de plata oval. Los Wilderhaus se habían mostrado, si no entusiastas, al menos correctos con el señor Gottlieb y en definitiva dispuestos a complacer a Rudi si aquella boda era realmente su deseo. Ni Sophie ni su padre habían entrado antes en la Mansión Wilderhaus, de la que sólo habían podido contemplar su imponente fachada desde la avenida Regia. Mientras la recorrían, el señor Gottlieb se sintió primero estupefacto, después intimidado, por último eufórico. Sophie mantuvo elevado el mentón y guardó silencio durante buena parte de la cena. El señor Gottlieb se marchó de la mansión profundamente aliviado. Al fin todo empezaba a marchar bien: tras los postres, al contrario de lo que había supuesto, los Wilderhaus no pusieron excesivos reparos a las condiciones y dieron el visto bueno a la tasa de la dote.

Desde aquellos primeros billetes de tanteo, Hans y Sophie habían empezado a escribirse casi a diario, y él frecuentaba ya la casa Gottlieb con cierta familiaridad. Había logrado el objetivo que había creído más difícil y que, una vez cumplido, lo hacía sentirse defraudado: hacerse *amigo* de Sophie. Como acostumbraban desde hacía un tiempo, ambos tomaban el té en la sala de estar. El señor Gottlieb se había retirado a su despacho y ellos se podían permitir el lujo de mirarse a los ojos. Mientras la alfombra absorbía la luz de la tarde, Sophie le describía los detalles de la cena en la Mansión Wilderhaus. Hans respondía a su relato sonriendo amargamente. ¿Y por qué me cuenta todo esto?, pensaba, ¿para mostrarme su confianza?, ¿para que yo reaccione?, ¿o para disuadirme? Al tiempo que le hablaba en tono despreocupado, Sophie no podía dejar de preguntarse: ¿Y por qué escucha todo esto con tanta complacencia?, ¿para mostrarme su amistad?, ¿para que yo rectifique?, ¿o para poner distancia? Pero cuanto más manifestaba Sophie sus recelos hacia el lujo de la Mansión Wilderhaus, más interpretaba Hans que lo hacía para inmiscuir a Rudi en la conversación, y más se protegía redoblando sus sonrisas. Y cuanto más sonreía él, más interpretaba ella que lo hacía para dejarle clara su frialdad, y más insistía en darle detalles. Y en aquel vaivén, a su modo, eran inciertamente felices.

Imagínese, Hans, contaba Sophie, nuestro asombro al ver a aquellos cinco o seis lacayos de librea sirviéndonos helado durante toda la velada, ofreciéndonos té cada cuarto de hora y desfilando con champán, whisky escocés y botellas de Riesling después de la cena (me lo imagino, acotó Hans, ¡qué incomodidad!), le aseguro que una no sabía a quién saludar primero ni cómo dirigirse a ellos, allí había por lo menos dos cocheros con cuadra, media docena de ayudas de cámara, no sé cuántos criados y un personal de cocina que parecía un vecindario (¡caramba, qué indigestión!, exclamó Hans), se lo digo en serio, no estoy acostumbrada a tanto protocolo, me pregunto si alguien puede llegar a sentirse realmente cómodo rodeado de semejante multitud (oh, bueno, dijo Hans, los hábitos, como todo, ya se sabe...), los únicos lugares más o menos íntimos son los jardines (¿*los* jardines?, se asombró él), sí, bueno, dos, uno delantero y otro trasero (¡lógico, lógico!, asintió Hans), eran bonitos, sí, pero me quedé helada cuando vi que en uno de ellos estaban los sepulcros, ¿a que no adivina de quiénes? (me tiene usted en ascuas, dijo él), ¡de los perros!, como lo oye, los sepulcros de once perros, los perros cazadores de la familia, con una losa en cada sepulcro y su apodo escrito en ella (es muy loable, dijo Hans, brindarles tan buen trato a los pobres animales), no sé, es que todo eso me parece excesivo, ¿para qué puede necesitar alguien cuatro mesas de billar? (¡eso sí que es saber entretenerse!, aplaudió Hans), eso sí juegan, porque en esa mansión la mayor parte de las cosas parecen como intactas, incluyendo la biblioteca, que por cierto es enorme, tuve ocasión de hojear unos antiguos ejemplares franceses empastados que sospecho que nadie ha tocado (¿y cuadros?, dijo Hans, ¿había muchos cuadros?, supongo que los cuadros sí los habrán mirado), amigo mío, lo noto de excelente humor esta tarde, celebro que le entusiasme tanto conocer mejor a mi prometido (¡ardo en deseos, señorita, ardo en deseos!, se revolvió Hans), bien, pues sí, había muchos cuadros, una gran colección de maestros italianos, franceses y flamencos que han ido comprándoles a conventos de la zona (¡magnífica inversión!, exclamó Hans, ¿y salita de música?, ¿salita de música no tienen?), me temo que también, una salita preciosa con lámparas de gas, y otra sala de mármol donde se dan convites (desde luego para los convites, asintió Hans, lo mejor es el mármol), permítame sugerirle, mi estimado Hans, una infusión de hierbas, lo encuentro algo agitado, ¿Elsa, puedes venir?, no sabía que fuera usted tan sensible con la arquitectura, de hecho iba a contarle lo de los grifos y los desagües ingleses, pero ya no sé si debo.

Hans llegó a la posada con una sensación de apetito en la piel y vacío en el pecho. Sin ganas de salir, sumido en el repaso de la conversación con Sophie, prefirió hundirse en el viejo sofá. Lisa, que no se había acostado, se apresuró a traerle lo que había quedado de la cena familiar. Al verla acercándose con un plato y un cuenco entre las manos, Hans sintió una repentina ternura. Muchas gracias, le dijo, no tenías que haberte molestado. No tiene por qué agradecerme nada, contestó ella intentando sonar displicente, sólo cumplo con mi obligación. Pero el suave rubor de sus mejillas expresaba otras cosas. Entonces quiero agradecerte, sonrió Hans, que cumplas tan bien con tu obligación. ¡Gracias!, contestó Lisa sin darse cuenta. Y, después de darse cuenta, no pudo reprimir una risa fresca.

A los pocos minutos estaba a su lado en el sofá, sentada con los pies debajo de las nalgas. ¿Y tu padre?, preguntó Hans. Durmiendo, contestó Lisa. ¿Y tu madre?, dijo él. Intentando que Thomas se duerma, dijo ella. ¿Y tú?, preguntó Hans, ¿no tienes sueño? No mucho, negó Lisa. Después añadió: ¿Y usted? ¿Yo?, se sorprendió Hans, yo no, bueno, sí, un poco. ¿Entonces sube ya a su habitación?, preguntó ella. Creo que sí, contestó él. ¿Necesita más velas?, dijo Lisa. Me parece que no, dijo Hans. Lisa se quedó mirándolo con una fijeza sólo posible desde la ingenuidad verdadera o la mayor malicia. Pero Hans sabía que Lisa no tenía edad para ser tan maliciosa. Buenas noches entonces, dijo Lisa. Buenas noches, Lisa, dijo Hans. Él se puso en pie. Ella bajó la vista y empezó a tirarse del pellejo de los dedos.

Cuando Hans ya pisaba la escalera, lo detuvo la voz de Lisa. ¿No va a decirme qué guarda en ese arcón?, preguntó ella haciendo dibujos con un pie. Hans se volvió, risueño. El mundo entero, dijo.

Como anillos concéntricos, el silencio se expande desde el corazón de la plaza del Mercado hacia los callejones amarillentos y oscurecidos, desde la punta errática de la Torre del Viento hacia los bordes inclinados de la iglesia de San Nicolás, desde las altas puertas hacia las rejas del cementerio, desde los adoquines fatigados hacia el sueño maloliente de la tierra abonada para la primavera, y más allá.

Cuando el sereno pasa junto a la esquina del callejón de la Lana y se pierde por la angosta calle de la Oración, cuando su anuncio se deshace en ecos, ¡... *casa, gente, vamos!*, ¡... *han tocado ocho campanas!*, ¡... *vuestro fuego y vuestras lámparas!*, ¡... *Dios, loado!*, y cuando su lanzón de punta luminosa se absorbe en la noche, entonces alguien, como otras noches, sale de una franja de sombra y asoma el ala negra de su sombrero. Lleva los brazos ocultos en los bolsillos de su abrigo largo, las manos prietas en finos guantes, entre los dedos expectantes un cuchillo, una máscara, una cuerda.

Al otro lado se oyen unos pasos ligeros, de tacones con prisa, cruzando el callejón. Los guantes se tensan dentro del abrigo, el ala del sombrero se inclina, la máscara va a la cara y la figura en penumbra empieza a avanzar.

En Wandernburgo se redondea una luna de arena, luna desprevenida, luna sin dónde.

II. Casi un corazón

El día que la primavera se presentó en Wandernburgo, la señora Zeit se levantó de un asombroso buen humor. Se movía por la casa con ansiedad, como si la luz fuera un huésped ilustre al que atender. Mientras el señor Zeit leía *El Formidable* en el mostrador sosteniendo una taza de café que no había probado, su esposa e hija limpiaban y engrasaban las palas y tenazas de las chimeneas para guardarlas en el cobertizo del patio trasero. De vez en cuando Lisa se miraba el brazo, cuya extrema blancura manchaban unos rasguños de hollín. Entonces su madre volvía a apremiarla. ¿Ya has cardado la lana de los colchones?, le preguntó apartándole cariñosamente un mechón de los ojos. Lisa se limpió la frente con la muñeca y contestó: Sólo la de la siete, madre. ¿Sólo?, se extrañó la señora Zeit, ¿y las demás habitaciones? Es que, madre, dijo Lisa, cuando iba a empezar con las otras usted me llamó, bajé a ver qué quería y ya no tuve tiempo. No te preocupes, querida, dijo la posadera con una desacostumbrada sonrisa que la embelleció, sigue con eso, ya lo hago yo.

Todo lo que hasta entonces había sido cerrojos nerviosos, postigos entornados y cristales grises de pronto fue una brisa de puertas abriéndose, cristales relucientes, postigos de par en par. Por las ventanas de la posada, por las ventanas de toda la ciudad, los tapices, cortinas y alfombras asomaban como lenguas. En vez de caminar mirando al suelo, las muchachas alzaban la cabeza al pasar. Sus ropas se habían aclarado, sobre sus cabellos ondeaban las capellinas de paja con un toque de margaritas. Los muchachos se inclinaban para saludarlas y aspiraban un aroma a vainilla. Elsa dobló la calle del Caldero Viejo. En una mano sostenía una sombrilla. En la otra apretaba un billete color violeta.

Hans se afeitaba sentado sobre el arcón con las piernas separadas, mirando el espejito apoyado en el suelo. Todavía sentía el sopor en la piel y conservaba el sobresalto que Lisa le había causado entrando en la habitación sin tocar la puerta, o al menos sin que él la oyese, para ponerse a limpiarlo todo antes de que pudiera vestirse. Hans bostezaba en el espejito de la acuarela. Recordaba fragmentos de la noche anterior en el Salón. La cajita de rapé que Rudi le había extendido varias veces, no sabía si en señal hospitalaria o displicente. Las discrepancias con el profesor Mietter, que jamás perdía la paciencia. Sus propios comentarios, más vehementes de lo que habría deseado. Las carcajadas con eco de Álvaro. Las miradas sigilosas de Sophie. Las bromas en voz baja que él había alcanzado a hacerle. La manera en que.

Llamaron a la puerta.

Al abrirla volvió a encontrarse a Lisa, que en vez de entregarle el manuscrito violeta se quedó absorta en su mentón a medio afeitar, en la tenue mancha del vello sobre sus labios.

Hans se sentó a leer la nota sin terminar de afeitarse. Sonrió al desdoblarla y ver que sólo decía:

¿Por qué me mirabas así ayer?

Hans mojó la pluma y envió a Lisa a la casa Gottlieb con otro billete en el que se leía apenas:

¿Cómo es así?

La respuesta de Sophie fue:

Así, como ya sabes. Así, como no debes.

Hans sintió una cosquilla al contestarle:

*Mi observadora dama: no podía imaginar
que se notara tanto.*

Escondiendo los papeles en cestas, evitando atravesar las calles más concurridas, Lisa iba y venía de la posada a la casa Gottlieb. También hacía un angustiado esfuerzo por espiar aquellos trazos, por descifrar algún indicio en su código inescrutable, algún dibujo, alguna raya delatora. Lo único que logró averiguar es que en los mensajes no había números: eso significaba que no estaban citándose. Y Lisa acertaba, aunque por casualidad: ellos solían escribirse las horas con letras.

Volvió a tocar la puerta de la número siete y le entregó a Hans un nuevo billete que respondía:

Mi observador caballero: la mirada no es tan silenciosa.
Que pases un buen día y no abuses del café. —S.

Así transcurrió la mañana, hasta que salió a comer con Álvaro. Antes de entrar a la Taberna Central, Hans se acercó al rincón donde tocaba el organillero. Escuchó mazurcas, polcas y alemandas. Franz parecía distraído con el nuevo trasiego de la plaza, pero seguía el ritmo de las danzas agitando la cola. Era evidente que los severos wandernburgueses estaban contentos de haber dejado atrás el invierno: en el pequeño plato del organillero había seis o siete monedas de cobre. Siguiendo su costumbre, el viejo le guiñó un ojo sin detener la manivela. Hans respondió moviendo una mano, en un gesto giratorio que emulaba involuntariamente el del organillero y que significaba «nos vemos más tarde». El viejo asintió complacido y dirigió los ojos hacia el plato, levantando las cejas. Hans rió, frotándose las manos como quien contempla un tesoro. La lengua de Franz, colgante y mansa, parecía lamer la miel del mediodía.

El organillero hizo una pausa para sentarse a comer el pan con tocino que traía en un saco. Mientras él y Franz compartían el almuerzo, de regreso a la iglesia, el padre Pigherzog se detuvo a contemplarlos. Franz levantó la cabeza y emitió un ladrido interrogativo. Buen hombre, dijo el padre Pigherzog inclinándose hacia ellos, ¿no estás incómodo aquí, tirado en el

suelo?, si no tienes otro lugar, en el comedor de ancianos podemos ofrecerte un plato y un mantel, no te costará nada, ¿de
acuerdo, hijo? El organillero dejó de masticar y le dirigió al
párroco una mirada perpleja. El padre Pigherzog seguía sonriendo con las manos ovilladas a la altura del pecho. Cuando
terminó de tragar el tocino, el organillero se limpió la comisura de los labios con una manga y contestó: Señor, lo felicito por
la idea del comedor, espero que sea de ayuda para los ancianos.
Dicho esto, dio otro bocado y el padre Pigherzog continuó su
camino suspirando.

Por la tarde Hans volvió a la posada a cambiarse y buscar abrigos para acompañar al organillero a la cueva. Al abrir la
puerta de la habitación, no se sorprendió de encontrar a sus pies
una nota color violeta: antes de salir a comer había enviado a la
casa Gottlieb un poema de Novalis, y a Sophie no le gustaba que
los demás se quedaran con la última palabra. Desdobló la nota
despacio. Vio que había otro poema y sonrió.

Muy querido amigo,

(¡*muy querido!*, se exaltó Hans),

*Muy querido amigo, correspondo al poema de Novalis con
uno de mis poemas preferidos de la Mereau, que no sé si conoces.
Lo he elegido porque nos habla a nosotras, las lectoras, a todas las
que soñamos con otra vida en esta vida,*

(¿*otra vida?*, paró Hans, ¿entonces la que tiene, la que
pronto va a tener, la vida que le espera después del verano, no
es la que espera?, ¿entonces quizás ella?, ¿a lo mejor no? ¡Basta,
lee!),

*con otra vida en esta vida, otro mundo en este mismo
mundo, y que estamos levantando la cabeza por la fuerza de las
palabras, de palabras como estas. Creo que este poema es un canto
a la pequeña revolución de cada libro, al poder de cada lectora.
Y aunque tú seas un lector, en esto te considero un igual.*

(*¡Un igual!*, ¡nada menos!, pensó Hans lleno de júbilo. Y enseguida lo ensombreció una duda: Pero un igual *en esto*, dice ella, ¿y en lo otro?, ¿qué sería lo otro?, ¿podremos ser iguales también en eso? Quiero decir, ¿podría haber algo más, o es sólo *esto*? Y entre esto y aquello, ¿qué significa realmente *querido amigo*?, ¿más *amigo* o más *querido*? Ay, no puedo leer...)

Y aunque tú seas lector, en esto te considero un igual. Por eso aquí debajo te copio algunos versos, los que a mí me parecen más hermosos, esperando que hoy o mañana desees contestarme con algún otro poema.

(Ajá. Me invita a contestarle: esto es nuevo. O sea, me permite quedarme con la última palabra. ¿No es una ofrenda? ¿Una especie de entrega? ¿No estaré imaginando de más, como siempre?)

Afectuosamente tuya,
Sophie

(Mmm. *Afectuosamente.* No suena a gran... No, la verdad que no. Pero el nombre está completo. O sea, ¿no es como si me lo entregase? Como si me dijera: soy tuya por entero. Soy Sophie, soy, ¡por favor, qué estupidez! Voy a darme un baño. No, que es tarde. El viejo está esperándome. Hace calor aquí de pronto, ¿no? En fin, a ver ese poema. Le contesto mañana. Ay, carajo. ¿O busco algo ahora? Mejor mañana.)

tuya,
Sophie

Parecen en paz todas, sin perderse en batallas,
conociendo hondamente su propio valor íntimo...
Y van así formando figuras ondulantes
que convocadas por el signo de los tiempos
vienen a desplegar desde un reino fantástico,
con palabras y escritos, su vida irrefrenable;

mejor que nadie intente detenerlas a todas
o su propio camino se verá interrumpido.
Porque todas anuncian el sentir animado,
el dichoso comienzo de su empuje interior.

Frente al camino del puente la luz se adelgazaba. Las veladuras del sol difundían minúsculas vibraciones en la hierba. Extendida alrededor de la ciudad, amortiguando sus ruidos, la pradera no era verde ni dorada. Los molinos braceaban dispersando la tarde. Los carruajes volvían por el camino principal. Se reunían las aves organizando el cielo. Hans, el organillero y Franz habían atravesado la Puerta Alta y se acercaban al Nulte, que discurría animado por los álamos que empezaban a colorearse. La tierra del camino se había endurecido: las ruedas de la carretilla giraban con más facilidad, las botas de Hans levantaban pequeñas polvaredas que Franz se entretenía en inspeccionar. Mezclado con la pujanza del polen y el ardor de los senderos, el campo aún emanaba un olor a estiércol removido, al abono de la última bina. Más allá de los cercos los jornaleros tardíos terciaban la tierra, separando las malas hierbas. Hans se sintió extraño al escucharse decir: Qué bonito está el campo. ¿No te lo había dicho?, sonrió el viejo, y todavía no has visto nada, tú espérate al verano. Verás como al final te gusta Wandernburgo.

Al llegar a la cueva, Hans le suplicó al viejo que lo dejara probar un momento el organillo. El viejo iba a negarse, pero el tono de niño que supo emplear Hans lo venció y sólo pudo decir: Con cuidado, por favor, con cuidado. Hans se concentró en visualizar el movimiento de la mano del organillero, tratando de reproducir la imagen en su propio brazo. Durante la primera pieza la manivela giró a un ritmo aceptable. El organillero aplaudió, Hans soltó una carcajada y Franz ladró desconcertado. Pero cuando, envalentonado, Hans quiso tirar del rodillo para cambiar de canción, se oyó un leve crujido de cilindros dentro de la caja. El viejo se abalanzó sobre el brazo de

Hans, lo separó de la manivela y se quedó abrazado al instrumento como quien protege a un cachorro. Hans, amigo mío, balbuceó el organillero, de verdad, perdóname, pero no.

Te voy a contar un secreto, dijo el viejo: cuando el organillo suena y la tapa está cerrada, yo siempre me imagino que el revuelo no viene de las teclas, sino de los personajes de las canciones. Me imagino que esos personajes cantan, se ríen, lloran, que corren entre las cuerdas de un lado a otro. Y así toco mejor. Porque te digo, Hans, que hay vida dentro. Cuando cierras la tapa hay vida dentro. Es casi un corazón. Y cuando me quedo en silencio, recuerdo tan bien el sonido del organillo que a veces tardo en darme cuenta de si estoy tocando o no. La música ya está aquí, en mi cabeza, y no hay nada que hacer. En el fondo tocar no es importante, ¿sabes?, lo importante es escuchar. Si escuchas, siempre hay música. Todos llevamos música. Incluso los que pasan por la plaza y ni siquiera me miran, esos también la llevan. El sonido de los instrumentos sirve para eso, para recordársela. A mí me pasa a veces que llego a la plaza, me pongo a mover la manivela y siento como si me acabara de despertar en el mismo lugar con el que estaba soñando. Menos mal que está Franz, él me ayuda a darme cuenta de si toco dormido o despierto, porque en cuanto el organillo empieza a sonar de verdad Franz empina las orejas y levanta el cogote. Le gusta mucho la música, sobre todo el minué, el minué le encanta, es un perro un poco clásico.

Habían salido a ver el atardecer. Envueltos en lana, se habían sentado delante de la entrada de la cueva como dos centinelas. A través de los álamos, por las ranuras entre los troncos, la luz hacía nudos rojos. El organillero llevaba un buen rato en silencio, pero de pronto volvió a hablar como si nada. ¿Y qué son los sonidos?, dijo, son, son como flores dentro de flores, algo dentro de algo. ¿Y qué hay dentro de un sonido?, quiero decir, ¿de dónde viene el sonido del sonido? Yo qué sé. Michele Bacigalupo, ¿te acuerdas de Michele?, decía que cada sonido que hacemos es una manera de devolverle al aire todo lo que nos da. ¿Qué significa eso? Tampoco sé, la verdad. Yo creo que la música ya estaba, no sé si me explico, la música suena sola y los instrumentos tratan de atraerla, de convencerla para que baje. Qué curioso, contestó Hans, yo pienso algo parecido sobre la poesía, pero en horizontal (¿horizontal?, se extrañó el viejo), pienso que la poesía es como el viento que a usted le gusta oír, que va y viene y no es de nadie, y les dice cosas a los que pasan por ahí. Pero no creo que el sonido de las palabras venga del cielo. Me lo imagino más bien como un coche de postas que va viajando por distintos lugares. Por eso creo en los viajes, ¿me comprende? (¡Franz!, dijo el organillero, ¡estate quieto, Franz, no le muerdas las botas!), eso, Franz, quieto, los viajeros en el fondo son músicos o poetas, porque persiguen sonidos. Te entiendo, dijo el organillero, aunque no veo por qué hacen falta los viajes para perseguir sonidos, uno también puede quedarse quieto, muy atento como Franz cuando le parece que se acerca alguien, y esperar a que los sonidos pasen por ahí, ¿no? Mi querido organillero, dijo Hans pasándole un brazo por encima del hombro, volvemos a toparnos con el mismo punto de siempre: irnos o quedarnos, estar quietos o movernos. Bueno, sonrió el organillero, por lo menos en eso reconocerás que no nos movemos. ¡Me rindo!, dijo Hans.

Se habían quedado callados, hombro con hombro, atentos a la última frase de la tarde. Al fondo, entre los huecos del pinar, se desdibujaban los molinos. Hans escuchó que el viejo resoplaba. Espera, espera, dijo el organillero, creo que no (¿no qué?, preguntó Hans), creo que no es así, perdóname (¿así qué?, insistió Hans), lo de la idea fija, eso. Te he dicho que la idea era siempre la misma, y es verdad. Pero también nos gusta darle vueltas a esa idea, moverla una y otra vez como esos molinos del fondo. Así que a lo mejor no estamos quietos. Estaba mirando los molinos, y de pronto pensé: ¿están quietos o se mueven? Y no supe. ¿Tú qué crees?

Entre la multitud congregada en los alrededores de la plaza del Mercado, la señora Pietzine veía pasar los cristos, las vírgenes, las magdalenas, y a cada paso de dolor y lágrimas ella encontraba que se sentía mejor, que un rítmico consuelo la traspasaba, que la piedad compartida la absolvía de algo que quizá no hubiera cometido. A cada golpe, ¡pom!, de los tambores, a cada golpe, ¡pom!, sus manos apretaban las cuentas del rosario y, ¡pom!, sus párpados se entrecerraban. Todos los jueves santos, ¡pom!, la señora Pietzine salía a contemplar las, ¡pom!, las procesiones con el alma encogida y recordaba, ¡pom!, melancólicamente, aquellos otros jueves en los que su marido, ¡pom!, la llevaba a los palcos frente al ayuntamiento. Era la soledad sin duda, ¡pom!, la que había cambiado para siempre el significado, ¡pom!, de aquella multitud: antes era una especie de paisaje, un fondo sordo, ¡pom!, del que podía prescindirse mientras hubiera fe y oraciones sinceras, pero ahora, ¡pom!, desde hacía unos años, la señora Pietzine corría hacia la muchedumbre, ¡pom!, se dejaba envolver por ella y encontraba en sus rumores, ¡pom!, una desesperada compañía. Al venirle a la mente el recuerdo, ¡pom!, de la mano nudosa de su difunto esposo, instintivamente, ¡pom!, la señora Pietzine buscó la mano ligera de su hijo menor para, ¡pom!, rodearla con la suya y ofrecerle la protección que ahora ella sólo podía dar, ¡pom!, pero ya nunca recibir. Dios te dé salud y fuerza, hijo mío querido, ¡pom!, musitó para sí la señora Pietzine, y nadie habría podido negar, ¡pom!, que aquella imploración fue la más honesta de cuantas se elevaron, ¡pom!, en toda la semana en Wandernburgo.

En el extremo opuesto de la plaza, en la intersección de la calle Ojival y la avenida Regia, el matrimonio Levin asistía a los pasos a cierta distancia del núcleo principal. Avergonzada por la indiferencia de su marido, la señora Levin procuraba compensar la impresión que podían dar a sus vecinos manteniendo un incómodo escorzo, una postura alzada que expresase la más ferviente de las atenciones. Lo peor de todo, pensaba ella, no eran las ideas radicales de su esposo. Sino esa sonrisita irónica que delataba sus diferencias y, en el fondo, su desprecio. Eso mismo que, por culpa del orgullo de él, seguía relegándolos en la vida social de la ciudad y condenándolos a la periferia más humillante. ¿Por qué su esposo se empeñaba en no ceder un ápice, ni siquiera en las apariencias? Si sus convicciones eran tan firmes como decía, ¿por qué le preocupaba tanto mantenerse al margen de las convenciones religiosas de la mayoría? ¿Acaso no repetía siempre que sólo eran eso, convenciones, bobadas, conveniencias? ¿Entonces para qué negarse de esa manera? Mientras tanto el señor Levin, sin abandonar su sonrisa de yeso, pensaba en todo lo contrario: en la humillación de tener que acompañar a su mujer año tras año, en señal de buena voluntad, para contemplar aquel grotesco desfile de arrepentimientos súbitos y devociones impostadas. Tanto o más le disgustaban las desafinaciones de esas bandas lamentables: cada vez que las trompetas proferían sus metálicas estridencias, ¡tarí-tarí!, al señor Levin se le arrugaba la curva de la nariz. ¿De qué sirve, se decía, empeñarnos en fingir que somos lo que no somos?, ¡tarí!, ¿de qué serviría incluso intentar convertirnos en otra cosa, ¡tarí-tarí!, si de todas formas ellos, los otros, jamás nos reconocerán como a uno de los suyos? ¡Tarí! Si hemos venido aquí para sufrir el exilio, crecer y regresar, ¡tarí-tarí!, ¿qué sentido tendría huir del destino? ¡Tarí! Precisamente eso era lo que al señor Levin le daba más rabia del comportamiento de su esposa, ¡tarí-tarí!, ¿cómo podía ser tan ingenua para creer que, obedeciéndolos a ellos, iban a aceptarla? ¡Tarí! Y ya puestos a obedecer a alguien, ¿no era mucho más lógico que ella le hiciera caso a él? ¡Tarí-tarí! Por otra parte, seguía reflexionando el señor Levin, la idea de Dios, ¡tarí!, no se alcanzaba por vía teatral. Si toda aquella gente dedicase la semana de fiesta a la gnosis teológica, ¡tarí-tarí!, la astronomía o incluso la aritmética, estaría más cerca de la fe de lo que estaba ahora, ¡tarí!, ¿o acaso esos fanáticos confiaban en que la revelación les llegaría un buen día, por casualidad? ¡Tarí-tarí! Ojalá, pensó en ese momento la señora Levin, por lo menos hoy vayamos a la iglesia, ¡tarí! Espero, se decía al mismo tiempo su marido, que encima de todo no se le ocurra ir a misa. ¡Tarí-tarí!

No muy lejos del matrimonio Levin, Hans estiraba el cuello entre la irritación y la curiosidad. Aunque detestaba las multitudes, no había tenido otro remedio que sumarse: todas las calles del centro, incluyendo la de la posada, habían sido tomadas desde muy temprano. Se había despertado con un golpe de clarines y, tras intentar ignorar el bullicio o refugiarse en la lectura, había bajado a echar un vistazo. Cuánta paz, pensó Hans sonriendo, debe de haber ahora en la cueva. Mientras se escurría entre codos, alas de sombreros, puntas de sombrillas, tuvo la impresión de estar observando dos espectáculos: el de los fieles que procesionaban y el de los vecinos que habían salido a verlos. Por mucho que aquel despliegue gregario le pareciese una mezcla de inquisición y paganismo primaveral, tuvo que admitir que lo encontraba interesante. Tras cruzarse con los pasos más ilustres, Hans no tuvo dudas: lo más barroco de la mañana había sido la carretela de su excelencia el alcalde Ratztrinker, que había campado por el Paseo de la Orla con sus exquisitas curvas, su media capota plegada, su altísimo pescante forrado en terciopelo.

Al volver la cabeza se topó con el padre Pigherzog, con quien apenas había cruzado unas palabras en la puerta de la iglesia, durante aquellos primeros días en que había seguido a los Gottlieb. Ah, Sophie. Qué deseos tenía de verla, y además estaba de suerte: mañana habría Salón. El padre Pigherzog lo abordó primero. Y bien, sonrió el párroco, ¿qué le parecen las famosas pascuas de Wandernburgo?, ¿verdad que son magníficas? Usted lo ha dicho, padre, contestó Hans. ¿No es algo extraordinario?, insistió el párroco, ¿y hasta casi diría que único en Alemania, semejante fervor popular, semejante afán por expresar la espiritualidad? Si me permite una observación neófita, dijo Hans, no estoy seguro de que sea la espiritualidad lo que empuja a esta multitud a las calles. Ya sospechaba, suspiró el padre Pigherzog, que era usted un materialista. Se equivoca, dijo Hans, yo creo en toda clase de fuerzas invisibles. Invisibles y terrestres. En fin, se encogió de hombros el párroco, ojalá pueda usted quedar en paz con su pobreza de miras. Sólo lo invito a que, algún día, medite sobre lo solos que estaríamos sin ese cielo que nos protege. Sí, padre, contestó Hans, ¡y al fin solos!

Al fin estamos solos, padre, dijo la señora Pietzine a través de la celosía del confesionario, ¡tenía tanta necesidad de su consejo! ¿Qué es lo que te inquieta, hija?, preguntó la voz del padre Pigherzog. Es, dijo ella, bueno, lo demás ya lo sabe, pero ahora es, no sé, es el tiempo, padre, ¿entiende?, sobre todo el tiempo (explícate un poco más, hija mía, susurró la voz del padre Pigherzog), no es nada definido, son momentos, detalles en los que una teme que todo sea en vano (nada es en vano, hija), esta mañana, por ejemplo, mi hijo menor me dio la mano y yo la apreté fuerte y la noté tan débil, ¡tan indefensa, padre!, y entonces tuve miedo, tuve miedo de la debilidad de mi hijo y de mi propia debilidad, ¿me sigue, padre?, porque sentí que en realidad ni yo ni nadie podremos defenderlo de los pesares de esta vida, del dolor que le espera (pero el Señor sí puede, hija), por supuesto, Él sí que puede, ¿pero cómo decirle?, hay cosas que ni siquiera Dios, sino sólo una madre, debería hacer por sus hijos (no hay contradicción en eso, tú eres madre y eres Hija, y Él es Padre y tiene hijos que procrean en su nombre), ¡ay, padre, habla tan bien!, ¿ve por qué necesito su consejo? ¡Si me hubiera conocido usted en mis años más devotos, en mi flor!, ¡entonces no tenía dudas, era toda candor y entrega al cielo! Pero conocí a mi difunto marido, que el cielo tenga en su gloria, ¡qué desgracia! (ahora él descansa eternamente y nos está escuchando), que los ángeles lo oigan, padre, y nos prometimos enseguida, y concebí cuatro hijos con su buen apellido y, por la gracia de Dios, padre, sin un ápice de placer (bendita seas, hija).

Los niños entraban por el pórtico de San Nicolás, se dividían en dos filas según el sexo, avanzaban por las naves laterales y rodeaban el crucero hasta llegar al ábside donde el padre Pigherzog, elevado en el altar, manípula alzada, los esperaba para bendecir las ofrendas pascuales. La torpeza de los niños más pequeños, su mezcla de silencio temeroso y tentación risueña, daba un contrapunto radiante a la penumbra. Uno por uno, portando ramitos de boj, se acercaban al altar cargados de caramelos, golosinas en forma de huevo, cintas de colores, guirnaldas, diminutos juguetes. Sus semblantes pasaban de la curiosidad al temblor cuando el padre Pigherzog se inclinaba hacia ellos. No era el caso de Lisa Zeit, que ofreció su sortija de latón con expresión ausente, y que sólo pareció alterarse cuando tuvo la impresión de que el párroco se demoraba al bendecir la sortija y se quedaba mirando sus dedos despellejados. Lisa no había pensado seriamente en Dios desde los nueve años, pero mientras cumplía con la genuflexión y se retiraba no pudo evitar preguntarse para qué le había dado Dios una piel resbaladiza y transparente, si después había querido o consentido que sus manos se estropearan. Al otro lado del ábside, en la fila de los varones, aguardaba su turno Thomas Zeit con un soldadito de plomo en un envoltorio oval. Poco antes de alcanzar el altar, Thomas apretó las piernas y empezó a torturarse: de pronto había sentido unas ganas irreprimibles de emitir uno de sus peditos. Ni se te ocurra, se ordenó a sí mismo concentrándose en su ofrenda: la miniatura del soldado con el rifle al hombro, el uniforme, el casco ladeado y las botas de campaña, en actitud de espera cansada, como con ganas de rendirse o disparar de una vez, dentro del huevo de pascua.

El diácono tartamudeaba la Epístola y el coro cantaba el gradual. Lo repetía la señora Pietzine hinchando el pecho. El padre Pigherzog terminó de bendecir el incienso, recitó el Munda cor meum y empezó a leer el Evangelio con esa voz tranquilizadora que tanto agradecía la señora Pietzine: era un hombre tan sabio, sencillo y entregado a su misión. ¿Pero cuál era la suya?, se preguntaba ella, ¿cuál debía ser ahora?, ¿cuántos pecados cometería por desorientación, no por voluntad desviada?, ¿y por qué le apretaban tanto, demonios, ¡ay, perdón, Ave María!, los zapatos nuevos? El sermón del padre Pigherzog acababa de iniciarse y prevenía a los fieles de los peligros del racionalismo mecánico de nuestro tiempo, que tan crasamente podía devenir en grosero ateísmo, en existencia sin la gracia, y convertir las almas de los hombres en meras mercancías. La vida, hermanos míos, subrayaba el padre Pigherzog, no es una transacción ni un obrar por conveniencia, la vida, hermanos míos, es obrar sin mirar y mirar sólo en conciencia, honrando santamente los... (¿pero por qué, Dios mío?, se arrepentía la señora Pietzine, ¿por qué tuve que comprarlos por bonitos que fueran, si ya veía yo que me apretaban? Esto te pasa por avariciosa, ¡cuánta razón tiene el padre!)... ni mucho menos el abyecto materialismo que impera, sí, que impera ya en nuestras familias, nuestros trabajos y hasta en la prensa, ¡ay, hermanos, esos periódicos!, ¡esos folletines! No seremos nosotros quienes digamos que la lectura es un pecado en sí, ni... (¡bendito sea Dios!, se consoló la señora Pietzine, ¿entonces las novelas de caballeros no...?)... pero ahora decidme, ¿de *qué* lecturas hablamos? Esa libertad total que tanto reclaman algunos ¿ha de significar impunidad de palabra, pecado impreso, herejías en venta pública...? (pero a mí las novelas de caballeros me las prestan, razonó ella)... que la decencia?, ¿vale lo mismo la virtud que el entretenimiento?

Suscipe sancte Pater, rezaron ofreciendo el pan y el vino que el diácono estuvo a punto de derramar al verterlo en el cáliz. Offerimus tibi, Domine, pronunció el padre Pigherzog fulminando al diácono con el rabillo del ojo. Y el incienso voló, se dispersó, se perdió. Mientras el coro terminaba el ofertorio, el párroco se lavó las manos entonando el Lavabo. A la señora Pietzine la deleitaba ver cómo el padre Pigherzog se lavaba: era el hombre (bueno, matizó ella, no exactamente un hombre, o no en ese sentido, era más que un hombre, ¿o menos?, ¿o ambas cosas?) con las manos más puras, honestas y confortadoras que había visto (visto y tocado, pero en el sentido intacto de la palabra). Por eso la parte de la misa que más le gustaba era la mitad de la eucaristía, el lavado de manos y sobre todo la comunión: comulgar de la mano del padre Pigherzog (que acababa de decir Orate, fratres) era como cambiar palabras malas por justas, el sabor de la carne por el gusto cristalino del espíritu inapetente. El párroco recitó la última secreta y dijo: Per omnia saecula saeculorum. Y el coro dijo: Amén.

El pan se fraccionaba como algodón. Pax Domini sit semper vobiscum, ¡cómo partía el pan el padre Pigherzog! Después del Agnus Dei el párroco besó al diácono, y el diácono deseó que el padre Pigherzog lo perdonara por haber estado a punto de volcar el vino. Cuando los labios rugosos del párroco se humedecieron en la sangre, el sofocado pecho de la señora Pietzine se sobrecogió por la proximidad de la comunión: a petición suya, el padre Pigherzog había accedido a que la asamblea comulgase. El sacerdote recibió la patena del monaguillo entre sus dedos índice y medio, ¡santos, limpios, sabios dedos!, Libera nos, y al llegar al Da propitius se santiguó y colocó la patena debajo de la hostia. El monaguillo descubrió el cáliz, hizo una genuflexión y el sacerdote tomó la hostia, la partió, dócil oblea, flexibles dedos, Per eundem, y la mitad de la hostia cayó mansa en la patena y la otra media se deshizo en partículas, ingrávidas motas, Qui tecum, Per omnia. El padre Pigherzog, con qué delicadeza y lentitud, Señor mío, hizo tres cruces con la partícula que sostenía en la mano derecha, Pax Domini, sobre la boca del cáliz. Al introducir la partícula en el cáliz, Haec commixtio, y frotarse los dedos para purificarlos, la señora Pietzine entornó los párpados.

Ya en la sacristía, el padre Pigherzog cayó sobre su butaca dejando escapar un suspiro. Al ver que el sacristán continuaba frente a él como esperando la siguiente orden, el párroco sacudió un brazo indicándole que se marchara. Si este muchacho fuera tan despierto como obediente, se dijo, estaríamos en presencia de un auténtico elegido. El padre Pigherzog extrajo de la pila de lecturas el volumen titulado *Libro sobre el estado de las almas* y lo colocó sobre su regazo. Lo abrió por la última página escrita. Releyó algunos párrafos. Mojó la pluma en el tintero. Escribió la fecha con esbeltos números romanos. Elevó la mirada en busca de las palabras justas.

... cuya constancia para la liturgia no ha conseguido alejarla de ciertas inquietudes mundanas. Siendo aún una mujer de relativa juventud y aspecto xxxxxxxx saludable, es de esperar que la aludida Frau H. J. de Pietzine reoriente su vida. Para ello resultará imprescindible una entrega superior a las dulcificadoras tareas maternas y, muy especialmente, mayor disciplina en su recogimiento. En cuanto a su desempeño en la oración, pone tanto afán en sus plegarias que en ocasiones da la impresión —caeli remissione— de que, más que implorarle a Dios, intentase persuadirlo de algo. Cabe observar que, dentro de sus limitaciones naturales, su disposición a la escucha es inmejorable. Reprobar su vestuario en próximas entrevistas.

... de tal manera que, según se deduce de su testimonio, cuanto más se arrima ella al entendimiento apostólico y romano, tanto más se abisma su marido, A. N. Levin, en estrafalarios estudios de la cábala, de doctrinas palestino-alejandrinas y Dios sabe qué más. Todo pecado encuentra el perdón que busca, pero la complacencia es harina de otro costal. Refiero sucintamente, a modo de ejemplo, algunas de las múltiples herejías con que el cónyuge de la citada Frau Levin intenta atribularla y sembrar dudas en su recta comprensión de las Escrituras. Tergiversando, sin su contexto doctrinal adecuado, declaraciones aisladas del Nuevo Testamento tales como «Yo hablo de la Sabiduría oculta de Dios», hilándolas sin ton ni son con otras semejantes a «esto es lo que Dios nos ha revelado a través del Espíritu» (I Corintios 2:7-10), que el insensato lee a modo de conclusión hermética, pretende sostener que el apóstol Pablo admitía la necesidad de interpretar en clave cifrada los principios sagrados del cristianismo, toda vez que «la letra mata, pero el espíritu da vida» (II Corintios 3:6) y que el mismo Pablo dijo a los conversos y recién iniciados que la sabiduría divina no podía ser impartida (I Corintios 3:2). De lo cual se deduciría, según el aberrante exégeta, que los estudios bíblicos deberían apoyarse en tratados samosáticos y comentaristas leovigíldicos, como si la Palabra de Dios fuese el preámbulo a otras distintas o a parábolas ajenas. Adviértase la carga de apostasía que dichas consideraciones entrañan, y añádase la conocida inclinación de los circuncidados por los verbos de duda y las paradojas. Exhortar a Frau Levin, por la integridad de su aún no afianzada fe, a mudar de ambiente y compañías al menos temporalmente.

... porque, en su caso, la excelencia en los modales y distinción en el vestir no son sino manifestaciones exteriores de su riqueza de alma. Tras interrogarlo acerca de la impresión que sus ilustres padres recogieran de las cenas de esponsales, el antedicho Von Wilderhaus hijo repuso, con la discreción y honorabilidad acostumbradas, que la casa del señor Gottlieb les pareció agradable y de gusto austero, evitando aludir a las dificultades financieras del anfitrión. A diferencia de su prometida, nada podemos objetar a tan intachable caballero. Excepto ese hábito suyo de consumir rapé, venial en cualquier caso.

... sin que en su abyecta inclinación a regodearse en ~~xxxxx~~ ~~xxxxxxx~~ imágenes nefandas muestre signos de contrición, ni aun de debilitamiento. La mortificación constante con cilicio no parece haber hecho mella en sus desviados apetitos. Alertar a los seminaristas para que tomen con él las precauciones oportunas. Ensayar inmersiones en agua helada y pócimas de ricino.

... enormemente satisfactorio, toda vez que no sólo ha tomado un empleo sino que prosigue con su alfabetización. Casos tan ejemplares como el suyo nutren el alma de quienes los conocen y redimen los sinsabores de nuestra desvelada misión.

... y el perdón de su esposa, lo que revela una esperanzadora mudanza en la actitud de ambos. Amén de las penalidades sufridas por la buena mujer, quien se encuentra ya repuesta de las contusiones, merecen particular atención los álgidos tormentos que padece su conciencia de padre de familia: esa será la luz que abra el camino. Espaciar las confesiones conforme la armonía se reinstaure en su hogar.

... juzgado oportuno introducir una addenda al pasado balance trimestral de las tierras otorgadas en concesión por la Santa Madre Iglesia, así como informar a su Altísima Dignidad, a quien beso las manos y de quien soy yo siempre su más fiel servidor, de la evolución de las contribuciones. Habiendo anteriormente informado a su Altísima Dignidad de que la caridad de las colectas había menguado en un 17%, cayendo del medio tálero por feligrés hasta los 8 groses por misa dominical, vulnerando así los recursos parroquiales en unos 22 ducados brutos por período, hoy me cabe el solaz de anunciarle que esta tendencia ha sido contenida al cierre del mes de marzo, gracias al piadoso influjo de las festividades y, nos gustaría aventurar, también a la paciente labor que humildemente venimos desempeñando, y que estamos seguros obtendrá el generoso reconocimiento de su Altísima Dignidad cuando su ~~xxxxxxx~~ infalible juicio lo estime oportuno y necesario, tal como siempre ha sido. Al respecto de las contribuciones, cabe destacar la infinita magnanimidad del gran señor Rudolph P. von Wilderhaus

y de la excelentísima familia Ratztrinker, cuyos regulares óbolos y estipendios se han incrementado igualmente, desmintiendo así los ignominiosos infundios referentes a un presunto acercamiento a cenáculos luteranos de Berlín, y expresando una vez más su inequívoca devoción por nuestra Santa Madre que por todos nosotros vela. Paso finalmente a exponer la lista, revisada a día de ayer, de familias morosas y campesinos en falta con sus deberes impositivos, censo que detallo a su Altísima Dignidad por orden de sumas debidas, de mayor a menor, criterio que nos atrevemos a considerar de más eficaz aplicación que el meramente alfabético empleado hasta la fecha...

Cada viernes, cinco minutos antes de hacer su entrada en el Salón, al que había empezado a asistir más regularmente ya como prometido formal de Sophie, Rudi Wilderhaus se hacía preceder de un lacayo que irrumpía en la sala portando un gigantesco ramo de flores blancas. En el ambiente quedaba flotando un aroma de expectativa, de espera a punto de consumarse, que Rudi sabía administrar demorándose con escenográfica destreza, ni poco ni demasiado, antes de sacudir el aldabón izquierdo de la casa y lamentar el deplorable estado de las calzadas o el creciente tráfico. Bertold se deshacía en reverencias, le tomaba la capa y la cicatriz de su labio se estiraba hasta el límite, sea usted muy bienvenido, señorito Wilderhaus, oh, no es tarde en absoluto, los demás acaban de llegar, sí, por supuesto, la señorita ha quedado deslumbrada con el ramo, señorito Wilderhaus, ya sabe que me tiene a su entera disposición y *siempre* me tendrá, en esta y cualquier casa, señorito Wilderhaus, si a usted se le ofreciera.

Además de las flores, esa tarde Rudi había llegado con un camafeo dorado que, según quiso creer Hans, impresionó más a las señoras Pietzine y Levin que a la propia Sophie, su destinataria. Durante la primera hora de tertulia Rudi se esforzaba por participar en los debates, intercalando escuetos y en todo caso agradables comentarios. Después sus intervenciones se disipaban entre discretos bostezos, que Rudi tenía la habilidad de disimular gracias a su cajita de rapé, transformando su aburrimiento en una expresión reflexiva. Lo único que mantenía durante toda la tarde (y esto hería a Hans más que cualquier otra cosa) eran las miradas de arrobamiento que le dirigía a su prometida, tan diferentes del matiz imperial con que contemplaba a los invitados. Cada vez que Rudi le dedicaba un gesto de cariño, Hans buscaba un hueco entre el trajín de la sala para observar a Sophie en el espejo redondo de la pared opuesta. Y aunque solía encontrar sus ojos devolviéndole la sonrisa, no percibía en ellos la ironía que hubiera esperado. Para los enredados sentimientos de Hans, los viernes Sophie era dos mujeres. Una, la deliciosa cómplice con quien intercambiaba fugaces murmullos. Otra, la que el espejo duplicaba, era la anfitriona impecable y dueña de sus secretos que no eludía las atenciones de Rudi ni evitaba corresponderlas. Este comportamiento, que tan contradictorio le resultaba a él, era para Sophie el único modo digno de mantener la coherencia: Hans era su amigo, probablemente ya el más íntimo de todos, y no pensaba renunciar a la corriente entre ellos, a ese hormigueo que tanto la deleitaba y al que, ¡faltaría más!, tenía y seguiría teniendo derecho fuera cual fuese su estado civil; pero Rudi iba a ser su esposo, viviría con él a partir de octubre y no estaba dispuesta a despertar sus celos ni a fingir irresponsablemente que no tenían el importante compromiso que tenían. Por no mencionar a su pobre padre, cuyas expectativas hacía años que no pasaban por su propia felicidad, y a quien ella no deseaba mortificar mostrándose con Rudi Wilderhaus menos afectuosa de lo que requerían las circunstancias.

Por lo demás, ¿amaba ella a Rudi?, ¿se había acostumbrado a amarlo? Bueno, quizá. No del todo. ¿Acaso todas las mujeres se casaban perdidamente enamoradas? ¿Iba a ser tan ingenua? ¿No era el matrimonio al fin y al cabo una convención social, una suma de intereses familiares? Y por tanto, ¿qué obligación tenía de sentir una gran pasión o de autoconvencerse para sentirla? Igual que el placer y los sentimientos, contra lo que sus remilgadas amigas pensaban, podían con toda evidencia existir por separado, ¿acaso no podían amor y matrimonio coincidir o no, dependiendo del caso? ¿Iba ella a vivir esperando ridículos príncipes azules, repitiendo el sueño cursi de toda señorita? Precisamente porque el matrimonio era una institución artificial, ¿no era hipócrita pensar que toda boda debía celebrarse en el más arrebatado amor recíproco? Rudi la amaba a ella, y eso le parecía un buen comienzo para que respetara sus deseos y no la atropellase, como les había pasado a tantas amigas. Y ella, bueno, ella en parte lo quería y en parte todavía no. Pero el tiempo, según los sabios, era capaz de repararlo todo. Y si Rudi seguía comportándose con la misma consideración, desde luego acabaría ganándose todo su respeto de esposa. ¡Lo cual, visto lo visto, no era poco!

Pero muchos de estos razonamientos se le escapaban a Hans, que en el punto central de su ansiedad no pasaba de preguntas simples: Si no lo quiere de verdad, ¿para qué demonios va a casarse con él?, y si de verdad lo quiere, ¿entonces por qué siento que ella siente otra cosa? En cuanto a su prometido, ¿cómo se comportaba? Eso era lo más incómodo: dentro de su altivez natural, sus hombros alzados y el crujidito insoportable de sus zapatos de charol, Rudi se mostraba sorprendentemente cortés con él. ¿Sorprendentemente? Quizá no tanto. Rudi, que no era filósofo pero tampoco estúpido, se daba cuenta de que Sophie había trabado con Hans una amistad que superaba las diplomacias del Salón. Y conociendo la tendencia a la rebeldía de su prometida, comprendía que era mucho más arriesgado cuestionar esa amistad o declarar su antipatía por Hans, que mostrarse atento con él. Rudi sabía perfectamente que, si no cometía errores groseros, llevaba y llevaría siempre las de ganar frente a cualquiera: al fin y al cabo, él era un Wilderhaus.

No me venga con Von Weber, dijo el profesor Mietter dando dos golpes de cucharilla en la taza, ¡qué es Von Weber al lado de Beethoven! Ejem, insistió el señor Levin, no le digo que no, profesor, pero convendrá conmigo en que la ópera nunca fue su fuerte. ¡Un solo movimiento de Beethoven, que en paz descanse!, dictaminó el profesor Mietter, ¡vale más que los libretos, las partituras, los decorados y hasta la orquesta entera de las óperas de su Von Weber! La música de Beethoven tiene el don de consolar a todo el mundo. ¿Sabe por qué?, porque Beethoven supo sufrir. Si el oyente también ha sufrido, siente la solidaridad de su música. Y si en cambio es feliz, al escucharla siente alivio. Querido Rudi, intervino Sophie deseosa de que su prometido diera alguna opinión musical, ¿y a usted qué le parece? ¿Qué me parece el qué?, dudó Rudi, ¿Beethoven? No, contestó Sophie, Von Weber. Ah, dijo Rudi intentando ganar tiempo, bueno, no seré yo quien le niegue su mérito, ¡Von Weber!, no está mal, claro que no. Hans buscó en el espejo la mirada de Sophie, pero ella lo esquivó y le ordenó a Elsa que trajera los canapés. Rudi hizo un esfuerzo y agregó: A mí el que me gusta es Mozart. Precisamente hace poco vi *La flauta mágica*, ¿conocen ustedes esa ópera? (vagamente, se apresuró a asentir Hans con malévola cortesía), bien, hace poco la vi representada y en fin, es, tiene, sin duda se trata de una obra diferente, ¿verdad, Sophie mía? Aunque no tenga demasiado tiempo para ir, la ópera me agrada sobremanera (¡cómo se le ocurre decir *sobremanera*!, pensó Hans) y de hecho comparto con mi padre dos abonos anuales en Berlín. También, y lo menciono por si alguien estuviera interesado, tengo una localidad de palco en L'Opéra, une vraie merveille!, ¿no te parece, adorada mía, que deberíamos ir? ¿Cómo?, se iluminó la señora Pietzine, ¿un palco en L'Opéra?, ¿y lo dice así, tan campante? Señora, dijo Rudi estirándose las solapas, no tiene más que avisarme y pondré un carruaje a su disposición. Ejem, y si no fuera mucha indiscreción, quiso saber el señor Levin, ¿el precio de ese abono es de...? Oh, dijo Rudi, déjeme pensar, nunca me acuerdo de esas cosas, creo que no es muy caro, ¡al menos si uno asiste! (concluyó Rudi con una risotada que hizo que Sophie se volviera hacia Elsa para indicarle que las gelatinas estaban aguadas, ¡cómo podía Petra haber aguado tanto las gelatinas!). L'Opéra, sí, murmuró el profesor dándose cuenta de que hacía unos minutos que no hablaba. Herr Mietter, dijo Rudi, si alguna vez deseara un palco en París, allí tengo amistades que podrían ofrecérselo por un florín y poco más. Es usted muy amable, Herr Wilderhaus, contestó el profesor, pero de vez en cuando viajo a Francia y suelo ir a L'Opéra. ¿No me diga?, sonrió Rudi con cierto desencanto, qué interesante, un edificio magnífico, ¿no cree? Desde luego, Herr Wilderhaus, dijo el profesor, y tiene usted razón en que no es nada fácil encontrar localidades de palco. Lo que ocurre es que en París vive un viejo amigo mío, un general argentino exiliado, que me consigue entradas. Es un hombre un poco triste, no parece militar, sólo vive para educar a su hija (eso está bien, muy bien, aprobó el señor Gottlieb). ¿Argentino?, dijo Álvaro, siempre he querido viajar al Río de la Plata, ¿alguno de ustedes ha ido? Hans estuvo a punto de asentir, pero se arrepintió y guardó silencio. ¿Para qué?, contestó Rudi, ¡queda tan lejos! Sí, dijo el profesor Mietter, son muy inquietos esos argentinos, últimamente están por todas partes. Les encanta Europa y aparentan dominar varios idiomas. Hablan de su país continuamente y nunca se quedan en él.

Es una pena, dijo Álvaro, que en Wandernburgo no haya una sala de teatro en buenas condiciones. Estoy de acuerdo, asintió Sophie. Bah, dijo el profesor Mietter, sólo es cuestión de viajar un poco. ¡Ojalá hicieran óperas en Wandernburgo!, suspiró la señora Pietzine, por cierto, señor *Urquiho,* ¿no adora usted la zarzuela? Más o menos, señora, contestó Álvaro, más o menos. A mí el teatro, reflexionó el señor Levin, me parece redundante. ¿Disculpe usted?, se asombró el profesor. Ejem, verán, explicó el señor Levin, en mi opinión al menos, creo que los actores hacen en escena más o menos lo mismo que el público en sus casas: fingir. Siempre que voy a ver una comedia, pienso: para esto no hacía falta pagar una entrada, ¡bastaría con abrir las puertas de las casas! En ese caso, dijo Sophie divertida por el extraño humor del señor Levin, a lo mejor el teatro sirve para aprender a comportarnos, o sea a fingir. Para mí, se sumó Álvaro, el teatro no es ningún reflejo del mundo, sino su burla. Yo creo, dijo Hans, que el teatro sirve para alterar las identidades, en escena los hombres pueden ser mujeres o los esclavos, reyes. Mi idea, señores, opinó el profesor Mietter, y en esto debemos darle la razón a Schiller, es que el teatro construye modelos públicos que educan al espectador. El objetivo de la escena es representar fuerzas opuestas, y lograr que el bien se imponga de manera convincente. ¿Y qué nos dice usted de lo contrario, querido profesor?, sugirió Sophie, Shakespeare es grande porque representa el mal de forma convincente, en sus obras la maldad intenta explicarse. En Shakespeare, señorita, contestó el profesor Mietter, el mal queda censurado por la vía inversa. A mí, intervino la señora Pietzine, me encanta la opereta, los vestuarios me fascinan y, debo confesarlo, tengo debilidad por los montajes con animales.

La señora Pietzine parecía presa de un arrebato de entusiasmo cultural. Asentía con vehemencia, agitando sus collares. Reía eufóricamente con los comentarios de Álvaro, a quien tendía a aproximarse. Le preguntaba a Hans por cada país, abriendo mucho los ojos y batiendo las pestañas. Le tomaba las manos a Sophie y exclamaba: ¡Qué muchacha tan lista!, ¡han visto ustedes cosa igual! O elogiaba la elegancia de Rudi aunque guardara silencio. Podía aventurarse, en definitiva, que a la señora Pietzine la esperaban largas horas de llanto cuando llegase a casa. Ahora, a instancias suyas, la conversación había virado hacia los folletines y las novelas históricas. Todos y cada uno de los presentes (incluido el señor Gottlieb, que acababa de darle cuerda al reloj de pared, se había despedido y había pasado al despacho para tratar con Rudi algunos detalles acerca de la dote) declararon haber leído una o varias novelas de Sir Walter Scott. Ese gran escocés, opinó el señor Levin, es mucho más que un simple novelista (bueno, dijo Álvaro, ¿pero qué tiene de simple un novelista?), ejem, ¡es un pintor, un bardo! Álvaro, el único de los invitados que lo había leído en inglés, contó que en el Reino Unido se formaban colas para comprar sus libros y que las traducciones que él conocía, al menos las españolas, eran un verdadero espanto y estaban todas copiadas de las traducciones francesas. La señora Pietzine opinó que no hacía falta saber inglés para entender a los antiguos caballeros, y que más allá de ciertos excesos propios de aquel tiempo de ignorancia, ojalá el progreso hubiera conservado el colorido, la lealtad y la cortesía de las historias de Scott. Entonces, por primera vez en la reunión, el profesor Mietter y Hans coincidieron en un juicio y se miraron a los ojos con perplejidad: a ninguno de los dos le gustaba para nada Sir Walter Scott. El profesor dijo que lo encontraba completamente falto de rigor histórico y verosimilitud. Hans tildó al autor de retrógrado y afirmó que un solo verso irónico de Robert Burns valía más que cualquier novela moralista de Scott. ¿De verdad no les parece encantador?, se asombró la señora Pietzine, ¡esos paisajes melancólicos!, ¡esos bandidos justicieros!, ¡esas grandes pasiones y batallas!, ¡cuánto honor, qué emoción, qué proezas! La vida, queridos míos, se ha vuelto cada vez más aburrida, ¿no creen? Señora, dijo Álvaro, veo que los caballeros valientes la turban. La señora Pietzine sonrió exultante y, tomándole una mano a Sophie, contestó: ¿Y a quién no? Mi querida, dejemos a estos sabios señores con sus cátedras, tú como mujer seguro que me comprendes: ¿a que no hay personajes más conmovedores que esas heroínas dispuestas a darlo todo por amor, por su único y verdadero amor, capaces de sufrir cualquier cosa sin renunciar jamás a sus sentimientos?, ¿dónde se encuentran hoy lealtades así, dónde? Amiga mía, contestó Sophie, usted sabe cuánto la aprecio, pero le confieso que tanta tragedia femenina me alarma. Los cronistas y los lectores aman a las heroínas, pero las aman muertas. Y las pobres van de aquí para allá con la obligación de inmolarse. ¿No podríamos tener heroínas un poco más felices? La señora Pietzine parpadeó unos instantes, aunque enseguida recuperó la sonrisa soñadora. Claro, mi niña, claro, dijo, ¿pero no son maravillosas de todas formas? Quiero decir, ¿es humano quedarse indiferente cuando los templarios descubren el terrible hechizo del cáliz en *El secreto de la espada clamorosa*? ¿O ante el desgarrador llanto final de *La condenada irredenta*? ¿O cuando el viejo rey le cuenta toda la verdad a su pobre hijo en *El caballero Highwolf en la torre sin nombre*? ¿Se puede tener corazón y no temblar con las venganzas de *Pasión hindú al borde del acantilado,* con el incendio del castillo en *El último duelo del bandido Rythm*? A usted lo que le pasa, la consoló Álvaro, es que tiene demasiado corazón.

El problema, opinó el profesor Mietter, es que se imprimen demasiados libros. Hoy cualquiera se cree capaz de escribir una novela. Uno, que ya va para viejo (no tanto, profesor, no sea coqueto, deslizó Sophie), oh, bueno, más o menos, qué cosas tiene, meine liebe Fräulein, gracias, pero uno, que tiene sus años, todavía recuerda la época en que conseguir un libro era una aventura, ¡y no la de esos caballeros medievales!, la aventura era tener el libro entre las manos. Entonces valorábamos cada ejemplar y le exigíamos que nos enseñara algo importante, algo definitivo. Hoy la gente prefiere comprar un libro que comprenderlo, como si comprando libros uno se apropiara de su contenido. Sin embargo, yo. Disculpe, profesor, lo interrumpió el señor Levin, ¿y no le parece que antes era mucho peor que ahora, porque casi nadie sabía leer? Y ejem, tampoco olvidemos que para tener buenas librerías, buenas traducciones, reediciones de los clásicos, esas cosas, hace falta que existan todos esos lectores a los que les gusta comprar libros. ¡Mercado, puro mercado!, sentenció el profesor, no me venga usted ahora con las virtudes del.

En ese momento Sophie consultó la imagen del espejo redondo y vio a Hans pensativo. Se volvió hacia él, le leyó los ojos y le pareció que se había quedado con algo por decir. Señor Hans, campanilleó Sophie apaciguando la discusión entre el profesor y el señor Levin, hace tiempo que está callado y tanto silencio, compréndanos, empieza a preocuparnos tratándose de usted. Así que si gusta, explíquenos, ¿por qué le desagradan las novelas históricas? Hans suspiró.

Verán, comenzó Hans, no es que no me gusten. Para mí los folletines de Walter Scott, y los de sus imitadores ya ni digamos, son un fraude. Pero no porque sean históricos, sino porque son antihistóricos. La historia me apasiona, y por eso la moda de las novelas históricas me parece penosa. No tengo nada contra el género, sólo que rara vez se le hace justicia. Creo que el pasado no debería ser un entretenimiento, sino un laboratorio para analizar el presente. En esos folletines suele haber dos clases de pasado: paraísos bucólicos o falsos infiernos. Y en ambos casos el autor miente. Desconfío de los libros que insinúan que el pasado fue mucho más noble, cuando ni el propio autor volvería si pudiese. Y también desconfío de los libros que intentan convencernos de que el pasado fue peor en todos los sentidos, que es lo que suele decirse para disimular las injusticias del presente. Quiero decir, y perdonen el discurso, que el presente también es histórico. En cuanto a los argumentos, yo los veo vacíos. Llenos de acontecimientos pero vacíos de sentido, porque no interpretan su tiempo ni los orígenes del nuestro. No son realmente históricos. Los folletines utilizan la documentación como telón de fondo, en vez de tomarla como punto de partida para reflexionar. Sus argumentos casi nunca vinculan pasión y política, por ejemplo, o cultura y sentimientos. ¿De qué me sirve saber cómo se viste exactamente un príncipe, si no sé cómo se siente por ser príncipe? ¿Y qué me dicen ustedes de esos romances intemporales? ¿O vamos a creernos que la historia se transforma pero el amor siempre es el mismo? Por no hablar del estilo, ¡ay, el estilo de las novelas históricas! Con todos mis respetos, me cuesta entender que se sigan contando aventuras de caballeros como si no se hubiese escrito nada desde las novelas de caballerías. ¿Acaso el lenguaje no transcurre, no tiene también su historia? Pero he vuelto a hablar demasiado. Les ruego que me disculpen.

Todo lo contrario, querido señor Hans, sonrió Sophie, ¿qué opinan los demás?

El mediodía traspasaba los visillos y colmaba la sala de limones. Alrededor de los ventanales todo resplandecía. Sophie se dejó caer en un sillón iluminado, como si se sentara sobre el sol. Hans sonreía frente a ella y cruzaba una pierna en ángulo recto, masajeándose el tobillo. El señor Gottlieb, que ya se había acostumbrado a su presencia en la casa, trabajaba en el despacho. Elsa había recibido de Sophie la orden de no molestarlos y descansaba en la segunda planta. De vez en cuando Bertold entraba por si se les ofrecía algo, o para vigilarlos, o las dos cosas. Hans se sentía dichoso: Sophie y él acababan de almorzar juntos por primera vez. Intercambiaban confidencias a diario y, si no podían verse, se escribían billetes que corrían de la calle del Ciervo a la del Caldero Viejo. A veces Hans tenía la sensación de que Sophie estaba insólitamente cerca, de que bastaba una mano o una palabra para romper la distancia, y otras veces sospechaba que ella jamás perdería el control. Era él quien temblaba, quien parecía vacilar, quizá porque era libre de quedarse o marcharse, de porfiar o desistir. Sophie parecía conocer a la perfección los límites de su circunstancia y se paseaba junto a ellos sin traspasarlos nunca, como una bailarina al borde de una raya.

Ella estaba contándole, entre risas, cómo la habían educado de niña: se reía porque no le hacía ninguna gracia. Nunca asistí a la escuela, decía Sophie, ahí tienes una excusa estupenda para mi mala conducta. Eso sí, en casa todo estaba a mi disposición, querían hacer de mí todo eso que, me temo, he terminado siendo. Empezaron dándome clases de caligrafía, cálculo y canto. A los seis años me pusieron una institutriz francesa a la que quise mucho, aunque ahora pienso que era una mujer muy infeliz. En cierto modo fue o quiso ser la madre que yo no tenía. Me leía *Le Magasin des Enfants* y los cuentos de madame Leprince y me insistía todo el rato en que mantuviera los buenos modales, toujours en français naturellement. La pobre no descansó hasta enseñarme a tomar correctamente el té, tocar el piano sin deshacer el peinado, sujetarme la falda por el pliegue preciso para caminar rápido, esas cosas. ¡No te rías, bobo!, ¡si tú no sabes ni sentarte!, ¡mírate! Aquellos ejercicios habrían sido una tortura inútil para mí, que prefería revolcarme en la nieve o hacer cabriolas, si no fuera porque pronto descubrí que los buenos modales no servían para ser buena, sino para ser mala sin que se notase. Cuando comprobé que a otros niños los castigaban más porque mentían peor, me reconcilié con toda esa educación de señorita. A los nueve años o así me puse muy pesada y mi padre contrató a un preceptor inglés que me enseñaba lengua y cultura inglesa. En esa época, y deja de burlarte, por favor, me dio por cortarme mechones de pelo cuando no sabía la lección. Más tarde, casi adolescente, tuve un profesor de gramática, latín y teología. ¡Más pedante eres tú, mira quién habla! La teología era un espanto, pero me la tomaba como un ejercicio de latín. No puedo reprocharle gran cosa a mi padre: tuvo una hija rara e hizo todo lo que pudo por satisfacerla dentro de sus principios. Por eso lo respeto, por muy anticuado que... No, gracias, Bertold, ya te he dicho que no necesitamos nada, ve tranquilo... Llegó un momento en que los profesores particulares me aburrieron y me obcequé con ir a la universidad. Y cada vez que insistía, mi padre me contestaba: «Hija, sabes bien que tu padre se ha preocupado siempre de que tuvieras la mejor formación y que jamás se ha opuesto a que leyeras libros que a otras chicas les prohíben, etcétera, etcétera. ¿Pero ir a la universidad?, ¿mezclarte con todos esos estudiantes?, ¿hacer la misma vida que ellos? ¿Te das cuenta de lo que dices?». Y me daba discursos sobre la educación privilegiada que me había ofrecido, lo cual no era mentira al fin y al cabo. Y yo seguía diciéndole que no quería ningún privilegio, que estaba harta de excepciones y que lo único que quería era estudiar como los demás, etcétera. En fin, no quiero quejarme demasiado. Así que me conformé yendo regularmente a la biblioteca pública de Wandernburgo. Si te soy sincera, nunca llegué a renunciar del todo a estudiar en la universidad de Halle. No, no, te lo agradezco mucho, ya pasó ese momento, y además sería imposible. Porque sí, Hans. Todavía de vez en cuando, ¿sabes?, sueño que vivo lejos, fantaseo con lugares raros, gente nueva, lenguas desconocidas. Pero enseguida vuelvo a la realidad y me doy cuenta de que nunca saldré de aquí. ¿De verdad me lo preguntas? ¡Porque todo me ata!, mi padre, el compromiso, la costumbre, la infancia, las dudas, yo qué sé, la cobardía, la pereza, todo. Siempre hay demasiadas fuerzas, como unos imanes, sobre los que hemos nacido en una ciudad como Wandernburgo. ¿Distinta? Te lo agradezco de corazón, eres muy, muy amable, pero no estés tan seguro. Puede que no piense igual que la gente de aquí, pero no sé si *soy* diferente, a veces yo misma lo dudo. No, escucha. De verdad. Hay algo que me une a los demás y que nos une a todos los wandernburgueses: la sensación de fatalidad. Aquí cuando decimos *casa* y cerramos los ojos no podemos evitar ver este sitio, ¿entiendes? Podría engañarme, claro. Podría escucharte hablar de viajes e imaginarme el mundo entero. Pero en el fondo, Dieu sait pourquoi, como decía mi institutriz, sé que nunca saldré de Wandernburgo. Si ni nuestros abuelos ni nuestros padres supieron marcharse, y aunque no lo reconozcan sé que ellos también lo intentaron, ¿por qué vamos a conseguirlo nosotros? ¿Para cambiar ese destino? ¡Hans, mi querido Hans! En cuanto te distraes pareces un optimista.

Ahí estaba, por fin: un atisbo de fondo. Aunque Sophie sabía protegerse ironizando, Hans se dio cuenta de que algo acababa de serle concedido. Pensó que debía tirar de ese hilo y seguir preguntando. El té se había enfriado. Sophie no llamó a Bertold.

¿Mi madre?, continuó Sophie, por lo que sé era bastante bonita y más o menos como todas las mujeres de aquí, doméstica, de guardar ropas y encerrarse en casa. Bueno, eso es lo que yo creo, mi padre nunca me la ha descrito así. Cuando de niña preguntaba por ella, todo el mundo me decía «¡tu madre era bellísima!», así que terminé deduciendo que nadie la encontraba especialmente inteligente. Su apellido de soltera era Bodenlieb, y eso sí es una pena, porque ese apellido me gusta más que el de mi padre. Me temo que, de habernos conocido, ella habría sido mejor madre que yo hija. Me la imagino tierna, obediente, llena de habilidades femeninas como las heroínas de Goethe, ¿recuerdas?, «que la mujer aprenda a servir desde joven, pues ese es su destino», ¡cuánta sabiduría descubre una en sus maestros! Yo, por lo menos, cuando me case no pienso pasarme el día con harina hasta los codos (tampoco te hace falta, se atrevió Hans, tú ya tienes los brazos de harina), ¿es un cumplido cursi, Herr Hans?, lo tomaremos como una descripción. ¡Y no te rías más, que te pones simpático!

Sin embargo, aprovechó Hans, a tu querido profesor Mietter le parecen muy bien todas esas virtudes domésticas. Si me permites serte sincero, Sophie, me extraña un poco tu admiración por él. El otro día vi cómo le dabas tu álbum para que te copiara uno de sus poemas (no te aflijas, celoso, ronroneó ella, te lo daré a ti también para que escribas uno tuyo), no lo digo por eso (no, no, rió Sophie, naturalmente), en serio, yo no escribo, traduzco. Además, yo jamás escribiría un solo verso en ese álbum (¿ah, no?, ¿por qué?), porque esos álbumes son para mostrar a los demás, y lo que yo quisiera decir en el tuyo no podría leerlo nadie.

Sophie bajó la vista y, por primera vez, pareció avergonzada. El desconcierto no le duró mucho: para ella el pudor era aborrecible, porque cedía la iniciativa. Hans degustó ese segundo y trató de memorizar su sabor, su circunstancia.

El profesor Mietter tiene todo mi aprecio, se recuperó Sophie, porque pese a sus convicciones conservadoras es, o al menos era hasta que tú llegaste, la única persona que conozco con quien se puede hablar de poesía, música o filósofos. Estemos o no de acuerdo, me gusta escucharlo y aprendo. Y para mí eso vale más que cualquier diferencia. Gracias al profesor, Hans, ya sé que no simpatizas con él, y no quisiera pensar que porque es el único que está a tu altura, el Salón tomó forma. Si él no viniera, probablemente los demás tampoco vendrían. Aquí todos lo admiran y leen sus artículos en *El Formidable*. Él es con diferencia la persona más culta de Wandernburgo, y no puedo darme el lujo de renunciar a su conversación. Además, ya que no he podido ir a la universidad, es un privilegio para mis tertulias tener a uno de sus catedráticos. Por si fuera poco, mi padre respeta mucho al profesor y lo considera una especie de garantía de que en el Salón no ocurrirá nada indebido. ¿Cómo no voy a apreciarlo? También hacemos dúos con chelo, y tú, mi querido Hans, ni siquiera tocas la armónica.

Señorita Gottlieb, sonrió Hans, debo reconocer que su elocuencia sería una buena razón para que cualquier hombre del mundo, incluido el profesor Mietter, perdiera la cabeza.

Sophie se quedó parpadeando fijamente, como si se hubiera olvidado de algo.

Touché, pensó Hans, y ya van dos.

Bueno, reaccionó ella, ¿y tú? Tú también fuiste a la universidad, y me parece muy descortés por tu parte que no me hayas contado nada de tus años de estudiante en Jena. Cierto, dijo Hans con la incomodidad que lo asaltaba siempre que le preguntaban por su pasado, bueno, no fue gran cosa, empecé a estudiar filología cuando (¿filología?, se extrañó Sophie, pensé que habías dicho filosofía), no, no, filología, siempre quise traducir, por eso estudié filología (en Jena, ¿no?, dijo Sophie), sí, en Jena, entre el 11 y el 14. Fueron años muy contradictorios. Yo sentía una mezcla de decepción política total y de perseverancia en ciertos ideales. La pregunta que me hacía, que todavía sigo haciéndome, era: ¿cómo demonios hemos podido pasar de la revolución francesa al dictador Metternich? (triste pregunta, dijo Sophie), o más en general, cómo demonios Europa había pasado de la declaración universal de los derechos humanos a la Santa Alianza. Me acuerdo de que Fichte acababa de publicar sus discursos a la nación y Hegel su fenomenología, como si los dos hubieran presentido que Alemania estaba a punto de cambiar. Enseguida empezó la resistencia contra Napoleón, curiosamente mientras Schelling publicaba *Investigaciones sobre la libertad* y Goethe *Las afinidades electivas,* ¿te das cuenta?, siempre me he preguntado cuánto influirá la historia en los títulos de los libros. Pero todos, Goethe el primero, seguían apoyando la alianza con Napoleón, lo veían como el héroe que se atrevía a luchar contra el feudalismo y sus leyes arcaicas (al grano, pidió Sophie, al grano). No, no me voy por las ramas, ya verás, te lo recuerdo porque las tropas francesas volvieron a ocupar el norte y mientras tanto seguían las reformas, la libertad académica, la igualdad de impuestos, la supresión del vasallaje, muchas cosas, y entonces (entonces, se impacientó ella, tú entraste en la universidad), exactamente, entré y bueno, como te comentaba, fue un período confuso. En Jena (eso, eso, Jena) todavía se vivían las cenizas del círculo poético, de todos esos revolucionarios que ahora estaban muertos, habían dejado de escribir o se habían retractado. Los estudiantes recibimos los restos de su herencia, digamos, pero también el giro conservador que iba a llegar. Así que corríamos detrás de algo que ya se había ido. No quiero ponerme trágico, pero así ha sido siempre, toda mi vida.

Sophie miró a Hans. Hans miró a Sophie. Sophie le dijo cosas con los ojos. Hans quizá las tradujo.

Bah, dijo él, sigo. En esa situación muchos supimos que seríamos nómadas, siempre buscando otro lugar, nunca del todo aquí ni del todo allá. Nos pasábamos horas en la hemeroteca de la facultad, que era un pasillo que olía a polvo lleno de anaqueles hasta el techo. Era mucho mejor que ir a clase, era como viajar, te perdías y encontrabas maravillas por casualidad. En lo alto de uno de esos anaqueles, no sé si para protegerlos o esconderlos, estaba la colección de *Athenäum,* la revista de los Schlegel. Eran unos pocos ejemplares y estaban muy manoseados, los estudiantes nos peleábamos por leerlos. Era tanto y tan poco, seis números, tres años, nada. Con esa revista en las manos parecía que estabas sosteniendo los restos de un naufragio, ¡todavía pensábamos que una revista podía cambiarte la vida! (¿y acaso no era así?, dijo Sophie), no sé, dímelo tú, ¿ya estamos resignados?, ¿o éramos unos ingenuos? (uf, suspiró ella, tendría que pensarlo, ¿las dos cosas?), esa generación fue una frontera, la última que estudió antes de las persecuciones de Metternich, pero también la primera que perdió la confianza en la revolución. No sabíamos si temerle más a la ocupación o a la liberación. Mientras perdía batallas, Napoleón se fue quedando sin apoyos y (y tú, ¿qué hacías?), ¿yo?, terminar mis estudios. Preparaba los últimos exámenes cuando Napoleón se retiró y empezó ese maldito congreso en Viena. Al acabar la universidad, Francia tuvo que pedir perdón hasta por lo que había hecho bien, los supuestamente vencedores tuvimos esta asquerosa restauración, y ya sabes. Los de siempre salieron a defender lo de siempre, y se acabó. Recuerdo que hubo motines y movimientos estudiantiles por la unidad, que por supuesto nunca llegaba. Una cosa era que se unieran las monarquías y otra que se unieran los pueblos, ¿no? Entonces empezaron los decretos, la represión, la censura eclesiástica, en fin, toda esa mierda, y perdona el lenguaje (señorito, me ofende que crea que me ofende la palabra *mierda* cuando se emplea con propiedad), bueno, eso. De pronto los intereses de la nación estaban oficialmente en contra de cualquier principio de la revolución, como si nunca hubiéramos colaborado con Napoleón ni hubiéramos escrito las loas que le escribimos ni hubiéramos firmado los tratados que firmamos. Lo más gracioso es que al emperador lo habían debilitado otros, primero los españoles y después los rusos, que atravesaron toda Alemania sin que nadie dijera nada. (Sí, ¿pero y tu final de curso?, insistió Sophie, ¿cómo fue?) Fue raro, leíamos las lecciones de Hegel, las leyendas nacionales de los Grimm, el libro sobre el arte patriótico de Goethe, ¡imagínate!, de pronto no sabíamos qué pensar de la patria. Sinceramente, fue un milagro que no enloqueciera toda la juventud del país. ¿O sí enloqueció? Entonces llegó la última ironía: nuestro gran Schlegel, el joven liberado de Jena, se hizo secretario de prensa del régimen. Yo veía que todos mis héroes claudicaban, y no podía dejar de preguntarme: ¿cuándo me va a tocar a mí?

Desanudando los dedos, Sophie preguntó: ¿Por eso viajas todo el tiempo?, ¿para empezar de nuevo sin parar? Hans se quedó mirando los dedos de Sophie, sonrió y no dijo nada.

Bertold (mientras iba y venía por el pasillo, o mientras hacía como que iba y venía) eligió ese momento para entrar en la sala. Hans y Sophie miraron a su alrededor. El sol ya no regaba los ventanales, unos jirones de luz se aferraban a los hierros del balcón. Los asaltó una sensación de intimidad contrariada, como si, por descuido, se hubieran quedado dormidos sin llegar a tocarse. Habían dicho mucho y no se habían dicho nada. Señorita, dijo Bertold, ¿enciendo algunas velas? No, contestó Sophie, gracias, estamos bien así. ¿Y más té?, probó Bertold, ¿algún bocado? No, Bertold, muchas gracias, repitió Sophie, puedes retirarte. En ese caso, dijo Bertold sin moverse.

Y, en ese caso, finalmente tuvo que retirarse.

En cuanto se quedaron solos, al compás de la urgencia de la luz, Sophie descruzó las piernas y se incorporó en su asiento. Escúchame, dijo, llevamos horas hablando de política y ni siquiera sé dónde naciste. Tampoco sé cómo era tu familia, qué clase de infancia tuviste. Se supone que somos amigos.

Atacado por dos fuerzas opuestas, una que lo impulsaba a balancearse hacia delante para acercarse a ella, y otra que lo forzaba a reclinarse para mantenerse a salvo, Hans se quedó inmóvil. Discúlpame, dijo, no estoy acostumbrado a hablar de eso. Primero porque el origen de una persona es un simple accidente, somos del lugar donde estamos (perfecto, suspiró ella, más filosofía, ¿y segundo?), y segundo, mi querida Sophie, porque si alguna vez contara ciertas cosas, nadie me creería.

La espalda de Sophie volvió al respaldo. Molesta, dijo: No me parece justo. Tú conoces mi casa, tratas a mi padre, sabes cosas de mí. Pero yo apenas te conozco. Ni siquiera sé para qué quieres irte a Dessau o adonde sea. Si eso es lo que quieres, muy bien.

No, no, se apresuró a explicar Hans, eso no es cierto, claro que me conoces. Sabes muy bien quién soy. Conoces mis opiniones, compartes mis gustos, comprendes mis reacciones. Y además casi siempre adivinas lo que siento. ¿Hay mayor conocimiento que ese? Pero, insistió Sophie, ¿hay algo terrible?, ¿algo que me asustaría?, porque aunque fuera así, Hans, te aseguro que preferiría conocer la historia. Estoy aquí contigo, dijo él, qué mejor historia que esa. Ya veo, murmuró ella cruzándose de brazos, que confías en mí. Entendido. Mi confidente me oculta la verdad.

Hans vio cómo Sophie se alejaba del todo. Y supo que lo único que podía hacer era perder la compostura. En un arrebato de imprudencia, estando como estaban a la vista del pasillo y aunque llegaban ruidos desde el despacho del señor Gottlieb, se levantó de su asiento, se atrevió a tomar por los hombros a Sophie (que, sin descruzar los brazos, lo miró perpleja) y dijo: Sophie. Escucha. Créeme. Llevo viajando mucho tiempo y nunca, nunca... Confío en ti. Confío. Y más que eso.

¿Más?, preguntó Sophie. Lo preguntó en un tono menos hostil, todavía cruzada de brazos, intentando disimular la conmoción de haber sido tomada por los hombros sin aviso, de haber sido tocada por primera vez por Hans, y de paso disimulando el hecho de no haberse retirado como debía. Dudaba si descruzar los brazos, sabiendo que con los brazos juntos se protegía de cualquier impulso. No de Hans, sino suyo.

Es que, dijo Sophie, me gustaría estar segura de que eres sincero conmigo, eso es todo.

Hans comprobó que ella había decidido quedarse. La soltó muy despacio y suspiró. Yo también creo en la sinceridad, dijo. Pero a veces ser sincero consiste también en callar. El amor, por ejemplo...

Sophie dio un respingo al escuchar esta frase y se miró los brazos, como pensando qué hacer con ellos. Enseguida vio que Hans había pasado de nuevo a la teoría, y sintió una mezcla de alivio y decepción.

... por ejemplo, continuó él, que es el estado de máxima confianza entre dos personas, se ha construido sobre una falsedad. Las personas que se aman, aunque a lo largo de sus vidas hayan mentido o crecido entre silencios, se supone que de pronto deben amar al otro sin esa parte auténtica de lo que son. Para mí esa es la gran mentira de la verdad: suponer que es absoluta, sagrada, obligatoria, como si los que amamos (y aquí, amparándose en la teoría, Hans la miró entre los labios) no fuéramos relativos, impuros, caprichosos. Por eso te pregunto, Sophie, ¿no sería profundamente sincero amar desde ese punto de partida?

Nunca nadie, susurró ella, me había dicho esas cosas del amor. Y yo nunca, susurró él, había encontrado a nadie que quisiera escucharlas.

Más allá de los cercos de los cultivos, hacia la soledad del sudoeste, entre decenas de molinos fatigados, donde las aguas del Nulte se volvían más turbias, se alzaban las chimeneas rojas de la fábrica textil de Wandernburgo. Antes incluso de que el sol asomara, amanecían las calderas y arrancaban los ruidos de la fábrica: el enjuague de las lavadoras de lana, los latigazos de las cardadoras, los giros de las Spinning Mary, el tableteo de las contadoras, la digestión carbónica de la Steaming Eleanor.

Lamberg se pasó el antebrazo por la frente. El aliento de su boca y el vapor de la máquina se confundieron. Estaba acostumbrado a madrugar, la dureza del trabajo no le importaba, había aprendido a respirar con la boca cerrada. Pero lo de los ojos no podía soportarlo. Le picaban a rabiar, el carbón se le removía párpados adentro, aunque él sabía que si se los tocaba sería peor. A veces, mientras contemplaba los motores de la Steaming Eleanor desde su plataforma, Lamberg fantaseaba con arrancarse los ojos. Cuando este deseo lo acosaba procuraba cerrarlos, apretar las mandíbulas y redoblar la potencia de sus movimientos. El brazo derecho de Lamberg, pronunciado, aceitoso, tiraba de palancas y giraba llaves.

¡Lamberg!, vociferó el capataz Körten, ¿has terminado con eso? ¡Casi!, se asomó Lamberg desde la plataforma, ¡diez minutos! El capataz Körten se quejó, avanzó entre los contenedores de agua caliente, lejía jabonosa, potasa y bicarbonato, se despeinó al pasar junto a las corrientes de aire que secaban los mechones de lana escurrida, y se detuvo junto al clasificador que vigilaba los discos dentados. ¡Günter!, dijo el capataz, ¿cómo vamos de Electa? Ya lo ve usted, contestó Günter, no sale más de un kilo por cada tres o cuatro de Prima y cinco o seis de Secunda, por no hablar de la Tertia, que ha aumentado. ¡Qué miseria!, reprobó el capataz, ¿y hace cuánto no revisas los discos? Señor, dijo Günter, los reviso cada mañana. Eso dicen todos, gruñó el capataz, ¡pero después el género sale como sale!

Lamberg abrió y cerró los ojos como queriendo atrapar algo con los párpados. Le gritó al fogonero que parase. Detuvo el inductor, desatascó los cubos, rellenó los mezcladores, enderezó las guías, ajustó las correas, le gritó al fogonero y volvió a accionar la bomba de la Steaming Eleanor. El ruido, aquella cascada que Lamberg oía cada noche al conciliar el sueño, creció hasta despegar. El vapor se condensó. Los cilindros se calentaron. La bomba silbó y los volantes giraron hasta recuperar el ritmo. Lamberg miraba la máquina y le parecía estar contemplando su propio organismo. Las válvulas volaban, vibraban las bobinas, los pistones se empinaban, botaban los tubos, el regulador rugía, crujían los engranajes, las rótulas corrían.

Los operarios descendieron y formaron un círculo. En el círculo había hombres, mujeres y niños. Era la hora del almuerzo pero nadie comía. Salvo los niños, que masticaban su pan con longaniza. Todos guardaban silencio y asomaban la cabeza hacia el mismo punto de la reunión, donde uno de los trabajadores hablaba en voz baja pero gesticulando mucho. Lamberg escuchaba, asentía y apretaba los párpados. ¡Compañeros!, decía el trabajador del centro, tiene que ser mañana, no podemos seguir esperando. La situación es la que es y no va a cambiar nunca si no hacemos presión. Los patrones tienen sus recursos y nosotros tenemos los nuestros. En Inglaterra, compañeros, se ha destruido maquinaria, se han incendiado talleres. Aquí estamos proponiendo algo menos conflictivo, al menos por el momento. Así que no podemos dejarnos intimidar. Aquí hay mano de obra con promesa de contrato desde hace siete años. Aquí hay hijos de compañeros que ayudan sólo a cambio de la comida. Esposas de compañeros que, trabajando la jornada entera, en vez de la mitad cobran un cuarto de jornal. Los delegados ya lo hemos debatido en la asamblea y hemos votado que sí, pero ahora queremos escuchar a los compañeros. Aquí todos los compañeros tienen voz. Nos quedan cinco minutos para volver al trabajo. Vamos a abrir el turno de críticas y objeciones. Al finalizar el turno de críticas y objeciones, procederemos a votar la medida. ¿Estamos de acuerdo o no? Muy bien. Todos de acuerdo. Tienen entonces la palabra los compañeros que lo deseen. ¿Huelga mañana sí o huelga mañana no? ¿Objeciones, críticas, dudas? ¿Alguna cosa? ¿Nada?

Adelante, Flamberg, dijo el señor Gelding. Pasa, siéntate. Vamos a ver si tú y yo nos entendemos. Y estoy seguro de que vamos a entendernos. Voy a ir al grano, porque ni a mí ni a ti nos gusta perder tiempo, ¿eh, Flamberg? Sabrás que ayer, y no digo que tú estuvieras implicado, hubo un conato, dejémoslo en conato, de huelga en la fábrica. O sea, hablando claro, un intento por parte de algunos empleados de abandonar sus puestos de trabajo. ¿No es así? Bien. Y estarás al tanto de que existieron amenazas verbales e incluso físicas contra el capataz Körten. También sabrás que el capataz intentó dialogar con los empleados rebeldes, ¿correcto, Flamberg?, para que volvieran a sus puestos de trabajo, a cambio de olvidar estos penosos incidentes. Y sabrás que, de no ser por la intervención de los gendarmes, ahora estaríamos teniendo esta conversación en el funeral del capataz Körten. Bien. Primera reflexión, entonces, Flamberg. Más allá de la dureza del trabajo, que nadie dice que no tenga sus dificultades, como todos los trabajos, más allá de eso, dime: en esta fábrica que tengo el honor de dirigir, ¿alguna vez se le ha pegado o amenazado físicamente a algún empleado? Contesta con confianza. ¿Alguna vez has visto cosa semejante? Bien. Verás que ni siquiera estoy planteándote el asunto desde la autoridad de mi cargo, sino desde la simple y pura lógica. Y ahora cuéntame, ¿crees tú que, aparte de estos delitos de violencia, que como es natural serán juzgados por la ley, crees tú que abandonando irresponsablemente un puesto de trabajo se consigue la benevolencia de la empresa, mi benevolencia o, vamos a suponer, la benevolencia del capataz Körten? Excelente. Veo que no eres nada tonto. Lo suponía, Flamberg, por eso te mandé llamar. A mí me gustan los empleados listos. Y tú, Flamberg, se nota que eres listo. La siguiente pregunta, porque como verás yo sólo te he llamado para plantearte preguntas, es simplemente: ¿tú crees en el diálogo para solucionar las cosas? Contesta, dime, ¿crees? ¡Por supuesto que crees! Yo también, Flamberg, yo también. Y precisamente por eso, porque algunos empleados razonables sí supieron dialogar como lo hacen las personas civilizadas y no como las bestias, la empresa ha concedido esos aumentos de salario y la semana de vacaciones. Ahora presta mucha atención, Flamberg. Si, como se ha demostrado, mediante el diálogo civilizado hemos conseguido evidentes mejoras para los empleados, empleados como tú que trabajan honestamente y que ahora tienen un salario más alto y más tiempo de descanso, ¡en pleno desarrollo industrial, Flamberg!, si mediante el diálogo y el debido respeto a las autoridades de la fábrica se ha conseguido todo eso, entonces ahora dime: ¿no te parece que los agitadores deberían ser castigados, no digo ya por mí ni por el pobre capataz Körten, ¡no voy a eso!, sino por los propios empleados, cuyas condiciones laborales han progresado gracias al diálogo que esos agitadores pretendieron impedir? Piénsalo. Yo no soy quién para pensar por ti. ¿Quién perjudicaba a quién?, reflexionemos. Y ya no son sólo, un momento, espera, déjame terminar la pregunta, ya no son sólo los empleados más trabajadores los que hubieran salido perjudicados con este absurdo motín, ¡ay, Flamberg, elevemos los ojos! Si esta empresa va bien, si nuestra fábrica va bien, entonces todas las familias de los empleados comen. Y esos niños que pululan por ahí, lo mismo. ¿Te crees que a mí me gusta verlos en las máquinas, Flamberg? No, ni a ti ni a mí nos gusta verlos en las máquinas. Pero sucede que sus madres me suplican, me insisten, me lloran. Y por eso acepté ayudarlas, porque el amor de madre siempre nos pesará más que cualquier reparo. Yo también, no sé tú, tú eres joven, soy padre de familia. ¿Y los pastores, Flamberg?, ¿qué hacemos con los pobres pastores si la lana no se trabaja?, ¿a quién van a vendérsela? ¿Y los arrendatarios? ¿Y los señores de los campos? ¿Te das cuenta de que, por el empeño de encubrir a dos o tres rebeldes, estaríamos poniendo en juego la supervivencia de cientos y cientos de familias, qué digo cientos de familias, de una ciudad entera? ¿Te das cuenta? ¡Miles de vidas en nuestras manos, Flamberg! Se estremece uno nada más que de pensarlo, ¿verdad? Pero para que nuestra fábrica vaya bien y podamos cubrir las necesidades de toda esa gente, comprenderás que un jefe necesita tener a los mejores empleados en su empresa, empleados responsables como tú, y prescindir de aquellos que no cumplan rigurosamente con sus obligaciones. Y cualquier jefe, ponte en mi situación, tiene derecho a pensar que los agitadores y vagos de hoy podrían perjudicar a la empresa en el futuro. Y eso sí que no podemos consentirlo. Por eso, Flamberg, si yo supiera quiénes son exactamente los que atentaron contra nuestro régimen de trabajo, entonces podría ser tan justo como deseo serlo y tomar medidas sólo con quienes corresponda. Pero si no sé quiénes fueron, Flamberg, y no soy adivino, ¿tú adivinas las cosas, Flamberg?, ¡yo tampoco!, si no lo sé, entonces puede que tenga que cometer alguna injusticia despidiendo a algún empleado, o a varios empleados, o quién sabe si a todos, sólo para asegurarme de que entre los despedidos estarán los cabecillas del motín de ayer. ¿Tú crees que yo quiero eso? Yo no quiero eso. ¿Tú quieres eso? Tampoco quieres. Volvemos a estar de acuerdo, entonces. Así que digo yo, y esta es mi última pregunta, ¿no sería más sencillo, muchísimo más sencillo, apartar del cajón a las dos o tres manzanas podridas y seguir adelante con la cosecha? ¿O van a pagar justos por pecadores? ¿Has leído el Génesis, Flamberg? Me gusta que charlemos.

¡A casa, gente, vamos! En la iglesia han tocado ocho campanas, vigilad vuestro fuego y vuestras lámparas. ¡Loado Dios! ¡Loado!

El farol del sereno flota un momento en la boca del callejón de la Lana, pasa de izquierda a derecha y sigue su camino por el callejón del Señor. Entonces la figura de la máscara vuelve a asomar el ala del sombrero y reanuda la marcha, como una mala sombra despegada de la pared. Otros pasos distintos y más ligeros le llevan la delantera, buscan ganar la calle de la Oración y las luces del centro. La figura enmascarada aviva el ritmo sin llegar a correr. Entre sus pasos firmes y los pasos ligeros hay cada vez menos adoquines. La tierra en la calzada está blanda por la lluvia de la tarde. Dos, tres adoquines menos. La tierra resbala. Cuatro adoquines menos y la figura enmascarada puede distinguir el vuelo del vestido de su perseguida: buen vestido para fiestas, malo para carreras. Una farola ocasional alumbra unas manos pequeñas pellizcando los bordes de la falda y tratando de mantenerla alzada. Cinco, seis adoquines menos y ya los dos corren. La perseguida va como saltando charcos, huye con una desesperada elegancia que ahora maldice y a la que la obligan la cintura entallada, el miriñaque de aros rígidos bajo la amplia falda. La figura enmascarada, que gana terreno balanceando los hombros, no necesita sacar los puños de los bolsillos para darle alcance a su perseguida. Esos bolsillos donde esperan un par de guantes prietos, un cuchillo y una cuerda. La muchacha grita pidiendo auxilio, un grito que ningún sereno escuchará en los alrededores de esa calle una vez pasada la ronda de las ocho. Quizás algún viandante, sobre todo en primavera, podría casualmente cruzar la esquina u oír algo. Lo sabe la figura enmascarada que por eso, en el último tramo, en los últimos adoquines, estira un

brazo largo. Casi vencida, sin detenerse, la muchacha se vuelve y ve la máscara.

Eh, viejo, mira el sapo, dijo Reichardt. El organillero
miró hacia donde Reichardt señalaba: era un sapo gigantesco,
de cogote hinchado, gaznate colgante y ancas musculosas. Esa
mierda de bicho, dijo Reichardt, parece una vaca verde. Alerta-
do por la actitud de ambos, Franz se acercó enseguida y quedó
paralizado frente al sapo. El sapo regurgitó, Franz tensó las
patas traseras y Reichardt y el organillero se echaron a reír. ¿Tú
tienes hambre, viejo?, preguntó Reichardt. Un poco, contestó
el organillero, no he almorzado. Reichardt acercó su boca des-
dentada al oído del organillero: ¿Y si nos lo comemos asado?,
le dijo. El organillero esbozó una mueca incrédula, pero después
se relamió. ¿Te queda leña?, preguntó Reichardt. Franz dejó
escapar un gruñido más de duda que de ataque. El sapo palpi-
taba, vigilante como un luchador de sumo.

¡Ya era hora, mozos!, exclamó Reichardt al ver llegar
a Hans y Álvaro con un queso de bola, dos hogazas de pan y dos
botellas envueltas en papel de carpintero. Ellos saludaron y se
sentaron junto a Lamberg, que descansaba boca arriba con los
brazos tras la nuca. Nos hemos demorado, sonrió Hans, porque
Álvaro se pone muy charlatán en las tabernas. Nos hemos demorado, replicó Álvaro derribándole el birrete, porque el señorito no tiene reloj. Disculpe, organillero, dijo Hans, ¿a qué
huele aquí? ¡A puta vaca verde!, contestó Reichardt cortando el
queso. ¿A qué?, preguntó Álvaro creyendo no haber entendido
bien el acento áspero de Reichardt. ¡Y el próximo eres tú!, añadió Reichardt señalando a Franz con el cuchillo. El perro plegó
las orejas y corrió a refugiarse en el regazo del organillero.

El sol de media tarde aceitaba las botellas entre la hierba. El aire tibio removía los aromas del pinar. El Nulte transi-
taba entre cascabeles. Lamberg había hablado más que de costumbre. Entonces, dijo Hans, ¿los gendarmes interrumpieron la
huelga? No, no, contestó Lamberg, los gendarmes vinieron

después, la huelga ya se había suspendido (¿y quiénes la suspendieron?, preguntó Hans), no sé, yo no sé bien, en realidad no todos los compañeros estaban seguros de llegar hasta el final, algunos querían unos días de descanso y un aumento, nada más, todos queríamos eso (¿y los que atacaron al capataz?, dijo Hans), los que le pegaron a Körten eran pocos, más que nada los que organizaron la huelga (pero tú, dijo Hans, apoyabas la huelga), sí, bueno, depende (¡el Körten ese es un hijo de la gran puta!, dijo Reichardt, ¡tendrías que haberle dado tú también!), no sé, de pronto nos asustamos porque el plan no era ese, y entonces llegaron los gendarmes (pero antes de que llegaran los gendarmes, dijo Hans, ¿por qué se suspendió la huelga?), ah, me parece que algunos compañeros llegaron a un acuerdo (¿negociaron con Gelding?, se interesó Álvaro, ¿a espaldas de los delegados?), puede ser, yo no sé bien, creo que entraron en la oficina del jefe y estuvieron hablando con él y cuando salieron de la oficina ya se habían puesto de acuerdo en lo del aumento. Más o menos ahí llegaron los gendarmes. Después nos fuimos (perdona, lo interrumpió Álvaro, ¿y los delegados?), ¿los delegados?, bueno, los despidieron, los despidieron a todos (¿y nadie los defendió?, preguntó Álvaro), sí, claro, todos tratamos, pero no se pudo. Eran ellos o nosotros. Y ellos sólo eran cinco, ¿me entiendes?, y nosotros éramos el resto de la fábrica. Eso pasó. Y no sé nada más. A nadie le gusta que despidan a nadie.

Lamberg tenía los ojos muy rojos y escarbaba la tierra con una rama. Hans guardó silencio. Miró de reojo a Álvaro. Menudo cabrón es Gelding, suspiró Álvaro. Tengo que volver a casa, dijo Lamberg poniéndose en pie. Pero si hoy es domingo, dijo Reichardt, quédate un rato y volvemos juntos. Por eso me voy, contestó Lamberg, porque es domingo. Necesito dormir. Necesito dormir mucho.

Cuando Lamberg se perdió entre los pinos, Reichardt miró a Hans y Álvaro, soltó un escupitajo color vino y protestó: Habéis espantado al chico. Bastante tiene. No le habléis más de política ni de mierda. Habría que veros a vosotros dos trabajando la lana. Yo sólo digo, se defendió Álvaro, que si hubiera un poco más de lucha todos los trabajadores de la fábrica, empezando por Lamberg, vivirían mejor. Hace cuarenta años hubo una revolución en Francia y los trabajadores se levantaron. Después vino Napoleón, que habrá sido todo lo déspota que quieras pero abolió privilegios y repartió tierras. ¿En cambio ahora?, ¿qué tenemos ahora? Para que lo sepas, contestó Reichardt, con tu Bonaparte del culo esta tierra se llenó como nunca de condes y barones, igual que Sajonia entera. Les regalaban los títulos a cambio de esto o lo otro. Napoleón era peor que los curas. Nosotros aquí siempre hemos estado igual: jodidos, trabajando el campo y pagando impuestos. Eso es lo que hay. Lo demás es política y mierda, mucha mierda. Cierto, dijo Hans pensativo, pero desde que la revolución se acabó, y creo que Álvaro se refiere a eso, en Europa sólo queda una opción, la misma de siempre. No es que echemos de menos a Napoleón, sino las posibilidades que parecía haber en ese momento, ¿entiendes?, la sensación de que el orden podía alterarse. Para mí el problema es ese, todos los países se han puesto de acuerdo para no cambiar nada. Por mí, resopló Reichardt, que los franceses se degüellen entre ellos hasta que no quede ni uno, ya estuvieron aquí y no los necesitamos. Mira, dijo Álvaro, hace poco en España hubo una constitución a la francesa, y esa constitución proponía la venta de tierras como las de tus jefes, para cederles una parte a campesinos como tú. ¡Más mierda!, dijo Reichardt, ¿te crees que los que hacen esas constituciones saben algo del campo? Ahora soy viejo y me importa un carajo, pero voy a decirte por qué vuestra puta revolución no llegó al campo: porque no la hicimos los campesinos. Las buenas familias nos utilizaron, consiguieron el poder y se olvidaron de nosotros. Nadie les explicó a los campesinos franceses qué iba a pasar después, nadie les enseñó sus derechos, a organizarse ni nada. ¡Una revolución, no me hagas reír! ¡Por Dios, pero si tú eres empresario! (eso no tiene nada que ver, protestó Álvaro, uno puede ser cualquier cosa y tener las ideas que), ¡cómo que no!, ¡cómo no va a tener que ver!, ¡me cago en los discursos y en la Virgen María! Después de tu revolución, aquí los campesinos todavía tenían miedo de no hacer reverencias cuando veían a un terrateniente. Por si no estás enterado, al año siguiente de la cosa en París los campesinos sajones nos rebelamos.

¿Y sabes qué hicieron muchos?, ¡seguir llamando *don* a los putos negreros contra los que nos estábamos rebelando! La revolución fue una farsa. ¿Y sabes qué? Que mientras no la hagan los que trabajan en vez de los que hablan, no me creeré ninguna revolución. Si es que llego a ver otra, que lo dudo.

Azorado por la reacción de Reichardt, que se había quedado con la mirada fija en el río, Álvaro tardó en contestar: Bueno, pero no me negarás que con las leyes de Bonaparte vuestra situación mejoró un poco, ¿no?, se os permitió emanciparos y adquirir tierras. Ah, claro, dijo Reichardt volviendo la cabeza, se nos *permitió* emanciparnos, ¡qué generosos! Y dime, criatura, ¿con qué dinero íbamos a comprar un maldito acre después de emanciparnos? Mira, cuando era joven yo vi con estos ojos cómo la gente se entregaba a las tropas francesas sin resistirse. Vi cómo los soldados franceses entraban en Wandernburgo una tarde y a la mañana siguiente los vi ayudando a las lavanderas a tender la ropa, ¿entiendes? Mierda, nunca voy a olvidarme de esos uniformes azules, el porte de los granaderos, su manera de cabalgar tan rectos, ¡todos admirábamos esos putos uniformes! Y me acuerdo de sus fusiles, y de cómo las sábanas se les enredaban en los fusiles. Las muchachas les sonreían, cantaban canciones en francés mientras lavaban y miraban a los soldados de una manera que, en fin, no sé para qué demonios querían ellos los fusiles. Bueno, servían para que las muchachas les dejaran notitas en los cañones. A veces los soldados pisaban una sábana por accidente y las muchachas se quedaban mirando la huella de la bota y se reían, y volvían al río y ya no aparecían ellas ni los soldados hasta el anochecer. Aquella mierda era increíble. Todo el mundo confió en ellos. Maldita sea mi abuela, ¡yo todavía sé un poco de francés! Algunas noches me entran sueños raros y me despierto oyendo palabras como *botte* o *peur* o *faim,* me despierto y se me hace un nudo en la garganta. ¿Sabes qué pasó después, lo sabes? Nos traicionaron. Nos utilizaron a todos. Y cuando empezamos a exigir lo nuestro, los príncipes amigos de los franceses mandaron más soldados, más cañones y se acabó. Nos saquearon, nos dispararon y nos acusaron de no querer trabajar. Nos dijeron que o volvíamos a los cultivos o nos fusilaban. Ah, y de paso violaron a las muchachas. Tú no puedes saberlo porque lo has leído en libros o en periódicos. ¡Revoluciones! Tú mírame los callos de las manos, maricón.

Joder, suspiró Álvaro. El organillero le ofreció su botella. Franz ladró de repente, como si hubiera recordado algo.

Álvaro, dijo Hans mientras dejaba que el perro le mordisqueara una mano, reconozcamos que la revolución traicionó todos sus principios. La liberté se hizo imperio, la égalité se limitó a la burguesía, la fraternité terminó en guerra. Muy bien, contestó Álvaro, entonces sólo nos quedan los principios. *Esos* principios. Y yo sigo esperando una revolución, la verdadera. Las revoluciones, dijo Hans, no se esperan, se hacen. ¿No me digas?, se ofendió Álvaro, ¿y por qué no vas a hacerla tú, genio? Porque yo ya no creo en las revoluciones, contestó Hans. Si has dejado de creer en tus propias ideas, murmuró Álvaro, peor para ti.

Amigos, calma, pidió el organillero levantando una mano, ahí arriba están haciendo un nido.

Como transportados, todos atendieron al rumor entre las ramas, los crujidos de la urdimbre, los breves aleteos. Hans se sorprendió de no haberlos escuchado antes. Y mirando al organillero, que tenía la cabeza ladeada hacia el pinar, se dijo: Este hombre piensa con el oído. Pero, al pensar en eso, Hans dejó de escuchar a los pájaros.

¿Han leído ustedes en *El Formidable* este terrible caso del, ejem, del asaltante de la máscara?, comentó el señor Levin hundiendo la cucharilla en su taza. Dios mío, ni lo mencione, dijo la señora Pietzine, ya es la tercera vez que dan la noticia, qué horror, parece ser que ha habido varios ataques y el agresor es siempre el mismo, un enmascarado que, que, ¡cielo santo!, violenta a sus víctimas y las deja ir, lo peor es que la policía no sabe nada, o eso dice, desde luego las calles hoy en día, ya ven ustedes qué espanto, no hay forma de salir tranquilamente. Se nota, meine Dame, se burló el profesor Mietter, que estos sucesos la estremecen, no hay detalle que le pase desapercibido. A propósito de *El Formidable,* asomó el bigote el señor Gottlieb, quería felicitarlo por su poema del domingo, profesor, que encontré especialmente brillante (a Hans le vino a la mente aquel poema, que había leído en el periódico mientras almorzaba: tono declamatorio, largas estrofas simétricas, consonancias forzadas), mi hija y yo estuvimos de acuerdo, ya sabe cuánto lo admiramos. El profesor Mietter hizo una mueca de perfecta estupefacción, como si no recordase a qué se referían, y enseguida otra mueca de súbita memoria. No es para tanto, caramba, no es para tanto, manoteó el profesor (como queriendo decir, pensó Hans, «mucho más me admiro yo»).

Mientras la charla continuaba, Hans se quedó meditando sobre su estado de ánimo. Tratando de ser honesto consigo mismo, tuvo que admitir que en sus suspicacias hacia el profesor Mietter podía haber envidia o, más exactamente, celos por que el señor Gottlieb hubiera incluido a su hija en el elogio de aquel poema. Aunque quizá (se consoló Hans por un lado, y por el otro se avergonzó al consolarse) el señor Gottlieb lo había dicho por decir, por redoblar la cortesía del comentario. ¿Podían gustarle a Sophie poemas como los del profesor Mietter? Sin saber hacia dónde dirigir su malestar, Hans se fijó en que la expresión de Rudi delataba una completa distracción y, casi sin querer, dijo vengativamente: Y a usted, estimado Herr Wilderhaus, ¿le agradó ese poema tanto como a nosotros? Rudi levantó la vista de la taza, miró a su alrededor con aire confundido y contestó enderezándose: Lamento en este caso no poder manifestarle mi impresión, porque hay días en los que ni siquiera dispongo de tiempo libre para hojear la prensa.

Naturalmente, decía el profesor Mietter ordenándose la peluca, no pretendo justificar esas atrocidades, pero díganme, ¿han visto ustedes cómo visten algunas jóvenes hoy en día?, ¿qué más pueden dejar al descubierto?, ¡a este paso el oficio de sastre dejará de existir! Sophie (que aquella tarde, como Hans no había dejado de advertir, se había puesto un elegante vestido gris perla escotado y unos livianos aderezos de coral, porque al finalizar la reunión iba a asistir a una velada en casa de unos amigos de Rudi) arqueó una ceja y contestó: Profesor, ¿habré entendido bien su reflexión?, seguro que no, ¿podría explicárnosla? Señorita, dijo el profesor Mietter, era sólo una broma, no hay por qué dramatizar. En eso, sonrió secamente Sophie, le doy la razón, para dramas ya están las víctimas. (¡Chúpate esa, Mietter!, festejó Hans. Y volvió a decirse: Por supuesto que no pudo gustarle ese poema.)

Teniendo en cuenta que ningún testigo lo ha visto, sugirió el señor Levin, tampoco podemos descartar que el tal enmascarado sea una especie de leyenda colectiva, quiero decir, ejem, un pretexto para justificar, digamos, deslices poco honrosos. Debo reconocer, dijo el profesor Mietter, que se trata de una idea ingeniosa, al menos así se explicarían ambas cosas: que la policía no haya detenido a nadie y que cada vez se denuncien más casos. Señores, se cruzó de brazos Sophie, ¡esta tarde los encuentro a ambos lo que se dice efervescentes! Liebe Fräulein, dijo el profesor Mietter empujando la montura de sus anteojos, espero que no nos malinterprete, y sepa usted además que me considero el más ferviente admirador del bello sexo. ¿De veras, profesor?, contestó Sophie apretando su colgante de coral, ¿y en qué sentido nos admira?, intuyo que este debate puede resultar muy edificante. Bien, se inspiró el profesor Mietter, en mi opinión las mujeres, al menos las mujeres refinadas, pertenecen a una instancia espiritual más elevada. A diferencia de tantos hombres vulgares con los que uno trata a diario, a esas mujeres nada de lo zafio parece concernirles (¿ni siquiera cuando ellas quieran que les concierna, profesor?, acotó Sophie. Hija, la amonestó el señor Gottlieb). Créame, señorita, que ningún hombre de bien osaría subestimar la altísima misión que le ha sido destinada a cada madre, sostén de su familia, fuente de amor filial, centro de la armonía y, por qué no mencionarlo, belleza de nuestros hogares, ¿le parecen pocos méritos? (digamos, contestó ella, que si hago un esfuerzo me imagino algunos otros), mi impetuosa amiga, me temo que continúa usted malinterpretándome. No pretendo afirmar que el hombre sea superior a la mujer, casi al contrario. Sólo que los hombres poseen cierta facilidad natural en determinados terrenos, igual que las mujeres la poseen sin discusión en muchos otros.

Por eso las funciones que hoy algunas literatas intentan cuestionar no son más que el resultado de aplicar la lógica, el fruto de muchos siglos de relaciones humanas (es tranquilizador, dijo Sophie, saber que la ciencia avala nuestras tareas domésticas), no lo digo yo, amiga mía, sino una moralista de prestigio como Hannah More, a quien debo decirle que he leído con interés y a la que no imagino sospechosa de militar contra las mujeres, siendo precisamente una de ellas (se sorprendería, estimado profesor, de lo aplicadas que pueden llegar a ser mis amigas cultivando la misoginia. Y hablando de moralistas británicas, ¿no habrá leído usted por casualidad a Mary Wollstonecraft?, puedo recomendarle una buena traducción). La verdad es que no, querida mía, aunque tampoco hará falta: leo en inglés perfectamente.

El reloj de pared dio las diez en punto. El señor Gottlieb y Rudi Wilderhaus se pusieron en pie al mismo tiempo. Al ver que Rudi se había levantado junto a él, el señor Gottlieb dudó: no sabía si ir a darle cuerda al reloj como de costumbre, dándole así la espalda a su ilustre invitado y futuro yerno, o si esperar a que este diera el próximo paso. Como a su vez Rudi, por cortesía, esperaba que el dueño de casa tomara la iniciativa, se produjo un instante de cómica incomodidad que el propio Rudi resolvió ofreciéndole a distancia un brazo a Sophie y pronunciando imperialmente: ¿Vamos, querida? Ella hizo ademán de levantarse, volvió a su asiento y se puso de nuevo en pie. Quizá podríamos, dijo Sophie, ¿quizá podríamos quedarnos media hora más y después...? Rudi sonrió con la radiante y ejemplar comprensión del que lamenta tener que negarse, extendió los brazos en señal de inocencia y contestó: Ya ves, amor mío, lo tarde que se nos ha hecho. Sophie apretó los labios y a Hans le pareció que iban a formar una mueca de disgusto: se concentró en esos labios, en su duda frutal, hizo un esfuerzo para tirar de ellos. Pero la boca responsable de Sophie redondeó una sonrisa de suficiencia y les comunicó: Mis queridos amigos, tengan la bondad de disculpar este apresuramiento que, como les anuncié al principio, nos obliga a adelantar el final de nuestra reunión. Me comprometo a resarcirlos el próximo viernes prolongando nuestra tertulia hasta la madrugada y, si su apetito y mi señor padre lo permiten, ofreciéndoles una cena más abundante. ¡Ay, niña, por favor!, dijo la señora Pietzine apartando el bordado de su regazo, ¡vete enseguida, te lo ruego, no lleguéis tarde por nuestra culpa! Después, con una sombra de melancolía que Hans encontró en cierta forma conmovedora, la señora Pietzine añadió: ¡Y sobre todo diviértete!, ¡diviértete mucho!

Puestos en pie, los invitados saludaron a la pareja. Rudi Wilderhaus los contemplaba desde una estatura amable y remota, como si todos hubieran seguido sentados. El señor Gottlieb abrazó a su hija y le preguntó al oído todo lo que ya sabía: si llevaba abrigo, si tenían el coche preparado, si la acompañarían hasta la puerta, si quería a su padre tanto como él a ella.

Se fueron saludando todos mientras avanzaban pasillo arriba. Elsa y Bertold zigzagueaban entre los invitados repartiendo abrigos, chales, pares de guantes y sombreros. En último lugar, cerrando la comitiva, como si barriera discretamente, marchaba el señor Gottlieb.

Hans echó a andar a toda velocidad, clavando los talones con rabia. Unas pocas zancadas después, alguien lo tomó del brazo. Era Álvaro y le sonreía. Vamos, dijo, me imagino que necesitas unas cuantas cervezas. Hans sacudió la cabeza y contestó que no tenía ganas. Un minuto después los dos atravesaban la calle del Ciervo echando un brazo sobre el hombro del otro.

En sentido opuesto al que caminaban ambos amigos, a punto de girar por el Paseo de la Orla, una berlina de caja brillante y asientos esponjosos se dirigía a la zona oeste de Wandernburgo, la de luces de gas, fachadas con columnas, avenidas con acacias. En el interior de la berlina flotaba el vapor cítrico que despedían los terciopelos y el cuello de Rudi Wilderhaus. Su actitud no era la misma de hacía media hora: ahora no parecía distante sino eufórico, y en lugar de altivez sus ojos transmitían ternura. Una mano de Sophie descansaba blanda, hecha pez, entre los guantes morados de su prometido. Al compás del galope de dos corceles blancos, oscilaba la egregia cabeza de Rudi Wilderhaus. Afuera, erguido en el pescante, el cochero miraba hacia ambos lados con extrañeza y se decía: Qué raro, hubiera jurado que esta avenida terminaba antes.

Al mismo tiempo, la casa Gottlieb se había quedado en silencio, con esa quietud dolorida de los lugares recién despoblados. El señor Gottlieb había mandado apagar las lámparas y dormía, o lo intentaba. Bertold y Elsa se habían retirado a sus habitaciones. Bertold roncaba boca arriba en la suya, a medio desvestir, con un pie fuera del catre. Tras la puerta cerrada de Elsa, en cambio, se adivinaba un resplandor y se oía un garabatear lento, el crujido de las páginas de un viejo diccionario de inglés que nadie, ni siquiera Sophie, sabía que Elsa tenía. En la cocina se apilaban los platos en torres, las tazas en equilibrio unas dentro de otras, las cucharillas adheridas a los platos, los tenedores con merengue en los huecos, los cuchillos embadurnados. A la luz de un quinqué Petra se frotaba los antebrazos, mientras vigilaba que su hija no dejase un solo fideo en el plato de sopa ni un grano de arroz en el cuenco. Ella apenas probaba bocado. Había visto pasar tal cantidad de comida esa tarde, había amasado, horneado y freído tanto, que la sola idea de masticar le cerraba el estómago. Aun así, pese a la gravedad que se le había tallado en la cara fofa y descreída, pese a la pátina de hastío que jamás se le iría de la piel como no podían borrarse los rastros de harina en los bordes de las uñas, Petra sentía en los labios el anuncio de una sonrisa: esta vez habían sobrado pasteles y gelatina, así que la niña tendría el mejor de los postres. Ese postre siempre ajeno, residual, del que su hija aún podía disfrutar con golosa inocencia, y que a ella no podía saberle dulce.

En cuanto la berlina de Rudi Wilderhaus se detuvo frente a la residencia de sus anfitriones, dos lacayos de librea abrieron las portezuelas, se apartaron y se quedaron firmes a ambos lados del coche. Un tercero asomó el cuello dentro de la berlina, inspeccionó el interior y estiró un brazo de mangas retorcidas que se mantuvo a la altura del pecho de Sophie. Muchas gracias, dijo ella posando un pie en la escalerilla, creo que puedo sola.

Con una seriedad que los benévolos encontraron elegante y los maliciosos atribuyeron al pudor propio de la plebe, Sophie fue saludando uno por uno a los jóvenes amigos de Rudi, algunos ya vagamente conocidos. Rudi juzgó admirable la seguridad con que su prometida se desenvolvía entre extraños, esa mezcla de arrogancia en el trato y suavidad de movimientos, ese punto que, a sus ojos, hacía de ella una chica compleja y todavía enigmática. A Sophie esas veladas le causaban un efecto paradójico: podía divertirse mucho, porque le resultaba fácil distanciarse y observar con ironía el ambiente, y sin embargo aquellos fastos le pintaban el aspecto que tendría su propia vida dentro de algunos meses. Rudi la trataba con un esmero que la irritaba y al mismo tiempo le inspiraba una culpable gratitud. Cada vez que él la elogiaba delante de sus amigos, ella se retorcía un pliegue del vestido.

Además de la danza, el patinaje y los juegos de naipes, toda la concurrencia compartía sin excepción una característica: era gente de al menos mil ducados de renta, lo cual los distinguía de manera indeleble. O, siendo pesimistas, hasta que el monto anual de sus ingresos decayera. Atravesando una sala de recepciones del tamaño de su casa, Sophie se vio deslumbrada por la catarata de las arañas, el sendero blanco de las mesas, el centelleo de la vajilla. Creyó marearse contemplando el bamboleo de las piezas confitadas en cestitos de Sajonia, los jardines de exóticas verduras, las espirales de salsas, las montañas de merengue, los muros de turrón, las pirámides de frutas, los regueros de almendras, los mosaicos de ostras, los mares de pescados, el fuego de los vinos. Y en el centro una absurda, magnífica tarta en forma de cordillera con aludes de nata, riscos de pasta de cacao, cabañas modeladas con mazapán de Lübeck, pinos aderezados con hierba auténtica, trineos en nuez de cajú con perritos de fideo azucarado y esquiadores de confite, cada cual con su gorro, sus gafas, su bastón y su heraldo en el pecho.

Más o menos a una legua de distancia, el organillero abrió los ojos de repente y buscó el lomo de su perro murmurando: Eh, Franz, ¿no tienes hambre?

Al martes siguiente, la misma berlina con los mismos pasajeros cruzaba la ciudad en dirección este. Rudi y Sophie se dirigían a la Sala Apolo, situada al final de la Ronda del Caballo

Negro, más bien retirada del centro. En la Sala Apolo los martes se reservaban exclusivamente para la nobleza y sus invitados personales. A Sophie le gustaba ir a bailar allí, aunque no tanto esos días, porque el ambiente se volvía demasiado formal y además no podía encontrarse con sus amigas. En descargo de los martes había que reconocer que Rudi era un bailarín notable. Con el cutis empolvado y un toque de colorete, luciendo una levita calculadamente desabrochada, un corbatín de satén blanco y un frac con una cadenita de oro atravesada en el ojal, hinchando el torso y alzando los hombros robustos, Rudi parecía su propio resumen: una combinación de levedades y esfuerzos viriles, una rudeza coqueta.

Durante el trayecto hacia la Sala Apolo, Rudi acababa de hacer lo que Sophie llevaba temiendo desde hacía algún tiempo: mencionar a Hans. Lo había hecho sin aspavientos, como al pasar, igual que se distrae la vista por un instante desde una ventanilla. Aquella tarde Rudi había subido a la casa Gottlieb y, por segunda vez en la semana, había encontrado a Hans tomando té con ella en la sala de estar. Dos cosas no le habían gustado a Rudi: la risa de Sophie mientras él avanzaba por el pasillo, esa risa, cómo definirla (no eran las definiciones el arte de Rudi Wilderhaus), tan queriendo ser risa, como de bromas anteriores; y los reflejos con que Hans se había puesto en pie en cuanto él apareció en la sala de estar, reflejos demasiado veloces, reflejos de yo no he sido. Naturalmente nada de aquello tenía la menor importancia. Tampoco la tenía ese forastero. Ni su aire de sabiondo. Ni sus cabellos largos.

Parece ser, había dicho Rudi mientras el coche daba el primer tirón, que tienes con Herr Hans un trato muy cordial. ¿Con él?, había dicho Sophie con aire indiferente, no sé, puede ser, parece un señor interesante, tampoco lo conozco tanto. Al menos lee, cosa que no todo el mundo hace. Y dime, había reanudado Rudi después de una pausa prudente, ¿de qué habláis?, ¿de libros? ¿Quiénes?, había dicho Sophie, ah, sí, bueno, de vez en cuando charlamos sobre poesía mientras tomamos el té, me distrae. De modo, había asentido Rudi como dejando claro su total acuerdo, que Herr Hans te distrae. No, mi querido, había contestado Sophie, él no: charlar sobre poesía. Te noto un poco inquieto, ¿has tenido mala caza esta mañana?

La berlina frenó ante la entrada de la Sala Apolo, Rudi se apresuró a descender del coche y le ofreció una mano a Sophie. Ella, que no solía hacerlo, se dejó ayudar. Él se quedó mirándola extasiado y dijo: Ese vestido parece tu verdadero cuerpo. Le da luz a tu piel. Te ciñe el talle con toda perfección. Realza tus hombros. Te da una belleza, eh, inconmensurable. Serás la reine du bal. Querido, te lo agradezco mucho, contestó Sophie, entonces no sé si me habré excedido. Rudi la tomó del brazo sonriente. Al pie de las escalinatas la pareja se cruzó con el alcalde Ratztrinker, que bajaba acompañado de una mujer que no era su esposa. Su excelencia afiló la nariz, le hizo a Rudi una reverencia y siguió bajando. Ante las decoradas puertas de la Sala Apolo, Rudi acercó sus labios al oído de Sophie para susurrarle: Hoy, amor mío, vas a bailar la mejor alemanda de tu vida. Después la noche empujó las puertas y ambos fueron absorbidos por el resplandor.

¡Hoy ya es martes!, corroboró el señor Zeit cuando vio salir a Hans de la posada, ¡mañana será otro día! Acostumbrado a aquellos repentinos comentarios del posadero, que al principio le habían parecido elementales pero que últimamente empezaban a sonarle enigmáticos, Hans contestó: Tiene usted toda la razón. El señor Zeit, que llevaba un pijama a rayas y la barriga apretada bajo el lazo de una bata raída, le preguntó si había cenado. Hans le dijo que no se preocupara. El señor Zeit soltó un bufido y dio media vuelta. Con una mano sobre el picaporte, Hans se quedó observando cómo el posadero se perdía por el pasillo arrastrando sus pantuflas a cuadros. Al fondo se abrió la puerta de la vivienda de los Zeit y, emborronado, asomó medio cuerpo de su esposa. La señora Zeit sostenía una lamparilla de aceite y se había puesto esa ligera prenda de franela que llamaba quimono. Ya voy, ya voy, masculló él. Su esposa alzó un hombro y retiró las caderas para dejarlo pasar. Después Hans cerró la puerta.

Eh, Lamberg, dijo el organillero, espera, no te vayas, tienes que contarnos qué has soñado. Es tarde, dijo Lamberg, tengo que acostarme. Bueno, sonrió el viejo, entonces cuéntanos con qué vas a soñar cuando te vayas.

Muchas noches, alrededor de la fogata encendida frente a la entrada de la cueva, el organillero hacía una ronda con los sueños de sus amigos. Cada vez que escuchaba un sueño se quedaba pensativo y asentía, como si él lo hubiera tenido antes o adivinase su significado, que sin embargo nunca revelaba. En vez de tener sueños, el organillero prefería decir que *veía* sueños y disfrutaba narrando los suyos, que a Hans se le antojaban demasiado insólitos o demasiado bien contados para ser ciertos. Aunque tampoco importaba, porque sus noches favoritas en la cueva empezaban a ser esas, las de los sueños revividos.

A veces, dijo Lamberg volviendo a sentarse, sueño que la Steaming Eleanor (¿la qué?, exclamó Reichardt), la máquina de la fábrica, la mía, sueño que se pone a funcionar demasiado rápido y la plataforma empieza a temblar y entonces yo me caigo dentro y la Eleanor me traga. ¿Y después?, dijo el organillero. Y después nada, contestó Lamberg, me despierto y no puedo volver a dormirme. Pero tienes que seguir, dijo el organillero, tú trata de seguir hasta el final, no es bueno dejar los malos sueños a medias. Yo, negó con la cabeza Lamberg, cuando me despierto trato de olvidarme enseguida, a veces sueño cosas horribles y no me reconozco cuando me veo haciéndolas en el sueño. Quizá, sugirió Hans, sean cosas que has pensado despierto y que recuerdas dormido. No creo, contestó el organillero, los sueños no dependen de la vigilia, es al revés (¿cómo al revés?, se asombró Hans), quiero decir, para mí soñar es como estar *más* despierto, ¿me explico? Y a veces, cuando te despiertas, los sueños se quedan dormidos. Hay cosas que uno sólo sabe cuando duerme. Será como usted dice, organillero, dijo Lamberg, pero yo no quiero saber nada de las cosas que sueño. Tú no te asustes, dijo el organillero, e intenta fijarte en ellas, no te despiertes, préstales atención, y si las visiones no son buenas, háblales. ¿Eso hace usted?, preguntó

Hans. Eso mismo, contestó el viejo, y me despierto siempre alegre. Pues yo, intervino Reichardt, en cuanto abro los ojos lo primero que hago es contarme los dientes con la lengua, por si he perdido alguno.

Yo duermo poco, confesaba Hans, y muchas veces sueño lo mismo (¿qué?, preguntó el organillero), es una tontería, sueño con un puente colgante muy largo, voy cruzándolo y cuando estoy a punto de llegar al otro lado el puente empieza a soltarse por el extremo que tengo delante, entonces doy media vuelta y trato de llegar corriendo al otro lado, eso es todo (¿pero llegas o no?, dijo Lamberg con los ojos muy abiertos), no tengo idea, eso es lo malo, siempre me despierto antes de llegar o de caerme (Hans, se interesó el organillero, ¿y debajo del puente qué hay?), ¿debajo?, no lo había pensado, la verdad es que no podría decirle qué hay debajo (¿ves?, dijo el organillero, ahí tienes, debes fijarte en eso, en qué hay debajo del puente, si lo sabes seguro que el puente no se cae). Cuánta imaginación, dijo Reichardt dosificando un eructo, yo no sueño casi nunca y me despierto en blanco (a lo mejor, bromeó Hans, es que sueñas con la luna), ¡a lo mejor es tu culo, a lo mejor es tu culo al aire y no me había dado cuenta!

¿Cómo?, se sorprendió Álvaro, ¿no conoces la Sala Apolo?, ¿pero tú dónde te metes por las noches? En una cueva, contestó Hans.

Una hora más tarde, tras perderse dos veces y regresar otras tantas al punto de partida, Álvaro y Hans estaban frente a la Sala Apolo. Madre mía, qué mal gusto, dijo Hans contemplando los saturados frisos. Bueno, dijo Álvaro, lo copiaron del Redouten de Viena, tampoco está tan mal para ser Wandernburgo. Anda, vamos.

No estaba mal, cierto, para ser Wandernburgo. La gran pista rectangular estaba ocupada por una muchedumbre de parejas y grupos. Algunos de los bailarines iban con máscara, lo cual estaba permitido por ley solamente en la Sala Apolo.

Al fondo del salón se elevaba una escalera de mármol de doble entrada que comunicaba la planta de baile con las galerías que la rodeaban. Las galerías acogían a las mesas selectas y a una pequeña orquesta. La orquesta tocaba una enérgica polonesa sin molestarse en distinguir los acentos fuertes de los débiles. Desde las galerías hasta el techo con molduras clásicas, triglifos, falsos capiteles, se levantaban unos ventanales de cristales cuadriculados. Entre ventanal y ventanal pendían unas descomunales arañas de gas en forma de hojas de parra. Álvaro y Hans dejaron sus abrigos en el guardarropa, y se adentraron lentamente.

Hans detestaba los salones de baile, aunque por eso mismo, por falta de costumbre, también lo fascinaban. La multitud era un perfume móvil, una mancha cambiante. Bajo el resplandor del gas los brazos y hombros de las muchachas cobraban relieve, parecían separarse de los vestidos. Las filas de bailarines se enredaban y desenredaban en la pista como hilos alrededor de un huso. Los vestidos y las chaquetas se rozaban, se frotaban, se mezclaban. Las cabezas flotaban, los sombreros se cruzaban como pájaros, los abanicos revoloteaban por su cuenta. Viendo pasar una copa de ponche, Hans tocó la espalda de Álvaro y le señaló las mesas de bebidas. Sin dejar de avanzar, Álvaro le hizo un gesto indicándole que fuera primero, que él iría enseguida. Hans se desvió hacia las mesas laterales, zafándose de una contradanza que casi lo atrapa en su centro. Procurando no tropezar con nadie, atendiendo a los pies más que a las caras, se desgajó de la maraña. Cuando ya estaba a punto de alcanzar su objetivo, levantó la cabeza y la vio.

La vio, y le sonreía.

Llevaba un escote amplio como un mapa. Un mapa que mostraba el esplendor del cuello, el rastro de las venas, el carácter de las clavículas. Esas clavículas que parecían un collar.

Hola, dijo Sophie, ¿bailas o miras?

Miro, contestó él. O charlo. ¿Me concede esta charla, señorita?

Pidieron dos ponches y brindaron, derivando hacia un rincón menos bullicioso. Hans tenía dificultades para fijar la mirada por encima de las clavículas de ella, y se lo reprochaba a sí mismo temiendo quedar como un cretino. Jamás había visto a Sophie Gottlieb vestida de fiesta, no le había hecho falta para desear su piel, su olor y su contacto, y ahora se preguntaba qué sería de él después de haberla visto con ese vestido. Ella se daba cuenta del azoramiento de Hans. Se sentía halagada y, por supuesto, fingía reprobar un poco sus miradas. Sinceramente, dijo Hans queriendo decir otra cosa, no esperaba encontrarte en este lugar. ¿No me digas?, rió Sophie, ¿pretendes que me divierta sólo con Dante y Aristóteles? ¿Por qué no?, contestó Hans, seguro que hasta ellos bailarían contigo. Aristóteles y Dante puede ser, replicó Sophie, pero parece que tú no, ¿en serio no te gusta bailar? No mucho, admitió Hans, y bailo bastante mal. Lo entiendo, dijo ella entregándole su copa, a los hombres no les gusta hacer nada que no hagan muy bien. Pero no te preocupes, que podemos conversar. Entre baile y baile. ¿Me disculpas?

Y Sophie pestañeó, y se sumó a una fila que iniciaba una inglesa, y dejó a Hans con una copa de ponche en cada mano.

Sophie bailaba con la misma agilidad con que hablaba, con idéntico estilo: sin abusar de los adornos pero con sentido del efecto. Seducía a quien la observara porque parecía bailar pensando que había cosas mucho más interesantes que seducir a quienes la observaran. Sólo de vez en cuando se demoraba frente a algún bailarín, inclinaba el cuello para oír su comentario, lanzaba una risa medida y seguía girando. Hans hubiera querido unirse a ella, bailar y no pensar. Pero jamás había conseguido superar esa mezcla de timidez y fastidio que lo asaltaba en cuanto empezaba a mover los pies. Cada vez que hacía el intento de bailar, le parecía ver a una legión de dobles suyos sacudiéndose a su alrededor, multiplicándose como en un prisma, mostrándole lo ridículo que él mismo se veía. Entonces ya no conseguía distinguir la torpeza del pudor, y ambas se alimentaban mutuamente hasta que corría a ponerse a salvo en un costado. Observando a Sophie y sus compañeras, admirando sus cruces armónicos, pensó que quizá la diferencia consistía en que los hombres tendían a dividirse cuando bailaban, mientras ellas tendían a reencontrarse, a poner de acuerdo el ánimo con el cuerpo. Al notar cómo Sophie lo miraba de reojo mientras bailaba, Hans la vio cada vez más cerca y supo que era tarde para huir como huía de los puentes en los sueños, y miró qué había debajo y vio sus pies, y entonces se sintió torpe y eufórico y perdido.

La orquesta hizo una pausa, los bailarines aplaudieron. Al disolverse las parejas, los cuadrados y las filas, en un claro de la pista Hans divisó a Álvaro, a quien había perdido de vista hacía un rato. Álvaro conversaba con una joven que, aun de espaldas, a Hans le resultó familiar. La joven parecía escuchar con atención mientras taconeaba en el suelo. Cuando se desplazó, Hans pudo verla de perfil y reconoció a Elsa. Trató de adivinar de qué hablaba con Álvaro, sin conseguirlo. De pronto Sophie reapareció junto a él para continuar la charla. Sus clavículas oscilaban al compás de la respiración todavía agitada. A Hans le pareció que, una o dos veces, Sophie espiaba el hueco de piel libre entre el último botón de su camisa (que, debido al calor, él acababa de desabrocharse) y el nudo del pañuelo.

Al cabo de un rato Elsa se acercó discretamente. Saludó a Hans con una inclinación de cabeza, le recordó la hora a Sophie y después le habló al oído. Sophie asintió, tomándola del brazo. Dejó que Hans le besara la mano, aunque la retiró enseguida. Entonces compuso un gesto de súbita responsabilidad (ese gesto irresistible, pensó Hans, de Sophie cuando vuelve al mundo) y se despidió. ¿Nos vemos mañana?, dijo ella. Sí, claro, dijo él, nos vemos en el Salón. No, contestó Sophie yéndose, no digo en el Salón, digo después, aquí. Hans asintió sin pensar.

Alguien le tocó la espalda.

¿Y mi copa?, se burló Álvaro, ¡llevo horas esperándola!

Llevamos mucho tiempo esperándolo, tiene usted razón, decía Hans, pero una vez que se supriman las fronteras y se unifique la aduana, ¿para qué un centro único, un lugar obligatorio?, yo estoy a favor de la unificación, no de la centralización. Qué ingenuidad, contestó el profesor Mietter, eso es una utopía, y mucho más en una nación desmembrada como la nuestra. Todo lo contrario, profesor, insistió Hans, esa tradición descentrada facilita el federalismo, piénselo, todas las regiones podrían compartir las mismas leyes y la misma política sin necesidad de subordinarse a otra. Ese sacrificio regional, dijo el profesor Mietter, si es que fuera un sacrificio, sería un mal menor por el bien común de la patria. Hoy, suspiró Hans, todos hablan de unificar la patria y Alemania se ha llenado de patriotas. Lo curioso es que no fueron esos patriotas, sino los invasores franceses, los que iniciaron nuestra unificación, ¡on est patriote ou pas, profesor! Estimados amigos, intervino Álvaro, si me permiten opinar de su país (pero señor *Urquiho*, protestó Sophie, ¡este también es su país!), bueno, sí, en cierta forma, tiene usted razón, en fin, lo que quería decir es que coincido con Hans, porque en mi país, perdón, en España ha habido ironías parecidas. Por ejemplo, y por mucho que les moleste a los castizos, si España hubiera estado más centralizada José Bonaparte la habría sometido con facilidad, ¿me explico? (no del todo, la verdad, dijo el profesor Mietter), sí, lo que impidió nuestra derrota fue precisamente la autonomía de las provincias, o sea, que no había un solo frente sino muchos. Todas las regiones combatieron por un territorio común, pero cada una lo hizo casi por su cuenta. Así que puede decirse que el espíritu federal español fue lo que salvó su soberanía nacional. ¿Es una paradoja? No lo sé.

Yo insistiría, carraspeó el señor Levin levantando un dedo, en que si en vez de invocar tanto el espíritu nacional, el liderazgo de Prusia o tal o cual reforma parlamentaria, ejem, se unificaran todas las aduanas de una vez, resolveríamos mucho antes las demás cuestiones. Aduanas y comercio, caballeros, he ahí el intríngulis. Señor Levin, dijo el profesor Mietter retirándose los anteojos para mirarlo, ¿está usted reduciendo todo el conflicto nacional a un problema mercantil? El señor Levin enmudeció un instante, miró al suelo, sacudió la cabeza y dijo en voz casi inaudible: Sí.

Lo que digo, dijo Hans, es que Alemania, como otros países, vive soñando con historias que no pudieron ser, y eso agota. El sacro imperio malogrado, la rebelión de Lutero convertida en ortodoxia (eso lo dirá usted, se disgustó el profesor Mietter), usted perdone, es la verdad, la traición de Napoleón, la utopía de Jena, etcétera, etcétera. No sé qué será lo siguiente, da lo mismo. Es como si para escribir la historia necesitáramos estar arrepentidos. Así nos va.

Cada vez con más frecuencia, cuando tomaba la palabra para defender ideas en las que siempre había creído, Hans tenía la sensación de estar haciéndolo en nombre de una sola causa: en el nombre de Sophie. Más que por vanidad dialéctica, que por supuesto la tenía en abundancia, o por encima de ella, Hans se aplicaba con tanto ardor en las discusiones porque sabía que Sophie estaba de acuerdo. Y cada vez que hablaba sentía que estaba argumentando a favor de ese acuerdo, empujándolo hacia algún otro lugar, algún lugar lejos de allí.

Pero Rudi empezaba a entrar en el espejo. No lo hacía con pleno conocimiento de causa, ya que nada podía inquietarlo realmente: él era un Wilderhaus, sino por el instinto del guardián ante el intruso. De vez en cuando miraba de reojo el espejo redondo frente a la chimenea y, aunque llegara tarde al cruce de miradas entre Hans y Sophie, como no llega a tiempo una bola de billar al encuentro de otras dos que acaban de chocar, ya tenía claro de quién debía disentir en los debates y en qué dirección debían empujar sus intervenciones. Lo haría, por supuesto, en su lenguaje, que no era el soporífero de los académicos ni el pretencioso de los pedantes. No argumentaría esto o lo otro, porque los argumentos eran volubles y siempre podían rebatirse. No, él lo haría desde donde mejor sabía hacerlo, allá donde nadie podría alcanzarlo: desde su propio rango. Él era él. Él era Rudi Wilderhaus. ¿Pero entonces por qué, Dios, por qué a veces tenía tanto miedo?

Rudi decidió aprovechar el silencio reflexivo que acababa de hacerse en la sala para lanzar su apuesta. Puede que en aquel juego él tuviera pocas fichas, pero eran del valor máximo. Así que allá iba. No se trataba de introducir ningún matiz, sino de disolver de un solo gesto el posible interés de los matices ajenos. Y de gestos él sí que sabía mucho más que los otros: había sido educado en ellos. Rudi aprovechó la pausa, que empezaba a debilitar la intensidad del debate, para adelantar la breve reunión que solía tener con el señor Gottlieb en su despacho. Se puso en pie con parsimonia, esperó hasta alcanzar su imponente estatura, se estiró el chaleco y dijo con su mejor entonación: ¡Política, política! Para serles sincero, esas discusiones no me conmueven demasiado. Pueden, ¿cómo decirlo?, terminar resultando tediosas, y en el fondo banales. ¿Acaso nuestra felicidad o nuestras ambiciones van a depender de lo que opine un canciller o de lo que proponga un ministro? En fin, sea como sea, queridas damas, distinguidos caballeros, debo marcharme para atender unos asuntos. Ha sido, como siempre, una tarde placentera y sumamente interesante. Señor Gottlieb, antes de que me marche, cuando guste...

El señor Gottlieb levantó los bigotes con presteza, tomó del brazo a Rudi y le rogó que lo acompañase al despacho para beber un coñac. Hans los vio girar juntos y no le vino a la mente ninguna respuesta brillante, ningún comentario ingenioso. Y pensó, quizá por primera vez, que Rudi Wilderhaus era más astuto de lo que él había creído. Tuvo ganas de salir al balcón o encerrarse en el baño. Pero entonces Álvaro acudió en su ayuda.

Rudi acababa de darles la espalda. Álvaro descruzó una pierna, se aclaró la garganta y lo llamó: Herr Wilderhaus, discúlpeme, Herr Wilderhaus. Rudi deshizo el giro y lo miró distraído. Discúlpeme, Herr Wilderhaus, repitió Álvaro sonriendo, pero hemos tenido la mala educación de ignorar una interesante pregunta suya. Preguntaba usted si la felicidad o las ambiciones de las personas podían depender de las decisiones del político de turno. Permítame aventurar una respuesta si usted quiere banal: cuando no se tienen mil hectáreas de terreno, puede que sí.

Cuando el señor Gottlieb regresó a la sala y se sentó a rellenar su pipa, el profesor Mietter discutía con Hans sobre las manifestaciones religiosas. El profesor estaba de acuerdo en que la Restauración había traído un exceso de religiosidad pública, pero opinaba que eso debía corregirse volviendo a las raíces críticas de la Reforma. Hans sostenía que Europa había perdido una ocasión increíble para desarrollar la educación laica. (Al pronunciar *laica*, Hans miró al señor Gottlieb y se encogió de hombros beatíficamente como si hubiera dicho *pía*. Sophie apartó la cara para ocultar una risa: este hombre le estaba copiando los recursos.) A mí no me extraña tanto, dijo el profesor Mietter, teniendo en cuenta que Bonaparte reprimió las religiones. En esta misma ciudad, cuando mis padres eran jóvenes, había bastantes protestantes y un templo, la iglesia Alta. Esa iglesia dejó de oficiar cuando los luteranos se exiliaron de Wandernburgo por culpa del fanatismo del príncipe. Aquí pasaba como en Múnich, la gente se amotinaba si un Viernes Santo oía campanas protestantes. Profesor, dijo el señor Gottlieb, disculpe, usted sabe que otras veces ha sucedido al contrario. Dios sabe que lamento profundamente lo que les ocurrió a sus señores padres, pero no olvidemos que los católicos también hemos sufrido persecuciones. Ejem, manifestó el señor Levin, si hablamos de persecuciones, habría que decir que los hijos de Moisés... Señores, sonrió Sophie mirando de reojo a Hans, dejémoslo en que todos nos hemos perseguido mutuamente. ¿Nadie va a probar las masas?

Hoy en Wandernburgo, se quejaba el profesor tragándose una masa, sólo se celebran fiestas profanas disfrazadas de devoción. Esas fiestas excitan los sentidos y, si se me permite, incitan a la lubricidad más descarada. Ahí acaba la fe y empieza el carnaval. Profesor, dijo Hans, ¿no le parece que la devoción sincera nunca ha abundado? Puede que algunos príncipes se interesaran de verdad por el luteranismo. Pero imagino que tampoco les disgustaba la idea de expropiarle tierras a la Iglesia. No logra usted, contestó el profesor Mietter, pasar del materialismo más ramplón. Lutero puso en evidencia a su época. Dejó al Vaticano en paños menores. Les tradujo sus mentiras. Les lanzó un espejo a la cara. Por eso lo llamaron apóstata y lo expulsaron, esa es la historia. Estimado profesor, dijo el señor Levin, estoy lejos de defender el dogma apostólico romano, que como usted sabe, ejem, no es mi mayor pasión. Pero admitamos que no todo fue rebeldía, y que al margen de los atropellos de la Iglesia, para los príncipes del norte la reforma era, ejem, un excelente negocio. Recuerde que el mismísimo Lutero recomendó a los príncipes exterminar a los campesinos que se habían rebelado siguiendo sus ideas. Esa, bueno, también es la historia. Usted, dijo el profesor Mietter, interpreta esos acontecimientos de forma muy personal. Como todos, dijo Hans, como todos. A eso ustedes lo llaman *libre examen,* ¿no?

La señora Pietzine seguía la discusión con creciente malestar, como si cada argumento amenazara sus propias convicciones. Se acordó de su amado confesor, apretó el collar y dijo: Profesor, ¿y por qué no conversa de estas cosas con el padre Pigherzog? Es un hombre erudito como usted, muy sensible y que se desvive por su parroquia. Aunque profesen doctrinas distintas, estoy segura de que le resultaría interesante (ese hombre, estimada amiga, contestó el profesor, es un burócrata, un vendedor de perdones), ¡no sea usted injusto con el padre Pigherzog!, es un auténtico consuelo y una guía para muchos feligreses. Estoy de acuerdo, asintió el señor Gottlieb, y hablando de eso, hija, ¿hace cuánto que no te confiesas con él? (ay, padre, suspiró Sophie, ¡como si una tuviera tiempo!), bueno, algún domingo de estos (le recuerdo que hicimos un trato, dijo ella, yo lo acompaño a misa de domingo y usted no insiste más), ya lo sé, hija, pero por una vez de vez en cuando, tampoco te vas a (¡huy, padre!, canturreó Sophie, ¡esa pipa se le atasca!, ¿voy a buscarle más tabaco?).

Mirándose el bigote, que parecía humear por sí mismo, el señor Gottlieb murmuró: Bertold, tabaco.

Hans se distrajo un rato siguiendo los movimientos de las manos de Sophie y atendiendo a las contracciones de sus labios cuando hacía algún comentario. Al oír que el señor Levin mencionaba a Kant, volvió a la conversación y esperó su turno para intervenir. En materia de religión, dijo Hans encogiéndose de hombros, me limito a seguir a Kant. Sospecho que no llegaré a saber nada de lo divino, y mientras tanto me quedan infinidad de asuntos terrenales pendientes (una vez más, Herr

Hans, le reprochó el profesor Mietter, reduce el conocimiento humano a lo empírico, no alcanza a la abstracción, no pasa usted de Hume), al contrario, Herr Professor, al contrario, yo diría que lo amplío, ¡la experiencia empírica me parece infinita! Y creo que cuando deja de someterse a instancias superiores, la pequeña y vieja razón se topa con el más grande misterio al que podemos enfrentarnos: intentar descifrar el mundo entero sin ayudas sagradas, ¿a eso usted lo llama limitar el conocimiento? (y yo le digo, replicó el profesor Mietter, que si desmantelamos lo sagrado, nuestra razón se queda con las manos vacías), depende, yo no he dicho que me oponga a cualquier forma sagrada. Para mí lo sagrado que tenemos son nuestros dos pies sobre la tierra, ¿me explico? (eso es interesante, opinó el señor Levin, ¿pero y las emociones elevadas?, ¿no exploramos la tierra con ellas?, ¿a qué reino pertenece una oración sentida o, pongamos por caso, una cantata de Bach?, ¿las cantatas de Bach tienen los pies en el suelo, o?).

Si me permiten, participó Sophie, creo que las emociones elevadas también pueden venir de la razón, no hay por qué separarlas. ¿Por ejemplo?, dijo el señor Levin. Por ejemplo, asintió Hans mirando fijamente el labio humedecido de Sophie, el ajedrez. ¿No es posible emocionarse comprendiendo la fatalidad de un jaque mate?, quiero decir, ¿no creen ustedes que pensar hasta el límite de nuestras posibilidades enaltece el espíritu? No sé, dijo Sophie muy despacio mirando el mentón de Hans, si soy capaz de jugar al ajedrez.

Sophie entreabrió los labios para refrescárselos. Hans ya no pensaba en Kant, aunque sí en el conocimiento empírico.

Los contertulios reanudaron las discusiones sobre la religiosidad nacional. El profesor Mietter criticaba el Concilio de Trento. El señor Gottlieb hablaba de la concordia entre confesiones. El señor Levin se refería a la influencia de los estudios semíticos y astronómicos. La señora Pietzine elogiaba la eucaristía. Sophie trataba de moderar la discusión, organizando los turnos de palabra y asociando, en la medida de lo posible, unos temas con otros. Álvaro y Hans intercambiaban cuchicheos con las cabezas juntas. Caballeros, caballeros, dijo Sophie en tono de burlona reprimenda, les ruego que no dejen de compartir con nosotros sus reflexiones, tienen todo el aspecto de ser muy atractivas. En realidad, sonrió Álvaro, no decíamos gran cosa, ya conoce nuestras limitaciones religiosas.

Álvaro miró a su alrededor y comprobó que todos lo observaban en silencio. De acuerdo, carraspeó, hace un momento le decía a Hans que los países que no tuvieron su propia reforma, como España, Italia o Portugal, tuvieron que improvisar, por así decirlo, un remedio casero: el anticlericalismo. Qué íbamos a hacer si no, ¿comulgar cada domingo, con perdón, y aplaudir a la inquisición? Pero así, por higiene, los anticlericales españoles hemos terminado rechazando casi cualquier cosa que se manifestara de manera religiosa. Lo que me preocupa es que algún día no seamos capaces de gozar, yo qué sé, de San Juan, Santa Teresa o San Agustín. Y creo que los alemanes lo han tenido más fácil, ha habido un Lutero, un Bach, un Lessing, contrapesos parciales. Nosotros hace más de medio siglo que no pasamos del buen padre Feijoo, que en paz descanse. Los alemanes inventaron la reforma y los españoles la contrarreforma, ustedes se dividieron y nosotros expulsamos a la otra mitad, imagínense qué diferencia (ejem, sí, dijo el señor Levin, pero recuerde que no eran dos mitades sino tres tercios, en la antigua España había por lo menos tres religiones, y no nos olvidemos de la escuela de Toledo, todos esos cristianos, judíos y musulmanes traduciendo, ejem, y a eso iba yo antes, libros de astronomía, y naturalmente también de teología, por no hablar de Juan Hispalense, que siendo), cierto, cierto, pero de eso hace ya siglos, y después nada de nada. Hace siglos que en España los creyentes no conviven con nadie que crea en otra cosa, y así es imposible pensar seriamente en Dios. En cambio los alemanes son capaces de mirar a los ojos al cristianismo y cantarle las cuarenta, pueden dialogar con él sin amarlo ni odiarlo del todo, hasta pueden intentar comprender sus razones, en eso los admiro (¡bravo!, ironizó el profesor Mietter, ¡habla usted como un protestante!), en cambio yo no puedo, yo veo un crucifijo y me hierve la sangre. Y entonces ya no puedo escuchar ni entender una palabra, y eso que de niño me eduqué con curas. Pero puede que el laicismo alemán sea más lúcido (ah, dijo el señor Levin, a propósito: y sobre Lessing, déjeme decirle que además de lúcido fue, ejem, un notable antisemita. Ser perseguido por sus ideas no le impidió repudiar a un pueblo perseguido. En el fondo, eso es típicamente judío. Cielo mío, ¿quieres soltarme el brazo?).

La señora Levin murmuró unas frases al oído de su esposo, el profesor Mietter comentó algo acerca de la diferencia entre laicismo y aconfesionalidad, la señora Pietzine le preguntó cuál era la diferencia y todos volvieron a hablar al mismo tiempo. Sophie trató de poner un poco de orden en el debate y, mientras sonreía y aplacaba a unos y a otros, espiaba de reojo los murmullos entre Álvaro y Hans, que se habían reanudado cabeza con cabeza. Los murmullos que ella no podía escuchar decían en ese instante: (... sí, Álvaro, no te digo que no, pero la reforma también causó un malentendido, ¿entiendes?, aquí hay varias iglesias y todas salen del mismo puto tronco. Puede que aquí la gente se haya acostumbrado, o mejor dicho resignado a cierta convivencia, pero tú piensa que por culpa de esa variedad religiosa muchos se imaginan que la libertad podría estar en las otras confesiones, y... Oye, ¿te has fijado en cómo se toca el collar la Pietzine?, parece que estuviera tocándose... ¡Shh, no seas bestia, que nos oyen...! Pero Hans, ¿tú me entiendes...? Sí, te entiendo, lo que te digo es que aquí un católico insatisfecho puede tener la tentación de pasarse al protestantismo, o viceversa, y así no, ¡oye, ahora que lo dices, es verdad que se toca el collar como si!, en fin, así las dos iglesias pueden salir perdiendo, pero la religión siempre sale ganando. En cambio los españoles, aunque sea a fuerza de espantos, lo han tenido mucho más claro, mírate a ti... Ay, Hans, qué felices nos parecen siempre los extranjeros, ¿eh...? ¿A mí me lo cuentas...? *Joder*, ese collar me pone nervioso...).

Álvaro y Hans rieron. Al separar las cabezas durante la carcajada, Sophie aprovechó para levantarse y servirles té sin parecer entrometida. Hans comprendió que ella los reprendía no por murmurar en secreto, sino por excluirla de una conversación reprobable, la clase de conversación que más le gustaba.

Hablábamos, le explicó Hans en voz baja mientras ella llenaba las tazas y su escote cedía unos centímetros, y lo hacíamos discretamente para no ofender a tu padre, de lo necesaria que resulta la inexistencia de Dios. Esperamos, agregó Álvaro burlón, no ofenderla a usted tampoco. Bueno, contestó Sophie, una de adolescente tuvo sus momentos de fervor. ¿Y después?, preguntó Hans. Después, caballeros, sonrió Sophie irguiéndose de nuevo, dejé de padecerlos por completo. ¿Padecer qué, hija mía?, indagó el señor Gottlieb con su bigote avizor. ¡La cabeza, padre!, se volvió ella rápido, ¿se acuerda qué martirio, mis dolores de cabeza?

¿Y bien, señores?, preguntó el profesor Mietter creyendo que ambos habían estado criticándolo. En resumen, profesor, dijo Hans, nos parece que el catolicismo y el protestantismo proponen autoridades equivalentes: unos citan una institución infalible, y otros un libro irrefutable. Bueno, dijo Sophie intentando que el profesor no se sintiera acosado, eso último también lo hizo don Quijote. Sí, contestó Álvaro, pero él tuvo la astucia de buscarse a un escudero que no había leído una sola novela.

Manos unidas en alto, primera figura, desplazarlas por encima de las cabezas, como un techo, mientras la otra mano de él enlaza la cintura arqueada de ella, segunda figura, hasta que ambos brazos se encuentran frente a frente y él adelanta un pie como tanteando el terreno y ella retrocede como diciendo «espera», tercera figura, pero de pronto ella consiente, se despeina un poco y junta las piernas, en espera de que él se agache y le tome, qué difícil, pensaba Hans, ¿quién va a hacer eso?, le tome un brazo a ella por encima del hombro y el otro por debajo del vientre, cuarta figura, de manera que ahora él se ve casi a sus pies, hecho una llave, y ella lo tiene a él momentáneamente sujeto, prendido por la espalda, al menos mientras él no se levante, quinta figura, como ahora se levanta, ¿cómo ha hecho eso?, pensaba Hans, ¿dónde ha puesto los brazos?, formando un bello anillo al apoyar un antebrazo en el antebrazo de ella, ambos de nuevo frente a frente, intercambiando manos como hacen los amantes que brindan entrecruzados, tu copa es mía y mi copa es tuya (Hans apretó su copa, nervioso), para que finalmente, sexta figura, el giro se complete y el abrazo se cierre y él le rodee el cuello y le tiente una axila (¡se la ha tocado!, ¡miserable, se la está tocando!) y ella arrastre un talón hacia atrás mientras su compañero adelanta una pierna y se queda inmóvil, orgulloso, en equilibrio, con la punta de un zapato clavado en la maldita pista de baile de la Sala Apolo: Sophie acababa de bailar una alemanda con un hombre que Hans no conocía.

Tomó aire y coraje. Antes de acercarse a Sophie se repitió la frase varias veces para acostumbrarse a su sonido, para que dejara de sonarle bochornosa. Sophie lo vio venir desde un costado y simuló no haberlo visto: compuso un gesto de distracción, pero mientras tanto se centró el pico del escote y ordenó ese rizo rebelde que, en vez de dibujarle una clave de fa en la mejilla, se empeñaba en buscarle las cosquillas al lóbulo. Se sorprendió Sophie, pareció sorprenderse cuando Hans le tocó un hombro como se llama a la campanilla de una puerta pensando «por favor, que haya alguien». Querido Hans, cantó Sophie, me alegro de verte, pensé que no vendrías, ya casi ni me acordaba.

Hans repasó la frase y después la pronunció bien alto, entrecerrando los ojos. Su propia voz le sonó a tuba. Enséñame a bailar, dijo. He venido a que me enseñes a bailar.

A Sophie se le iluminaron los ojos, se le enrojeció el labio, se le disparó el rizo. Puso los brazos en jarra, se palpó la cintura, la sintió cosquillosa. Contestó: ¿Y por qué no me lo propusiste antes, tonto?

Se lo llevó al extremo menos concurrido de la pista. Primero voy a enseñarte los pasos generales, dijo ella, para que al menos dejes de moverte como un pato. Pero no te ofendas, a mí los patos me caen muy simpáticos. Es mejor que conozcas las figuras más comunes, las que aparecen en casi todos los bailes, y cuando te salgan esos pasos probamos con un minué, que es lo más apropiado para bailar solos, ¡no te olvides de que bailas con una chica decente y comprometida! No, tranquilo, no me molesta, al contrario, te lo recuerdo porque a veces, cuando empieza el baile, soy yo la que se olvida del compromiso y de la decencia. ¿Qué?, sí, me lo imagino, vamos, anda, era broma.

Avergonzado por aquellos ejercicios, Hans le pidió a Sophie que le enseñara directamente los pasos del minué. ¿Estás seguro?, dijo ella mirándole los pies. Hans asintió muy digno. Sophie aceptó y, como en ese momento la orquesta tocaba una difícil contradanza, empezó a explicarle al oído, muy cerca del oído, las características básicas del minué. Le contó que iba con tres tiempos, que era bastante lento, que no tenía giros en pareja, que era francés, o sea refinado pero poco temperamental, que ya estaba pasado de moda aunque la gente, sobre todo los matrimonios de cierta edad, lo seguía bailando (¿me vas a enseñar una danza para viejos?, dijo Hans. No, rió Sophie, te voy a enseñar lo único que esta noche vas a poder bailar sin tropezarte), y siguió describiéndole al oído, muy cerca del oído, las distintas figuras del minué, y lo tomó del brazo, se separó un poco y le habló de la zeta en el suelo, de la mano derecha del caballero, de las manos izquierdas de ambos, de la penúltima figura y de la nueva serie de zetas antes de que los bailarines presenten juntos los brazos y terminen saludándose desde esquinas opuestas (todo muy casto, dijo ella, como auténticas damas y auténticos caballeros, por eso las parejas jóvenes ya no queremos bailarlo).

¿Qué tal voy?, preguntó Hans encogido y hecho un nudo. Sophie no contestó. No porque no quisiera, sino porque la risa le impedía hablar. Aunque cada pareja atendía a su baile y los grupos tenían suficiente diversión con sus propios enredos y vapores etílicos, Hans tenía la sensación de que todo el mundo lo observaba. ¿Por qué hago el ridículo?, se preguntaba sin saber que sólo hacen el ridículo quienes se lo preguntan. Conmovida por la torpeza de Hans, Sophie decidió renunciar al minué y comenzar por el principio, por los rudimentos del baile en pareja. Hans no puso objeciones, entre otras cosas porque, aparte del ridículo, el maldito minué los había obligado a separar demasiado sus cuerpos.

Cómo olía Sophie: olía a agua afortunada. No a perfume excesivo. No a lavandas ni jazmines obscenos. Sino a pétalo transparente, a rosa tranquila. A belleza segura de sí misma. A eso y, por debajo, a leche almendrada. A cuello para no dejar de, ¡Hans!, se dijo Hans, ¡concéntrate! Y Sophie le hablaba cerca, muy cerca del oído. Y él quería bailar, pero no así, no ahí.

A ver, decía Sophie, intentémoslo de nuevo. Las piernas extendidas. Eso, así. Los talones pegados. Ahora los pies en línea y hacia fuera (¿pies en línea?, se burló Hans, ¿pero no te das cuenta de que soy bípedo?), vamos, tonto, ¡ojalá parecieras bípedo!, ahora las piernas separadas más o menos por el largo de un pie (¿un pie de quién?, susurró Hans, ¿un pie mío o uno tuyo?, los tuyos son tan pequeños y bonitos y), ¡shh!, atiende, no, menos distancia, menos, exacto, ahora se cruzan, ¿cómo el qué?, ¡los pies!, ¡los tuyos!, cruzas el derecho así sobre el izquierdo, hasta el tobillo más o menos (Sophie, anunció Hans, tendrás que recogerme del suelo), ¡pero si lo haces bien, no seas así!, o *casi* bien, ahora el saludo, ¿ves?, las damas nos inclinamos después de tomar la posición (no te oigo, Sophie, no te oigo, ¿por qué te separas tanto?), es que esta parte es así, ¿me escuchas ahora?, bueno, entonces las damas separamos las piernas, doblamos las rodillas e inclinamos la cabeza. ¡Pero no te quedes mirándome, te toca a ti! Ahora los caballeros (¿se refiere usted a mí?, ¿está segura?, ¿y entonces por qué se ríe, Fräulein Gottlieb?), ¡Hans, por favor, basta!, vamos, carga el peso sobre la pierna, no, la que está delante, y la de atrás va tomando la cuarta posición, ¿te acuerdas? (¿cómo, ya vamos por la cuarta?), ¡shh, demonio!, y después cambias el peso, lo cargas sobre la segunda pierna y vuelves a, ¡no, espera!, y con la otra vuelves a la posición inicial (ah, entonces mejor me quedo quieto hasta que tú vuelvas), ahora inclinas la cabeza y el tronco, eso, no es tan difícil, ves, dejas caer los brazos poco a poco (¡sí, mejor bajo los brazos!, ¡me rindo!, ¡socorro!, ¡señor Gottlieb, controle a su hija!, ¡padre Pigherzog, perdónela!, ¡profesor Mietter, escríbanos una crítica...!).

Hans no aprendió los rudimentos de la danza en pareja, no encontró el ritmo ni la coordinación, no entendió las figuras del minué, pero esa noche amó el baile. A cada paso de los pies flexibles y alternados de Sophie pudo gozar del cruce de los zapatos, el roce de los tobillos, la trama de las piernas, la conexión de las caderas. Y, según la cercanía, también notó los cambios en la presión de las manos. Por eso, más que en sus indicaciones, que de todas formas él no era capaz de ejecutar, con el pasar de las piezas Hans trató de concentrarse en las fricciones de las ropas de Sophie, en los pliegues y despliegues de su vestido, en los crujidos interiores del corsé, que latía debajo de cada movimiento, apretando el apetito. Y mucho se equivocaba Hans, o ese temblor en los brazos no era solamente suyo.

Salieron tarde los tres, Sophie, Hans y Elsa, y se sumaron a la fila que esperaba un carruaje frente a la entrada de la Sala Apolo. Ellos dos iban juntos, conversando. Elsa iba detrás y pensativa. Hans se notaba la cara helada, la frente húmeda, los poros dilatados, un leve ardor en los pulmones, la garganta ronca. Pero, sobre todas las demás sensaciones, llevaba entre los músculos un fluido de euforia, una especie de certeza. ¿Había bebido? Sí, además de todo había bebido.

Al cabo de un buen rato consiguieron agenciarse un landó. Hans insistió en pagar las plazas de los tres, y de inmediato calculó que a ese ritmo de gastos le quedaban dos o tres semanas de ahorros. Como el cochero no estaba dispuesto a desperdiciar una de las cuatro plazas del vehículo, insistió en que ellos tres se apretaran en uno de los asientos y otra pareja ocupase el asiento de enfrente. Sophie se dejó ayudar a subir: sus dedos se encontraron, intercambiaron huellas y se despegaron. El pie de Sophie pisó la escalerilla y el coche se inclinó con un crujido, dando su fatigado consentimiento.

Elsa iba seria, con la cabeza vuelta hacia el cristal y guardando un silencio entre discreto e incómodo. En el centro viajaba Sophie, sonriente y rozando con la falda el borde prieto de los pantalones de Hans, que iba en el otro extremo. El traqueteo inclinaba el asiento hacia uno y otro lado, haciendo que los pasajeros se encimaran. Elsa intentaba pegarse a la puerta todo lo que podía, pero no parecía haber suficiente espacio. ¡Era tanto (¿verdad?) lo que se movía el carruaje, tan defectuosa la suspensión, tan deplorable el empedrado! Hans mantenía un tanto abierta la pierna que tocaba la pared del vehículo, lo que lo impulsaba hacia el centro. Sophie suspiraba con distinción, no hacía el menor gesto y se dejaba aplastar. De vez en cuando, por culpa de algún bache o giro brusco, Hans pisaba a Sophie o Sophie pisaba a Hans y uno pedía disculpas y el otro se apresuraba a contestar que en absoluto, que era lógico, viajando cinco en un landó, que faltaría más. Pero era tanto el énfasis al aceptar las disculpas que a veces el pisado pisaba al pisador, y las disculpas cambiaban de dirección junto con alguna pierna, un brazo, la cadera. Y volvían a toparse, ¡qué torpeza la mía!, ¡si la torpe soy yo!, y las risas se hacían más líquidas. El pantalón de Hans se volvía tirante. El cristal de su lado empezaba a empañarse. Bajo la falda hinchada de Sophie, entre el revuelo de las enaguas, cubiertos por las medias de muselina blanca, sus muslos se apretaban, se apretaban.

No era Hans un hombre en el que instinto y especulación se bifurcaran. Al contrario, cuanto mayor parecía su apetito carnal, más crecía su voracidad dialéctica. Eso intrigaba particularmente a Sophie. Los hombres que habían coqueteado con ella lo habían hecho o bien relegando su deseo para hablarle de libros (estrategia que empezaba despertando su interés y acababa desesperándola), o bien omitiendo cualquier inquietud literaria para concentrarse sólo en las pasiones inmediatas (brusquedad que no le desagradaba, pero que la aburría pronto). Rudi la había cortejado con infinita paciencia, que había resultado imprescindible no para derribar recato alguno, sino para que ella se dejara convencer. Sophie creía conocer los no muy diversos procedimientos de la conquista masculina, que tendían a separar (o palabra o carne) más que a unir, a dividir el tiempo (verbo: preámbulo, deseo: discurso) más que a la simultaneidad. Hans en cambio parecía hablarle y desearla en un mismo acto. La rodeaba con preguntas, la encendía de palabras. Así eran los billetes que intercambiaban a diario.

Por eso Sophie se daba cuenta de que el furor con que ahora él discutía sobre Grecia, o la vehemencia con que se dirigía a ella solicitando su opinión, no eran ningún preludio sino el asedio mismo, el apetito pensando. La postura de Hans en el debate era la más terrenal posible. Y en esas reflexiones generales Sophie ya no podía evitar leer las tentaciones de una propuesta íntima.

Como cada viernes a las diez en punto, el señor Gottlieb y Rudi acababan de retirarse al despacho a beber coñac y conversar un rato de futuro yerno a futuro suegro, ambos convencidos de que aquellas reuniones privadas reforzaban el compromiso. Mientras tanto, como sucedía cada viernes en la sala a partir de las diez y un minuto, Hans se volvió súbitamente más atrevido en sus puntos de vista, más fogoso en sus gestos.

¿Y se puede saber qué tiene usted ahora contra los dioses clásicos?, se disgustó el profesor Mietter. ¿Yo?, dijo Hans, nada, pero dudo que sigan sirviéndonos para explicar el mundo. Los mitos, recitó el profesor Mietter recordando sus clases de cultura grecorromana, siempre nos serán útiles para explicar la realidad. Siempre y cuando, matizó Hans, esos mitos se transformen. A un lector de hoy los dioses antiguos le son ajenos. Por mucho prestigio olímpico que tengan Juno o Zeus, ya no pueden actuar directamente sobre nuestra sensibilidad (y tras pronunciar esas palabras, *actuar directamente sobre nuestra sensibilidad,* Hans se quedó mirando las manos de Sophie como si se hubiera referido a ellas). No le discuto que los dioses grecolatinos supieron encarnar el espíritu de su tiempo, ahora bien, ¿encarnan el nuestro? Yo puedo estudiarlos, incluso puedo llegar a amarlos (y al decir esto Hans volvió a los dedos de Sophie, que se sobresaltaron y empezaron a moverse entre las tazas como grupos de piernas huyendo de un ciclón), pero no me siento capaz de identificarme con esas criaturas divinas, ¿ustedes sí? Bueno, contestó el señor Levin, depende, ¿no?, hablamos de alegorías, no de retratos, además sus lectores también han cambiado, por lo tanto, ejem. Cierto, dijo Hans, pero las alegorías también envejecen, ¿o no? ¡Por supuesto que no!, reaccionó el profesor Mietter. ¿Ni siquiera un poquito, profesor?, colaboró Sophie. Lo que me molesta, reanudó Hans, es lo que hacemos cuando no entendemos el gusto actual: ponernos a plagiar el pasado, insistir en formas conocidas (y al decir *formas conocidas,* Hans dirigió la vista al punto exacto del espejo donde el cuello de Sophie flotaba sobre las sombras de las clavículas). Porque, digo yo, ¿hay algún bicho viviente en Berlín, París o Londres al que le gusten sinceramente los triglifos o se identifique con un capitel dórico? Espero, replicó el profesor Mietter, que al menos tenga la gentileza de considerarme un bicho viviente, gnädiger Hans. Y ya que hablamos de triglifos y capiteles, permítame una pequeña reflexión sobre el gusto actual. ¿Sabe usted por qué hoy en día somos incapaces de levantar edificios con la grandeza de antaño? Muy sencillo: precisamente porque los hombres de antaño tenían convicciones grandiosas. Nosotros, los *modernos,* sólo tenemos opiniones. Opiniones y dudas, nada más. Pero para construir catedrales, señor mío, hacen falta algo más que piedras, se necesitan ideas fuertes. Una idea, al menos una idea de lo divino. La arquitectura actual es una arquitectura de opiniones, igual que la literatura, la filosofía o las artes plásticas. Así empequeñecemos poco a poco. Y con la lamentable complacencia, debo decírselo, de hombres instruidos como usted.

Hans (que mientras entreoía las disquisiciones del profesor se había distraído espiando los hombros de Sophie, que a veces se encogían como dejándose abrazar) se quedó callado, acusando el golpe. Sabía que, aun discrepando de ellos, los argumentos del profesor eran sólidos e imponentes como las catedrales que añoraban. Trató de pensar en alguna refutación, pero el debate se desvió y, cuando al fin sintió que había ordenado sus razones, ya era tarde para exponerlas. El profesor Mietter sonreía con placidez. Asomado a la taza, el reflejo de su peluca blanca nadaba en el té como una medusa.

Poco antes de medianoche la discusión no había decaído. Sophie, sumamente divertida por las desavenencias entre Hans y el profesor (y quizás estimulada por la tensión creciente de sus glúteos entre las enaguas), hacía todo lo posible para mantener complacido al profesor y sublevado a Hans, cuyas ardientes réplicas la llenaban de un no sé qué. Ahora debatían sobre el estilo poético. El profesor Mietter defendía el conocimiento de la tradición como punto de partida de la buena poesía. El señor Levin le daba la razón, aunque cuando intervenía argumentaba casi lo contrario. Hans fruncía el ceño. Álvaro lo observaba y dejaba escapar potentes risotadas. La señora Pietzine, aburrida por el cariz que había tomado la conversación, se había despedido asegurando que debía madrugar. Hay poetas, decía el profesor Mietter, que para parecer modernos no le conceden la menor importancia a lo que dicen sus poemas. Como si eso no tuviera nada que ver con la poesía, o como si se creyeran mucho más profundos que sus lectores. A esos poetas les encanta hacerse los valientes con la forma, camuflar su vacío y proclamar que *indagan*. Sin embargo serían totalmente incapaces de redactar un texto sencillo o describir un objeto de manera verosímil. No le falta razón, contestó Hans, ahora habría que ver qué entendemos por *verosímil*. De acuerdo, hace falta que el lector crea en lo escrito. Pero lo que cada lector sea capaz de creer depende también de su imaginación, no sólo del lenguaje. ¿Y la claridad?, insistió el profesor Mietter, ¿da lo mismo corregir el poema, pulirlo, que dejarlo hecho un galimatías?, ¿ese esfuerzo no importa? Por supuesto, dijo Hans, y con ese esfuerzo un poeta puede intentar ver en la oscuridad, en vez de evitarla sin más. Simplifica usted la claridad, replicó el profesor, quizá porque confunde lo sugerente con lo vago. Un error, por desgracia, muy común en poesía. Le estoy hablando de precisión. Por lo general, los poetas jóvenes carecen de precisión. Les parece vulgar y se dedican a hacer piruetas. Sólo cuando maduran empiezan a valorar la contención, los matices. No hay nada aburrido en eso, y mucho menos fácil, ¿comprenden ustedes? Comprendemos, dijo Hans, es lo que un académico llama corrección, y lo que otros llamamos miedo a equivocarse.

Miedo a equivocarse, había dicho Hans indagando en la forma, la claridad y los ojos de Sophie. Y ella, en vez de rehuirle la mirada o atender a cualquier detalle de la mesa, se había mantenido erguida al contestar: Pero el miedo a equivocarse, señor Hans, también es un derecho del poeta.

Estimado profesor, sonrió Álvaro, parece usted el abogado de don Ignacio de Luzán. *¿Lutsán?*, dijo el profesor Mietter, no lo conozco. Ni falta que le hace, contestó Álvaro, ¡es usted su retrato sajón! No sé, dijo intuitivamente ofendido el profesor Mietter, cómo se dirá en español, Herr *Urquiho*, pero déjenme decirles cómo se llama en francés lo que algunos de ustedes defienden: culte à la pose, eso. Mire, profesor, retomó Hans todavía alterado por su anterior cruce de ojos con Sophie, es verdad que la poesía retórica abunda. Pero eso no se evita con la tradición, sino con el inconformismo. Puede que la rebeldía sea estéticamente ingenua, pero el inconformismo me parece imprescindible. Y el problema del buen gusto es que se conforma. No se conforma, objetó el profesor Mietter, *renuncia*. Renuncia a las ocurrencias, a las innovaciones superficiales. La mejor manera de ser original, como les decía, es aprender de los clásicos. Sí, contestó Hans, ¡pero los clásicos eran unos atrevidos! A los atrevimientos más geniales del pasado hoy los llamamos armonía, decoro y no sé qué. Yo no estoy en contra de los clásicos, profesor, ¡faltaría más!, sino en contra de la imitación. Sus queridos antiguos no copiaban a nadie, ¿por qué hacerlo nosotros?, al fin y al cabo todo imitador traiciona a sus modelos. No cabe duda, resopló el profesor Mietter, de que a Herr Hans los grandes modelos le parecen aburridos, poca cosa para una inventiva como la suya. Pero de Aristóteles en adelante, acotó el señor Levin alzando un dedo, las normas siempre han sido la base del arte. No estoy de acuerdo, dijo Hans. Así que ahora, se irritó moderadamente el profesor, ¿a nuestro joven literato tampoco le parecen necesarias las normas? Necesarias no, dijo Hans, inevitables. Las normas literarias que me interesan no son las necesarias, porque esas vienen impuestas, sino las inevitables, que son las que cada uno encuentra escribiendo. Unas las dicta el prejuicio y las otras las dicta la experiencia personal. Olvida usted, señaló el profesor, que toda experiencia personal se nutre de tradiciones colectivas, de principios comunes que han perdurado gracias a. No lo olvido, lo interrumpió Hans, porque eso también es inevitable. Pero una cosa es saber que esos principios existen, y otra cosa es reproducirlos. Mucho más placentero me parece desobedecerlos, intentar cambiarlos.

(¿Cambiar de principios?, ¿desobedecerlos?, *¿placentero?*, pensaba Sophie mientras le alcanzaba una bandeja de canapés a la señora Levin.)

No me refiero, continuó Hans, a cambiar unas normas por otras. Mi ideal literario, profesor, quédese tranquilo, no es que las nuevas generaciones derriben todos los principios anteriores para imponer sus propios dogmas. Para mí el objetivo sería evitar cualquier definición previa, entender el estilo como una búsqueda sin final, ¿me explico? Eso, opinó el profesor Mietter, lo dice porque estamos en una época de transición. Cuando se aclare un poco el panorama ya verá como ese gusto suyo tan confuso era una cosa transitoria. Es que para mí, profesor, levantó la voz Hans, todos los poetas son de transición, porque la poesía nunca está quieta.

(De pronto Álvaro, absorto en el vaivén de la pierna de Elsa, volvió a atender al debate. Siempre que su amigo se enzarzaba en alguna polémica literaria procuraba escucharlo, porque sabía que esa era la única manera que Hans tenía de hablar de sí mismo. Este tipo, pensó Álvaro, es un caso patológico: vive de traducir y necesita que lo traduzcan.)

Será como usted quiera, decía mientras tanto el profesor Mietter, pero no todos los gustos son relativos, ¿o acaso cree usted que no hay gustos más autorizados que otros? Eso, siento decírselo, es falta de criterio. O pura demagogia. Por supuesto, contestó Hans, que hay gustos entendidos o ignorantes, quién lo niega. La relatividad no acaba con el criterio, sólo compara criterios distintos. Si me permite el símil político, profesor, el asunto consiste en evitar el centralismo del gusto. Como espero que las letras sigan siendo una república, prefiero el federalismo estético. Sin embargo, joven, rió a medias el profesor Mietter, igual que en la teoría monárquica, las jerarquías estéticas no obedecen al capricho de un gusto soberano, sino a ciertas escalas naturales. Y un buen poeta, como súbdito de su arte, debe aprender a respetar la naturaleza de las cosas. Lo mismo pasa con cualquier artista, pasada la edad juvenil. Un pintor, por ejemplo, tiene enfrente un paisaje. Ese pintor puede cambiar los colores, alterar la luz, experimentar con la textura, lo que le venga en gana. Pero lo más profundo sería vencer la vanidad y sumergirse en la realidad contemplada, entregarse a ella e intentar pintarla tal como la está viendo en ese momento. Claro que el sacrificio es inmenso, y la dificultad técnica es máxima. Así que muchos preferirán pintar ese paisaje como puedan, o como más fácil les resulte, y después declarar que han intervenido en él. Así funcionan las cosas hoy. Y así parece que le gustan a usted.

En un gesto de exasperación, Hans giró la cabeza y vio de nuevo aquel cuadro que, junto a los viejos retratos familiares, las copias de Tiziano, los bodegones y las escenas de caza, mostraba a un caminante de espaldas en un bosque con nieve, perdido o quizá marchándose. Al verlo interesado en el cuadro, Sophie le aclaró: No sabemos de quién es, nos lo legó mi abuelo y la firma es ilegible. Es una maravilla, sonrió Hans, y ya que estamos, profesor, comparemos el cuadro del caminante en la nieve con, no sé, con ese otro de ahí, sí, no, el de al lado, el del cazador. Bueno, con los poetas académicos pasa como con los malos paisajistas: tanta insistencia en observar la naturaleza, en respetar las formas, ¡y resulta que esos paisajes *realistas* se inspiran en cien cuadros parecidos o en tratados de pintura, no en el paisaje mismo! Creo que si un pintor mira la naturaleza sin prejuicios, puede parecerle mucho más extraña que todos esos cuadros supuestamente fieles. A mí una bruma se me antoja más real que un contorno exacto. Yo no defiendo la imaginación porque la realidad me parezca poca cosa, al revés, tengo deseos de saber hasta dónde llega esa realidad, hasta dónde podemos entender un paisaje. Piénselo bien, ¿quién sería más realista?, ¿el pintor que pinta circunferencias o manchas?, ¿el poeta que evita la ambigüedad o el que muestra el desorden del lenguaje?

Herr Hans, replicó el profesor Mietter sin perder la calma, confunde usted la técnica con el fondo. O el estilo con la poética. Al margen de que a usted le encante el cuadro de la nieve y yo prefiera otros, naturalmente no la escena de caza, hace usted trampas, porque ese cuadro es horrible, al margen de nuestros gustos está la función del arte, que es estudiar el mundo y no al artista. ¡Ah!, contraatacó Hans eufórico, ¡pero los cronistas *objetivos* olvidan que ellos son parte del mundo que están estudiando!, ¡las emociones personales participan de la realidad, le dan forma! Se contradice usted, negó el profesor Mietter. Por suerte, profesor, por suerte, contestó Hans, la contradicción influye en el paisaje. Lo que quiera, suspiró el profesor Mietter, pero se contradice sin parar. Lo mismo reivindica el racionalismo que el misterio. Encuentra estrechas las normas, pero le gustan las críticas exhaustivas. Es imposible entender cuáles son sus principios. Le ruego, dijo Hans, que me disculpe, una ortodoxia como la suya no está al alcance de todos. Para mí la contradicción es honesta, une extremos que son incomprensibles por separado. Y la oscuridad o el misterio me parecen de lo más sensatos para un escritor, porque frente a ellas la razón trabaja más. ¿Me contradigo? No sé, me atengo a Schlegel, «la poesía es un discurso que propone leyes propias, y sus partes son ciudadanos libres que deben pronunciarse para llegar a un acuerdo». Qué curioso, se burló el profesor Mietter, que un rebelde como usted se ponga tan ilustrado.

Caballeros, caballeros, se decidió a intervenir Sophie, quedan veinte minutos para la medianoche, y supongo que mi padre y el señor Wilderhaus saldrán del despacho de un momento a otro para despedirse. Les propongo que moderemos el tono, brindemos con licor, ¿Elsa, querida, podrías...?, y los esperemos con las copas en alto. En cuanto a usted, señor Hans (terminó de decir Sophie, relajando la tenaza de los muslos, sin percatarse de que su mohín delataba sus preferencias), le ruego que apacigüe un poco ese carácter y choque su copa con la del profesor. Así me gusta, caballeros. ¡Si en el fondo son ustedes el uno para el otro!

Los Levin aprovecharon la pausa para marcharse. Álvaro, contra su costumbre, los siguió. Hans comprendió el motivo de su temprana despedida y se lo agradeció con un guiño veloz que sólo Elsa, la escrutadora Elsa, interceptó al vuelo: abandonando la reunión junto con otros dos invitados, Álvaro intentaba forzar la marcha del profesor Mietter para dejar a su amigo a solas con Sophie. Pero el profesor no se movió, y se reclinó en su asiento como dando a entender que tenía toda la noche por delante.

El fluir dulzón del licor distendió el debate, no sus fijaciones. Con su mejor sonrisa, que era pequeña y aprensiva, el profesor siguió oponiendo los modernos a los clásicos e insistiendo en el estudio de la tradición como único camino para renovar la literatura nacional. Puso de ejemplo a Goethe y opinó que su regreso al clasicismo había sido una lección de sabiduría. Hans, mientras buscaba cualquier excusa para rozar su mano con la de Sophie (al alcanzar una servilleta, al apoyar la copa de licor, al desplazar ligeramente un candelabro), se mantuvo en sus trece procurando alternar sus objeciones con prudentes palmadas en la espalda del profesor, que las recibía con el gesto de quien muerde un limón. Sobre la renovación de la literatura alemana, Hans contestó que si se trataba de respetar la tradición nacional, Goethe gracias a Dios era un perfecto ejemplo de lo contrario, porque no había hecho otra cosa que asimilar a autores extranjeros. Sophie se esmeraba en evitar los roces (aunque no el de sus manos con las de Hans) siguiendo una estrategia que solía darle excelentes resultados: suavizar las opiniones de Hans resumiéndolas en su nombre. De esta manera ambos hombres quedaban satisfechos: el profesor deducía que Sophie desaprobaba la vehemencia del otro e intentaba mostrarle el tono respetuoso que debía emplear al dirigirse a él; y Hans interpretaba que, al tomar la iniciativa de explicarle al profesor sus propios puntos de vista, ella se ponía de su parte.

Mi querido y admirado profesor, decía Sophie, creo que el señor Hans no pretende renegar de nuestros maestros, que como dice usted sería una injusticia, sino dar otro paso adelante. No olvidar el suicidio de Werther, digamos, sino empujarlo para que viva. Entonces, se extrañó el profesor Mietter, ¿no admira usted a Werther y su muerte por amor, como todas las muchachas de su edad? Si le soy sincera, contestó Sophie bajando el tono al notar que Hans la miraba fijamente, me parece que el pobre se quita la vida para no tener que amar a una mujer real. Prefiere torturarse antes que actuar según sus deseos

(¿pero cómo puede decir eso?, pensaba Hans, ¿si al otro lado del pasillo está el imbécil que será su esposo y no ha hecho nada por rechazar esa boda, por reconocer que no lo quiere, por volver a rozarme la pierna debajo de la mesa?), nunca me ha impresionado la decisión de Werther, querido profesor, porque su moraleja en el fondo es represora (¿y tú?, se encelaba Hans, ¿y tú qué?), yo prefiero la *Lucinde* de Schlegel o *La floración del sentimiento* de la Mereau, que ha publicado Perthes y es interesantísima. Veo más admirable cualquier escena cotidiana entre Albert y Nanette, o entre Lucinde y Julius, que el disparo final de Werther (¿entonces por qué, maldito sea Schlegel, no arrimas un poquito más ese muslo?). Una pasión impostada, asintió el profesor, es lo típico: Werther se pega un tiro mientras su autor se va de vacaciones. En fin, Goethe todavía era muy joven (¡o ya era muy moderno!, pensó Hans y no lo dijo porque le pareció que el muslo de ella se acercaba).

¿Y las *Elegías romanas,* señorita?, preguntó el profesor Mietter con cara de Fausto. Ah, contestó Sophie, las *Elegías* me parecen extraordinarias, ahí, ¿ve usted?, la razón y la pasión no son enemigas, la tradición y, en fin, el, el placer conviven, eh, ¿y usted, Herr Hans, qué opina? Encuentro esos poemas, dijo él, magistrales y detestables. ¿Detestables por qué?, preguntó ella. Porque las *Elegías,* dijo Hans, no celebran la antigüedad, ni Roma, ni siquiera el amor. En realidad celebran algo mucho más antiguo y en ruinas: la idea del hogar. ¡Por favor!, protestó el profesor, ¡no sea inmaduro! Lo que Goethe hizo en Italia fue rematar a Werther, mostrar que la tormenta anterior ya no tenía sentido. ¿O ahora qué va a decirnos?, ¿que Goethe fue un cobarde por fugarse con una tabernera en vez de irse con los revolucionarios? ¡Al contrario, al contrario!, replicó Hans, ¡eso es lo único valiente que hizo! Calma, señores, calma, pidió Sophie. Y en cuanto a *Las afinidades electivas* (empezó a decir ella, cuando de pronto oyó una puerta al otro extremo del pasillo y dos voces acercándose), reconozco que el final tampoco fue muy de mi gusto. Señorita Gottlieb (fingió escandalizarse Hans sonriéndole con malicia), ¡el hombre al que ella ama está casado! Sí, sí, por supuesto (continuó Sophie, incómoda por la proximidad de los pasos de su padre, los crujidos de charol de Rudi, la sensación de que Hans la forzaba a hablar de más), pero otra vez el personaje debe sacrificar sus sentimientos, ¿por qué en tantas novelas el deber moral se opone a? (Rudi entró en la sala seguido de la pipa del señor Gottlieb), ¡padre!, ¡querido mío!, los echábamos de menos, ¿qué son esas confidencias tan largas?, ¿tantas cosas, padre, tiene para contarle a Rudi a mis espaldas? (Hans, instintivamente, alejó su asiento de la mesa y replegó ambas manos.)

Camino de la puerta, mientras el señor Gottlieb y Rudi se despedían del profesor, Hans dispuso de un momento para cruzar unas palabras con Sophie. Me ha parecido curiosa (susurró, mirando de reojo a Rudi) tu defensa de los sentimientos frente al deber conyugal, no sé si estás en condiciones de reivindicar esas cosas. A Sophie se le descompuso el gesto. Después irguió el mentón y contestó con frialdad: Tenga usted mucho cuidado, señor Hans, de no confundir la crítica literaria con la impertinencia.

Dicho lo cual se volvió inmediatamente, fue a sumarse a la despedida del profesor Mietter, tomó del brazo a su prometido y no volvió a dirigirle la palabra a Hans hasta que el señor Gottlieb les dio las buenas noches y cerró la puerta.

La tarde se iba sin decidir sus luces. Las nubes se estancaban, agitándose como paños atrapados por una puerta, hasta que el viento hacía fuerza y pasaban. El organillero buscaba la línea del horizonte entrecerrando los ojos. Movía una mano delante de la cara y disfrutaba del ir y venir de las formas, del tránsito de la luz entre los dedos. Todavía eran tímidos los atardeceres primaverales en Wandernburgo. Y más tímido de pronto parecía Hans, que le contaba lo sucedido el viernes por la noche sin mirarlo, en voz baja, sentados frente al pinar.

He metido la pata, dijo Hans, esta vez la he metido de veras. No sé por qué le dije eso, supongo que trataba de provocarla un poco, de hacerla reaccionar, ¡yo qué sé qué!, fui muy estúpido, ¿qué pretendía que hiciera la pobre con su padre y el otro ahí delante?, ¿cómo pude pensar que?, ¿cómo pude ser tan vanidoso para?, ¿iba a darme la razón y correr a mis brazos?, ¡muy, muy estúpido! (no, Hans, comentó el viejo, sólo fuiste impaciente, no te aflijas tanto), sí, pero ahora creo que la he espantado, la obligué a reaccionar y parece que lo ha hecho distanciándose, como era lógico (¿pero hace cuánto dices que no te habla?, dijo el viejo), en realidad no tanto, tres, cuatro días, lo que pasa es que, sé que suena tonto, pero antes nos escribíamos a diario, ¿entiende?, así que ese silencio significa algo (claro que sí, contestó el viejo, significa eso, que todavía guarda silencio. Eso no quiere decir que no vuelva a hablarte, a lo mejor está pensando qué decirte), le envidio el optimismo, organillero, yo creo que he metido la pata y me lo tengo merecido (¿y por qué no le escribes tú?), ¿yo?, ¿ahora?, ¿después de lo que ha pasado? (sí y no, o sea, escríbele, sí, pero no ahora, deja pasar unos días más, cuando se le pase el enfado seguramente empezará a preocuparse de que tú tampoco le hables, y si entonces le escribes disculpándote ya verás como se alegra), ¿le parece? (seguro, y ahora deja de pensar tanto y mira, acércate así la mano, ¿verdad que es como si las nubes pasaran entre los dedos?).

Reichardt llegó para ver si en la cueva tenían algo de comida. Aunque no le quedaban más que unas cuantas patatas, bolitas de harina y un poco de fruta, el organillero lo invitó a cenar. Hans se ofreció a conseguir provisiones en la posada y traerlas en tílburi. El organillero se negó. Hoy has venido a conversar, ¿no?, dijo, los amigos conversan, no hace falta que siempre traigas regalos. Al oír a su dueño, Franz emitió un ladrido breve que pareció una hambrienta puntualización.

No, le contaba Reichardt a Hans masticando una patata, antes estuve fijo en varias fincas, te quedabas ahí hasta que te echaban o conseguías otra donde pagaran mejor. El problema es que ahora, ¿te quedan más bolitas?, gracias, ahora no puedo trabajar para ningún amo de finca, todos dicen que soy demasiado viejo. Así que cada semana voy a la plaza del Mercado a ofrecerme como jornalero, hablo con los agricultores que van a vender y apalabro labores por un día, o si hay suerte por varios, para escardar, arar, segar, ya sabes. Lo peor no es tener que ir a ofrecerte y que todos te miren como a una mierda seca, lo peor es terminar una jornada y no saber si vas a tener más. Yo me siento bien, bah, voy tirando, estos brazos todavía pueden levantar sacos, lo que pasa es que estás en mitad del campo rodeado de jornaleros jóvenes y de repente piensas: ¿volveré a estar aquí? Quiero decir, no aquí en el mundo, porque a mí eso ya me da igual, cuando me muera bueno, adiós muy buenas, ¡se acabaron los problemas!, el asunto es estar ahí terminando la labor y acordarte de lo difícil que ha sido conseguirla y pensar que la próxima va a ser más difícil. A mí el campo me destroza la espalda pero me gusta, y no tengo por qué hacer otra cosa si eso es lo que he hecho siempre, ¿entiendes?, oye, ¿y manzanas no quedan?, lástima. Encima los cabrones, como te ven viejo, a veces no te pagan con dinero, que es mejor porque puedes ahorrarlo, sino que te pagan con lo que les sobra del cultivo, es así, Hans, es así, ¿y uno qué va a hacer?, ¿decirles que llamen a otro?, ¿decirles métete tus hortalizas por el culo estrecho?, y entonces aceptas lo que te dan, les dices gracias, lo metes en un saco y te vas a casa. ¿Cuál, mi casa? Por ahí, por el lado de los trigales, en una de las chozas de barro, con otros jornaleros. No, claro que no, ¡ni un acre!, son tierras de la iglesia, no las usan para nada y nos dejan quedarnos a cambio de un tributo por choza construida. Te juro por mis ocho dientes sanos que la mierda de las cargas va a acabar con nosotros, aparte de los curas están los impuestos señoriales, los del principado y no sé qué más. No, por eso mismo, las tierras tampoco son de los patrones, ellos son arrendatarios y tienen que pagarles a los dueños un diezmo por la cosecha y otro por el ganado, ¿entiendes? A los de siempre, los Trakl, los Wilderhaus, los Rumenigge, los primos de los Ratztrinker, qué más da, esos. ¿Quién, yo? ¿Irme de aquí? Nunca. Bueno, una vez cuando era joven pensé en salir a buscarme la vida por ahí, al puerto de Danzig o a alguna fábrica del norte. Pero al final, ya sabes, uno de Wandernburgo no se va así como así. Además esta es mi casa, ¿no?, no tenía por qué irme, son ellos los cabrones, yo no tengo por qué buscar nada en ningún maldito lugar. ¿Tú sabes, Hans, cómo nos trataba el señor Wilderhaus? No, ese no, el padre. Porque ahora, no sé si lo habrás visto, ahora el cabrón parece un ancianito reumático, pero antes, ¡su madre puta!, antes se aparecía por los campos a cualquier hora y nos decía: «Traed cuatro caballos y ensilládmelos, que tengo que ir al baile». Y nosotros: «Señor, estamos recogiendo el grano y falta poco para que se haga de noche». Y él: «¡Me importa un higo que sea tarde o haga viento! He dicho que debo ir al baile y ensillad cuatro caballos. Además el grano es mío y se recoge cuando a mí me parezca». Hablaba así, arrastrando la *errre* como un burrrro, ¡trrrraed ya mismo cuatrrrro caballos y ensilladlos!, y a los que nos tocara pues corríamos, ¡corrrríamos!, a cumplir los deseos del malparido. No, no, si el viejo Wilderhaus era hasta suave, ¡había señores mucho peores!, ¿tú sabes lo que hacía el abuelo Rumenigge con las hijas de los?, bah, da igual, está muerto, que se joda. Entonces ensillábamos los caballos y lo llevábamos al baile. Que podrás imaginarte que era otra cosa, aunque nosotros tuvimos que jurar por nuestras vidas que siempre lo llamaríamos servicio, ¡serrrrvicio!, de baile. Uvas, sí, gracias, ¡Franz, canalla, que te veo! Ya lo sé. Tú lo has dicho. Pues no lo sientas tanto, Hans, que lo malo no es eso. Lo malo de verdad para un hombre de mis años es tener que echar de menos toda esa mierda, ¿entiendes?, porque hoy hacen falta cada vez menos jornaleros y un solo hombre puede hacer el trabajo de cinco, los patrones prefieren a los jóvenes porque dicen que los de más edad no sabemos cómo funcionan las máquinas. ¡Máquinas, dicen, y ellos ni siquiera habían cagado en estos campos cuando yo ya sabía arar la tierra con los ojos cerrados! Antes hacíamos todo con barbecho de tres años, no había tanto canal de regadío ni tanto abono ni tanta cosa. Ahora rotan los cultivos, combinan el cereal con el forraje y yo qué sé. Y tanto les sobra que lo tiran, ¡así, sin más, lo tiran!, porque dicen que si no los precios bajan. O sea que sí, las nuevas técnicas son muy inteligentes, lo tienen todo muy bien pensado y su madre cabalga mejor que un alazán. Y digo yo: ¿entonces nosotros qué hacemos? ¿Si no sirvo para el campo, para qué voy a servir? La sembradora inglesa, por ejemplo. Ahora muchos patrones te obligan a usarla, te dicen que ese bicho puede sembrar y tapar las semillas a la vez, que se gana tiempo. ¿Ganar tiempo? La tierra no tiene más ni menos tiempo. Tiene el que tiene, el suyo. A mí nunca me ha hecho falta ningún cacharro para saber cómo se abre un surco o dónde está la raíz del cardo, cómo se anda entre caballones, qué color tiene el grano maduro, cómo huelen las espigas cuando la cosecha va a ser mala, todo eso. ¿O qué? ¿La tierra no es la misma que cultivaron mi padre y mi abuelo? ¿No he estado arando y sembrando aquí cincuenta años? ¿Quién dice que ya no sé? ¿Dónde quieren que vaya?

Reichardt no siguió hablando y desvió la vista al campo anochecido.

Conforme el clima se iba haciendo más cálido, por los pasillos de la posada aparecían sombras y siluetas con las que Hans se cruzaba al bajar o subir las escaleras. No sabía quiénes eran, no sabía sus nombres, nunca hablaba con ellos, pero su presencia esquiva no dejaba de ser una compañía. La señora Zeit parecía de pronto más delgada y sus movimientos habían adquirido la eficacia invisible del viento cuando entra por la ventana. Después del desayuno, para el que Hans rara vez se levantaba a tiempo, Lisa se marchaba con una cesta colmada de ropa para lavarla en el río descongelado. Ahora el señor Zeit madrugaba un poco más, desayunaba con su familia y salía casi siempre a hacer algún recado, como si el sol fuera un pretexto largamente esperado. Acompañaba a Thomas a la escuela y regresaba para el almuerzo. Sus ojos un tanto vidriosos delataban el paso por más de una taberna.

Buenos días, ¡hoy ya es miércoles!, lo saludó el señor Zeit al verlo pasar ante la recepción, ¿ha dormido bien? ¿Yo?, dijo Hans, sí, más o menos, ¿por qué? No estamos acostumbrados, contestó el posadero con una sonrisa ambigua, a verlo levantado antes del mediodía. En realidad, admitió Hans, he bajado a preguntarle si el cartero ha traído algo para mí. ¿Para usted?, se extrañó el posadero, no, nada. ¿Está seguro?, dijo Hans inquieto. Completamente, contestó el posadero tratando de meter la barriga hacia dentro para ganar credibilidad. Pero hoy ha pasado, ¿no?, insistió Hans, quiero decir, los miércoles viene el correo de Leipzig, ¿verdad? Efectivamente, dijo el señor Zeit, esta mañana vino la posta de Leipzig, pasó frente a la misma puerta de la posada y siguió de largo. Hans suspiró. Sus hombros se desinflaron. Después recobró la compostura, el aire le volvió al cuerpo y salió de la posada dando los buenos días.

A las cuatro menos cuarto de la tarde, quince minutos antes de la hora convenida, Hans había tocado la puerta de la casa Gottlieb y Bertold lo había acompañado hasta la sala de estar. Hans había preguntado si el señor se encontraba en casa para presentarle sus respetos, y Bertold contestó que lamentablemente había salido a hacer una visita y volvería tarde. Al cabo de unos minutos de espera ansiosa, Hans se preguntó si Sophie estaría arreglándose en su alcoba o más bien infligiéndole alguna pequeña represalia. Sin embargo, en cuanto el reloj de pared clavó su aguja larga en el doce, la falda de Sophie empezó a silbar al fondo del pasillo. Hans se puso en pie de un salto, volvió a sentarse en el sofá y se levantó de nuevo. Buenas tardes, dijo Sophie entrando en la sala, y que conste en los archivos que el impuntual has sido tú.

Escondiendo la nariz en la taza y asomando los ojos para estudiarla mejor, Hans comprobó que esta vez la expresión de Sophie le resultaba intraducible: ¿estaba ofendida o atenta?, ¿esa sonrisa suya era de ironía o de diversión? Hans cruzó las piernas; ella descruzó las suyas. Él juntó las manos sobre la rodilla; Sophie separó las suyas y las apoyó en el regazo. Hans frunció el ceño como para decir algo; ella alzó las cejas como disponiéndose a escuchar. ¿Entonces leíste...?, tanteó Hans. Sí, contestó Sophie, leí tu carta, por eso te he pedido que vinieras. De todas formas, continuó él, ahora que estoy quisiera, bueno, aprovechando que estamos aquí quisiera disculparme de nuevo por cómo te hablé la otra noche, realmente no pretendía, te aseguro, en ningún momento pensé, o sea, no era mi. No te molestes, lo interrumpió ella, eso ya lo explicabas en la carta. Y entonces, dijo él, ¿sigues enfadada conmigo?

¿Enfadada?, repitió Sophie, y su pregunta vibró como un diapasón. Miró a su alrededor, confirmando que ni Elsa ni Bertold estaban en la sala. E hizo algo tan veloz que sólo al recordarlo, no al presenciarlo, Hans iba a ser capaz de ver con claridad.

Sophie se impulsó hacia delante.

Quedó erguida, en equilibrio.

Inclinó el torso por encima de la mesita.

Acercó la cara a su cara.

Le atropelló los labios.

Le ofreció una lengua tibia y decidida que desordenó su boca.

Breve, ondulantemente.

Retiró la cara.

Se balanceó hacia atrás.

Y volvió a quedar reclinada en su asiento, mirándolo sin inmutarse.

La respuesta de Hans fue un tartamudeo. La boca se le había inundado de sabores. La sangre le ardía. La actitud de Sophie tampoco contribuía a despejar su incredulidad: lo observaba con absoluta placidez, como si durante unos instantes él se hubiera dejado llevar por la fantasía y, al regresar a la charla, hubiese encontrado todo en su lugar y a Sophie inmóvil, escuchándolo. Lo más insoportable y delicioso fue la dilatación de aquel silencio. Sophie no hizo amago de añadir nada. Hans barajó cien palabras y todas se le deshicieron en la lengua. Aquel beso no parecía admitir glosas.

¿Te arrepientes?, atinó finalmente a decir Hans, porque lo entendería, créeme, quiero decir, si ha sido un impulso y nada más, te juro que yo puedo hacer de cuenta que no ha pasado nada, puedes estar tranquila, por mí no habría problema, ¿sabes?, estas cosas, o sea, es normal entre amigos, ¿no?, puede pasarle a cualquiera.

Sophie entornó los párpados, obviando aquel torrente de comentarios superfluos y disfrutando todavía del silencio previo. Sonrió con lentitud. Y se abalanzó sobre Hans para besarlo de nuevo, esta vez con mucha mayor vehemencia, profundidad y demora. Ella le mordió el labio. Él le rodeó la nuca.

Al separar sus caras, Hans vio que las facciones de Sophie se alteraban y pensó que era por el peligro de que alguien los sorprendiera.

Pero lo de Sophie no era preocupación. Era un dolor muy dulce entre las ingles.

El Café Europa, a primera vista, era un reflejo más en la fila de escaparates del Camino de los Cristales, donde se apiñaban los cristaleros de la ciudad. Debido a la angostura de la callejuela, caminar entre los talleres causaba una sensación de hipnosis: cada escaparate se veía reflejado en los de enfrente, y en los días de sol se superponían de tal modo que era difícil reconocer la puerta en la que se quería entrar. O al menos eso le pasaba a Hans cada vez que se dirigía al Camino de los Cristales para tomar una taza de chocolate caliente, estimularse con su enésimo café u hojear la prensa.

El Café Europa era el único lugar de Wandernburgo donde, además de los raquíticos pliegos de *El Formidable,* se podía leer prensa extranjera, en especial francesa, y también los principales diarios de Berlín, Múnich, Hamburgo, Dresde o Fráncfort. La primera vez que entró, Hans se sorprendió de encontrar en los revisteros el suplemento cultural del *Diario de la Mañana* e incluso el *Periódico Literario General de Jena.* Como de tanto en tanto llegaban desde Madrid ejemplares atrasados de *La Gaceta* o el *Diario de Avisos,* Álvaro solía llevarse allí la contabilidad semanal de la empresa. En cuanto abría un diario de su país natal, se ponía a despotricar contra el rey Fernando o la censura. Sin embargo no dejaba de leerlos con una avidez que a Hans le resultaba tan extraña como conmovedora: su amigo no podía abandonar Wandernburgo, pero tampoco se había ido nunca de España. Durante las tardes de lectura en el café, Álvaro le traía recortes de *Ocios de los Españoles* y otras publicaciones de exiliados en Londres a las que estaba suscrito. Se entretenía en comparar las noticias, gesticulaba con furia y dejaba que el café se enfriase.

Ese sábado, en una de las mesas de mármol redondo del Café Europa, conversaban bajo la luz lenta de los candiles. Al fondo, entre una aureola de humo, brillaban turbiamente dos mesas de billar. Álvaro había cerrado el periódico y acababa de repetirle a Hans que lo veía muy raro, a ratos eufórico y a ratos preocupado. Lo cierto es que acertaba de pleno. Aparte del organillero, Hans no había hablado con nadie de lo ocurrido el miércoles en la casa Gottlieb. Ni siquiera con la propia Sophie, cuyas últimas cartas, cargadas de dobles sentidos e insinuaciones, tampoco lo habían mencionado. Hans intuía que Álvaro no necesitaba demasiadas explicaciones sobre su euforia, y que de alguna forma conocía la historia desde el principio. En cuanto a su preocupación, Hans decidió ser sincero.

Me da vergüenza decírtelo, admitió Hans, pero en fin, la verdad es que me estoy quedando sin fondos (¿en serio?, se sorprendió Álvaro, ¿y por qué no me lo dijiste?), ya te lo he dicho, me daba vergüenza, tampoco quería pensarlo demasiado, esperaba algún golpe de suerte, yo qué sé. Hasta ahora siempre había hecho lo mismo: trabajaba, reunía un dinero y viajaba por ahí hasta que se me acababa, y entonces vuelta a empezar. Pero aquí ha sido distinto, me he quedado más tiempo del que debía, he sido imprudente con mis ahorros y ya no puedo esperar (¡claro que puedes, hombre, faltaría más!, protestó Álvaro dejando caer su taza sobre el plato, ¿cuánto necesitas?), no, de veras, te lo agradezco, esto no se arregla con préstamos (¿ah, no?, ¿y con qué, entonces?), con una buena noticia. Sí, no me mires con esa cara, hace días que espero una noticia. Si la noticia llega, el problema se acaba. Y si no la recibo en, digamos, ocho días o como mucho diez, definitivamente tendré que ir a Dessau, hablar con el señor Lyotard y buscarme algo allí (¡por lo menos déjame echarte una mano!, ¿para qué están los amigos?), los amigos, querido Urquijo, están para escucharnos, eso es lo que tú haces y con eso, créeme, ya me echas una mano. De hecho es un alivio habértelo contado. Pero ahora te ruego que no hablemos más del asunto ni insistas con el préstamo: si la situación no cambia no podría devolvértelo, y si cambia como espero ya no me hará falta.

Cabrón, suspiró Álvaro palmeándole la espalda, ¡qué bien pronuncias mi apellido vasco! Bastante mejor, sonrió Hans, de lo que tú pronuncias los nombres alemanes. Álvaro soltó una de sus carcajadas con eco. Después se enderezó en la silla, se quedó muy serio y dijo: Sólo déjame hacerte una pregunta más, ¿cuánto te queda?, ¿cuánto? Hans resopló, miró al techo, pareció calcular entre las vigas y pronunció una cifra. ¿Ni un tálero más?, se alarmó Álvaro, ¿seguro?, ¿y la posada? No te preocupes, contestó Hans, la semana que viene ya está pagada. Si será o no la última, veremos. Y cambiando de tema, ¿te atreves a ganarme otra partida de billar?

Esa noche, mientras cenaban juntos en la Taberna Central, dos manos pesadas y cítricas se posaron sobre sus espaldas. Al volverse se encontraron con la mandíbula rasurada de Rudi Wilderhaus. Disculpen, caballeros, dijo Rudi, que no los saludase antes. Al contrario, sonrió Hans con rigidez, somos nosotros quienes nos disculpamos por no haberlo visto. Es natural que no me vieran, contestó Rudi, mi mesa es la del fondo. Suelo reservar esa porque es la más tranquila de todas, ¿por qué será que la gente se acumula siempre a la entrada? No hay genio en toda Alemania que tenga la respuesta, pero así es, caballeros, ¡no quieren dar ni dos pasos!

Al terminar la frase, Rudi se echó a reír cerrando un ojo y dejando el otro medio abierto para espiar si Hans y Álvaro se reían. Ellos dos se miraron y forzaron unas carcajadas que terminaron siendo sinceras cuando cada uno, al ver el gesto ridículo del otro, sufrió un verdadero ataque de risa. En fin, caballeros, dijo Rudi señalando hacia el fondo de la taberna, será un placer si gustan acompañarnos. Ellos se volvieron y divisaron los puros candentes del señor Gelding y sus socios.

Qué agradable sorpresa, saludó el señor Gelding. Caballeros, creo que ya conocen ustedes a Herr *Urquiho,* representante de nuestros distribuidores en Londres. Señor *Urquiho,* no sé si le había presentado antes al señor Klinsmann, eso es, de vista, ya me parecía a mí, ¿y al señor Voeller?, pero siéntense, por favor, siéntense, el distinguido Herr Wilderhaus acaba de contarnos que son ustedes compañeros suyos de tertulia, ¡quién lo hubiera dicho!, vaya una cosa, ¡un salón de tertulias!, desde luego, señor *Urquiho,* es usted una caja de sorpresas.

En el centro de la mesa relucía una fuente con pollo asado, junto a un cuenco de endivias sazonadas y un plato hondo repleto de fresas. Prost!, eructó el señor Gelding tomando una fresa con dos dedos y mojándola en su jarra de cerveza. A Rudi parecían hacerle gracia las ocurrencias del señor Gelding, aunque fruncía el ceño cada vez que este eructaba. Pronto los comensales, incluido Álvaro, se pusieron a hablar de negocios. Rudi y Hans guardaban silencio y se estudiaban con la mirada como dos jugadores frente a un tablero. (Bah, exclamó de pronto un socio del señor Gelding, no me hable usted de Varnhagen, ese hombre sólo tiene dos talentos en la vida: ¡cobrar por adelantado y pagar con retraso!) Cuanto más amable se mostraba Rudi con él, más se alarmaba Hans: ¿por qué le sonreía tanto si jamás habían simpatizado?, ¿por qué se empeñaba en llenarle la jarra en cuanto el líquido bajaba de la mitad?, ¿buscaba emborracharlo?, ¿sabía algo?, ¿o quería saber algo? (¡Por favor, *Urquiho*!, reía el señor Gelding, ¡no se me ponga caritativo!, a este paso los labriegos vivirán mejor que nosotros, escuche lo que le digo, mi abuelo era labriego, sé de lo que le hablo, ¡antes sí que era duro!, no me venga con esas, faltan brazos, amigo, faltan brazos, ¡pero si hoy todos sus hijos tienen oficio y toman clases de caligrafía!) Pese a todo, por un prurito viril que en el fondo lo avergonzaba, Hans no dejó de beberse toda la cerveza que le servían, como si rechazarla no fuera sólo una descortesía sino un modo de admitir que Rudi tenía motivos para sospechar de él. Conforme el alcohol iba impregnando mansamente su conciencia, Hans tuvo la sensación de que su memoria también era un líquido dentro de una jarra, una espuma agitándose cerca del borde, y de que sus secretos podían contemplarse a través de un vidrio. (Pongamos las cosas en claro, decía un socio del señor Gelding, todo el mundo es respetable mientras no se nos falte el respeto a los gestores, la gente opina y no tiene ni cien ducados de renta.) Ahora Rudi le hablaba, le hablaba atentamente, demasiado atentamente, y le pasaba una mano por encima del hombro que Hans veía trepar como una araña (¡esa sí que es buena!, eructó el señor Gelding dando un golpe en la mesa), le pasaba una mano por encima y le hablaba de caballos y de cacerías (¡ni lo sueñe!, exclamó un socio del señor Gelding, mientras los precios sigan bajando es mejor no hacerse ilusiones), le hablaba con suavidad y le contaba que él también era un viajero y que apreciaba mucho a los hombres de mundo, que él conocía media Europa y pronto viajaría a la otra media, si Dios y la salud me lo permiten, decía Rudi Wilderhaus, viajaré a la otra media con mi esposa Sophie y tendremos mucho gusto en escribirle, ella me ha dicho que además de un buen amigo es usted un corresponsal excelente, eso es admirable, yo aprecio mucho a los hombres que conocen el valor de las palabras.

A medianoche, de nuevo solos, Hans y Álvaro iban haciendo eses por la calle del Alfarero. Caminaban hacia la Taberna Pícara, donde todos los sábados tocaba una orquestina y las muchachas bailaban sin los remilgos de la Sala Apolo. Oye, tú, oye, balbuceó Hans, ¿cómo haces para soportarlos? ¿A quiénes?, dijo Álvaro, ¿a esos?, ah, muy sencillo, querido, muy sencillo: las pasiones son las pasiones y los negocios son los negocios, eso lo aprendí en Inglaterra. Antes de saberlo era un poco más digno y mucho más pobre, it's understood! Y yo te digo, se distrajo Hans, que no es por aquí, en serio, ¿no estaba en la otra calle?, por ahí, más atrás, digo. Que no, contestó Álvaro, ¡cómo va a ser por allá!, ¡tú sígueme a mí, vamos! Te juro, retomó Hans, que cada vez que escucho a esos tipos me entra nostalgia de la cueva. Ese organillero tuyo es muy raro, dijo Álvaro, a veces habla como si supiera todo, y otras veces lo miro y sólo me parece un pobre viejo en una cueva. El organillero sabe todo, contestó Hans, no me preguntes cómo, pero lo sabe. Muy raro, insistió Álvaro, no sé de dónde saca las cosas que dice, ¿tú lo has visto leyendo?, ¿tiene libros en la cueva? Nunca, contestó Hans, no lee nada, no le interesan los libros ni los periódicos. Cuando no toca el organillo, mira el paisaje. Cuando estoy con él me siento un poco idiota, es como si hubiera leído todo sin haber leído nada, ¿te he pisado?, perdona. ¿Estás seguro de que vamos bien?

La Taberna Pícara era un lugar donde todas las cosas importaban menos. Apenas se entraba, el ritmo de la polca y el aroma a sudor predisponían a la negligencia. Cualquiera que llegara arrastrando los pies salía dando brincos, preguntándose qué había pasado. La clientela era variada, de todo menos nobles, que preferían lugares más discretos y alejados del centro para hacer las mismas cosas por mucho más dinero. En la Taberna Pícara, tal como declaraba (con faltas de ortografía) la pizarra que pendía junto a un espejo torcido, no eran bienvenidos las damas ni los caballeros, sino las mujeres y los hombres. La policía, que jamás interfería en las actividades del local, se limitaba a hacerle cumplir tres normas: que cerrase a las tres de la madrugada, que no se celebrasen bailes durante las festividades religiosas y, de acuerdo con la Reglamentación para Locales Públicos de Libre Admisión de Wandernburgo, que los clientes no llevasen máscaras. A partir de la hora de la cena, era habitual encontrar en la taberna a los gendarmes de descanso.

Mientras empujaban las puertas de la taberna, a Hans le vino a la mente la imagen del organillero entreabriendo los dedos frente al sol. Sonrió con ebriedad y lo echó insensatamente de menos, como si no lo hubiera visto en años. De inmediato pensó: Mañana voy a visitarlo. Se sumergieron en la sombra caliente de la Taberna Pícara en busca de un rincón disponible. De pronto Hans creyó reconocer una espalda: una figura corpulenta, agazapada, de fibras contraídas, como si soportara algún calambre. Alertada por el instinto, la figura se volvió hacia él: Lamberg llevaba puesta una vieja máscara que le cubría los ojos y media frente. Frente a él, a una distancia prudencial, un camarero intentaba convencerlo de que se la quitara. Lamberg no parecía escucharlo. Los brazos le colgaban del cuerpo pero daban la impresión de estar haciendo un esfuerzo, de aplastar algún resorte. Por un momento Hans creyó que Lamberg derribaría una silla o golpearía al camarero. Pero no hizo otra cosa que tambalearse, quitarse la máscara y acercarse a Hans para abrazarlo fuerte. Su cara olía a alcohol cansado, su espalda estaba rígida. Tras dedicarle a Hans una mirada de alivio, el camarero se perdió entre el baile. ¿Qué hacías con esa máscara?, dijo Álvaro acercándose. Lamberg, que tenía la cabeza apoyada en un hombro de Hans, se separó de él muy lentamente y contestó: Sólo quería carnaval. Y se echó a llorar durante unos segundos. Después se serenó y se quedó quieto, inexpresivo. Ven, dijo Hans, te invitamos a una copa.

Se acercaron a la barra y le pidieron tres aguardientes al mismo camarero que había discutido con Lamberg. El camarero lo miró de reojo, pero Lamberg parecía absorto en algún punto del techo. Mientras el camarero llenaba los vasos, una vela resbaló desde una de las ruedas de hierro que pendían sobre la barra, cayendo directamente sobre su camisa e incendiándole una manga. El camarero dio un salto y empezó a sacudirse el brazo. La botella de aguardiente se derramó sobre la barra. Los clientes que estaban alrededor se volvieron. Álvaro y Hans dieron voces de alerta. Alguien llegó enseguida con un sifón para rociar al camarero, que ahora observaba a Lamberg con una mezcla de odio y perplejidad. Lamberg seguía guardando silencio, con la mirada fija en la camisa.

Los restos del calor se deshacían en la cueva como en un estómago que digiere su sopa. Desde hacía un par de semanas el interior de la cueva compensaba gratamente el calor del mediodía y amortiguaba los aires nocturnos, todavía frescos. El organillero había encendido dos velones de sebo y revisaba el corazón del organillo. Agrupadas de tres en tres, las cuerdas se aferraban a los tornillos formando un lazo alrededor de ellos, un lazo que los dedos del tiempo debilitaban. Girando en sentido opuesto, la mano huesuda del organillero ajustaba las cuerdas con una llave. Encima de los tornillos, escrito a lápiz, con letra de torpeza escolar o vejez temblorosa, se leía el abecedario de las notas: A, B, C, D...

También Hans deletreaba su último encuentro con Sophie en la reunión del viernes. Le narraba al organillero los detalles y, aunque no tuviera nada seguro (ni siquiera asistir a la próxima tertulia del Salón Gottlieb), sentía que sus incertidumbres se afinaban al hablar con el viejo, como si cada cuerda que tensaba fuese una posibilidad prevista, una duda resuelta. Desde el atropellado beso de aquel día, Sophie se había mostrado tan prudente con él en persona como atrevida en sus cartas. No habían vuelto a verse a solas, lo cual, lejos de parecerle una mala señal, le sugería a Hans que algo estaba por decantarse. ¿Y las flores que había en la casa cuáles eran?, preguntó el organillero levantando la vista con una púa entre los labios. ¿Las flores?, pensó Hans, creo que nardos. ¿Nardos?, se sobresaltó el organillero, ¿de verdad? Me parece que sí, contestó Hans, eran blancas y olían mucho, tenían que ser nardos, ¿eso qué quiere decir? Eso, sonrió el viejo cerrando la tapa, quiere decir placer, placer con peligro.

La luna ganaba tamaño y se redondeaba igual que la mirilla de una puerta. Aunque en aquel instante, mientras Franz orinaba en el tronco de un pino, nadie en todo Wandernburgo la miraba, como nadie miraba el reloj de la Torre del Viento ni reparaba en su aspecto de luna con agujas. En las afueras, sentados frente a la boca de la cueva, Hans y el organillero sí contemplaban la noche. Antes de conocer al viejo, Hans nunca había pasado tantas horas mirando el cielo. Ahora se había acostumbrado a aquella parsimoniosa actividad que los unía sin tener que hablarse, sin tener que hacer nada. Las estrellas eran pocas y separadas, un soplido de sal. Ambos les prestaban atención de manera muy distinta. La expresión de Hans ante la inmensidad del firmamento sugería inquietud, alternativas, un porvenir incierto. El organillero asistía al horizonte como se mira un abrigo, un límite protector, un presente completo. Hans murmuró:

La noche y las estrellas
se hacen vino de vida,
gocemos su bebida
hasta ser luz con ellas.

¿Y eso?, preguntó el organillero. Eso es de Novalis, contestó Hans. ¿Y ese es quién?, dijo el viejo. ¿Ese?, sonrió Hans, un amigo mío. Ah, dijo el organillero, ¿y por qué no lo traes una noche de estas?

Ya de vuelta en su habitación, y aunque había caminado a buen ritmo desde la cueva, Hans no podía dormirse. Le corrían por la espalda anguilas de sudor. Sentía el cuerpo rígido. Tumbado boca arriba con el torso desnudo oía cada ruido de la noche, de las vigas, de los muebles. Sus pies se revolvían. Respiraba por la boca. De un movimiento brusco apartó las sábanas. Se llevó una mano a la entrepierna. Su miembro estaba alzado. Se desvistió también de cintura para abajo. Sintió una corriente fresca en los testículos y un ardor en el glande. Empuñó el miembro y empezó a sacudirlo. A sacudirlo con una especie de rencor. La piel le respondió como un elástico rojo. Un anillo de fuerza le ascendió por el vientre. Hans arqueó las rodillas. La mano se le hinchó. La sangre se agolpaba. El abdomen quería levantar peso. Todo iba de abajo hacia arriba. Hans tenía el temblor. Y debía expulsarlo. Ahora.

Por la ventana entreabierta, a través de los visillos, ondulaba una brisa. Aunque ya era muy tarde, Sophie no había apagado la lámpara de la mesilla. La alcoba olía a aceite, al aceite denso de la luz y al de tuétano y almendra de la piel. El desorden de cepillos, peines y polveras del tocador delataba una inquietud reciente. Una esponja húmeda descansaba al borde de la jofaina, que en su repisa inferior alojaba una jarrita, paños suaves, aguas aromáticas, una jabonera y dos toallas, una de ellas usada hacía pocos minutos. A un lado de la cama, sobre una estera oval, descansaban cruzadas dos ligeras pantuflas. Al otro lado de la cama, hecho un nudo sedoso, brillaba el camisón. Un brazo de Sophie asomaba por fuera del edredón anaranjado, el otro serpeaba bajo las sábanas. Los labios se le secaban y tenía que humedecerlos a menudo. Una aguja invisible le punzaba los muslos, la cima de los senos. Se llevó una, dos veces los dedos índice y mayor a la boca, abrevó con la lengua. Después descendió conteniendo la prisa, sufriendo la urgencia. Fue resbalando, dejando una oruga de saliva de la boca al mentón, del mentón al cuello, del cuello al dedal entre las clavículas, de la clavícula a un pecho, del pecho hasta la última costilla, de la costilla hacia las órbitas del ombligo, y desde el ombligo, siguiendo un tenue rastro de vello, hasta la rueda del clítoris. Los pliegues se abrieron. Las contracciones se expandían del interior hacia fuera. Un dedo colibrí insistía, insistía. Sophie se dejaba poseer, sentía el hueco de un hueco.

Hans le enviaba un billete llamándola *Señorita señorita,* y Sophie le contestaba encabezando el suyo con *Estimado tonto.* Él firmaba sus cartas *Con el debido respeto, su futuro raptor,* y ella se despedía escribiendo *Hasta nunca, en mi casa, a las siete.* Él le mandaba un peine dentro de un sobre y una nota que decía: *Para que mi recuerdo ronde siempre tu cabeza.* Ella acusaba recibo obsequiándole un bucle de cabellos envuelto en papel de algodón con la réplica: *Para que compruebes el éxito de tu deseo.* Tomaban el té juntos casi todas las tardes y tenían la precaución, aunque también el descaro, de incluir al señor Gottlieb en sus conversaciones: lo que crece a la vista se oculta mejor. Gozaban perversamente tratándose de usted mientras se miraban de tú a los ojos. Sophie no sabía, o no quería saber, qué pasaría. Pero sí sabía que, mientras pasaba lo que tuviera que pasar, ella quería eso: no pensar. Estaba formalmente prometida y no pretendía renunciar a ninguno de sus compromisos, pero eso sería después del verano y ahora qué importaba.

Ese martes Hans se había levantado con dos ánimos. Sorprendiéndose a sí mismo, había madrugado de manera natural. Canturreando un lied, se había bañado en la tina y se había afeitado frente a la acuarela. De pronto, sin embargo, como quien recuerda un accidente, se había quedado absorto en la ventana. Sentado en el arcón, se había atrevido a hacer las cuentas que temía hacer y había concluido mentalmente: Dos; como máximo, si no salgo a comer fuera, tres. Después había bajado con inquietud y esperanza las escaleras, dirigiéndole al señor Zeit un gesto inquisitivo. El posadero se había encogido cansinamente de hombros y había contestado: Ninguna carta, si llega yo le aviso.

Había pasado la mañana leyendo, había almorzado en la cocina y se había acercado a la plaza del Mercado para saludar al organillero. No había tomado café por economizar. Más tarde había ido a hacer una visita a la casa Gottlieb, pero Sophie acababa de salir con Rudi. Después de la cena, sin sueño suficiente, había dado un paseo nocturno por torcidas callejuelas que no reconocía, atravesando la Puerta Alta, el camino del puente, el pinar. Y, casi sin pensarlo, había aparecido frente a la cueva. Franz lo había recibido con ladridos alborozados. El viejo no estaba dormido o había dicho que no lo estaba. Le traigo un poco de queso, se había excusado Hans. Te lo agradezco, muchacho, había dicho el viejo, ¿qué ha pasado? Nada, había contestado Hans, no sé, venía a traerle un poco de queso. El organillero le había dado un abrazo flaco, le había tomado la cara con sus manos sucias y había dicho: Cuéntame.

A la mañana siguiente, muy temprano, un redoble de cascos frenó frente a la puerta de la posada. El cuerno de la posta sorprendió al señor Zeit con la navaja en mitad de la mejilla enjabonada: el pañuelo que tenía anudado al cuello absorbió dos gotas oscuras. El posadero masticó unas maldiciones en el más genuino dialecto wandernburgués. Cuando el cuerno tronó por segunda vez, hinchó malhumorado la barriga, resopló y llamó a su hija. Ve a ver qué quiere, carraspeó, y despierta al dormilón de la siete. Cuando Lisa abrió la puerta el cartero la miró con impaciencia y, sin desmontar del caballo, le lanzó un sobre lacrado que extrajo de las alforjas. Alrededor, arriba, abajo, como faroles diurnos, las cabezas espiaban asomadas a las ventanas.

Lisa atravesó a la carrera el pasillo de la segunda planta y se frenó un centímetro antes de toparse contra Hans, que aún llevaba puesta su ropa de cama y una prenda de lana encima. Hans le dio los buenos días sonriente. Lisa se fijó en los dientes cuidados de Hans. Se estremeció al observar su mentón áspero, lleno de puntos negros, y sin saber por qué se sintió tonta. ¿Me das el sobre, Lisa?, dijo Hans. ¿El qué?, contestó ella, ah, sí, perdone.

Hans rompió el sobre y leyó atropelladamente, comenzando por el final. Antes de terminar de leer la carta, ya la había dejado caer al suelo y se vestía a toda velocidad.

Tras un vuelo corto en forma de péndulo, la carta fue a alojarse boca arriba junto a las patas de una silla. La luz de la ventana partía en dos mitades el papel. En la mitad más clara, entre un sello con un pájaro y el encabezamiento, podía leerse en letras mayúsculas: *Editorial Brockhaus. Leipzig.*

Como cada mediodía, el aire de la Taberna Central empezaba a apretarse, a oler a frito y laboriosa ropa. Por primera vez desde hacía meses, Hans sintió una benévola simpatía hacia los wandernburgueses que abarrotaban el local. ¿Entonces te quedas aquí?, festejó Álvaro chocando su jarra con la de Hans. Hans asintió radiante, con los labios empapados de cerveza. ¡Qué desgracia, *niño*!, rió Álvaro, ¡ya me había hecho ilusiones de perderte de vista!

A mediados de abril, cuando sus fondos habían empezado a dar las primeras señales de agotamiento, Hans había dirigido una carta a los editores de Brockhaus ofreciendo sus servicios como lector y traductor. Con la carta había adjuntado un extenso currículo (en parte inventado) y unas cuantas publicaciones. En la enumeración fantástica de sus méritos Hans había afirmado ser capaz de traducir al alemán, con mayor o menor competencia según el caso, cualquier lengua europea de tradición literaria influyente. Lo cual, pese a las continuas exageraciones sobre su experiencia profesional, no estaba tan lejos de ser cierto. La propuesta de Hans era redactar informes detallados sobre autores o títulos susceptibles de ser traducidos por la editorial, escribir prólogos para la colección de poesía extranjera, y traducir ensayos y poemas en la revista *Atlas*. Y quizá también, si la editorial estaba interesada, publicar más adelante una gran antología de poetas europeos, sin restricción de lenguas ni regiones. Aunque la respuesta se hizo esperar, hasta el punto de que Hans empezó a temer que algunas de las manipulaciones de su historial hubieran sido detectadas, al final fue bastante positiva: la editorial acababa de perder a dos de sus colaboradores (uno por fallecimiento, otro por despido) y estaba precisamente a la búsqueda de un lector de confianza y un nuevo traductor más o menos estable. Aceptaban desde ya su incorporación a la revista *Atlas* en calidad de colaborador fijo. Por otro lado, lo contrataban como lector a prueba por un mes. Y tomaban en cuenta su sugerencia respecto a una futura antología de poesía europea, aunque en esto no podían asegurarle nada. Dada la situación económica de Hans, lo mejor de todo era que la carta de aceptación incluía dos encargos inmediatos, uno de ellos bien remunerado (el otro, en palabras de la editorial, debería ser cedido gratuitamente «en señal de mutua buena voluntad»). Nada más recibir esta respuesta, y antes de acudir a su cita con Álvaro en la Taberna Central, Hans se había sentado a escribir dos cartas: la primera más breve, dirigida a Brockhaus en el tono más indiferente posible, aceptando sus condiciones y comprometiéndose a tener listos ambos encargos en menos de diez días; y la segunda, atolondrada y desbordante de entusiasmo, contándole a Sophie la buena nueva. Después había bajado a recepción y le había anunciado al posadero: Mi querido señor Zeit, me gustaría que hablásemos un momento de negocios. Tras veinte minutos de cálculos, contracálculos, regateos recíprocos e histriónicas lamentaciones del posadero, Hans había conseguido llegar a un nuevo acuerdo mensual por el alojamiento más una comida (¿dos?, ¡ni hablar, imposible!, ¿sabe usted, señor Hans, cómo se han puesto los precios?, ¿quiere usted que me arruine?, ¿dos comidas, dice?, ¡ni hablar, imposible!) por día.

Mientras Hans terminaba de cerrar trato con el posadero, Sophie se encerraba en su alcoba a leer el billete que acababan de entregarle. Tumbada boca abajo sobre el edredón de tafetán naranja, los tobillos cruzados en lo alto, no pudo reprimir un grito de júbilo cuando llegó a la parte que decía: ... *así que, si todo sale bien, no tendrás más remedio que padecerme en Wandernburgo durante algún tiempo.* Al oírla, Elsa irrumpió en la habitación preguntando qué sucedía. Al tiempo que tapaba la carta con un almohadón, Sophie se incorporó con parsimonia para contestar: Absolutamente nada, ¿por? Me pareció, dijo Elsa extrañada, que la señorita estaba gritando. Querida, dijo Sophie, ¿no puede una ni estornudar sin complejos en esta casa?

Esa misma tarde, tras almorzar con Álvaro y enhebrar tres cafés solos, Hans volvió a su habitación subiendo los escalones de dos en dos. Abrió la puerta enérgicamente. Atravesó la estancia con la mirada fija en el arcón. Sobre el escritorio de roble había tres volúmenes gruesos, papel carbónico y un tintero cerrado. Hans se arrodilló frente al arcón. Intentó moverlo, corroborando lo mucho que pesaba. Suspiró. Acarició su lomo curvo y liberó una por una las trabas metálicas. Dentro del arcón asomaron los vértices de las pilas de libros, revueltas de tanto viaje. Lo primero que vio fue su viejo diccionario de griego, un manual de verbos italianos, un tomito rojo con poemas de Novalis y una gramática francesa casi desencuadernada.

Hans trabajaba por correo, ida y vuelta, como el viento. Enviaba el material semanalmente a Leipzig. La editorial pagaba sus trabajos a través de un correo de dinero que Hans iba a cobrar al Banco de Wandernburgo, un edificio cuadrado de un neoclasicismo algo ridículo que asomaba al final de la calle del Ducado, y del que por las mañanas partían fantasmales carruajes amarillos custodiados por gendarmes. Fijar una rutina de trabajo en Wandernburgo se le hacía extraño y a la vez natural. Seguía sintiendo que aquel lugar le era ajeno, que acababa de llegar y estaba por irse. Pero a veces, zigzagueando por alguna callejuela o atravesando la plaza del Mercado, Hans alzaba la vista y lo asaltaba una insospechada sensación de armonía: las torres afiladas le gustaban, las cuestas y las curvas dibujaban un laberinto que lo atraía. Entonces aceleraba el paso, se decía que no, que sabía muy bien que no se quedaría mucho, y trataba de sacudirse esa incómoda querencia repasando los cientos de ciudades que había conocido.

Por lo general se levantaba al mediodía, salía a comer algo en una taberna y, si le quedaba tiempo, se tomaba con Álvaro un café (uno no, tres) en el Café Europa, donde hojeaban la prensa y conversaban siempre de lo mismo, siempre de otra cosa. Salvo los viernes de Salón, pasaba las tardes en la Biblioteca de Wandernburgo o traduciendo en la posada. A veces, sobre todo los domingos, Hans pasaba por la plaza para escuchar al organillero y, si veía su plato vacío, esperaba a que alguien se detuviera y entonces se ponía a echar monedas con teatral entusiasmo. Monedas que invariablemente el organillero le devolvía por las noches, en cuanto Hans llegaba. Solía cenar en la posada, traducía o leía otro rato en su habitación y partía hacia la cueva, donde se quedaba hasta la madrugada. ¿Y Sophie? A ella Hans la veía poco y no dejaba de verla nunca: además de los largos viernes, ambos improvisaban efímeras reuniones, tramaban tés, inventaban cruces casuales por el centro, cualquier pretexto con tal de coincidir unos minutos. Y estaban, por supuesto, las cartas, que no dejaban de ir y venir como el correo, como el viento, como las palabras bilingües de los diccionarios, de la calle del Ciervo hasta la calle del Caldero Viejo, y viceversa.

La Biblioteca de Wandernburgo era como casi todas: fea pero adorable, insuficiente e imprescindible. Estaba atendida por una joven rellena que se reía sin motivo cuando le hacían alguna consulta y se pasaba las horas con un libro abierto entre las manos, que parecían pulpa de papel. También la biblioteca era un lugar propicio para reunirse con Sophie, que acudía con frecuencia para estudiar los libros que no estaba bien visto tener en casa. Además de bujías, anaqueles y polvo, en la Biblioteca de Wandernburgo había sobre todo revistas, almanaques especiales, novelas de aventuras, libros de viaje, didáctica e historia, periódicos regionales y la colección completa, número a número, del diario local.

El Formidable constaba de cuatro pliegos de sintaxis intrincada y léxico rimbombante. Sus informaciones se limitaban casi siempre a lo local, llegando en este aspecto a una minuciosidad inverosímil: plenos municipales detallados hora por hora; discursos del alcalde Ratztrinker transcritos íntegramente, incluyendo redundancias, vacilaciones y errores; quejas de los lectores acerca del estado de un macetero, un tramo de calzada, una farola; exhaustivas pregonerías de enfermedades, accidentes, obituarios, esquelas, funerales, nacimientos, matrimonios o recepciones de las familias ilustres, entre ellas los Wilderhaus. El periódico incluía un recuadro con alguna noticia importante de las ciudades vecinas y, de vez en cuando, algún acontecimiento de alcance internacional: una coronación, una guerra, un armisticio. También contaba con una sección de información económica sobre los precios agrarios, la cotización del género (Hans se sobresaltó al descubrir que el señor Gelding firmaba artículos mensuales al respecto), los índices de la bolsa nacional, la de París y la de Londres. Cada domingo, debajo del indignado sermón de un tal Reverendo Weiss y la información sobre los oficios sacramentales de la semana, se publicaba un poema o una crítica literaria del profesor Mietter, a quien el periódico calificaba, en el encabezamiento de sus colaboraciones, de «luminaria de nuestra literatura, imparcial ojo avizor para lectores, baluarte señero del gusto, Herr Doktor G. L. Mietter».

Hans lamentó la escasa poesía que guardaban los anaqueles de la Biblioteca de Wandernburgo, aunque localizó con alborozo los nueve volúmenes de la *Historia Universal* de Rotteck, que consultaba a menudo, y la socorrida enciclopedia *Konversationslexikon,* editada precisamente por Brockhaus. Cierta tarde, mientras se encaramaba a una escalerilla para alcanzar un volumen de Rotteck, Hans divisó una figura oronda y prieta. Pese a verla de espaldas, al oírla parlotear con la bibliotecaria no tuvo dudas: era la señora Pietzine, que pasaba regularmente para mantenerse al tanto de las recomendaciones de *La Minerva Renana* o *La Filomela Suava,* y para devorar los nuevos números de *La Gaceta del Orbe Elegante, El Capricho de Nuestros Días* o *Damas Extraordinarias.*

Otro día, mientras Hans la contemplaba con condescendencia, la señora Pietzine se le acercó y le dijo al oído, en un tono de conspiración que lo dejó pensativo: he visto a Elsa en la calle y me ha dicho que Sophie viene dentro de una hora. Hans cerró su libro y se quedó mirándola, como pidiéndole alguna explicación. Pero la señora Pietzine repitió: Dentro de una hora. Y se perdió entre los anaqueles.

Lisa traía olor a río. Traía la frente ardiendo y los brazos helados, el barro de la orilla en los bajos de la falda, el cansancio del río. Cerró la puerta de la posada con una pierna, dejó caer el cesto colmado de ropa y, resoplando, se quitó el pañuelo de la cabeza. Llamó a su madre dos veces. Nadie contestó. Fue hasta el patio trasero, tendió rápido la ropa y merodeó por la casa: su padre tampoco estaba y Thomas seguía en la escuela. Entonces se lavó la cara, se acomodó el peinado y subió las escaleras.

Llamó a la puerta y, antes de que Hans dijera adelante, entró en la habitación. Lo vio inclinado sobre el escritorio, rodeado de libros abiertos y con la pluma en la mano. Lisa se quedó contemplando el atril erguido, los garabatos veloces, el tintero boquiabierto. Había algo en aquellos signos, en aquellas formas impresas que la fascinaban pese a no comprenderlas, o quizá porque no las comprendía. Y sobre todo había alguna magia en la manera en que Hans se pasaba horas absorbido en las páginas, presa de un entusiasmo inmóvil. Parecía otro cuando leía, le cambiaba la cara, se lo veía lejano pero contento, como la gente cuando canta. Su padre también leía, sobre todo el periódico, y no era lo mismo: pasaba las páginas sin sumergirse así, como quien se acerca al río, sólo se moja un pie y da media vuelta. Lo de Hans era distinto. Hans hacía, ¿qué hacía?, ¿qué lo atrapaba así? Si al hundirse en esos libros una cambiaba tanto, entonces ella también quería aprender.

Hola, la saludó Hans, dime. ¿Cómo está?, dijo Lisa. Bien, gracias, trabajando, contestó él, dime. Quería, dijo ella, quería preguntarle cómo estaba y bueno, también venía a recoger la ropa sucia. ¿Mi ropa?, dijo Hans. Sí, dijo Lisa inspeccionando la habitación, ¿dónde la tiene? ¿Y tu madre?, dijo Hans levantándose de la silla, ¿no se encarga ella de eso? Mi madre, contestó Lisa moviéndose alrededor de la mesa, no tiene tiempo de hacerlo todo, tengo que ayudarla, ¿sabe?, para eso he venido, ¿dónde guarda la ropa sucia? Es que, dudó Hans, no sé si, oye, ¿seguro que tu madre te ha dicho que me? ¡Ajá!, exclamó ella, ¡debajo de la cama!, ¿le parece lugar para guardar la ropa? Por favor, Lisa, deja, dijo Hans, no hace falta que, ¡en serio!

Hans se acercó y trató de arrebatarle el cesto.

Oye, dijo Hans, tú no tendrías, ¡pero suelta ese cesto, por favor! (es mi trabajo, dijo Lisa, qué más da), por eso mismo,

Lisa, qué más da, en serio, puedo bajar al patio (¿al patio?, dijo ella, en el patio no se puede lavar bien, hay que ir al río), bueno, bajaré al río (¿usted?, se rió Lisa, ¡usted no sabría cómo quitar una sola mancha!), ¡dame! (suelte esa manga, vamos, insistió ella rozándole un dedo), Lisa, oye, mira (lo que usted diga, pero suéltela), es que, yo creo (¿entonces me la deja?), sí, ¡no!, un momento, escucha, tú deberías estar estudiando, ¿entiendes?, estudiando en la escuela, deja el cesto, tú...

¿Y entonces por qué no me enseña?, se detuvo Lisa.

¿Disculpa?, dijo Hans recibiendo el cesto.

Que me enseñe, contestó Lisa, a leer esos libros que usted lee, ¿no dice que yo tendría, que yo tendría?, pues enséñeme (pero yo, en fin, dijo él, o sea, tu familia...), y no creo que sea tan difícil, conozco a gente estúpida que lee. Y devuélvame el cesto de una vez. Así está mejor, gracias. Empezamos mañana, ¿de acuerdo? Ahora discúlpeme. Mi madre estará a punto de llegar y tenemos muchísimo que hacer. Ya lo dejo solito. Hasta mañana.

Lisa bajó las escaleras con una sonrisa en los labios y una cosquilla en el estómago. Ordenó la cocina y salió a recoger a Thomas de la escuela. A mitad de camino se cruzó con la señora Zeit, que volvía a toda prisa para preparar la merienda. Vas tarde, le dijo su madre, no me gusta que tu hermano se quede esperando en la puerta. He lavado la ropa, contestó ella, y he limpiado la cocina. Muy bien, dijo su madre, pero vas tarde. Voy a tiempo, dijo Lisa. Y si me sigues contestando, remató la señora Zeit, vas a llegar más tarde. Y ya que estás, hija, lleva a tu hermano a la plaza hasta que esté lista la merienda, ya sabes cómo se pone en casa. Pero madre, protestó Lisa. Y vio cómo la señora Zeit empezaba a caminar y se alejaba.

En la plaza del Mercado, junto a la fuente barroca, Thomas jugaba a la gallina ciega con otros niños. Lisa los vigilaba con una mezcla de fastidio y envidia, como si algo muy suyo se perdiera en el juego y a la vez algo nuevo le impidiera sumarse. Su hermano corría con los ojos vendados, estirando los brazos. De pronto se frenó, asomó la cadera y dejó escapar uno, dos, tres pedos. ¡Thomas!, chilló su hermana. Los demás niños estallaron de risa. Thomas reanudó la búsqueda. Cazó a uno de sus amigos, se echó encima de él, le tocó la cara, la barriga y el pito y gritó su nombre. Los otros llegaron corriendo para burlarse del niño cazado. Se formó un remolino, las palomas huyeron, volaron dos o tres bofetadas y finalmente la venda cambió de dueño. Lisa se sorprendió sonriendo. Esos niños podían parecer un poco tontos, pero se estaban divirtiendo mucho. ¿Hacía cuánto que ella no jugaba a la gallina ciega? Bastante. Bueno, no tanto. Desde el año pasado. ¿Y por qué ya no jugaba? No jugaba porque no correspondía, porque ya era mayor para jugar a esas cosas. ¿Seguro? Sí. Bueno, más o menos. Por un instante Lisa sintió el impulso de correr junto a su hermano, divertirse con él, revolcarse. Estaba a punto de hacerlo, cuando el corazón se le encogió: al otro extremo de la plaza apareció Hans, caminando hacia ella. ¿Caminaba hacia ella? Claro que sí. O no, porque Hans fue desviándose, ¿adónde iba?, hasta detenerse frente a un viejo barbudo que pedía dinero y tocaba un instrumento sobre una carretilla. Hans se agachó, dejó caer una moneda en el plato y, ¡sorpresa!, acarició al perro negro que iba con el viejo. Sólo entonces Hans volvió la cabeza y reconoció a Lisa. Ella lo saludó levantando un brazo con calculada indolencia. Después le dio la espalda y le gritó a su hermano: ¡Thomas, por Dios bendito, deja de hacer tonterías, vamos, que se hace tarde!

Al mediodía siguiente, Lisa fue a buscar a Hans y terminó de convencerlo para que le diera clases a escondidas. Acordaron reunirse un par de veces a la semana, más o menos a la misma hora: cuando Hans se levantaba, mientras su padre salía a beber unas cervezas y su madre se encerraba a cocinar. Media hora de clase: según los cálculos de Lisa, ese era el tiempo durante el que podría desaparecer de la vista de sus padres sin levantar sospechas. Media hora hundiendo la nariz en libros. Media hora leyendo, poniendo cara de otra. Media hora a solas con él. Hans le compró una libreta y un lápiz. Los guardó en su arcón para que nadie más los viese.

A partir de ese día Lisa fue memorizando el alfabeto, aprendiendo las sílabas, componiendo palabras con una veloci-

dad y una avidez que no dejaban de asombrar a Hans. Viéndola torcer la mano para dibujar los nombres, oyéndola pronunciar
con deliciosa dificultad los diptongos, Hans sentía verdadera
emoción (una emoción confundida con un temblor más oscuro) y que no todo estaba perdido. Lisa ponía en el estudio un
empeño casi furioso. Y ya no hacía otra cosa mientras limpiaba,
cosía o lavaba que repetirse el insólito abecedario. Por las noches,
en cuanto sus padres se dormían (o cuando tras los rápidos
crujidos dejaban de jadear), Lisa encendía la lamparilla de aceite, la arrimaba a la cama y se ponía a escribir letras con los lá-
pices de su hermano. Tenía que hacer bien, más que bien los
deberes. Se jugaba demasiado: el amor propio, la suerte, el castigo de sus padres, la opinión de Hans.

Una tarde, mientras redactaba un informe de lectura,
Hans se distrajo con los ruidos de la casa. Se distrajo en parte
porque el libro le había parecido francamente aburrido, y en
parte porque la vocecilla inquieta de Thomas volviendo de la
escuela y corriendo por el pasillo era difícil de ignorar. Se estiró
y salió de la habitación para tomarse un café en la sala. Al verlo
bajar, Thomas hizo lo que solía: brindarle un saludo alegre,
cuatro o cinco acrobacias, una risita pícara y marcharse a buscar
otro entretenimiento. Viéndolo alejarse, Hans se sintió desam-
parado y pensó que no había mirada más sin dueño que la de un
niño jugando. Con la taza en los labios, se preguntó por qué
un adulto estaba preparado para el odio de otro adulto, pero no
para la indiferencia de un niño. El ir y venir de los ojos de
Thomas, que celebraban algo tan pronto como lo olvidaban,
esa mirada nómada ante el mundo, ¿se enamoraba de todo o no
retenía nada?

Le interesaba a Thomas escarbarse la nariz minuciosa-
mente, como si en lo hondo de las fosas hubiera algún tesoro
enterrado. No lo hacía con un solo dedo, sino formando una
incansable pinza con el pulgar (que cavaba dentro) y el índice
(que regulaba por fuera a modo de bisagra). Así, entre perplejo y moqueante, hacía los deberes de la escuela. O mejor dicho
así los contemplaba, sin trazar una línea en el cuaderno. Desde
que Hans se quedaba a traducir en la posada, había podido

observar con más detenimiento las costumbres de Thomas y comprobar su escasa inclinación hacia el estudio. Por simpatía hacia el niño, quizá también para disimular ante sí mismo sus atenciones con Lisa, de vez en cuando lo ayudaba con sus deberes.

El programa escolar de Thomas se componía de lectura en voz alta, caligrafía, cálculo y sobre todo catecismo. Según averiguó Hans, sus compañeros de clase eran artesanos, campesinos y judíos: dicho de otro modo, era una escuela pública. La semana anterior Thomas se había portado mal o al menos eso había opinado el maestro, que le había mandado escribir cien veces en su cuaderno la consigna «Paciencia, Piedad, Propósito», y declinar otras tantas esos tres sustantivos. El maestro había sorprendido a Thomas intercambiándose dibujos oprobiosos con un compañero. Los había azotado durante un cuarto de hora delante de la clase. Les había explicado que estaba haciéndoles un favor, que debían aprender a hacerse responsables de sus actos. Al enterarse del caso, el señor Zeit había ido a pedirle disculpas al maestro. El maestro le había recordado que si en casa se relajaba la disciplina que intentaban inculcar en la escuela, todos los esfuerzos serían en vano. Comprendiendo la pedagogía, el señor Zeit había vuelto a casa furioso y había azotado a su hijo durante otro cuarto de hora mientras le enumeraba los sacrificios que sus padres habían hecho por él.

Hans trataba de darle razones para estudiar, pero Thomas, con una mezcla de candidez y sentido práctico, las iba rechazando una por una. ¿Y *para qué* tengo que leer?, protestaba apretando los codos sobre el libro. Para *todo,* le decía Hans, para cualquier cosa que quieras hacer. Yo no quiero hacer nada, contestaba el niño. Pues para *eso,* sonreía Hans, para vivir sin hacer nada, te hará falta saber todavía mucho más. Hay sólo tres maneras, Thomas, de aprender cosas: lo que te pase, lo que escuches y lo que leas. Pero como a los niños no les dejan hacer casi nada ni les permiten escuchar las conversaciones de los mayores, la única manera que te queda, la única, es ponerte a leer, ¿me explico o no? Bueno, dudaba Thomas, ¿pero y escribir?, ¿escribir para qué? Hans contestaba divertido: Para hacer como las momias. ¿Las momias?, se extrañaba el niño, ¿qué momias? En el antiguo Egipto, le contaba Hans, ah, y ya que estamos: si me encuentras Egipto en un mapa te ganas una bolsa de caramelos, ¡*para eso* también sirven los mapas!, en el antiguo Egipto escribían los nombres de los reyes muertos, porque sabían que una palabra escrita dura más que las estatuas, los edificios y hasta las momias. ¡Qué tontería!, objetaba Thomas, ¡cómo va a durar más una palabra que una piedra!, las piedras son duras y las palabras no. Además las palabras se borran así, ¿ves?, el lápiz no dura nada... Tienes razón, decía Hans, aunque piensa que tú y yo nunca podremos levantar ni un castillo ni una pirámide, para eso hace falta mucho tiempo, mucho dinero y mucha gente. Pero tú y yo solitos, ¿ves?, podemos escribir *pirámide* o *castillo* sin ayuda de nadie. ¡Qué tontería!, repetía Thomas escarbándose la nariz. Pero al rato, mientras Hans se marchaba, lo detenía para preguntarle: Oye, ¿y las momias esas cómo vivían?

Disculpe, dijo la señora Zeit entrando en la sala, quiero hablarle.

Hans, con el café todavía a medias, le señaló el sofá. La luz decayó de pronto. La tarde se derretía en el caldero.

No, gracias, dijo la posadera, prefiero estar de pie. En fin, voy a ir al grano porque usted tendrá trabajo y yo también. Quería hablarle de Thomas. De los estudios de Thomas. Sé que ha estado ayudándolo con los deberes y enseñándole no sé qué cosas. Le agradezco que se tomara esa molestia. Pero mi hijo no necesita ningún profesor particular. Y en caso de necesitarlo, no dude usted que contrataríamos uno. Thomas va a una buena escuela donde lo educan dignamente. Ni su padre ni yo tuvimos esa suerte. Thomas dice que se aburre en la escuela. No me extraña, teniendo en cuenta que usted le regala caramelos y le propone juegos que lo distraen de sus tareas. No, un momento, escúcheme usted a mí. Sé que lo hace con buena intención. Y le repito que se lo agradezco. Pero la educación de mi hijo es cosa de sus padres y sus maestros. Y no de los extraños que se alojen en la posada. No sé si me comprende. Muy bien.

Me alegro, entonces. No, eso no me importa. Y, perdone que se lo diga, tampoco es asunto suyo. Así que, como madre de Thomas, voy a pedirle que no le dé clases de nada, y mucho menos de cosas que no le sirven para la escuela. Como le he dicho, aprecio su buena voluntad. Aprecie usted la mía. Buenas tardes. Cuando quiera cenar, avíseme.

Antes de salir al pasillo, la señora Zeit agregó: Ah, me olvidaba. Dice mi marido que gasta usted demasiado aceite y que así no hay manera de mantener la lámpara llena. Dígale a su marido, contestó Hans muy serio, que necesito esa lámpara para trabajar, que las velas de sebo dañan los ojos y que cada semana le pagaré el aceite que consuma. Buenas tardes.

Cuando Hans se quedó a solas con su café frío, decidió dos cosas: que esa noche cenaría fuera de la posada y que, pasara lo que pasase, Lisa seguiría recibiendo lecciones de un extraño.

Siempre vigilados, cada vez más cerca de la temperatura del verano, Hans y Sophie habían salido de excursión. Iban acompañados de Elsa y Álvaro. Los cuatro habían alquilado una calesa y habían recorrido el camino principal hasta las proximidades del Nulte. Sophie llevaba un chal casi transparente y un sombrerito blanco con un lazo de flor al cuello y una visera por la que asomaba, como una travesura, su nariz cuando miraba a Hans. Menos primaveral, él iba con un casquete de fieltro objetivamente ridículo y una levita fina (¿todavía con levita?, se había burlado ella al verlo llegar demasiado abrigado para mayo). Caminaron por el campo de colores incipientes buscando una sombra propicia. Espiga al aire, la sombrilla de Sophie oscilaba, cedía, se inclinaba sobre un hombro mientras conversaban. Elsa y Álvaro avanzaban detrás casi en silencio.

Eligieron un rincón frente al Nulte y desplegaron un manto a cuadros sobre la hierba. Los álamos del río acababan de recuperar su volumen y los juncos pinchaban el agua. Unas cintas de sol se filtraban a través de las ramas, tendiendo puentes entre las orillas. Se sentaron en círculo: las dos mujeres plegando las piernas hasta quedar posadas sobre los talones, los dos hombres dejándose caer y cruzando los brazos por delante de las rodillas. Colocaron las viandas encima del mantel. Comieron y bebieron hablando a ratos, y a ratos dejando hablar al río. Después del postre Álvaro pidió la venia para apartarse y, como él mismo explicó en no muy académico alemán, «cometer una flagrante siesta española». Elsa buscó unas revistas que había traído y se acomodó a la sombra aromática de un tilo; ninguno de los otros tres notó que, excepto la primera, todas las revistas estaban en inglés. Sophie y Hans se quedaron momentáneamente solos, o al menos con la suficiente intimidad como para que sus palabras no fueran oídas.

Sophie le contó a Hans que Rudi Wilderhaus le escribía una carta diaria y había empezado a dirigirse a ella empleando el tratamiento de *amada futura esposa;* audacia que hasta ahora, como correspondía a la formalidad del enlace, no había tenido a bien tomarse. ¿Y cómo son sus cartas?, se torturó Hans. Son, dudó Sophie, educadas (pero pensó en *retóricas*) y muy galantes (pero pensó en *cursis*). Estarás, dijo Hans, muy feliz. Felicísima, sí, contestó ella. Así que, dijo él, todo marcha muy bien, me alegro, me alegro. Y no puedo quejarme, agregó Sophie, porque Rudi se comporta con mucha discreción y no me asedia. No viene a buscarme a casa más de una o dos veces por semana y casi nunca protesta cuando salgo a bailar con mis amigas. ¡Todo un detalle por su parte!, exclamó Hans, ¡todo un detalle! Además..., sugirió ella entrecerrando los ojos. ¿Además?, se acercó él. Además, continuó Sophie, él realmente se esfuerza por ser todo un caballero, no sé si me explico, ¡un verdadero, pudoroso caballero! Ajá, se revolvió Hans. Pero Sophie no dijo más. Ajá, insistió él cada vez más inquieto, o sea, *todo* un caballero, ¿demasiado... caballero? Es un alivio, sonrió Sophie, poder hablar con alguien malpensado. Y tú, se atrevió Hans, ¿lo consideras bueno?, quiero decir, ¿tú valoras muchísimo la... caballerosidad? Ya deberías saberlo, contestó ella asomando el perfil fuera de la visera. Me temo que soy, como quiso mi padre, una chica práctica.

Hans tragó saliva. Todo era inevitable y fluido como el río.

Atardece con pesadez caliente sobre los campos cercados. El rebaño de ovejas retrocede ante la sombra como si fuera pasto quemado. El aire huele raro, humedece los hocicos deformes. Las ovejas pasean su recelo. Una rueda de balidos interroga el horizonte.

La bibliotecaria asegura la cerradura y se aleja del edificio. Se ha quedado después del cierre catalogando los libros nuevos. Echa a andar con el abrigo de lana sobre los hombros. La bibliotecaria piensa en las ganas que tiene de descalzarse en cuanto llegue a casa. Mira al cielo y nota la atmósfera cargada, como si fuera a llover.

El rebaño oye los ladridos lejanos de los perros pastores. Sin esperar más, sólo por si acaso, las ovejas echan a correr como si conocieran el daño. Los ladridos cesan y la huida también. El rebaño queda con las orejas tensas. Después la desconfianza se vuelve mansedumbre y, poco a poco, las ovejas reanudan su lento masticar.

La bibliotecaria pasa junto a la iglesia de San Nicolás, tuerce a la izquierda y entra en el callejón del Señor. Hay otro camino menos solitario para llegar a casa, pero es más largo y está cansada y los pies le duelen demasiado. El taconear de los zapatos se le clava en los talones, le retumba en las sienes. Los ecos se interrumpen. ¿Qué ha sido eso? ¿Ha sido algo? No ha sido nada. La bibliotecaria reanuda el taconeo, un tanto más rápido.

Los perros regresan, y con ellos el pastor. El rebaño es puesto en fila y guiado hasta el Nulte. Cuando la primera oveja ve la orilla, se frena de golpe y trata de recular. Entonces el pastor azuza a los perros, los perros les ladran a las ovejas y las ovejas empiezan a atravesar el río. Las patas irrumpen en el agua, rompen los reflejos de los árboles, la lana se moja.

Los tacones de la bibliotecaria chapotean en la acera desigual, resbalan en los restos de tierra. Se ha puesto a lloviznar o eso le parece a ella: su cara no está seca. Sin querer mirar atrás, la bibliotecaria palpa las llaves en el bolsillo del abrigo.

La primera oveja del rebaño ve acercarse al pastor y duda. Alza la frente. Los músculos de las patas le tiemblan. Da dos, tres, cuatro pasos sin saber hacia dónde dirigirse. El pastor se adelanta, encorvándose. Movilizando el tronco robusto y redondeado, la oveja intenta huir. Corretea torpemente tirando de la cabeza como si le pesara.

Las campanas de la iglesia rompen a sonar, pega que pega. Rozando la pared, a la carrera, la bibliotecaria se vuelve y confirma que la siguen. Acelera tratando de no tropezarse, tratando de no pensar. Los tacones, las campanas, los pasos posteriores de la figura de la máscara.

La oveja es arrastrada hasta la fuente. El pastor le toma la cabeza y la coloca debajo del chorro. La oveja intenta zafarse. El pastor redobla la fuerza. Hay que frotarla, hay que hacerlo rápido.

La figura de la máscara le da alcance y la bibliotecaria se ve atrapada entre el muro y una farola aún apagada. Quiere alzar la cabeza para gritar bien alto, pero no puede.

El pastor empieza a frotar enérgicamente el lomo de la oveja con el agua de la fuente para arrancar el forraje y el polvo y las deyecciones y el churre segregado por el animal, esa capa grasosa que se adhiere a la lana y que hay que frotar, arrancar, borrar.

No puede alzar la cabeza para gritar bien alto porque la figura enmascarada la toma por detrás, le pone un cuchillo al cuello, le tapa la boca con su mano enguantada y empieza a manosearla con grasienta ansiedad, jadeando tras la máscara.

Le ata las patas con un lazo y acerca las tijeras largas, el metal afilado. El lazo se aprieta y el lomo de la oveja sufre una convulsión, parece cerca de estallar, de no caber en sí de puro retorcerse.

Le ata las muñecas con una cuerda, forcejea con ella hasta llenarle la boca con un pañuelo. La cuerda se tensa y separa la carne. La figura enmascarada se apoya en la farola para hacer palanca y mantener a la bibliotecaria de espaldas, la cara contra el muro.

La lana replegada a ras de piel se resiste a que entren las tijeras. El labio superior de la oveja aterrada se crispa, se despega del otro labio. El pastor maniobra con ambas manos, sus dedos tiemblan de firmeza. La boca de la oveja se abre en un balido más agudo, rebotando en catarata. Las tijeras se enredan en las sortijas de lana. Los dientes de la oveja rechinan de repudio.

La bibliotecaria chilla con el pañuelo embutido en la boca, con el cuchillo dividiendo, sin llegar a cortarla, la piel del cuello. La figura enmascarada maniobra emitiendo ronquidos rápidos. Los muslos gruesos de la bibliotecaria no se despegan.

Los ojos de la oveja se desorbitan, se llenan de un líquido ámbar. Más abiertos que el pánico, desbocados, ya ciegos, los ojos de la oveja se tragan la luz.

El abrigo de la bibliotecaria se desparrama sobre el suelo.

La lana empieza a apilarse.

En un callejón contiguo, alejándose, se oye la arenga del sereno: ... *vigilad vuestro fuego y vuestras lámparas. ¡Loado Dios! ¡Loado!*

El teniente Gluck dictaba y el teniente Gluck tomaba nota. Los tenientes Gluck y Gluck, policías comisionados para investigar el caso cada vez más alarmante del enmascarado, se llevaban mal y se querían: eran padre e hijo. El padre ostentaba hacía años el grado de teniente, había alcanzado un estado de serena satisfacción en la vida y había dejado de aspirar a instancias mayores. De miras más ambiciosas y con cierta tendencia a impacientarse ante la parsimonia de su padre, el subteniente Gluck acababa de ser ascendido a teniente, aunque su nombramiento no se haría efectivo hasta la siguiente revisión anual de grados. El veterano teniente Gluck se sentía orgulloso de la precoz carrera de su hijo, aunque la pérdida de jerarquía policial entre ellos lo tenía desconcertado en el terreno familiar: no quería obsesionarse, pero últimamente tenía la sensación de que su hijo contradecía casi todas sus observaciones o desobedecía sus órdenes más por desafío que por convicción.

Los tenientes Gluck y Gluck se encontraban en un despacho de la comisaría central de Wandernburgo, al final de la calle de la Espuela. El despacho olía a humedad y el ventanuco del fondo era del mismo tamaño que los de las celdas. El teniente Gluck estaba reclinado en una silla, con los talones al borde del escritorio carcomido, mientras el teniente Gluck tomaba notas de pie y daba vueltas alrededor de la silla de su padre. Este recapitulaba mentalmente todos los datos para hacerse una idea de conjunto antes de dar una opinión. Su hijo prefería explotar las posibilidades de cada indicio, analizándolos sobre la marcha y tirando del hilo para ver adónde llevaban. Hijo, levantó la cabeza el teniente Gluck, ¿no te vas a estar quieto ni un momento?, a veces hace falta un poco de sosiego para concentrarse. Ya le he explicado, padre, contestó el teniente Gluck, que yo pienso mejor en movimiento. Pero es la mente, objetó el teniente Gluck, no el cuerpo, la que tiene que ir rápido. Me pregunto cómo demonios hará, replicó molesto el teniente Gluck, para distinguir una cosa de la otra. ¡Subteniente!, dijo el teniente Gluck retirando los pies del escritorio, ¡lo llamo al orden y también a la calma!, ¡y advierta que le ordeno ambas cosas, *sin distinguir la una de la otra*! Su hijo dejó de moverse. El teniente Gluck pronunció con gravedad: ¿Entendido, subteniente? Sí, masticó el hijo. ¿Sí, qué, subteniente?, dijo el padre. Sí, mi teniente, dijo el teniente Gluck. Bien, se complació el padre volviendo a acomodarse, entonces sigamos.

Tenemos, continuó el teniente Gluck mientras el teniente Gluck tomaba nota, que el agresor mantiene un procedimiento parecido desde el primer ataque, a saber: además de la ya mencionada máscara de carnaval, cuya posible procedencia estamos intentando deducir, además del cuchillo corto, el pañuelo para silenciar a las víctimas y la cuerda para atarles las muñecas, el agresor actúa siempre, o al menos así consta en todas las denuncias efectuadas a día de hoy, ¿voy muy rápido o está bien así?, bueno, hijo, bueno, ¡sólo preguntaba!, entonces, ¿entonces qué iba diciendo?, ah, el agresor actúa en las inmediaciones de la iglesia de San Nicolás, concretamente en varios de los callejones transversales a la calle Ojival, como el callejón de la Lana o el del Señor. Es probable que prefiera esos lugares no sólo porque se trata de vías poco iluminadas y transitadas, sino también porque desde los mencionados emplazamientos le es posible acechar a los transeúntes sin ser visto, o mejor dicho a las transeúntes, tanto las que entran de frente al callejón como las que pasan por la esquina y son interceptadas y arrastradas al mismo. El sujeto jamás ha actuado, o al menos no nos consta lo contrario, antes de las siete de la tarde ni después de las diez. De ello debe deducirse (deducirse, lo interrumpió su hijo dejando de escribir, que el agresor conoce bien las costumbres de la ciudad, o sea, sabe hasta qué hora es probable encontrar alguna víctima en esas calles, y sobre todo cuándo finalizan los turnos de los gendarmes y los serenos se quedan más desasistidos), correcto, sí, correcto, aunque no solamente eso (¿no solamente qué?, dijo su hijo levantando la vista del papel), no solamente eso puede y en efecto debe deducirse de los horarios del agresor, digo. También podríamos suponer que ataca a unas horas relativamente tempranas porque a la mañana siguiente madruga por motivos de trabajo, obligaciones familiares o de alguna otra índole (¿y?, dijo el teniente Gluck), bueno, y nada, quiero decir que esa posibilidad debe ser tenida en cuenta. Si el sujeto conoce de verdad los horarios de las guardias y el itinerario de las rondas, eso nos llevaría a un perfil mucho más específico de sospechoso, pero si su rutina criminal obedeciera a causas por ejemplo familiares, nuestra búsqueda debería orientarse, o más bien ampliarse, a otra clase de perfiles (si el criminal madruga, reflexionó su hijo, no creo que sea por otro motivo que el trabajo), ¿no?, ¿y por qué? (muy sencillo, contestó el teniente Gluck, el criminal parece estar en plena edad laboral, hasta ahora sus víctimas han sido jóvenes, así que se le supone rapidez y agilidad), un momento, no podemos estar tan seguros de eso, porque las mujeres jóvenes son precisamente las que suelen llevar un vestuario más incómodo para correr. Quiero decir que, teniendo en cuenta cómo iban vestidas las víctimas, al sujeto tampoco le ha hecho falta ser tan rápido. Más bien, diría yo, paciente. En fin, ¿ya está todo anotado, hijo? Bien, muy bien. ¿Qué tal una cervecita? No me mires así, mira la hora que es. ¡Estamos en horario de descanso!

Lisa le entregó el sobre y él sintió esa cosquilla nerviosa con que solía recibir cada una de las cartas de Sophie. Al sentarse a leer, sus cejas dibujaron una duda: ese no era el papel ni la letra de Sophie. Dentro del sobre Hans encontró una inquietante sorpresa. Una tarjeta de visita blanca, de tacto grueso y tramado, con abundancia de blasones y cruces militares. La tarjeta, leyó, de Herr Rudi P. von Wilderhaus, Hijo.

La nota, cortés pero lacónica, invitaba al apreciado señor Hans, con quien aún no había tenido oportunidad de departir tan tranquilamente como le hubiera gustado, a acompañarlo a cazar mañana al alba, siempre que no tuviera algún otro compromiso y gustase del aire libre y la naturaleza. De modo que, si el señor Hans tenía a bien honrarlo con su grata compañía, Rudi pasaría a recogerlo en un coche a las seis y media en punto. Y sin más se despedía, atentísimamente suyo, etcétera.

Tras reflexionar un momento, sopesando los posibles inconvenientes de acudir a aquella extraña cita y los quizá mayores de rechazarla, Hans envió a la Mansión Wilderhaus un billete (escrito en tono cauteloso, ni demasiado distante ni demasiado entusiasta) agradeciéndole encarecidamente a Rudi su generosa invitación y aceptando encantado, antes de por lo tanto despedirse hasta mañana, etcétera, con mi más sincero aprecio.

Lo primero que Hans se preguntó fue qué pretendería Rudi en realidad. Lo segundo fue: Dios mío, voy a tener que madrugar. Y enseguida: ¿Qué botas me pondré? A él la caza jamás le había interesado. Más bien la aborrecía por instinto. Sin embargo estaba seguro de que debía acudir. No sólo por diplomacia, sino también para sonsacarle a Rudi alguna información sobre su compromiso con Sophie y el grado de sus sospechas, si es que las tenía. Por culpa de la hora, del temor o ambas cosas, Hans apenas pudo pegar ojo y la percusión imperial de los caballos lo encontró completamente despejado y asomado a la ventana.

Rudi le dio los buenos días desde la cima de un break alargado. Al frente iban cuatro caballos negros. El pescante del cochero era muy elevado y, dentro de un compartimiento con rejilla, dos perros le ladraban al alba. Rudi llevaba prendida en la solapa una estrella de ocho puntas con un halcón en el centro y una inscripción que rezaba: *Vigilando ascendimus.* Iba vestido con unos calzones anchos recogidos en unas botas afiladas que le llegaban hasta la rodilla. A Hans le pareció que aquellas botas eran de mal gusto, pero se sintió ridículo al mirarse las suyas mientras subía al coche. ¿Ha dormido bien, Herr Hans?, preguntó Rudi, parece cansado. La cara de Rudi brillaba como mármol pulido. Oh, excelentemente, contestó Hans, de hecho he tenido un sueño tan profundo que le confieso que me ha costado despertarme. Será eso, sonrió Rudi. Será eso, claro, sonrió Hans.

Mientras el break de Rudi Wilderhaus atravesaba el campo hacia el norte por unos caminos de tierra que Hans no había transitado antes, el día se destapó y la luz saltó de golpe, como impulsada por una pértiga. Rudi parecía sereno o al menos seguro de su pose. Hablaba poco y siempre de banalidades. De vez en cuando se quedaba mirando a Hans con una alarmante mueca de amabilidad. ¿No le parecen una belleza?, decía señalando la arboleda. Después se distraía con el paisaje y aspiraba hondamente. Sólo al ver hincharse y deshincharse el torso cuadrado de Rudi, Hans cayó en la cuenta de que él apenas estaba respirando.

Descendieron del vehículo y Rudi ordenó al cochero y al criado que los esperasen allí hasta que volvieran. Hans, que llevaba traduciendo cada gesto de Rudi desde que se habían saludado, se preocupó todavía más con esa orden: ¿qué quería decir exactamente que los esperasen *hasta que volvieran*? ¿Que tardarían mucho?, ¿que no se sabía cuánto?, ¿o que, por mucho que tardaran, el cochero y el criado no debían ir a buscarlos? Rudi se llevó la escopeta al hombro. Le ofreció otra a Hans e hizo un gesto rápido con la cabeza.

Se adentraron en la arboleda. Los perros los seguían con los hocicos pegados a la tierra húmeda. Rudi avanzaba alzando los hombros, la espalda recta. Era evidente que el peso de la escopeta no le estorbaba en absoluto. Hans en cambio no sabía muy bien de qué lado llevarla. No había tenido más de tres o cuatro veces un arma de fuego entre las manos, y en cada una de ellas había sentido una incómoda mezcla de poder y vergüenza. Caminaron casi en silencio durante quince o veinte minutos. Arribados a una zona que a Hans le pareció idéntica a las otras, Rudi se detuvo, se llevó los dedos a los labios y cargó sigilosamente su escopeta. Sus movimientos eran de una lentitud ceremonial o de una precisión algo recreada, como si estuviera exhibiéndose. Cada dedo de Rudi se desplazaba con una pericia que sólo podía provocar admiración o pánico. Su expresión era relajada, casi de indiferencia ante el arma que mimaba. Sin embargo, en cuanto alzó la escopeta para apuntar, el rostro de Rudi quedó transfigurado. Sus rasgos se crisparon. La mandíbula se contrajo. La mirada se hizo depredadora. Los perros, balas ladrando, salieron despedidos al tronar la pólvora. Mientras los sabuesos corrían en dirección a las presas, Rudi volvió a su elegante indolencia y, sonriendo cordialmente, dijo: Su turno, amigo mío. Hans declinó el ofrecimiento con toda la cortesía de la que fue capaz y respondió que se conformaba con acompañarlo. ¿Para aprender?, preguntó Rudi. Sólo para mirar, aclaró Hans. Oh, entiendo, contestó Rudi volviendo a cargar la escopeta, pero tenga en cuenta que mirar también es tomar parte de la caza.

Rudi cazó perdices, codornices y conejos. Las presas caían del cielo, tropezaban a media fuga, se desplomaban en sus madrigueras. Los perros iban y venían frenéticos. La bandolera de Rudi estaba llena de animales inertes boca abajo. Su puntería quedaba fuera de discusión: sus yerros eran escasos y más por falta de concentración que de eficacia. A lo largo de la mañana no había dejado de insistirle a Hans para que probara algún disparo, pero él se negaba con un gesto de temor que parecía estimular la confianza de Rudi. La verdadera munición de Rudi, pensaba Hans, no eran esos estridentes cartuchos que volaban y caían al suelo, sino la certeza de que el asustado no era él. Rudi disparaba cada vez menos y se reía cada vez más: lo que le encantaba de la caza no parecía ser disparar, sino *poder* hacerlo.

Era probable, sí, que Rudi lo hubiera conducido hasta aquella arboleda sólo para impresionarlo, para imponerse en su propio terreno. Pero precisamente porque aquel terreno no era el suyo, Hans prefirió renunciar de antemano a ingresar en él, en vez de intentar una inútil competencia. Pensaba que, dejando a Rudi disparar a solas, lucirse sin rival, su fuego se consumiría en sí mismo y su ímpetu vencedor se iría apaciguando hasta descubrir que nadie había sido derrotado —nadie salvo las perdices, las codornices y los conejos—, porque al final de todos los disparos Hans seguiría mirándolo a los ojos sin haber apretado el gatillo. Hans no se engañaba acerca de esta actitud pacífica: él también estaba midiendo fuerzas con Rudi. E, igual que su oponente, procuraba hacerlo en su terreno.

Hans estaba preparado para mantener a toda costa su resistencia pasiva, para no concederle a Rudi ni un ápice de furia. Esas eran sus cartas y pensaba jugarlas hasta el final sin inmutarse, con todo su cinismo. Lo que Hans no había previsto es lo que sucedió: mientras el sol abría la arboleda, la fortaleza de Rudi se derritió melancólicamente. Sin pronunciar palabra fue espaciando los tiros, ralentizando la marcha, ablandando sus reflejos. Por último dejó de disparar, bajó los hombros y se sentó sobre una roca, sosteniéndose en la culata de la escopeta como si fuera un bastón. Los ladridos cesaron. El aire se serenó. Las hileras de aves se reunieron en el cielo. Desconcertado, Hans se sentó frente a él a una distancia prudencial. Rudi levantó la cabeza y, por primera vez, le mostró el fondo de sus ojos: tenía una mirada de recuerdos firmes y porvenir incierto. Suspiró. Dejó caer la cabeza, quedándose absorto en las rayas de la tierra. Después sonrió con una ternura desarmada que (muy a pesar suyo) sobrecogió a Hans. ¿Usted cree?, dijo Rudi, ¿que Sophie me querrá tanto como yo a ella?

Y de pronto rompió a hablar sin pausa ni pudor sobre sus sentimientos. Su espalda gruesa parecía haber encogido un poco. Hans tuvo la impresión de que Rudi le hablaba en tono suplicante. De que le hablaba de Sophie como si él fuera su confidente o como si deseara que lo fuese. En unos minutos de efusión que a Hans se le hicieron horas, Rudi le contó cómo la había conocido, le confesó cuánto tiempo la había esperado, cuántas veces había insistido. Rebuscó entre los pliegues de su atuendo, desabrochó dos botones de crin de caballo y le mostró su tesoro: un medallón oval con el retrato de Sophie. Grabada en la plata del reverso, Hans leyó una dedicatoria demasiado cariñosa para ser sólo fingida. Al contemplar la sonrisa de Sophie, sintió una angostura en el pecho. El retrato estaba pintado sobre marfil (un marfil, supuso Hans con más celos que conciencia política, importado de la colonia india de los ingleses, ¡el muy imperialista!) y el cristal era abombado, igual que el espejo frente a la chimenea de la casa Gottlieb. Hans observó que a causa de un leve defecto del cristal, de una minúscula burbuja interior, un ojo de Sophie quedaba algo exagerado, más abierto como en señal de advertencia. Rudi seguía hablando con entusiasmo de la boda en octubre, del acuerdo entre las familias para fijar la tasa de las dotes, de los preparativos que se avecinaban. Sin saber qué actitud tomar ante tanta franqueza, intentando vencer una molesta sensación de culpa, Hans flaqueó y estuvo a punto de bajar la guardia. ¿Había juzgado mal a su enemigo? Pero una frase al pasar, un comentario ambiguo lo devolvió a la vigilancia: Además, dijo Rudi, usted es buen amigo de ella, y podrá comprender mis sentimientos y conocer los suyos.

Y podrá comprender mis sentimientos y conocer los suyos, había dicho Rudi. (¿Y qué quería decir con eso?, especulaba Hans, ¿se refería a las conversaciones que él había tenido con Sophie?, ¿quería saber lo que ella le había contado, le pedía una infidencia?, ¿o más bien estaba insinuándole que ya se había hecho *demasiado* amigo de su prometida?) Le soy completamente sincero, seguía Rudi, porque sé que en este asunto puedo

confiar en usted. (¿Era Rudi capaz de ser magistralmente irónico?, ¿podía someterlo a una tortura tan delicada?, ¿hablaba
con la lucidez del despecho o con la candidez del engañado?)
A veces tengo la preocupación de que Sophie pueda parecer,
¿me comprende?, demasiado sofisticada para un hombre como
yo que, no nos engañemos, no ha tenido mucho tiempo para
estudiar por culpa de sus obligaciones (¿qué era eso: un ataque
de humildad o una burla feroz?), en fin, no hace ninguna falta
que yo se la describa (¿cómo que no hacía ninguna falta?, ¿por
qué?), pero para mí uno de sus atractivos es esa forma suya de
mantenerse siempre un poco esquiva (¡esquiva será contigo,
imbécil!) y, cómo decirlo, un poco indómita (bueno, en eso
estamos de acuerdo), por no hablar de su belleza, yo no sé qué
le parecerá a usted (¿y él qué debía hacer: darle la razón o hacerse el ciego?, ¿qué podía resultar más sospechoso ante los
celos de un hombre: que otro elogiase a su novia o que se obcecara en guardar silencio?), además, ¿sabe qué?, me gusta cómo
sonríe. Eso es lo que más me gusta de ella. Es importante conocer bien la sonrisa de una mujer, ¿no?, porque uno aspira
a hacer feliz a su mujer, y cuando alguien es feliz sonríe mucho.
Y si Sophie y yo vamos a ser muy felices juntos, es importante
que me guste su sonrisa.

Hans sintió el impulso de escupir en la cara de Rudi
o abrazarlo.

Mientras concluía sus confesiones, Rudi dejó entrever
el verdadero nudo de su inquietud. Pese al temor inicial de Hans,
lo que más lo desvelaba de su noviazgo con Sophie no era la
aparición de terceras personas (posibilidad que él parecía descartar por ignorancia o petulancia) sino la incertidumbre que
una mujer como ella, poco dócil y difícil de contentar, podía
sembrar en un hombre como él.

En ese instante, al fin, Hans *vio* a Rudi. Y comprendió
su angustia. Y lo compadeció. Aquel compromiso matrimonial
podía haberse fraguado más o menos por conveniencia; pero
no por su parte. Para él era fruto de un enamoramiento. Y por
eso, intuyendo que Hans tenía afinidades con Sophie que a él le
estaban vedadas, el poderoso Rudi Wilderhaus le pedía ayuda

casi sin querer. Hans consiguió ponerse momentáneamente en su lugar, contemplar la debilidad de su fortaleza y rozar el gatillo de sus miedos. Y sin embargo, viendo a Rudi sufrir de amor, Hans supo que jamás le sería leal ni sería su amigo. Y se sintió miserable y dichoso, lleno de venenoso júbilo, cada vez más traidor y más fiel a su deseo.

Inspiró la brisa inflamada de la mañana, la sumergió en sus pulmones como quien fuma tabaco amargo, soltó el aire despacio. Se acercó a Rudi y le dijo sin mirarlo a los ojos: Deme esa escopeta.

No me atrevo a llamarla respuesta, porque tu luminosa carta, Sophie, merecería otra celebración que estas líneas apresuradas. Pero sé que el olvido de lo que se siente no tarda demasiado en actuar (no un olvido completo sino suave, menor, como quien pierde la melodía exacta y todavía escucha un rumor de fondo). Por eso quería contestarte pronto, ahora, ya. En realidad tu carta es imposible de corresponder. Si me tomase el tiempo necesario para escribirte como mereces, antes tendría que superar la conmoción que me ha dejado. Y si te escribo bajo su influjo, como estoy haciendo, no seré digno de su altura. Pensándolo bien, tu carta sólo podría contestarse con música.

Pero algo debo decir, aunque sea con prosa. Y es esto, y no sé más. Cada día te recuerdo con una complicidad arrasadora. Una complicidad inexplicable que parece provenir de más tarde, de muchas cosas que no nos han pasado. Es curioso. Últimamente, cuando nos hemos visto, me he quedado con ganas xxxxxxx de dormir contigo de una vez. Y sin embargo noto cómo entre los dos hay algo como de después: no sólo esa tensión entre quienes no se han tocado, sino también (y esto es lo extraño) la sosegada comprensión de quienes han dormido juntos. Y te lo digo, el diablo me libre, muy lejos del platonismo.

Y entre el antes y el después, entre haber dormido y no, hay esta rara alegría. Sophie, me es imposible pensar en ti sin sonreír como un bobo. Eso es lo bueno.

Que tú existas es lo bueno.
Tuyo, Hans.

He elegido este momento para escribirte porque se ha puesto a llover de pronto, y al oír la insistencia de estas gotas juguetonas y ver que todo se volvía más tenue, he sentido unas ganas invencibles de hablar contigo. Pero hoy no hay Salón ni excusas creíbles para salir de casa. Lo que hay es un arco de nubes pasajeras que van de mí a ti o de ti a mí, que no sabría yo qué dirección darle. ¿Cómo estás hoy, travieso? ¿Qué estás traduciendo? Yo traduzco lo que imagino que me dirías si pudiéramos vernos. Y leo también un rato a mis amados poetas del duecento. Il corso delle cose è sempre sinuoso...

Una desearía, estimado Herr Hans, departir un momento con usted. Adoro tratarte de usted, digamos que me pongo deliciosamente nerviosa cuando te trato así delante de la gente. Sepa que quisiera poder verlo ahora mismo y tenerlo muy cerca. No para dormir juntos (Hans, ¿cómo eres tan descarado diciéndome esas cosas por carta?, ¿qué pasaría si alguien más las lee?, ¿acaso no sabes que las señoritas preferimos ser un poco más contenidas, si no en deseos, al menos de palabra?, me encanta cómo ignoras todas estas advertencias) sino para pasear por el camino del puente y caminar por el río y perdernos por el campo.

Te mando un beso de lluvia que ha terminado de caer. ¿Te llega? ¿Te refresca? Y te mando, con el beso, una pregunta. ¿De dónde sale la belleza? ¿Tú lo sabes? Ya sé que suena un poco extravagante, pero te la hago en serio. ¿De dónde sale?
S.

Nos encontraremos. Con excusas oportunas o sin ellas, nos encontraremos. Y mientras tanto, de acuerdo: disfrutemos de esta demora que tanto encomiaban los antiguos. Hoy es todo mucho más urgente que en la antigüedad, pero en fin. Para mí la paciencia es una especie de flor desconocida. Una flor que, sin saberlo, uno lleva entre las manos. Tú me estás enseñando a deshojarla, así que discúlpame si la arrugo sin querer.

Tampoco me quejo: me mandabas un beso, o eso decías.

~~Xxxx xxxx~~ *Sophie, Sophie Gottlieb, no sé por qué se me tuerce la gramática al escribirte. Nunca me había resultado tan agradable balbucear. No sé qué haría primero si me quedara a solas contigo. Ah, no, pero tú dices que por carta no deben decirse esas cosas. Y qué placer, entonces, escribir que te haría todo lo que no debe decirse... Así que me reafirmo y, fíjate, me regodeo.*

Me preguntabas (y dices que en serio: ¡claro!, es que es muy serio) de dónde sale la belleza. Después de pensarlo un buen rato, yo diría que sale de la fugacidad y la alegría. Estoy casi seguro. O quizá sirva una imagen: la belleza sale del temblor del puente que comunica las cosquillas con la verdad. Cuando tiembla ese puente, es señal de que algo importante está cruzándolo.

Te oigo los pasos. Tiembla el puente.

H.

Hans, mi adorado Hans, me disgusta un poco pensar que la otra noche, cuando tuvimos varias horas preciosas juntos en el Salón, yo no estuviera en condiciones de hacer otra cosa que disimular. Suerte que a la mañana siguiente llegó esa hermosa flor que me enviaste con la niña de la posada, muchas gracias de nuevo. La guardé como un tesoro entre las páginas de mi álbum, y allí ha estado asomando hasta que esta mañana el curioso de mi padre vio que estaba marchita, me preguntó si era de Rudi (¡por supuesto!) y me preguntó por qué no la tiraba, si Rudi iba a mandarme muchas más. A mi padre no le gusta que las cosas se marchiten.

Entra Elsa al cuarto. Tengo que dejarte ahora, aprovecho para darle la carta. Pero no te dejo, no. Un bacio all' italiana e spero ansiosamente di rivederti presto, amore.

S.

Tenías razón, Sophie, cuore: es feliz esperar cuando sospechas que recibirás a quien querías. La espera es una especie de hijo. Sólo que, al revés que en la paternidad, a la espera la educamos antes de que dé fruto. Ahora lo sé. Ítaca eres tú. Tú eres el viaje.

¿Te lo he contado? Cuando te imagino no veo un retrato definido, de esos en que alguien sonríe de perfil. A ti te veo siempre

en movimiento, un poco borrosa. En mi imaginación tú vas, vienes
y haces muchas cosas, todas ellas admirables sin que te des cuenta.
Y me imagino a mí xxxxxxx *siguiéndote la estela, alcanzándote*
despacio.

Ten cuidado con tanta exaltación italiana, en primavera
puede ser peligrosa. Como sigas así voy a pedirte ayuda con unas
traducciones. Para compensar estas inquietudes, te sugiero una do-
sis de relatividad francesa, tout au juste millieu, como le gusta al
profesor Mietter, y una pizca de sensatez alemana. Hay que tener
prudencia. Como me cruce con tu oreja, pienso morderla sin ningún
permiso. Es una amenaza.

Tuyo, tuyo. Hans.

Si las puertas tuvieran voz, se diría que esa tarde la suya
no habló igual, no le gritó lo mismo, cuando Hans acudió
a abrirla. O eso imaginaría después, al despedirse de Sophie.

Para disimular la turbación, se puso chistoso. ¡Señorita
Gottlieb!, dijo haciéndose a un lado, ¡cuánto honor, qué sorpresa! Bodenlieb, sonrió Sophie, llámame Bodenlieb. Así le he
dicho que me llamaba al señor de abajo.

En cuanto Sophie puso un pie en la habitación, Hans
pudo ver el suelo, las paredes, los muebles desde otro ángulo,
como si se hubiera colgado de las vigas. Lamentó no haber
limpiado un poco. Perdón por el desorden, dijo él. Bueno, contestó ella mirando en derredor, no está tan mal para un hombre
solo.

Tartamudearon por turnos. Se miraban ansiosos, como
diciéndose: Tranquilos.

Hans le trajo una silla, tardó en ofrecerle té y tropezó
dos veces. A Sophie le interesó el arcón, hojeó unos libros, le
gustó la acuarela con el espejito detrás, se rió de la tina de estaño. Aunque no le importaban el arcón ni los libros ni el cuadro
ni la tina.

Se dijeron esto y lo otro, pero todavía no se habían
hablado. No, por lo menos, hasta que Sophie se levantó y dijo:

Elsa me espera a las siete en la plaza del Mercado. Está viendo a una amiga. ¿Aprovechamos el tiempo? ¿O vamos a quedarnos toda la tarde conversando?

Se soltó el pelo igual que se libera un dique. El agua llegó a Hans, tragó saliva. Sin decir nada, entornó los postigos y encendió unas velas. Sólo entonces se besaron, comieron las palabras en la boca del otro.

Se palparon rodeando lo que ardía. Más que acariciar, las manos largas de Sophie leían. Sophie notó que Hans se esforzaba en no ser brusco y sintió ternura: a ella no le hacía ninguna falta esa delicadeza. Él la encontró más blanda de lo que había imaginado. Percibió cómo ella se le anticipaba, cómo sus reacciones no eran cándidas ni juveniles. A Sophie le pareció que, sin ser fuerte, él era tenso. Que sus contornos suaves recubrían una lejana musculatura. Empezaron a desvestirse con absoluta torpeza, como pasa cuando no se finge. Se levantó el aroma no necesariamente limpio de las pieles. El deseo se abrió en forma de válvula.

Hans se había sentado en un borde del catre. Sophie lo contemplaba de pie, con las manos distraídas tras la espalda, mientras desprendía los últimos enredos. Así, esperándola con los hombros vencidos y la columna encorvada, se le entrometían unas ondas no muy admirables en el vientre. A ella se le apreciaba cierta flacidez cóncava en la cara interior de los muslos. Los dedos de los pies de Hans eran algo rechonchos. Los codos de Sophie eran ásperos. Del ombligo de Hans nacían unos vellos un poco intempestivos. El escote de Sophie fue exponiendo, al aflojarse, unos pechos ligeramente caídos, algunas venas que parecían irradiadas por los pezones, unas finas estrías encima de las aureolas.

Y cada imperfección que se descubrían los volvía más posibles, más deseables el uno para el otro.

Saliendo de la enagua, de la media, del corsé, Hans vio asomar la carne de Sophie a la luz inquieta de los candelabros. La vio crecer, sacar las mechas, titilar. La llama de los candelabros iba y venía, entraba en los contornos de la piel y se retiraba. Sophie quedó desnuda.

Hans pudo ver su cuerpo entero después de tantas paciencias, tantos desvíos. Y le ocurrió algo extraño. En vez de ser capaz, como cien noches había imaginado, de detenerse en cada pliegue, de atender lentamente a ese cuerpo hasta sentir que lo comprendía y lo asimilaba, Hans se cegó por exceso de visión. De tantas ansias con que estaba mirándola, por más que desplazaba la mirada a lo largo de esa piel no conseguía más que confundirse, llenarse de formas los ojos. Pensó que acababa de descubrir que los ojos también tienen apetito. Y que, si su voracidad es demasiada, sus facultades se nublan. Así se le nublaban a él los ojos corriendo de los pies a los hombros, de la cadera al pecho, de la sonrisa al pubis, sin terminar de reunir las imágenes en una sola, de encontrar el conjunto. Como un léxico sin sintaxis, como cuando los niños se enfrentan al latín, como cuando se pasa de un cuadro a otro cuadro y una embriaguez de colores se acumula en el reverso de los párpados. Hans miraba la figura de Sophie y no sabía qué entender. Su vista balbuceaba y parpadeaban sus labios, se le nublaba la boca y se le hacían agua los ojos. Así que optó por apretar todo aquello que no lograba contemplar. Se acercó, se aferró a ella y sintió que sus sentidos se reconciliaban, que en el lugar del enigma se imponía el acto. Ahora, sin distancia, conseguía aprehender la presencia imaginada y posible de Sophie, que tiritaba sin miedo y suspiraba sin romanticismo.

¿Qué vio Sophie de él? Nada, todo. Se fijó sin buscar. Hizo un centro de cualquier detalle. Le leyó los costados para acentuar la evidencia. Y se concentró en olerlo, absorberlo, pasar del otro lado. No pretendió al principio, como Hans, sumar las partes: se abandonó a la certeza de que él estaba ahí sin divisiones, se dejó envolver por la sensación de estar poseyéndolo y, por tanto, de estar dándose. Asumió de golpe, circularmente, la magnitud de Hans. Y también lo tocó, por supuesto, parte por parte. Pero cada una de ellas era un todo en sí mismo, un lugar de llegada. Lo tuvo y lo soltó y lo rehízo como se aprende a hablar, como se estrena un mapa, como cuando la luz se instala en un espacio. Fue parecido a dejarse caer. A aceptar extraviarse y averiguar que ese lugar, ese pozo, ese camino le eran conocidos. Así que Sophie no miró a Hans: lo recordó. Y al abordarlo y dejarse abordar, supo que cerrando los ojos lo vería siempre.

Desde el primer temblor común, los dos se dieron cuenta de que sí. De que sí porque sí.

En un momento del vaivén, que ya no era suave ni cuidadoso, Hans giró la cabeza y descubrió que Sophie había colgado la acuarela del revés, del lado del espejito. Lo fascinó comprobar que, dentro de su reducida perspectiva, ambos cabían sólo en parte. Se quedó mirando de perfil, tratando de reconocerse en las figuras parciales del espejo, asombrándose de que aquel torso desnudo que aferraba una cadera fuera él, y que aquella espalda vuelta con las manos hundidas en el colchón fuese Sophie. En ese mismo instante ella acababa de advertir el juego de sombras que, a la luz hinchada de las velas, proyectaban sus cuerpos en la pared contigua: los dos en mutación, espesándose o diluyéndose, creciendo o menguando como manchas de tinta en una hoja. Se preguntó si él también estaría contemplando las figuras. Hans mientras tanto se preguntaba si ella habría reparado en la escena del espejo.

Al final de todo, o al principio de lo nuevo, se hizo un silencio rítmico. Entrelazados igual que un garabato, con medio cuerpo fuera del catre, Hans y Sophie tuvieron una poderosa sensación de inminencia. Ambos esperaban callados, convencidos de que el otro susurraría la verdad, alguna clase de verdad. Se mantuvieron suspendidos en un columpio inmóvil. Lo único que escuchaban era su respiración y el crepitar de las velas. Hans se sentía dividido pero extrañamente armónico: tenía necesidad de hablar y el silencio lo colmaba. En esa contradicción se notaba en paz, como si dos corrientes opuestas tirasen de sus brazos y él pudiera flotar. Ella tampoco hablaba.

Antes de vestirse volvieron a mirarse. Y por fin Sophie dijo: Me gusta tu rodilla. Y se agachó a lamerla. Hans sintió que el pudor le subía por las piernas y al llegar a la cabeza se transformaba en alegría. De pronto se fijó en un muslo de Sophie. En un punto del muslo donde había una mancha alargada como un trazo de lápiz. Y a mí, contestó él, me gusta tu mancha. Odio esa mancha, dijo ella cubriéndose la pierna. Pero él insistió: Esa mancha te mejora, menos mal que la tienes.

A los pocos minutos Sophie corría hacia la fuente barroca, donde Elsa la esperaba temiendo la exigente puntualidad del señor Gottlieb.

III. La gran manivela

Luz de miel repartida por el campo en reposo. Esperando la siega, las espigas brillantes peinaban la siesta al sur de Wandernburgo. Cada espiga tomaba una decisión y amarraba la brisa, que ondulaba como una cometa. Tibio, dulce grano expectante. Cielo limpio y barrido. Los colores goteaban sobre el trigal esparciendo cardos violetas, amapolas chillonas. El alboroto solar los derretía. Entre los álamos se escurría el Nulte, que ahora apenas alcanzaba para lavar la ropa, mojarse las piernas, mantener la vegetación de los flancos. Así flameaba la tarde recorrida por los labriegos. Por encima de todos, nítido como una cúpula, el sol martillaba el paisaje ensamblando sus piezas.

Tumbado frente a la boca de la cueva, Franz entrecerraba los ojos y olía los cambios del viento. Oía a las cigarras. Se rascaba una oreja. Se relamía pensando en un trozo de carne...

(La carne que el amo y sus amigos estaban asando. Asando para él. La carne. Asándola. Tenía sed pero no tenía ganas de levantarse. De levantarse para beber en el río. No iría ahora. Iría después de comerse la carne. La carne. ¿Iría ahora? Hacía calor. No tanto como antes. Menos. Le picaba una oreja. El amo había gritado. ¿Qué pasaba? Pero el amo lo había mirado. No pasaba nada. Sin peligro. Estaban todos bien. El amo y sus amigos. El que lo acariciaba siempre y el que no lo acariciaba nunca y el que olía muy fuerte y el que venía a veces y llegaba en caballo. Estaban todos bien. Qué descanso. No hacía tanto calor. Menos calor. Atardecía. El que no lo acariciaba nunca lo asustaba un poco porque no lo acariciaba nunca y lo miraba a los ojos como si fuera a patearlo. Pero no lo pateaba. Era amigo del amo. La oreja. Bajar al río. ¿Y la carne? Esperar. Al amo no le gustaba que comiera la comida antes del fuego. Le daría después trozos de carne. Antes no. No le gustaba. ¿Esa voz de repente? ¿Quién había gritado? Era de ese la voz. Del que venía a veces. Del que llegaba en caballo.)

... Álvaro soltó una de sus potentes carcajadas. En cierta forma le hacían gracia las opiniones del organillero. Seguía sin comprender del todo la fascinación de su amigo Hans por aquel viejo que vivía callado la mayor parte del tiempo y que tendía a confundir la austeridad con bañarse muy poco. Aunque, ahora que empezaba a conocerlo mejor, debía reconocer que cuando abría la boca, esa boca de barba pegajosa y dientes alternos, aprovechaba las palabras. Daba la impresión de estar medio dormido, como ausente, hasta que de pronto deslizaba un comentario que demostraba, aparte de la ingenuidad típicamente wandernburguesa, una intensa atención y una asombrosa memoria. Quizá lo más llamativo del organillero era esa apariencia de absoluta paz con el pasado, como si ya hubiera sido feliz y no esperase nada más del tiempo. Justo al contrario que Hans, que padecía una inquietud perpetua, siempre como esperando una noticia que no terminaba de llegar. Rara vez el organillero decía algo que Álvaro se esperase, y no había frase suya que no le arrancase a Hans una risa de ternura. Por un instante a Álvaro se le cruzó la idea de que, en cierto modo, él pudiera sentir celos del viejo. Pero en cuanto aquella ocurrencia tocó su mente, igual que una ficha cae sobre la palma de la mano, la arrojó lejos, por absurda. ¡Celoso él! ¡De ese pobre hombre! ¡Y encima por Hans! ¿No se estaba pasando con el vino?

Además, decía Hans, acaban de inaugurar otra línea en Saint Etienne. ¿Dónde, qué?, eructó Reichardt. En Francia, dijo Hans, cerca de la costa sur, más o menos entre Marsella y Niza, es un lugar bonito, ¿has estado en Francia? Ni en Francia, contestó Reichardt, ni en la casa de tu tía obesa. ¿Cerca de Niza?, intervino Lamberg, a mí me gustaría ir, para ver el mar. ¡Pues para ver el puto mar no hace falta irse a Francia, niño!, dijo Reichardt, ¡a ver si ahora los franceses también van a haber inventado el mar! No lo han inventado, sonrió Hans, pero lo llaman *mer,* que suena mucho mejor que *Meer,* no me digas que no. ¡Suena igual, igual, igual!, protestó Reichardt. No seas esnob, hombre, dijo Álvaro, suena muy parecido. No, no, insistió Hans, dilo, escúchate, pero tranquilo, *mar* tampoco está mal. ¡Por mí que el mar francés se lo meen los franceses enterito!, gruñó Reichardt, ¡y que lo meen en la boca de su *mère*! Los otros cuatro rieron y Reichardt, satisfecho de su hallazgo, se acercó al organillero para ver cómo iba la carne. Bueno, dijo Lamberg pensativo, qué importa cómo suene, la palabra es la misma, ¿no?, quiere decir lo mismo, se refiere a la misma cosa. Pero si suena distinta, dijo Hans, ya no dice lo mismo, ¿verdad, organillero? ¡Esnob, más que esnob!, confirmó Álvaro palmeándole la espalda. Además, continuó Hans, las palabras se refieren a cosas, pero también las provocan, por eso cada idioma no sólo tiene su sonido sino sus propias cosas. Eso, concedió Álvaro, sí es cierto. Bueno, ¿pero y el tren?, se impacientó Lamberg. Ah, retomó Hans, eso, la línea de Saint Étienne. ¿Quién ha viajado en tren?, preguntó Lamberg. Álvaro y Hans fueron los únicos que levantaron la mano. ¿Y tú, dónde?, le preguntó a Álvaro señalándolo con el dedo. En Inglaterra, contestó Álvaro, allá hay bastantes trenes, Darlington, Liverpool, Stockton, Manchester. ¿Y cómo es?, se ilusionó Lamberg. ¡Como montar a caballo!, intervino Reichardt desde el fuego, ¡pero con el culo menos apretado! No sé, dijo Álvaro, ruidoso. ¿Y divertido?, insistió Lamberg. Supongo que sí, contestó Álvaro, yo he viajado por negocios. Lamberg, dijo Hans, ¿sabes qué es lo más divertido de viajar en tren? No los lugares a los que vas sino las personas que conoces, caben muchísimas, es, imagínate, como cien diligencias enganchadas una detrás de otra, y en cada una va gente diferente (¡ricos!, ¡viajan ricos!, dijo Reichardt), y como llegan lejos hay pasajeros de lugares distintos, incluso de países distintos, y para mí eso es lo más divertido de viajar en tren, es como estar en varios países al mismo tiempo, ¿entiendes?, como si los países se movieran.

Pues en España, hazme caso, dijo Álvaro masticando una pata de pollo, tendremos que esperar a que inventen otra cosa, yo qué sé, ¡bucear con ruedas, volar a pedales!, para que llegue el ferrocarril, nos encanta usar siempre el penúltimo

invento. ¿Y los barcos?, preguntó Lamberg, ¿alguien ha probado los barcos de vapor? ¿Y los pedos?, dijo Reichardt, ¿alguien
ha vuelto a casa impulsándose a pedos?, escúchame, ¿tú para
qué quieres saber esas cosas si vas a quedarte aquí, como todo
el mundo? Eso tú no lo sabes, contestó Lamberg. Eso lo sabes
tú, sentenció Reichardt, tan bien como yo. Los barcos de vapor,
amigo, contó Hans, son una maravilla, como, no sé, ir por
tierra y mar al mismo tiempo, parece que avanzas en un tren
sobre el agua, y el agua que dejas atrás queda marcada con dos
surcos que parecen vías, pero enseguida desaparecen y el agua
queda lisa y tú la miras y te preguntas: ¿por dónde habremos
venido?, y cuando subes a cubierta, Lamberg, te parece que
vuelas, te despeinas, la ropa se te infla, ojalá conozcas alguno
(¡ja!, eructó Reichardt, ¡seguro!), ¿por qué no?, si ahorra algún
dinero podría hacer un viaje (¿tú crees?, dudó Lamberg), hay
un Berlín-Charlottenburg que no es muy caro, otro a Potsdam
que tampoco está lejos, los hay por todo el Rin, y en el Danubio,
en el Elba. De hecho yo planeaba ir a Dessau en barco, ¿sabes?,
pero cambié de idea a último momento y bueno, aquí sigo.
¡Y seguirás!, dijo Reichardt, de aquí no se va nadie ni en pedo
de vapor, ¿eh, viejo? No sé, dijo el organillero mientras le entregaba a Franz los últimos trozos de pollo, hoy el mundo va
tan rápido. Antes nadie pensaba en alejarse de ningún sitio más
de seis o siete leguas en un día. Quizá por eso ahora los jóvenes
no aman tanto los lugares, es demasiado fácil irse de ellos. Quieren ver mundo. Lógico. Al fin y al cabo, Reichardt, no es que
tú y yo no pudiéramos irnos, ¿verdad?, es que no quisimos.
Estamos bien aquí, hemos tenido suerte.

La noche apretaba el pinar. Franz jugaba con las botellas
vacías haciéndolas rodar con el hocico: los reflejos de la luna se
agitaban dentro como la miniatura de un barco. La fogata había
perdido estatura pero ellos no lo notaban, el vino malo ardía en
sus estómagos. Salvo el perro, cada uno estaba ebrio a su manera. Álvaro acababa de echarse a llorar sin previo aviso. Hans
se asustó y gateó hasta él. Álvaro, que no solía dejarse abrazar,
que mantenía siempre ese ademán convencido que tanto le
admiraban los hombres, hundió la frente en uno de los hombros

de Hans. Mezclando un alemán enmarañado con frases en pastoso español, Álvaro habló de Ulrike, de los viajes en tren que habían hecho juntos, de que la humedad de Wandernburgo la había matado, de que el invierno alemán era espantoso, de que en Andalucía el clima era muchísimo mejor, de que el invierno seco de Granada la habría curado, de que todas las noches antes de dormirse escuchaba su voz débil, de que el luto no se acababa nunca, nunca, nunca.

Álvaro se quedó blando. Trató de sonreír. Se acomodó el cabello y las ropas y se puso en pie como si nada hubiera sucedido. Señores, dijo, con perdón, creo que es hora. Lamberg le preguntó si podía acercarlo a la fábrica, que le quedaba de camino. Álvaro le contestó que sí y ensilló su caballo. Los cascos se perdieron en la noche.

¿Wandernburgo era la misma? ¿O no sólo seguía desplazándose sigilosamente, sino también cambiando de aspecto? ¿Tenía una fisonomía definida o era más bien un lugar ausente, una especie de mapa en blanco? ¿Podían ser esas calles luminosas, abiertas y animadas las mismas que hacía uno o dos meses permanecían mudas, heladas, sombrías? Mientras bajaba por la calle del Caldero Viejo, Hans contempló asombrado los jardines con niños descalzos, las ventanas florecidas, los músicos ambulantes, los aguadores sudorosos gritando su agua fresca, las terrazas radiantes donde las jarras parecían a punto de volcar luz por los bordes. En una de las mesas, bebiendo limonada con hielo, estaba Lisa Zeit, que al reconocer a Hans se rebañó los labios, se irguió en la silla y lo saludó con un alzamiento de hombro que él encontró tan exagerado como enternecedor. O eso pensó, se dijo que debía pensar: sólo enternecedor. Mal sentado frente a Lisa, Thomas devoraba un sorbete de frutas sin darse tiempo para respirar. Hans los saludó agitando una mano y continuó su camino. Cruzó la plaza del Mercado bajo un sol rectangular, atravesó la ansiosa muchedumbre que se agolpaba en torno a la fuente barroca para llenar sus cacharros, le guiñó un ojo cómplice al organillero y dobló por la calle del Ciervo. Hoy, se extrañó Hans mirando a su alrededor, parece que las calles están donde las recordaba.

Desde hacía un par de viernes las reuniones del Salón se habían trasladado al patio de la Casa Gottlieb, donde corría el aire a la sombra y murmuraba un surtidor. Los contertulios se acomodaban en unas sillas jardineras alrededor de una mesa donde se apretaban las viandas, las frutas relucientes y las bebidas heladas. Aunque todos habían alabado el traslado al patio, ni Elsa ni Bertold parecían contentos con el cambio y no cesaban de subir y bajar las escaleras del edificio, llevando y trayendo bandejas, tazas, jarras, cubiertos. Como era su costumbre, Elsa escondía su disgusto bajo una expresión de seriedad que los invitados elogiaban, confundiéndola con una diligente concentración. Bertold optaba por tener dos caras opuestas, como las dos mitades de su labio partido por la cicatriz. Dentro de los límites del patio, su boca sonreía ampliamente y sus ojos se entornaban con amabilidad; en cuanto cruzaba el arco que comunicaba el patio con la galería, su gesto se torcía y se ponía a mascullar comentarios irónicos y a imitar el tono de los señores y los invitados. De todos salvo Rudi Wilderhaus, de quien sólo osaba burlarse a solas en su habitación.

Aquel viernes el matrimonio Levin no había asistido a la reunión a causa de un compromiso familiar. Y, como suele ocurrir con los ausentes, ellos habían sido el primer tema de debate. Aunque Sophie hacía cordiales esfuerzos por desviar la conversación, la señora Pietzine y el profesor Mietter habían formado una insólita alianza y, cada uno a su manera, se resistían a abandonar el tema. ¿Pero no les parece que ella sufre?, insistía la señora Pietzine acelerando el aleteo de su abanico, ¿no es él demasiado frío, distante como marido? (querida amiga, suavizó Sophie deteniendo el suyo, tipos de matrimonio hay muchos, al fin y al cabo ellos), sí, sí, claro, yo no digo que no, ¡naturalmente es asunto suyo!, pero un buen esposo, niña mía, ¡y eso lo sabe nuestro admirado y cariñoso Herr Wilderhaus!, debe mostrarle afecto a su mujer, debe atenderla siempre, debe hacerla sentirse (¿protegida?, sonrió Sophie rozándose los labios con el abanico), ¡eso, justamente!, ¡si es que me quitas las palabras de la boca, querida! Hans carraspeó burlonamente y miró de reojo a Sophie. Rudi miró de reojo a ambos, carraspeó mucho más fuerte y Hans y Sophie apartaron la vista en el acto. Pero el señor Levin, terció Álvaro, me parece un hombre respetuoso, y no me negarán que es un buen contertulio. De alguna forma, sí, concedió el profesor Mietter sorbiendo una uva, el señor Levin sabe escuchar y opina, en fin, digamos que con cierta originalidad. Es corredor de comercio y matemático aficionado según tengo entendido, bien, ese es un mérito. Por desgracia carece de instrucción académica, aunque es un lector autodidacta y sin duda voluntarioso. Admitamos que se trata de un hombre interesante, más allá de su judaísmo. Profesor, dijo Sophie plegando el abanico, a veces su sentido del humor nos abruma. La señora Pietzine soltó una risita nerviosa. Un poco más de gelatina, si es tan amable, Fräulein, dijo el profesor Mietter empujando su plato con dos dedos.

Para cambiar de tema, o para otorgarle a Rudi algún protagonismo, el señor Gottlieb le preguntó en voz alta a su futuro yerno por el estado de las tierras familiares. Captando las intenciones del señor Gottlieb, Rudi compuso enseguida un gesto de perfecta timidez, como si detestase hablar de aquello. Agitó las manos, minimizando la importancia de sus asuntos y espantando casualmente a dos moscas. Mencionó extensiones de cultivos, prados y bosques, ganado, azucareras, cervecerías, destilerías y plantas manufactureras. En un momento del inventario, opinó que los campesinos estaban perdiendo su buen oficio. Cada día que pasa, dijo, se comportan más como mercenarios, como si estuvieran ahí pero pudieran estar en cualquier otra parte. Herr Wilderhaus, intervino Hans, ¿y acaso no podrían estar en cualquier otra parte? Para desgracia suya, se encogió de hombros Rudi, supongo que sí, créanme si les digo que las antiguas corporaciones funcionaban mucho mejor, quizás eran más estrictas pero les proporcionaban un hogar a los jornaleros, que en cambio ahora se llenan la boca de derechos, van de aquí para allá y terminan perdidos en las grandes ciudades sin ninguna protección. No se preocupe usted tanto por ellos, ironizó Álvaro, yo creo que se conformarían con que alguien les pagara dignamente. La dignidad, contestó Rudi, no se mide por jornales. Hasta hace unos años los campesinos sabían a qué atenerse y que podían contar con sus señores. Y eso, señor *Urquiho*, puede valer fortunas. ¿No te parece, querida mía? Me parece, dijo Sophie mordiéndose un labio, que mi opinión al respecto carece de importancia, los negocios no me incumben. ¡Cierto, cierto!, sonrió aliviado el señor Gottlieb.

Tan pronto como el trigo había cobrado un amarillo urgente, amarillo incendiado; antes de que el grano maduro se endureciera, en el momento exacto en que empezaba a quemar por dentro y mudar a rojizo; mientras el sol sudaba una luz masticable, a punto para la siega; en el tiempo de la ansiedad, del celo, de la monta; caída la lana de las ovejas que cruzaban los pastos esbeltas y como ultrajadas, los amantes también se desvestían. Hans y Sophie salían de excursión al campo y se quedaban solos con la colaboración de Elsa, que dejaba a Sophie a mitad de camino, se bajaba del coche e iba a ver a su propio amante, que la esperaba en su casa, al sudoeste. Al final de la tarde ambas se reencontraban para volver juntas.

Asomando la nariz fuera del círculo de sombra de su sombrilla verde, viendo pasar el campo al ritmo saltarín del faetón, Sophie observaba a los segadores. Contemplaba su labor encorvada, su péndulo de esfuerzo. Pero pensaba en Elsa, que parecía no querer mirarla desde el asiento de enfrente. Ella confiaba en la lealtad de Elsa, tenía pruebas de su discreción y estaba convencida de que le guardaría el secreto. Además, trataba de tranquilizarse Sophie, sus encuentros con Hans le permitían a Elsa liberarse del trabajo por unas horas y disfrutar del amor. Del placer llano que toda mujer merecía, fuera cual fuese su situación o estado. ¿Qué había de malo en ello? En opinión de Sophie, nada. ¿Y en opinión de su doncella? ¿Por qué Elsa parecía obedecerla sin aprobar realmente lo que ella estaba haciendo?

¿Desde qué moralismo arcaico una muchacha joven, despierta como Elsa podría juzgar su comportamiento? Y sobre todo, ¿por qué a ella le importaba tanto?, ¿los reparos eran sólo de Elsa o quizá también suyos? Sophie se sabía muy capaz de engañar a su padre, a Rudi, al mundo entero, pero no pretendía engañarse a sí misma. Pese a todo, si cerraba los ojos e inspiraba el aire ligero del mediodía, nada importaba demasiado frente a esa imprudencia que compartían los dos, Hans y ella, hasta quién sabía cuándo, hasta que el verano quisiera.

El faetón se detuvo para que Elsa bajase. Al ver a Sophie con media cara al sol, le dijo: Señorita, se lo ruego, protéjase, si no su padre me llamará la atención y me preguntará qué hacemos en el campo. Es que yo quiero tomar el sol, contestó Sophie, no sé por qué las chicas tenemos que estar siempre evitándolo. Eso, dijo Elsa, dígaselo a su padre, yo no soy quien lo decide. Sophie comprendió que Elsa no estaba de humor para jugar. Se acercó a ella y la tomó del brazo. Elsa, le dijo al oído, escucha, tú sabes lo importante que esto es para mí, ¿verdad?, y sabes lo importante que es la confidencialidad más absoluta. Por supuesto, señorita, asintió Elsa con gravedad, no hace falta ni que me lo recuerde, puede irse tranquila. Pero tú sabes, repitió Sophie. Yo, contestó Elsa, no sé nada, no veo nada, no escucho nada. Eso forma parte de mi trabajo. Eso, contestó Sophie, es lo que más me inquieta, lo sabes todo, y yo ni siquiera sé cómo piensas. No se preocupe, resumió Elsa, puede confiar en mi silencio. Lo sé, lo sé, susurró Sophie, ¿pero lo entiendes, verdad?, quiero decir, además de ser mi, bueno, cómplice en estas salidas, se me ocurre que tú harías lo mismo y por eso me comprendes. Señorita, dijo Elsa, mi función no es juzgar ni comprender lo que usted decida, sino servirla en todo lo que guste. Ya, ya, se impacientó Sophie, pero aparte de eso, Elsa, ¿no puedes ponerte en mi lugar y saber lo que siento, ver lo que veo? Elsa bajó la vista, después enfrentó sus ojos con los de Sophie y dijo: ¿Quiere que sea sincera, señorita? Te lo ruego, dijo ella. Si estuviera en su lugar, contestó Elsa, yo no me molestaría en pedirle opinión a mi doncella, no sé si me explico. Te explicas terriblemente bien, suspiró Sophie. ¿A las seis aquí, entonces?, dijo Elsa. Correcto, dijo Sophie, no, mejor a las cinco y media, esta noche salgo a cenar con el señor Wilderhaus. Aquí estaré, saludó Elsa bajando del coche. Nos vemos, dijo Sophie volviéndose a sentar, cuídate, cuídate.

La sombrilla verde yacía de canto junto al tronco. Los tobillos de los amantes descansaban entrecruzados. A medio levantar, la falda de ella zigzagueaba entre sus muslos. Los pantalones de él permanecían desabrochados y en acordeón. A la sombra del árbol, como siempre que pasaban unas horas juntos, los dos alternaban momentos de conversación eufórica con largas pausas de silencio compartido: sabiendo cuánto podían decirse, no los inquietaba estar callados. Les gustaba quedarse pensando sin hablar, cada uno ausentándose en el otro. Oían el líquido del silencio. Ella se incorporó, se ajustó los lazos del peinado y recuperó su sombrilla. Hans ladeó la cabeza para espiarla desde abajo, saboreando todavía la saliva, el sudor, el pubis amargo de Sophie al fondo de la lengua. Ella miraba el campo y hacía girar el pequeño mango de marfil como giraba el sol entre las copas de los árboles, como giraba la brisa abriendo el apetito, los cerrojos del aire, como a lo lejos giraban las ruedas de los coches por el camino principal, como en la plaza del Mercado giraban los engranajes de la Torre del Viento, como giraba y giraba en un rincón, minúscula, importante, la manivela del organillero.

Hans se había distraído y Sophie lo miraba risueña, tratando de adivinar sus imaginaciones. Él sonrió también y estiró un brazo para pellizcarle un pecho. Pensó en la agitación de esos pechos revoltosos cuando Sophie se entregaba, en su manera violenta de arañarlo, de morderle la cara, de sentarse encima de él y zarandearlo. Pensó en la honestidad casi brutal de los instintos de Sophie, en su inesperada fuerza física. Al contrario de lo que él había supuesto, ella no se limitaba a recostarse lánguidamente y dejar que él tomara decisiones: saciaba su deseo con la naturalidad de un jarro que se vuelca. A Hans le daba vergüenza reconocerlo, pero al principio la destreza sexual de Sophie lo había intimidado. Recordando sus ingenuas conjeturas sobre la inexperiencia de Sophie, Hans empezó a reírse. Ella lo acompañó sin saber de qué se reían, después lo besó y dijo: Dime. Nada, nada, dijo él, tonterías, pensaba en tus, bah, en nuestros, ¡así que no eras...! Hans, mi amor, lo interrumpió Sophie apoyándole dos dedos en los labios, te lo voy a pedir una sola vez: ¡no te parezcas ni un ápice a mi padre! Pero si no me parece mal, se defendió Hans, ¡al contrario!, simplemente no me lo esperaba, es que yo, o sea, ¿entonces has tenido muchas experiencias con hombres? Sophie sacudió los hombros con coquetería y dijo: ¿Tú qué prefieres que te conteste? No es eso, intentó explicarse él, no me malinterpretes, es sólo que, viéndote, te suponía más... ¿Más qué?, alzó las cejas Sophie. No sé, continuó Hans, más inocente, supongo. Ya lo ves, sonrió ella, ¿te decepciona? No, no, dijo él, me sorprende. Bueno, dijo ella sacudiéndose la falda, mientras te dure la sorpresa, mi vida, procura guardar muy bien el secreto, porque yo siempre he tenido una reputación intachable en las buenas familias y los amantes adecuados en las clases bajas. ¿Por qué las clases bajas?, dijo Hans. Me extraña que lo preguntes, contestó Sophie, primero por atracción natural, y segundo, mi despistado caballero, porque es improbable que los artesanos, los cocheros o los campesinos chismorreen con la aristocracia. Y si lo hicieran tampoco les creerían. Para serte sincera, los condesitos son bastante más puritanos que los hombres humildes. No pongas esa cara, ¿y sabes por qué?, porque los aristócratas viven tan bien que terminan subestimando el placer. Los hombres respetables le temen más a una revolución en la cama que a la anarquía política. ¿Te importaría abanicarme un poco? Me noto acalorada.

Una tarde, mientras charlaban en la habitación de Hans, Sophie se puso a curiosear entre los libros y papeles de la mesa. Él le mostró algunas de las revistas con sus traducciones y un par de títulos de poesía que había prologado para la editorial. Se sentaron a leer frente al quinqué encendido, y al repasar juntos las versiones bilingües de los poemas no pudieron resistir la tentación de sugerir otras posibles variantes diferentes a las publicadas. Sophie le formuló a Hans tres o cuatro tímidas objeciones que él encontró asombrosamente atinadas. Siguieron comentando las versiones hasta que Hans propuso que, en vez de entretenerse corrigiendo lo ya publicado, Sophie lo ayudara con la traducción de unos poemas ingleses que debía mandar urgentemente a la revista *Atlas*. ¿La revista *Atlas*?, se ilusionó Sophie, ¡pero si en la biblioteca sigo todos los números! Se pusieron manos a la obra y, a pesar de que Sophie insistía en que el inglés no era su fuerte, Hans se quedó prendado de la facilidad con que ella reordenaba las frases, alternaba los adjetivos o se atrevía con licencias razonables: parecía una niña jugando con objetos que manejaba a su antojo. Viendo la avidez con que Sophie releía los textos, su deleite al detenerse en los pasajes difíciles o recitar en voz baja los versos, Hans tuvo una idea que lo llenó de deseo y entusiasmo.

Unos días más tarde, Hans le envió un billete rogándole que se buscara cualquier excusa y viniera a verlo enseguida. Sophie no tardó demasiado en presentarse con Elsa en la posada y, mientras su doncella esperaba abajo jugando con Thomas, subió a la habitación. En cuanto la vio entrar Hans la besó, le pidió que se sentara y cerrase los ojos. Cuando Sophie volvió a abrirlos, se encontró con las pruebas de imprenta de la revista *Atlas* sobre el regazo. Al ver su propio nombre junto al de Hans debajo de las traducciones, soltó los papeles como si ardieran. ¡Pero Hans, no tenías, no debiste!, balbuceó con una mezcla de dicha y nerviosismo. ¿Cómo que no debía?, sonrió él, ¡si casi la mitad de los versos eran tuyos! Pero, dijo ella, ¿cómo hiciste, qué? Ah, muy fácil, contestó Hans, le escribí a la editorial y les indiqué la autoría compartida de las traducciones, ¿era lo justo, no?, ¿o vas a decirme que no te gusta? Sophie seguía negando con la cabeza y protestando, pero mientras tanto se iba deshaciendo del refajo hasta quedar sentada encima de Hans, atrapándolo en la silla. Ascendieron y cayeron, apretados el uno contra el otro, desorbitando el gesto sin hacer un solo ruido. Cuando recuperaron la quietud, lo primero que hizo Sophie fue ordenarse la falda y levantar del suelo las pruebas de imprenta. Hans le ofreció un poco de agua.

Piénsalo bien, decía Hans, si tradujéramos a medias, no como una excepción sino formalmente, podríamos pasar un verano maravilloso. Disfrutaríamos leyendo y trabajando juntos, y además tendríamos un pretexto perfecto para vernos aquí. Es mejor no esconderse demasiado, sólo lo necesario, ya hemos hablado de esto, cuanto más naturalmente actuemos menos sospechosos pareceremos. Si nos empeñamos en ocultarnos, terminaremos creando un misterio. Nos gustan las mismas cosas en los libros y en la cama, ¿qué mejor plan podríamos tener? Sophie hizo un gesto con la mano, como dándose en parte por vencida, y contestó: Ya lo sé, en lo de no escondernos tanto estoy de acuerdo, no sé qué pasará, pero es mejor. Con mi padre ya veríamos, eso ahora no quiero ni pensarlo. Rudi dirá que sí, porque yo intentaría, si se lo explico de manera que, en fin: dirá que sí. Pero si te confieso toda la verdad, también dudo de mí misma, de mis capacidades y de lo que pueda pensar Brockhaus, ¡nada menos que Brockhaus! (no me salgas con eso, objetó Hans, ellos ven lo que ven, tus traducciones, y saben que son buenas, y es lo que les importa), sí, bueno, puede ser, y te agradezco la confianza, quizá confíes en mí más que yo misma, pero trata de entenderme, Hans, no es sólo eso, está lo otro, ¡ay, no sé si un hombre puede entender esto!, también tengo el temor de que en la editorial a ti te juzguen sólo por tus traducciones, mientras que a mí me juzguen por ser *una* traductora, es una diferencia pequeña pero terrible, ¿cómo sabré que ellos van a leerme con imparcialidad, si ni siquiera tengo experiencia y para colmo soy joven y mujer?, ¿cómo sabré que me toman en serio?, o incluso más importante, ¿cómo puedo estar segura de que me exigirán como es debido? (mi vida, dijo Hans, te complicas demasiado, es más fácil que todo eso, si el resultado les gusta te aceptarán, y si no les gusta te rechazarán, y en cuanto a la exigencia tienes razón: les pediré que repartan los pagos entre los dos, que me manden una mitad a mí y otra a ti, así no quedará ninguna duda), ¡no, no, Hans, eso ni hablar! (claro que sí, faltaría más), de verdad, te lo pido (¡mala suerte, princesa!), escúchame, ¡estás loco!, yo, lo sé, soy una señorita mantenida, pero tú, ¿tú qué harías?, ¿cómo vivirías con la mitad?

(he conseguido ahorrar de nuevo unos táleros, y además, calcula bien: no sería la mitad del dinero, porque entre los dos podríamos traducir casi el doble, si nos repartimos bien el trabajo me resultaría más o menos igual de rentable), Hans, Hans, eres terrible, eres terrible y te quiero y algún día voy a arrepentirme, en fin, no voy a discutir contigo de dinero, no sé, imaginemos que es como tú dices, pero de todas formas lo siento, no cobraré ni un gros de lo que traduzcamos o no hay trato, eso sí que mi padre jamás lo consentiría, bastante tendré con intentar convencerlo, date cuenta, ¡su hija, *trabajando*!, ¡la prometida de un Wilderhaus!, ¡como si no tuviese quien me mantenga!, no habría manera, créeme, voy a hablar con mi padre, todo será más sencillo si se lo presento como una especie de pasatiempo literario, ¿entiendes?, como una forma de estudio, entonces puede que acepte, puede que todo salga bien, y entonces puede que yo venga aquí todas las tardes y te hable en latín y te decline todo y (¡eh!) te apriete esta cosa de aquí y (Sophie, que te esperan abajo) te la muerda bien mordida (huy, huy, huy) y trabajemos con la lengua que tú quieras.

El señor Gottlieb se tiró del bigote, hizo un bucle y se enredó el dedo índice. Dejó la pipa encima de la revista abierta y sacudió la cabeza disgustado. Pero, hija mía, dijo, ¿y no podías haberme consultado antes?, ¿cómo se te ocurre hacer una cosa así sin contármelo siquiera?, ¡siempre estamos igual!, ay, Dios bendito. Vamos, padre, ronroneó Sophie, ¿por qué se enfada tanto?, ¿tanto le molesta que su hija se entretenga con unos inocentes poemas? Sabes muy bien, contestó el señor Gottlieb, que nunca te he prohibido leer ni estudiar nada, no es eso lo que me molesta, lo que no me gusta nada es que tú y el señor Hans (¿el señor Hans y yo qué, padre?, dijo Sophie cantarina), en fin, esa colaboración literaria, como tú la llamas, pero hija querida, ¿te parece decente que alguien como tú se dedique a asuntos editoriales? Padre, sonrió Sophie, ¡dice usted *asuntos editoriales* como si estuviera nombrando un delito!, sea usted comprensivo, se lo ruego, ¿o insinúa que una chica como yo debería quedarse en casa recitando el Kinder, Küche, Kirche?, ¿espera usted que incluso antes de casarme centre absolutamente todos mis pensamientos en cocinar y darle nietos?, vamos, padrecito guapo, vamos, ¡yo sé que usted es bueno! Me conformaría, suspiró el señor Gottlieb domando la culebra de su bigote, con que de vez en cuando tuvieras esas cosas en mente. Si es por eso, dijo Sophie con tanta franqueza como ironía, despreocúpese: últimamente no hago más que pensar en la boda. Hijita, suplicó el señor Gottlieb, dime la verdad, ¿acaso no te hará feliz formar una buena familia? Bueno, contestó ella, depende, si lo menciona como una obligación ineludible, entonces quizá no mucho, padre, pero si me lo dice como una posibilidad, me imagino que sí, ¿por qué tenemos que hablar de eso ahora? Pero dime, insistió el señor Gottlieb, ¿acaso Rudi no te demuestra su amor cada día? Padre, se arriesgó Sophie, se me hace tarde, tengo que irme a traducir, y se lo digo en serio: si usted me lo prohíbe, si no me permite trabajar literariamente con el señor Hans, me encerraré en mi habitación a traducir de todas formas, supongo que eso no podrá impedírmelo, ¡me encerraré todas las tardes y no haré otra cosa que dormir, comer y traducir hasta el día de mi boda!, me quedaré pálida, triste y fea y el día del casamiento todos le preguntarán por qué tengo esa cara en un día tan feliz y a usted le dará vergüenza tener una hija tan, tan fea, ¡padre, padrecito guapo, sea bueno!, estoy en sus manos, haré lo que usted diga, y si usted lo dispone no pisaré la calle en todo el verano, y así usted estará contento y en el fondo yo, padre, también estaré contenta de cumplir con mi deber y obedecer sus órdenes, ay. Hija, tembló el señor Gottlieb, no me hables así, no seas injusta (puede estar seguro de que obedeceré lo que usted mande, dijo Sophie frunciendo los labios), ¡ahora no digas que yo! (confío en su equidad, padre, pronunció Sophie agachando la cabeza), ¡hija, hija!, ¡sé razonable, te lo suplico! (sólo espero su veredicto, que sea cual sea será sólo por mi bien), pero Sophie, si al menos, ¡si no quiero impedirte!, ¡tú sabes que yo siempre! (lo sé, lo sé, y le estoy profundamente agradecida, pestañeó ella), pero entonces, ¿y no hay otra manera?, ¿no? (¡oh, es usted tan comprensivo!, campanilleó Sophie abrazándolo), hija mía, hijita querida (¡no tanto como yo lo quiero a usted!), bueno, bueno, escucha, pero al menos, ¿al menos no podrías traducir aquí en casa con él?, ¿qué tendría de malo?, ¿por qué tiene que ser en esa posada de mala muerte? (ay, padre, ya se lo he explicado, aquí nos distraeríamos, hay demasiada gente, Bertold, Elsa, las visitas, mis amigas, además en la posada, padre, el señor Hans tiene una biblioteca apropiada para trabajar en las traducciones, eso no es cualquier cosa, allí tiene muchísimos papeles oportunos y todos los diccionarios necesarios, imagínese lo engorroso que sería trasladar todo eso hasta aquí cada tarde, seamos prácticos, padre, ¿no me lo ha enseñado usted?), ¡bien, muy bien, de acuerdo, de acuerdo!, ¡mira que eres imposible!, pero se hará con una condición, y te lo digo muy en serio, ¡una condición absolutamente innegociable! (¿cuál, padrecito, dígame?), que Elsa te acompañe sin falta cada día, y que vayas con ella y regreses con ella siempre a la misma hora y estéis aquí las dos sin excepción antes de que anochezca (padre, qué contratiempo, ¿está seguro?, dijo Sophie sin caber en sí de dicha, ¿le parece necesario que la pobre Elsa tenga que vigilarme a sol y a sombra?, ¿es así como confía en su hija?), ¡nada, nada!, ¡ni una palabra más!, ¡o traduces con Elsa en la posada o te quedas aquí y no se habla nunca más del asunto! (está bien, ¡qué severo se pone cuando quiere!, ¡con lo seria que es Elsa, tantas horas!, en fin, lo dejamos así como usted dispone, querido padre, un beso y buenas tardes).

Reichardt se levantó el sombrero de tres picos y se secó la cara con el antebrazo. Miró a su alrededor: de su fila de segadores, él era el único que se había detenido. Llevaban varias horas sin hacer una pausa, pero los demás continuaban como si nada. ¿No se cansaban nunca? ¿O querían quedar bien con el capataz? Porque no era posible que no estuvieran un poco doloridos, que no sintieran como él pinchazos en los hombros de tanto arrastrar la guadaña, la cadera rígida por culpa de los giros. No se iba a acabar el mundo ni el trigo iba a evaporarse si se sentaban un momento a descansar las piernas. Reichardt esperó a que el capataz mirase hacia otro lado y depuso la guadaña. Los callos de las manos le ardían, aunque nada le molestaba tanto como la maldita cintura. Cerró los ojos e inspiró hondo, tratando de recuperarse. Entonces se le hizo más claro el sonido del metal raspando el suelo, como un frotar de espadas. De joven aquel sonido le daba escalofríos. Había terminado acostumbrándose y ahora incluso le gustaba. Seguro que a los principiantes todavía les rechinaban los dientes cuando segaban. A él no. Él era duro. No viejo, sino fogueado. Y no estaba cansado. Lo único que necesitaba, lo único, era un pequeño respiro. Cinco minutos. Nada. Tiempo atrás él tampoco necesitaba parar, pero segaba mucho peor. En realidad no hacía falta tanta fuerza como creían algunos idiotas musculosos. Bastaba con saber a qué altura de la espiga pasar la guadaña. Si se la atacaba muy alto, quedaba corta y el capataz te reñía. Y si uno cortaba demasiado abajo, rozando la tierra con el filo, el esfuerzo era muchísimo mayor y casi nadie notaba la diferencia. ¡Por no hablar de cómo algunos empuñaban el mango! ¡Qué falta de destreza! Porque a experiencia a él no le ganaba nadie. Ni el capataz. ¿Le iban a enseñar a recoger el trigo? Las cosas del campo llevaban su tiempo, como todo. Al menos si querías hacerlas bien. Y él quería hacerlas bien. Por eso necesitaba cinco, cinco malditos minutos de respiro.

De frente al sol borroso, a contraluz, en fila, moviéndose a la vez sin levantar la vista, los jornaleros seguían segando el horizonte.

Mientras los segadores se iban desplazando, las mujeres se agachaban a recoger las mieses y las agavillaban. Después los jornaleros cargaban las gavillas en los carros de bueyes y las transportaban a los cobertizos. Reichardt siempre procuraba postularse para llevar los carros, porque era más cómodo que la siega. Pero esta vez fue el capataz quien se acercó por detrás, le tocó el hombro con un dedo y dijo: Tú. Él se volvió y miró al capataz con la expresión más fresca de la que fue capaz, tratando de disimular la extenuación. Buena labor, ¿eh?, dijo Reichardt abriendo los brazos y forzando una sonrisa. Más o menos, contestó el capataz, escucha, ¿tú llevas mucho tiempo por aquí, no? Reichardt escrutó al capataz y aguzó su intuición, intentando averiguar si aquello era una crítica o una señal de confianza. Más o menos, dijo él emulando el tono del capataz. Tengo que pedirte algo, dijo el capataz. Lo que usted mande, sonrió aliviado Reichardt, ahora mismo iba a seguir con esto, pero si se le ofrece alguna otra cosa... Quiero que vayas ahora mismo al cobertizo, asintió el capataz, selecciones el mejor grano que encuentres y lo lleves en un carro de caballos a la mansión Wilderhaus. Cómo no, señor, dijo Reichardt, ¡voy enseguida! Muy bien, contestó el capataz volviéndose. Eh, señor, lo detuvo Reichardt, perdone, señor. Qué quieres, dijo el capataz con expresión de estar perdiendo el tiempo. Nada, señor, perdone, dijo él, sólo me preguntaba, en fin, si pensaba pagarme esas horas. ¿Cuáles?, se asombró el capataz, ¿las que tardes en ir hasta allí?, naturalmente que no, viejo, se trata de un favor, no de un trabajo, y yo no dudo de tu buena voluntad, ¿o sí debo dudar? Claro que no, señor, se inclinó Reichardt, sólo lo preguntaba porque, bueno, yo estoy a lo que mande, por supuesto, pero el edicto dice que para los transportes... El capataz lo interrumpió con una carcajada y dijo: Veo que tienes amigos en el Parlamento, lo tendré en cuenta, lo tendré en cuenta. Y ahora a por el carro, ¡vamos, viejo, corre!, y no te olvides, un carro no de bueyes, de caballos.

Obtenida al fin la venia del señor Gottlieb, y bajo la supuesta vigilancia de Elsa, ambos se reunían tres veces por semana para trabajar en la posada después del almuerzo. Antes de salir, Sophie tenía la precaución de tomar el café con su padre y conversar un rato con él para dejarlo contento. Hablaban de parientes, de las novedades de tal o cual familia, de los preparativos de la boda o de cualquier anécdota de la infancia de Sophie que al señor Gottlieb lo emocionase. Alrededor de las tres de la tarde, Sophie besaba a su padre en la frente y partía con aire distraído. Elsa y ella llegaban juntas a la calle del Caldero Viejo. Entraban en la posada y, tras una espera prudencial, Elsa volvía a salir. Se aseguraba de que nadie la seguía y se subía a un coche para hacer su propia visita. El pacto con el señor Gottlieb era que debían estar sin falta en casa antes de que el sereno terminara la ronda de las siete. Elsa y Sophie se reencontraban a las siete y media en punto junto a la fuente barroca. Habían acordado citarse allí porque un regreso de Elsa a la posada, siempre a la misma hora y siempre sola, habría resultado aún más sospechoso. Sabiéndose observados, en vez de disimular a toda costa preferían comportarse con la mayor naturalidad posible, que era la única manera de contrarrestar los chismes. Y demos gracias a que sea verano, había dicho Sophie, porque si no tendría que irme a casa mucho antes.

En esas cuatro horas de las que disponían a solas tres veces por semana, Hans y Sophie pasaban de los libros al catre y del catre a los libros, buscándose en las palabras y leyéndose los cuerpos. Así, sin proponérselo, fueron alcanzando un idioma común, reescribiendo lo que leían, traduciéndose mutuamente. Cuanto más trabajaban juntos más se daban cuenta de lo parecidos que eran el amor y la traducción, entender a una persona y trasladar un texto, volver a decir un poema en una lengua distinta y ponerle palabras a lo que sentía el otro. Ambas misiones se presentaban tan felices como incompletas: siempre quedaban dudas, palabras por cambiar, matices incomprendidos. Ellos también eran conscientes de la imposibilidad de lograr la transparencia como amantes y como traductores. Diferencias culturales, políticas, biográficas, sexuales actuaban como filtro. Cuanto más intentaban mediar en ellas mayores se volvían los peligros, los obstáculos, las malinterpretaciones. Pero al mismo tiempo los puentes entre las lenguas, entre ellos mismos, se volvían más anchos.

Sophie descubrió que cuando hacía el amor con Hans tenía unas sensaciones similares a las que experimentaba traduciendo. Creía saber muy bien lo que quería decir, lo que deseaba. Pero después sus certezas empezaban a dispersarse y sólo le quedaban entusiastas, contradictorias intuiciones a las que se entregaba sin pensar en el resultado. Al rato la sorprendían unos instantes de lucidez insólita, unos golpes de luz a través de los que ella podía contemplar lo que había estado buscando: un sentido final, la sensación precisa, las palabras exactas. Entonces cerraba los ojos y sentía que estaba a punto de abrazar una enorme esfera, de quedarse con ella y entender. Pero justo cuando ganaba la cima y se disponía a escribir o a hablarle a Hans desde ahí arriba, la idea se le deshacía y la esfera resbalaba entre sus dedos, dividida en mil partes. Y aunque Sophie sabía que ningún temblor, ningún poema podía traducirse con otras palabras, porque aquella totalidad era inalcanzable, lo único que deseaba al terminar era empezar de nuevo.

El propósito de Hans, que coincidía en parte con los encargos semanales de la editorial, era trabajar sobre todo con poetas europeos contemporáneos, siempre soñando con una improbable antología general de poesía que Brockhaus no terminaba de aceptar por razones comerciales. «¿Pero de cuántos países hablamos?», le había preguntado el editor en una carta. «De todos los que podamos», le había escrito Hans sin pararse a pensarlo. «Usted primero envíenos una muestra», había respondido el editor acaso con ironía, «y ya hablaremos». Sin embargo Hans estaba convencido de que, con paciencia y la ayuda de Sophie, aquel volumen acabaría viendo la luz.

¿Cómo se puede hablar de libre circulación comercial?, disertaba Hans tendido junto a Sophie, ¿de la unificación de las aduanas y no sé qué más, sin pensar en el libre intercambio literario?, ¡tenemos que traducir todas las literaturas extranjeras que podamos, editarlas, rescatar libros de otros países y llevarlos a las aulas!, eso le escribí a Brockhaus. ¿Y él qué te dijo?, preguntó Sophie mordisqueándole un pezón. Hans se encogió de hombros, le acarició la espalda y dijo: Me contestó que bueno, que poco a poco, que no me altere. Pero en ese intercambio, dijo Sophie, habría que tener cuidado de que los países más poderosos no trataran de imponerles su literatura a los demás, ¿no crees? Completamente de acuerdo, contestó Hans hurgando entre las nalgas de Sophie, y además los países pequeños tienen mucho que enseñarles a las potencias: suelen ser más abiertos y curiosos, o sea más sabios. ¡Tú sí que eres curioso!, suspiró Sophie dejando entrar los dedos de Hans y reclinándose. Eso será, sonrió Hans, porque tú estás abierta y eres sabia.

Recompuestos y vestidos frente al escritorio, justo antes de ponerse a trabajar, Hans le contó a Sophie que acababa de leer un comentario de la adaptación francesa del *Tasso*, donde Goethe afirmaba que estaba inaugurándose una literatura universal. Por muy conservador que sea en política, dijo Hans, hay que reconocer que el viejo va siempre adelantado en pensamiento literario. ¡Una Weltliteratur! Él fue de los primeros en defender la cultura francesa cuando cayó Bonaparte, y no deja de repetir que la patria del poeta es la poesía, esté donde esté y escriba lo que escriba. Goethe es un poco Fausto, ¿no?, y a todos nos gustaría ser un poco Goethe: ser un lector eterno, hablar un montón de idiomas, conocer todos los países, estudiar todas las épocas. Hans rebuscó en su arcón, encontró el texto, se lo dio a Sophie. ¿Tú de dónde sacas todas estas revistas?, preguntó ella tratando de asomarse al arcón. Me las mandan, contestó él cerrándolo apresuradamente. «Se acerca la época de una literatura universal», leyó Sophie en voz alta, «y cada uno de nosotros debe contribuir a formarla». Esa, asintió Hans entusiasmado, es la única forma de construir la literatura alemana, sumándola, comparándola, mezclándola con las demás. Lo contrario sería como cerrar la puerta y tirar la llave al mar. Hace poco leí un artículo de un tal Mazzini sobre eso, ¿y si lo traducimos la semana que viene?, tú sabes más italiano que yo. Mazzini se refería a Europa, pero a mí me parece que sólo es el principio. Ahora por ejemplo están de moda las literaturas orientales, a lo mejor pronto le toca el turno al continente americano. ¿Y si algún día tenemos que viajar hasta allá para estudiarnos a nosotros mismos?, ¿te imaginas? Yo había pensado en embarcarme a América un año de estos, ¡oye!, ¿y si vinieras conmigo?, a lo mejor podrí. Hans, lo interrumpió Sophie con una caricia, ¿y si nos ponemos a trabajar?, ya son casi las cinco. Sí, sí, aterrizó Hans, disculpa. Tras revolver en el desorden de la habitación, extendió varios libros sobre la mesa junto con un puñado de cuartillas. Así que hoy tocan ingleses, dijo Sophie hojeando aquí y allá. Indeed, my dear, resopló Hans sentándose, and I must actually confess that it is urgent.

Los encargos de Brockhaus eran dos: la revisión a fondo de una compilación de nuevos poetas ingleses, que se encontraba agotada desde hacía unos años y con la que el editor no estaba satisfecho, más una traducción de los fragmentos centrales del prefacio a las *Baladas líricas,* que se incluirían a modo de apéndice. Hicieron una primera lectura rápida para señalar los pasajes más dudosos y facilitar el trabajo del día siguiente. El método que seguían era sencillo: Sophie, que sin lugar a dudas recitaba mejor que Hans, leía el poema original en voz alta, deteniéndose al final de cada verso con mimosa paciencia, dejando que el ritmo interior del verso se desplegara y asentase antes de pasar al próximo, como quien va levantando una torre de naipes. Hans repasaba mientras tanto la versión traducida e iba tachando palabras, subrayando imprecisiones, anotando variantes para consultar después con ella. Acostumbrado a trabajar solo, en un primer momento le había resultado difícil concentrarse porque la voz modulada de Sophie, sus pausas e inflexiones le provocaban una excitación de la que él mismo se sorprendía. Poco a poco empezó a disfrutar de esa ansiedad que lo llevaba desde una lengua extraña hasta el cuerpo de su compañera. E intuyó que Sophie tampoco ignoraba los efectos voluptuosos de aquel método: ella gozaba conteniéndose, graduando la tensión entre el rigor del trabajo y la distracción del deseo. Precisamente de aquel esfuerzo erizado, de aquel conflicto que estimulaba sus sentidos y afilaba sus inteligencias, solían aflorar las mejores ideas comunes. Al cabo de unas cuantas sesiones de trabajo, ambos se habían acostumbrado a desearse mientras traducían y habían comprobado que todas esas palabras que buscaban eran otra manera de encontrarse, de acortar la distancia entre sus bocas.

Revisaron las versiones de los poemas de Byron, un tanto mecánicas aunque en general correctas, ya que el traductor anterior había tenido la astucia de seleccionar las piezas más sencillas. Es curioso, comentó Hans, cuando Byron se ponía salvaje sonaba más retórico, académico. A lo mejor, sugirió Sophie, porque a veces él mismo se asustaba de lo que decía.

Decidieron en cambio retocar todas las versiones de Shelley, que encontraron afectadas y repletas de giros de indigesto patetismo. Hans propuso suprimir todos los adjetivos y ponerse a traducir lo que quedara. Sophie dijo admirar el *Himno a la belleza intelectual,* que en su opinión refutaba cualquier intento por separar a ilustrados y románticos:

> *¡Oh tú, la mensajera de esos entendimientos*
> *que crecen o bien menguan en los ojos que aman,*
> *tú que le das nutriente a nuestro pensamiento*
> *como la oscuridad a una extinguida llama!*

¿Te das cuenta?, se encendía Sophie, ¡la oscuridad avivando la llama! En este poema de Shelley lo que brilla es el misterio, pero lo hace para alumbrar el pensamiento. Y el pensamiento humano, ese «human thought» al que no se le oponen la emoción ni el amor, es a su vez alimentado por la belleza, ¿no es una maravilla? No sigas, rió Hans, que me convences, y voy a terminar queriendo a Shelley por tu culpa.

Al llegar a la parte de Coleridge, se concentraron sobre todo en reescribir *El Khan Kubla,* que era el único texto del autor que todos los lectores conocían:

> *En Xanadú el Khan Kubla*
> *mandó alzar una cúpula*
> *de placer gigantesca:*
> *donde Alph, río sacro,*
> *corría por cavernas*
> *de inhumano tamaño*
> *hacia un mar en tinieblas...*

Lo divertido del caso, dijo Hans, es que *El Khan Kubla* no es ni de lejos el mejor poema de Coleridge. Pero ya sabes, la leyenda manda, la gente no espera que un poeta escriba una gran obra, sino que se comporte como un gran poeta. Y como al listo de Coleridge se le ocurrió contar que un día de opio soñó con un poema de trescientos versos, que al despertarse lo recordaba enterito, ¡que iba a ser genial, lo nunca visto!, y que se puso a transcribirlo hasta que al pobre lo interrumpieron, y por eso el poema se le quedó incompleto, pequeñito como lo vemos... Entonces, preguntó Sophie, ¿tú no le crees? Yo a un poeta le creo todo, sonrió Hans, con la condición de que nada de lo que me diga sea cierto. En ese caso, razonó ella, el poema no quedó incompleto, sino que continúa en el relato de Coleridge, en la historia que contó sobre aquel sueño, ¿no te parece?, y así donde el poema termina, o sea el sueño, empieza la otra historia, la que ocurre al despertar. ¡Me adhiero!, festejó Hans rozándole un tobillo por debajo de la mesa. En realidad, agregó Sophie ofreciéndole a Hans el otro tobillo, lo más romántico del poema es su explicación. Es verdad, dijo él excitándose de nuevo, ¿y qué me dices del final?, «y se bebió la leche del Edén», «and drunk the milk of Paradise», ¡tanta *k* justo al final, tanta dificultad para beberse el néctar!, ¡como si te estuvieras atragantando con el paraíso! Si lo piensas dos veces, te das cuenta de que los mejores poetas románticos nunca hablan del paraíso, sino de la imposibilidad de su existencia. (Al terminar de hablar de Coleridge, Hans advirtió con cierto desconsuelo que el tobillo de Sophie se había alejado del suyo.)

Comparando estilos, dijo Sophie mientras pasaba las páginas del libro, da la sensación de que la poesía inglesa tiene dos maneras: una grandilocuente y furiosa, como Shelley o Byron, y otra más serena pero más actual, como Coleridge o Wordsworth. ¿Y Keats dónde entraría?, preguntó Hans señalando sus poemas. En las dos, dudó Sophie, o en ninguna. De acuerdo, dijo Hans, en que Byron o Shelley, por muy buenos que sean, no pueden ser modernos como Wordsworth. Él trata de ser oral escribiendo, eso en poesía es un pecado. Y ya se sabe que la literatura sólo avanza a fuerza de pecados (¿tú crees?, sonrió ella con picardía), sí, por supuesto, o sea, cuando Wordsworth dice aquí, en el «Prefacio», espera, a ver, aquí, ¿ves?, cuando dice que el lenguaje de la prosa puede ser perfectamente adaptado a la poesía, e incluso que no hay ninguna diferencia esencial entre la buena prosa y el lenguaje de un poema, ¿ahí qué está haciendo Wordsworth?, ¿rebajar lo poético?, al contrario, para mí está elevando las posibilidades de la prosa. Y todavía más importante, está asociando la poesía con las palabras diarias, con cualquier momento de la vida, que no siempre es sublime. O sea, Wordsworth baja a la poesía de los altares para que gane campo de acción.

Entiendo, dijo Sophie tomando el libro, suena muy atractivo. Pero si la poesía entra a fondo en el tono cotidiano, ¿cómo hacemos para distinguir un poema bien escrito de otro mal escrito? Esa, contestó Hans, es la cuestión más delicada para Wordsworth, supongo que por eso se apresuró a explicarlo al principio del «Prefacio», pásame el libro, por favor, eh, aquí: «El primer volumen de estos poemas, bla, bla, bla, se publicó como un experimento que, según yo esperaba, fuese de alguna utilidad para averiguar hasta qué punto, acomodando al orden métrico una selección del lenguaje real de los hombres...» (ah, se burló Sophie, el lenguaje de las mujeres sigue siendo un misterio), bueno, en fin, digamos «averiguar hasta qué punto, acomodando al orden métrico una selección del lenguaje real de las personas (muy gentil de tu parte, intercaló Sophie) en un estado de emoción intensa, era posible para un poeta comunicar esa emoción». Fíjate que Wordsworth lo llama *experimento,* no es nada mecánico, y más teniendo en cuenta que se refiere a una *selección* del habla cotidiana, ahí ya entraría el talento del poeta, y que esos momentos cotidianos deberían coincidir con una emoción intensa. Si se cumplen esas premisas el experimento de Wordsworth jamás podrá resultar vulgar. Otra cosa es que alguien tome la parte fácil de sus consejos y olvide la otra. Sobre todo, un momento, a ver, si lo tenía subrayado, ¿dónde era?, aquí: sobre todo la parte de «y al mismo tiempo impregnarlos de un cierto toque de imaginación, a través del cual las cosas cotidianas se presentasen al entendimiento de un modo inusual», esto es muy importante, ¿no?, y más abajo: «especialmente en lo que se refiere a la manera en que asociamos las ideas cuando nos encontramos en estado de emoción», o sea, introducirse en las emociones diarias, ordenarlas y *traducirlas* al lenguaje corriente, sin olvidar la capacidad de nuestra imaginación para asociar imágenes e ideas. ¿Te das cuenta de lo anticuado que parece Byron comparado con esto?

No es por defender a Byron ni a Shelley, dijo Sophie pensativa, pero creo que para juzgar el estilo de un poeta también habría que tener en cuenta la retórica de sus mayores. Quiero decir que la retórica es un péndulo, ¿no?, hay fases en que habla cotidiana y escritura parecen oponerse, como en Milton o Shakespeare, hasta que ese lenguaje específicamente poético se amanera y cae, digamos, en Pope, y entonces la poesía vuelve a acercarse a la lengua oral, como pasa con algunos poemas de Coleridge o Wordsworth. Se me ocurre que las oscilaciones de ese péndulo tienen sus momentos oportunos, y un poeta de buen oído debería saber en qué momento del péndulo está la poesía en su idioma. Esa idea, comentó Hans admirado, tendríamos que incluirla en la introducción. Sí, continuó Sophie, yo lo veo como una especie de balanza, y puede que ahora sea uno de esos momentos y Wordsworth tenga razón. Y buena falta, asintió Hans, que nos haría eso en Alemania. Siempre estamos buscando la pureza, y eso es lamentable. La poesía que busca la pureza se vuelve puritana, para mí el verdadero lirismo consiste en lo contrario, en, ¿cómo decirlo?, pura emoción impura. Eso es lo que me gusta de la poesía inglesa actual, sus impurezas. Por muy alto que vuele, nunca deja de confiar en lo que puede ofrecerle la realidad inmediata, ya sabes, «the fancy cannot cheat so well». Por eso (continuó Hans mientras pasaba las páginas del libro) he dejado para el final a Keats, mi favorito. Tenía muchas ganas de que lo tradujéramos juntos, empezando por la *Oda a un ruiseñor*. Un poeta alemán no se conformaría con un simple ruiseñor, le parecería poca cosa y se pondría a escuchar al cosmos, o como mínimo a una montaña enorme.

Sophie acababa de pronunciar el final de la *Oda a un ruiseñor*. Hans se quedó unos instantes en silencio con los ojos entrecerrados, paladeando el sonido posible de esos versos en otro idioma. Después le rogó a Sophie que repitiera más despacio la última estrofa. «Forlorn!», reanudó ella vocalizando con suavidad, «the very word is like a bell / to toll me back from thee to my sole self...». Simultáneamente, Hans fue anotando en sus papeles la versión que ella leyó enseguida:

> *¡Olvidadas! La propia palabra es la campana*
> *que al repicar me lleva desde ti a mi ser solo.*
> *¡Adiós! La fantasía no es capaz de mentirnos,*
> *duendecillo engañoso, tanto como es su fama.*
> *¡Adiós! Se desvanece tu lastimero himno*
> *más allá de los prados, sobre el callado arroyo,*
> *por la ladera... y queda sepultado en lo hondo*
> *de los claros del valle: ¿acaso ha sido*
> *una visión, o un sueño con los ojos abiertos?*
> *La música se ha ido. ¿Duermo o estoy despierto?*

Sophie releyó la estrofa. Anotó *desaparece* junto a *se desvanece* (quedaría más contundente, dijo cruzando una pierna), escribió *ha volado* junto a *se ha ido* (perderíamos una rima, aclaró quitándose un zapato, pero quedaría más fiel, así la música volaría igual que el pájaro) y *sumergido* en vez de *sepultado* (así dialogaría mejor con el arroyo, explicó dejando caer el otro zapato). Pero si el canto *se sumerge,* objetó Hans mirándole los pies, sacrificaríamos el matiz de que el ruiseñor no sólo se aleja, sino que de alguna forma muere en el poema. Entiendo, contestó Sophie humedeciéndose los labios, ¿y si probamos con *enterrado,* que suena más terrible? Podría ser, dudó Hans mordiéndose el labio. Sophie recitó la estrofa con sus distintas variantes. Me gusta, asintió levantándose, aunque así parece que el poeta se alegra de que el sueño termine, como si al despedirse del ruiseñor lo hubiera vencido, ¡adiós!, ¡vete!, ya me despierto, no podrás engañarme, sé que nada es eterno. Cierto, sonrió Hans viéndola venir, ¿y no te parece que Keats también decía eso? No sé, dijo Sophie deteniéndose frente a él, yo había entendido que se lamenta de que el hechizo del ruiseñor se rompa. La cuestión, opinó Hans despegando su silla de la mesa, sería saber si «the fancy cannot cheat so well» se dice con despecho, o sea, ¡qué pena que la fantasía no pueda embaucarnos siempre!, o si lo dice con orgullo, ¡a mí ya no me engañas!, como quien recupera la lucidez. ¡Exacto!, añadió ella acariciando los muslos de Hans, lo mismo pasa con «deceiving elf», ¿no?, eso de duende engañoso, ¿lo dice con rencor o con nostalgia? A mí, contestó él separando las piernas, me parece que Keats se estaba despidiendo de las ilusiones, estaba enfermo y sabía lo que le esperaba, ya no tenía tiempo para ciertas cosas, necesitaba bajar y pisar tierra todo lo que pudiese, supongo que cuando uno tiene tuberculosis lo que quiere es eso. Puede ser, dijo Sophie llegando a la entrepierna, aunque por otro lado, ¡qué poema tan hermoso y ambiguo!, pienso que por eso mismo, porque sabía que iba a morir pronto, Keats trató de imaginarse una voz más duradera que la suya, una manera de escapar volando con el ruiseñor, como si el ruiseñor fuese la poesía, ¿no?, «Thou wast not born for death, immortal Bird!», un pájaro que canta para siempre. ¿Sabes qué?, comentó Hans abriéndose el cinturón, en realidad las dos lecturas son ciertas, seguramente Keats por un lado pensaba: ¡qué maravilla sería vivir en un mundo fantástico donde la muerte no exista y se pueda cantar eternamente!, ¿por qué no protegerse del dolor con esa fantasía?, mientras por otro lado pensaba: pero cada día siento más dolores, la enfermedad avanza y al cantar sangro por la boca, ¿cómo voy a creer en la eternidad de los ruiseñores?, ya no puedo engañarme, adiós, que vuelen ellos, yo me quedo aquí abajo mientras dure.

Se hizo un silencio triste en la habitación: la luz volaba rasa a las siete menos cuarto de la tarde.

Aquí abajo, repitió Sophie arrodillándose, mientras dure.

Por alguna razón entre el pudor social y el refugio íntimo, Hans apenas le había hablado a Sophie del organillero ni de su cueva. La primera vez que Hans había mencionado a su amigo, Sophie tardó en comprender que se refería a ese anciano sucio que tocaba en la plaza del Mercado con un organillo destartalado y un perro negro a sus pies. ¿Cuál?, ¿ese?, había dicho sorprendida, ¿y qué tiene de particular?, lleva un montón de años ahí. Al notar que Hans se ofendía un poco, Sophie empezó a insistirle para que se lo presentara formalmente. Al principio él se había mostrado reacio, en parte por auténtica vergüenza (una vergüenza que lo hacía sentirse miserable) y en parte porque temía no poder soportar que ella también, como los otros, mirase al viejo por encima del hombro. Al cabo de un tiempo, ante los ruegos de Sophie, Hans decidió correr el riesgo. En realidad llevaba meses deseando y evitando presentarle al organillero. Junto con Álvaro, era su único amigo en la ciudad y era natural que Sophie lo conociese. Además, a esas alturas el viejo lo sabía casi todo de ella. Así que aquel mediodía, un miércoles caluroso de julio, Hans organizó la cita y cruzó los dedos. Sophie llegaría acompañada de Elsa poco antes del almuerzo, con la excusa de comprar unas bobinas de hilo y unos botones de angora en una mercería.

La plaza del Mercado era un revuelo. Los niños regresaban de la escuela, las mujeres paseaban el color de sus vestidos hinchados por la brisa, los hombres agitaban las tabernas. Proyectando una sombra perpendicular sobre el empedrado, la Torre del Viento apuntaba al cielo con ambas agujas, que parecían a punto de perforar la membrana del tiempo y echar a volar como dos flechas. Hans esperaba impaciente jugueteando con Franz, que le mordía la punta de la bota. El plato del organillero mostraba tres monedas, dos de ellas de Hans. Cuando reconoció una sombrilla verde flotando entre la muchedumbre, Hans se volvió hacia el viejo y le pidió que tocara una alemanda. El organillero asintió y desplazó el rodillo, pero de pronto alzó la cabeza para decir: Una alemanda no, mejor un vals. ¿Un vals por qué?, preguntó Hans. No seas torpe, sonrió el viejo, ¡porque es más atrevido!

Sophie, Elsa, pronunció Hans con ceremonia, este es mi buen amigo, el señor organillero. El viejo hizo una reverencia, tomó con dos dedos una mano de Elsa, la rozó con los labios y dijo: Es un placer. Repitió el gesto con Sophie, añadiendo:

Estaba deseando conocerla, señorita, he oído muchísimo de usted y veo que no habían exagerado. Al ver que Hans se ponía nervioso, el organillero aclaró: Su familia siempre ha tenido un gran renombre en la ciudad. Desorientada por la caballerosidad del viejo, cuyos modales no parecían corresponderse con su aspecto, Sophie le cedió la sombrilla a Elsa, se inclinó y contestó: El placer es nuestro, señor, y debo confesarle que son más los elogios que he oído últimamente sobre usted.

Después se hizo un silencio que a Hans le resultó incómodo, a Sophie interesante y al organillero absolutamente encantador. Todos se miraban, sonreían y bajaban la vista sin saber qué decir. Hans carraspeó, inquieto. Entonces el organillero chasqueó la lengua, lanzó una exclamación y dijo: Caramba, pero qué desconsiderado he sido, les pido mil disculpas, señoritas, en fin, esta criatura que descansa aquí abajo es Franz, mi protector, Franz, levántate y saluda a las señoritas. Hans se tapó la cara con una mano y pensó: Esto no puede salir bien. Pero Sophie, definitivamente atraída por el viejo, dejó escapar una risa alegre y se agachó para acariciar a Franz, que se estiró como un resorte. Encantada, señor Franz, dijo Sophie. Franz la miró con ojos de agua, frunció sus cejas tostadas y volvió a descansar. Es un perro educado, explicó el organillero, pero administra sus fuerzas.

Sophie, Hans y el organillero charlaron un rato más de pie, como al pasar, antes de separarse. El viejo concluyó invitándola solemnemente a visitar la cueva. Mi humilde cueva, precisó, que es un lugar muy fresco en esta época del año. Sophie se despidió prometiendo que iría. Hans sospechó que pensaba cumplir su palabra. Mientras ella se volvía y tomaba del brazo a Elsa, Hans leyó su expresión: supo que Sophie se había divertido y que, de alguna forma, el organillero le había interesado.

El viejo mugriento del organillo señalaba al chucho. Sophie se agachaba para tocar al chucho y parecía contenta. Elsa los miraba sin moverse. Hans, que también andaba por ahí, hacía un gesto extraño con las manos. ¿Qué estarían diciéndose?

A través de los cristales de la Taberna Central, Rudi Wilderhaus espiaba la escena. No podía escucharlos ni interpretar la situación con exactitud. Elsa estaba con ella, sí, ¿pero por qué se detenían tanto?, ¿de qué estaban hablando con Hans y el viejo mugriento?

Se oyeron risas en la barra. Uno de los jóvenes nobles que lo acompañaban posó una mano en el hombro de Rudi, que seguía de espaldas y con la vista fija en los cristales. Eh, Wilderhaus, dijo el joven noble, ¿y a ti no te molesta que tu prometida haga amistades con extraños?, ¿cómo toleras que ande entrando y saliendo de una posada barata? Mi prometida, contestó Rudi volviéndose, tiene las amistades que estima convenientes, porque no es una niña ni tampoco es imbécil como la tuya. En cuanto a sus visitas a la posada, su padre y yo estamos perfectamente al tanto y son para traducir literatura, que es uno de los pasatiempos preferidos de Sophie.

Los amigos de Rudi se miraron entre sí, reprimieron una carcajada y levantaron sus jarras. ¡Salud, Wilderhaus!, dijo uno, ¡brindo por los pasatiempos literarios de tu prometida! Rudi chocó su jarra y contestó: Y yo brindo por que tu descendencia nunca pierda la ignorancia que distingue a tu apellido. Todos rieron, salvo el aludido. Rudi se volvió una vez más hacia los cristales. Alcanzó a ver cómo las dos mujeres se despedían de Hans y del viejo mugriento antes de seguir su camino. Le pareció que Sophie sonreía. Cuando se acodó en la barra, estaba muy serio aunque tranquilo en apariencia. Wilderhaus, de veras, se atrevió a decir otro, ¿no te parece demasiado?, ¿no sería aconsejable intervenir por las dudas, aunque sea por decoro? El decoro, murmuró Rudi alzando el mentón, es algo que está fuera de duda en el caso de Sophie. Te repito que confío plenamente en ella, y confío todavía más en mí. Por supuesto, por supuesto, insistió el otro, pero dinos la verdad, ¿ni siquiera sientes celos? Rudi calló un momento. Soltó aire despacio, apoyó su jarra con violencia y rugió: Majadero, ¿con quién estás hablando?, ¿voy a preocuparme yo de un plumilla de medio pelo venido de no sé dónde?, ¿pero qué linaje tiene?, ¿qué hacienda?, ¿qué elegancia?, ¿esperas que me sienta siquiera imaginariamente amenazado por un plebeyo mal leído que duerme en una fonda? Lo que me indigna no son los pasatiempos de Sophie, que siempre se ha entretenido con extravagancias y está en su perfecto derecho, sino las insinuaciones innobles como la tuya. El mero hecho de que pienses que debo preocuparme por eso me rebaja y me ofende. Así que te exijo que retires inmediatamente tus groseros comentarios, o que me los repitas empuñando el arma que prefieras. Lo mismo os digo a todos los demás.

El otro agachó la cabeza y balbuceó una disculpa. Sus amigos se apresuraron a imitarlo. Se hizo un silencio en el grupo. Rudi Wilderhaus le hizo un gesto al camarero, dejó unas monedas encima de la barra y salió sin despedirse.

Cada vez que el profesor Mietter despegaba sus labios rígidos para tomar la palabra, el surtidor del patio volvía a oírse: los contertulios callaban prudentemente y aguardaban su opinión con los dedos entrelazados. A Hans no dejaba de admirarlo la autoridad del profesor Mietter, aunque tampoco lograse entenderla del todo. El profesor jamás hacía aspavientos para imponer sus opiniones: las dictaba con parsimonia mientras los demás parecían tomar nota en silencio. El señor Gottlieb asentía con profundo interés. Sophie sonreía con cierta ambigüedad. Y Hans, que estaba aprendiendo a interpretar sus gestos, sospechaba que si ella sonreía de forma prolongada y estática, eso quería decir que discrepaba por completo.

Enterado de la colaboración literaria de Hans y Sophie, el profesor comenzó expresando su preocupación acerca de que ella pudiese descuidar otros asuntos importantes para una muchacha de su edad, y mucho más si estaba a escasos meses de celebrar su enlace. Al oír esta opinión, el señor Gottlieb lanzó una exclamación que dejó temblando sus bigotes como dos dardos recién clavados. Después, casi en tono de súplica, dijo: Eso mismo, ¿ve usted?, eso mismo le he dicho yo, pero ella no atiende a razones. La señora Pietzine estaba de acuerdo con el profesor. Pero miró a Sophie, la vio arrugar la frente y dijo que en fin, bueno, que tampoco era para tanto. La señora Levin se cambió el abanico de mano, sacudiendo la cabeza reprobatoriamente. Su esposo carraspeó, pensativo. A Hans, que hubiera querido dedicarle una mirada de ánimo a Sophie, le pareció que en ese momento Rudi la vigilaba, echó en falta el espejo de la sala y pinchó una rodaja de naranja con canela. Viéndose rodeada de consejos protectores, Sophie prefirió no perder el tiempo justificándose y optó por el humor, que era lo único que el profesor Mietter ignoraba y que desautorizaba a su padre. Tienen tanta razón, caballeros, dijo, que ahora me avergüenzo de cada verso que he traducido, ¡qué ingenuidad la mía! Pero les prometo que a partir de mañana, qué digo, ¡de ahora mismo!, no estudiaré otra cosa que tratados morales y libros de cocina.

De no ser por la risa brusca de la señora Pietzine, Hans habría jurado que el señor Gottlieb y el profesor Mietter estuvieron a punto de creerle. Sophie aprovechó la ocasión para preguntar a los invitados qué bebidas deseaban, ponerse en pie y darle algunas indicaciones a Elsa. Para cuando volvió a su asiento, la discusión se había desviado y trataba de las posibilidades prácticas de la traducción. Con doctoral serenidad, el profesor Mietter cuestionaba la legitimidad de las traducciones poéticas. Hans, que apenas había dormido y sentía una pesadez en los párpados, se le oponía sin mucha diplomacia.

Entiéndame bien, joven, decía el profesor, no es que yo tenga nada contra el loable esfuerzo de intentar traducir un poema, Dios me libre, al contrario. Pero siendo rigurosos, si dejamos de lado las buenas intenciones y enfocamos el asunto más científicamente, tendrá usted que convenir conmigo, como buen lector de poesía, en que cada poema posee un carácter intransferible, un sonido peculiar, una forma y unas connotaciones exactas, imposibles de adaptar a otra lengua en los mismos términos de perfección. Otra cosa sería, por supuesto, renunciar a la ambición excesiva de traducir el poema y ofrecerle al lector una especie de guía, una transcripción fiel y literal del contenido léxico del poema, para que con ella se ayude y penetre en el original, que es lo que de verdad importa. Pero esas ya no son traducciones en sentido literario, que es de lo que usted hablaba y que con todos mis respetos, ya le digo, me parece un empeño irrealizable desde su mismo punto de partida.

(Al escuchar estas opiniones, Hans pensó que todo lo que decía el profesor podía trasladarse al campo de las emociones: alguien que descreía de las posibilidades de la traducción era, en pocas palabras, alguien escéptico con el amor. Este hombre, se dijo Hans con malicia, ha nacido lingüísticamente para la soledad. O, bien mirado, para el matrimonio. De pronto Rudi se atragantó con el aperitivo, y por un instante Hans dudó si lo acababa de pensar o lo había dicho en voz alta sin darse cuenta.)

El profesor Mietter seguía discurriendo sobre la fidelidad al original y el respeto a la palabra del autor. Hans levantó un dedo y, para su sorpresa, el profesor calló en el acto y le cedió la palabra con un ademán cortés. La boca mesurada del profesor engulló un triángulo de piña en almíbar.

Comprendo su opinión, dijo Hans algo nervioso, pero creo que esa fidelidad es una paradoja (Rudi se volvió hacia él y lo miró con fijeza: ¿y ahora de qué estamos hablando?, pensó Hans), quiero decir, en el fondo es una paradoja, porque en el mismo instante en que aparece en escena otro texto la fidelidad es inalcanzable, el poema ya es distinto, se ha convertido en otro. Hay que contar con eso, no es posible reescribir literalmente nada, ni siquiera una palabra. Algunos traductores le temen a esa transformación, como si en vez de un cambio fuera una deslealtad. Pero si se hace bien, si el esfuerzo de interpretación da los frutos correctos, el texto puede incluso mejorar, o al menos convertirse en otro poema tan digno como su antecesor. Y le diría más, precisamente por lealtad a su naturaleza poética, pienso que un traductor tiene la obligación de reescribir el original, o sea devolverle al lector un *auténtico* poema en su propia lengua. Claro que para eso es necesario un equilibrio delicado entre las libertades que se toma el traductor y una comprensión verdadera, digamos honesta, del primer texto. Ese es el riesgo, y quizá lo más difícil. El caso es que para mí no queda otro remedio que asumir ese riesgo. Y no nos engañemos: ni siquiera el original tiene un sentido único, leerlo también es traducirlo, nunca podemos estar totalmente seguros de qué dice un poema en nuestra lengua materna. Tal como la entiendo, una traducción no se compone de una voz de autoridad y otra voz que la obedece, es más bien un encuentro entre dos voluntades literarias. Al fin y al cabo siempre hay una tercera persona, ¿no?, quiero decir, un tercero en discordia, eh, que vendría a ser el lector (¿pero de qué?, se distraía Hans, ¿de qué estamos hablando?), y si ese lector realmente pudiera penetrar en el original, como usted sugiere, más que una buena guía, las traducciones literales serían algo casi inútil.

Ajá, dijo el profesor Mietter. Ejem, dependería, opinó el señor Levin. Podría ser, asintió Álvaro. No sé, dudó Sophie. Qué lío, suspiró la señora Pietzine. ¿Alguien quiere rapé?, ofreció Rudi. Qué calor, comentó el señor Gottlieb.

Mire, se aclaró la garganta el profesor, como veo que tiende a perderse en metáforas, voy a intentar ser muy concreto. La poesía es, evidentemente, un arte universal como modo de expresión. Ahora bien, en cada una de sus manifestaciones particulares, la poesía es un arte cultural, nacional y por tanto intraducible en última instancia. Le explicaré por qué. Como bien dice Hamann, a quien no sé si habrá leído, lengua y pensamiento no pueden separarse. Yo no pienso algo abstracto y después lo traduzco a mi propia lengua. Directamente pienso algo en mi idioma, lo pienso gracias a él, por medio de él. Por eso ningún pensamiento es traducible, como mucho adaptable. ¿Hasta aquí me explico?, bien. Si esto es así en cualquier campo, imagínese hasta qué punto el problema se radicaliza en la poesía, que es el idioma de las emociones. Tenga en cuenta, ya que antes hablaba de emociones, que es mucho más fácil pensar en un idioma extranjero que sentir en él (eso, dijo Álvaro levantando la cabeza, sí que es cierto), de lo cual se deduce que un sentimiento cualquiera expresado en otra lengua no puede ser el mismo sentimiento, ni siquiera una variante. Puede ser, en el mejor de los casos, una emoción *inspirada* en otra. Llámelo intercambio, influencia o lo que quiera. Pero, se lo ruego, no llame usted a eso traducción.

Bien, contestó Hans con la incomodidad de hallarse ante un razonamiento sólido del que era necesario discrepar, bien, profesor, vayamos por partes. Dice usted que un pensamiento es más fácil de traducir que un sentimiento. Ignoro hasta qué punto es posible concebir una idea aislada de cualquier emoción, o una emoción desprovista de toda idea. Ese sería mi primer reparo, parece usted partir de la existencia de las emociones puras como si fuesen algo dado, nacido de la nada y terminado en sí mismo. A mi modesto entender, las emociones no sólo son creadas por una lengua determinada, también provienen de cruces culturales, de encuentros anteriores con otras lenguas, de sobreentendidos nacionales y extranjeros. De esa heterogeneidad partimos para pensar, sentir o escribir. Trataré de ponerle un ejemplo concreto, profesor, para no perderme en metáforas y evitar disgustarlo. ¿Goethe siente en alemán por un lado y habla seis idiomas por otro? ¿O más bien, como individuo que habla y lee en varios idiomas, Goethe ha llegado a sentir de un modo determinado, de una manera propia que en este caso se expresa en lengua alemana? ¿No es su cultura múltiple una corriente que se encauza, *se traduce* en su lengua materna? Y por lo tanto, ¿no son las traducciones de los propios poemas de Goethe a otras lenguas un eslabón más en una cadena infinita de reinterpretaciones? ¿Quiénes somos nosotros para determinar cuál sería la unidad originaria, el primer eslabón? Aparte de eso, profesor, permítame decirle que aunque la traducción fuera un diálogo imposible, sería el imposible más necesario de la cultura. Renunciar a ese diálogo nos llevaría al peor nacionalismo, por no decir al esoterismo. Después de separar la poesía de cada país, el paso siguiente sería decidir cuál es anterior o superior a las demás. Así que también es cuestión de principios, no sólo de gramática o filología.

Sophie chasqueó la lengua: la lengua resbalosa, expresiva, mudable de Sophie. ¿Señor Levin?, dijo viéndolo tamborilear los dedos sobre la mesa.

Sí, ejem, intervino el señor Levin, yo quisiera, es decir, me parece que en esta discusión estamos marginando una cuestión importante, o algo que en mi opinión tiene su importancia. Porque la traducción no es sólo un proceso individual, ¿verdad?, también es un proceso que depende de la comunidad en la que se traduce. O sea, un traductor traduce para los demás, o mejor dicho con los demás, y las comunidades cambian con la historia. Cada autor, cada libro y cada texto tienen una historia de las maneras en que han sido leídos, ¿no?, y esa historia forma parte de la obra misma. Me refiero, ejem, ¿cómo podríamos separar las distintas lecturas colectivas de un clásico de ese clásico mismo?, y creo que las traducciones entran dentro de esa serie de relecturas, cada traductor se debe también a su época, al momento en que la traducción se lleva a cabo. Ningún libro es exactamente el mismo a lo largo del tiempo, los lectores de cada época van transformándolo, ¿no?, y lo mismo pasa con las traducciones, cada época necesita traducir de nuevo su biblioteca. Ejem, tampoco quiero extenderme.

Tiene mucha razón, dijo Hans (¿sí?, ¿usted cree?, balbuceó el señor Levin), la obra no termina ni empieza con su autor, es parte de un conjunto mucho más amplio, una especie de escritura en equipo que incluye a sus traductores. La traducción no traiciona ni sustituye, es una aportación más, un empujón a un texto que ya estaba en movimiento, como cuando alguien se sube a un coche en marcha. Y como usted dice, estimado señor Levin, a lo largo del tiempo todo texto va siendo traducido por los lectores de su propia lengua. Cada lector alemán de Goethe entiende, sobreentiende, interpreta y malinterpreta cada palabra, no hay ninguna transparencia entre un libro y su lector, siempre habrá una extrañeza que produzca un segundo texto, una versión de lo leído. Por eso, y disculpen mi insistencia, ninguna buena traducción podrá pervertir nunca la obra traducida: simplemente exagera los mecanismos de la lectura.

¡Ingenio!, ¡demagogia!, protestó el profesor Mietter, si tanto invocan ustedes a las comunidades, ¿van a negarme acaso la influencia de las culturas nacionales? Incluso para traducir un texto, señores míos, la nación es importante. Los franceses, por ejemplo, no intentan traducir los textos sino apropiarse de ellos, siempre han sabido hacerlo, por eso levantaron un imperio. Un traductor francés rara vez tratará de acercarse a la mentalidad extranjera del autor que traduce, más bien procurará adaptar la obra traducida a su propia mentalidad. Uno lee por ejemplo a Aristóteles en francés, y parece francés. Es un mérito sin duda, pero también la prueba de que el Aristóteles auténtico está y estará escrito sólo en griego (sí, discrepó Hans, pero por mucho que un traductor francés trate de acercar a Aristóteles a su propia mentalidad, ¿no cree que el resultado no se parecerá al original griego ni tampoco a un filósofo francés? Y después de esa traducción francesa de Aristóteles, ¿no quedarán modificadas para siempre la filosofía francesa y lo que usted llama su mentalidad nacional?), ah, jóvenes, jóvenes, ¡qué pasión por la réplica!, este señor mayor se merece un respiro, a ver, querida, ¿no queda por ahí gelatina de frambuesa?

(¡Frambuesa!, pensó de golpe Hans como quien abre una ventana, frambuesa, a eso sabe exactamente el sexo de Sophie: frambuesa al empezar, y al final a limón.)

¡Eso, frambuesa!, dijo Rudi saliendo de su aburrimiento, ¡buena idea, profesor!, Elsa, liebe Jungfer, ¿podrías...?

(Aquí pasa algo raro, se dijo Hans mirando alarmado a Sophie, que le devolvió una mirada de deseo. Hoy aquí pasa algo raro, se repitió Hans, o no he dormido bien, o qué.)

¡Frambuesa!, exclamó entonces la señora Pietzine, ¡mucha, mucha frambuesa!

(No, no he dormido bien, se decía Hans, anoche traduje hasta la madrugada y me acosté tarde, tarde, muy tarde.)

¡Mucha, mucha frambuesa!, aullaba eufórica la señora Pietzine. Y la señora Levin la secundaba soltando el abanico y levantándose la falda: ¡Igualita, igualita que el sexo de Sophie!

(Un momento, ¿qué?, se decía Hans, ¿aquí qué...?)

Señor Hans, dijo Sophie.

(¿Aquí qué...?)

¡Señor Hans!, repitió Sophie entre risas.

¡Qué!, preguntó Hans abriendo los ojos sobresaltado.

Mucho nos tememos, dijo Sophie divertida, que estaba usted gozando de una pequeña siesta, Herr Hans. Él se enderezó en su asiento y notó que le dolía el cuello. Miró a su alrededor: todos los invitados lo miraban burlones. Señores, tartamudeó Hans abochornado, señores míos, lo siento mucho, muchísimo. Al contrario, festejó Sophie, eso quiere decir que encuentra usted muy confortable nuestro patio. Es que anoche, intentó rehacerse Hans, anoche yo, es decir, traduje, ¡ah, la traducción!, disculpe, So, eh, señorita Gottlieb, ¿pero cuánto tiempo he dormido? Poca cosa, dijo Álvaro sin poder contener la risa, unos minutos, ¡más o menos los mismos que ha tardado el profesor en contestarte! Profesor, dijo Hans incorporándose, le ruego que dispense este accidente que nada tiene que ver con su respuesta sino con mi cansancio, tengo mucho trabajo acumulado y anoche... Oh, dijo el profesor manoteando con displicencia, descuide usted, descuide: siguiendo sus teorías, todos lo hemos *traducido* como un acto de intercambio cultural con nuestro estimado Herr *Urquiho.*

Todos los contertulios estallaron en una carcajada. Hans se sumó con una mueca forzada. Sentía un silbato en los oídos, los ojos inflamados y un remoto sabor a frambuesa en el paladar.

Al atardecer, Elsa y Bertold bajaron cuatro candiles al patio y los distribuyeron a lo largo de la mesa plegable. La charla se llenó de contrastes y perfiles aceitosos. Antes de despedirse a la hora habitual, el señor Gottlieb posó una mano carnosa sobre el hombro de Hans. Mi estimado señor, dijo Hans poniéndose en pie. El señor Gottlieb bajó la pipa, acercó sus bigotes de lápiz y murmuró discretamente: ¿Tendría usted la bondad de acompañarme un momento a mi despacho? Hans se temió lo peor y contestó que por supuesto, que sería un honor. Mientras ambos salían del patio, Sophie los observaba de reojo.

Subieron juntos las escaleras y atravesaron el túnel gélido del pasillo, que parecía mantener siempre la misma temperatura. Aunque desde el inicio de su amistad con Sophie había tenido la precaución de seguir visitando al señor Gottlieb

a solas, Hans nunca había entrado en el misterioso cuarto donde el señor Gottlieb se recluía durante horas. Bertold les abrió
la puerta, se adelantó, encendió un par de lámparas de aceite
y se esfumó. Lo primero que llamó la atención de Hans fueron
los anaqueles con volúmenes encuadernados en piel. Después
se fijó en la madera oscura del escritorio, en la butaca de cuero
y en la escribanía de bronce: un tintero, varias plumas, una
navaja de bolsillo y una campanilla para llamar al servicio. En
un vértice de la mesa había un portarretratos en el que se adivinaba un rostro femenino, joven y pálido. Debido a la ubicación de las lámparas toda la habitación quedaba en estudiada
penumbra, obligando al visitante a una mayor cautela o cierto
temor al moverse. El señor Gottlieb ocupó su butaca, invitó
a Hans a sentarse enfrente y sirvió dos generosas copas de coñac.
Hans tragó saliva.

Verá, querido amigo, dijo el señor Gottlieb, quisiera
serle franco. Sé que puedo confiar en usted, porque desde el
principio hemos simpatizado y siempre me ha parecido que era
un muchacho responsable y despierto. Hace algunas semanas
que contemplo con preocupación la colaboración literaria que
mi hija mantiene con usted. No me malinterprete, conociendo
a mi hija como la conozco, no veo nada extraño en su interés
por traducir y publicar sus trabajos en esas revistas, de hecho le
diría que se trata de su enésimo capricho. Comprendo que ella
necesite empezar a emanciparse de la autoridad de su padre
y también, de alguna forma, confirmar ciertas libertades ante
su futuro esposo. Sophie siempre ha sido así, desde que era una
niña. Y me temo que el señor Wilderhaus lo sabe perfectamente y por suerte la ama de todos modos, demos gracias al cielo
por ello. Sin embargo, querido Hans, no puedo dejar de preguntarme hasta qué punto es apropiado que una joven a punto
de desposarse trabaje, digamos, de manera tan estrecha con un
hombre soltero como usted. Insisto en que no abrigo la menor
objeción hacia su persona, todo lo contrario, me permito suponer, y le ruego que me corrija, me permito suponer que
a estas alturas usted y yo compartimos una cierta amistad, ¿me
equivoco?, me alegra estar en lo cierto. Para mí es un alivio

confesarle esto, porque yo, ¿me comprende?, sufro como padre, y también como amigo suyo. ¿Usted qué opina, querido muchacho?

El coñac se hacía denso.

Los pies, le ordenó Sophie, los pies también. Hans detestaba sus pies. Sophie los adoraba. Adoraba sus talones toscos, sus dedos un poco cuadrados. Desprotégete, vamos, lo apremiaba ella mientras se desnudaba, y él obedecía con la excitación humillada del que se deja atropellar los últimos pudores. Sophie estiró los brazos dejando caer otra prenda y revelándole el vello de sus axilas. Hans, avergonzado, feliz, se quitó los calcetines como quien pela una fruta.

Hans aguardaba boca arriba las maniobras de Sophie, que solía demorar y prolongar esos instantes de contemplación en los que de algún modo sentía que él estaba a su merced. Le gustaba que Hans se mostrase impaciente, que la llamase, que le rogase. Y no porque ella no compartiera su ansiedad, sino porque encontraba una violenta simetría, una tensión ecuánime en poseerlo a él antes de ser poseída. Sophie se tendió de lado y se asomó a los testículos de Hans. Vio su espesor, sus manchas, sus poros crispados, su oscuridad rugosa. Los surcos y las líneas le recordaron un mapa con su sistema de ríos, con sus senderos, promontorios y valles. Se imaginó transitando por aquellos testículos de tierra, explorando su simiente. Acercó la boca, entornó los párpados y empezó a lamerle los testículos, a humedecer sus huellas, a ablandarlas. La lengua caminante de Sophie llegó hasta el ano. Afiló la punta y se detuvo a las puertas. Entonces abrió los ojos, levantó la vista y miró a Hans. Él asintió en silencio y se tapó la cara con un antebrazo. Sophie le levantó las piernas, que no pesaban tanto o se dejaban hacer por mucha cara de extrañeza que pusiera su dueño. Hans temió que las uñas de Sophie pudieran herirlo, pero vio de reojo cómo ella arrimaba el aguamanil y se untaba las manos con jabón. Lo primero fue un merodear, un buscarle el entresijo. Lo siguiente fue detectarle las blanduras, el vello alrededor del cráter. Lo siguiente fue un dedo impregnado, un moverse entre gelatinas. Lo siguiente le abrió las carnes.

Sophie disfrutaba viendo el progreso de los músculos en la espalda de Hans, que se esforzaba sobre ella como si esca lase. Le gustaba sentir su peso, aquella mezcla de protección y agresión, de libertad y falta de aire. En la piel de su espalda leyó las pugnas, las contracciones, las pausas. Después se reclinó, sintió que se acercaba al borde de algo y apretó los brazos de Hans, que la flanqueaban latiendo, abultándose, sosteniéndose apenas. Ella apretó esos brazos igual que alguien se aferra a unas barandas para no caer, hizo palanca, trató de derribarlos, comprobó cada bulto, se echó a reír de pronto sin saber por qué. Entró en el tubo de la risa, lo atravesó en busca de un final que fuera un principio. Hans forzó las ingles, retuvo el derrame y cerró los ojos: en la oscuridad pudo ver claramente unas líneas de luz doblándose en espirales, almendras dentro de almendras, como si en el reverso de los párpados estuvieran imprimiéndole unas huellas dactilares.

Ella se devanó, giró sobre sí misma igual que un huso: ahora encima de Hans, sentada sobre su prisa, fue cediendo en su asiento y tuvo la impresión de que era ella quien lo penetraba a él con su propio miembro. El miembro de Hans ya no era suyo ni tampoco de ella, era un intermediario. Apoyó las manos en el pecho de él, sintió que se lavaba en un río y braceó, se zambulló, nadó. Debajo, ahogado, vivo, Hans la vio retorcerse comprometiendo la resistencia de las maderas del catre. Pensó que los crujidos se estarían oyendo abajo. Pensó que el señor Zeit podría darse cuenta. Pensó que la señora Zeit podría estar subiendo las escaleras. Pensó que quizá Lisa estuviera rondando el pasillo. Pensó que aquello no les convenía y que no le importaba. Dejó, de un latigazo, de pensar, y Sophie lo arrastró. Hans manoteó sin rumbo, soltó las riendas y encontró sus pechos. Rodaban cuesta abajo con ellos dos adentro.

Se aseaba canturreando frente al aguamanil. Se lavó la entrepierna, se refrescó las axilas, se perfumó el escote y las mejillas. Le pidió a Hans que la ayudara a ceñirse el corsé. Él aprovechó para retirarle unos vellos púbicos que se le habían pegado a la espalda. Ella se acomodó la falda, desplegó con cuidado el miriñaque. Después fue hasta el pequeño espejo para recomponerse el peinado y repasar el maquillaje. Al final de todas aquellas veloces artesanías, Sophie se volvió y Hans la estudió intrigado: en tan sólo diez minutos, había vuelto a ser la señorita Gottlieb.

Sophie se sentó junto al escritorio, cruzó una pierna y dijo con voz distraída: ¿Revisamos lo del lunes o pasamos a otra cosa?

Con el bullir de julio, con las pieles calientes y los abanicos exhaustos, comenzaba la época de veraneo en Wandernburgo. Las familias acomodadas elegían balneario o se marchaban a una casa de campo a orillas del Nulte. Los jóvenes preferían viajar al Rin y visitar Bonn o Colonia, atraídos por su vida nocturna. Era la época de veraneo, aunque pocos veraneaban: la mayoría de los wandernburgueses se quedaba y pasaba el día a la sombra en los jardines. Algunas familias se contentaban yendo y viniendo de excursión en calesa, apretados, incómodos y felices porque la luz estaba en su apogeo. Los artesanos suspendían sus trabajos, colocaban candados y se echaban a dormir con las ventanas cerradas. Los niños se agolpaban en parques o plazas y se enfrentaban a una repentina libertad que entonces parecía infinita.

Más al sur, en los pastos cercados, los pastores vigilaban perezosamente el ganado. Las ovejas esquiladas deambulaban con un punto de melancolía, sintiéndose engañadas o quizá ridículas. Las ovejas en celo lanzaban balidos estridentes y se dejaban cubrir por los moruecos vigorosos, expeliendo por las vulvas un líquido tan espeso como el aire del verano. Los carneros castrados, más orondos y dormilones, presenciaban las montas con displicencia. Al oeste de los pastos, barco inmóvil, la fábrica textil humeaba. En su interior, encaramado a la plataforma, Lamberg sudaba a chorros, apretaba los ojos derretidos y pensaba en su semana libre de agosto como quien repasa una oración. Afuera, en los trigales de los alrededores, los campesinos disponían lentamente la futura siembra, la entrada sigilosa de ese otoño que a todos los demás les parecía una amenaza infundada.

¿Y el organillero? El organillero se abanicaba con periódicos viejos, se bañaba en el río y le soplaba las orejas a Franz.

Últimamente el señor Gottlieb pasaba más horas de las habituales encerrado en su despacho. Había dado orden de que no lo molestaran y repasaba sus cuentas una y otra vez. Esa mañana, al levantarse, Sophie se lo había encontrado con una camisa idéntica a la del día anterior y cara de haber descansado poco. Desayunaron en silencio, oyendo sólo los sorbos, los arañazos de los cubiertos, el crujir del pan tostado, hasta que el señor Gottlieb hizo a un lado su taza, se aclaró la garganta y dijo: Hijita, he estado pensando, he pensado en nuestro verano y he decidido que, bueno, para qué hacer lo mismo de todos los años, ¿no?, quiero decir, en la ciudad tampoco estamos mal, ¿verdad, hijita?, además este año no está haciendo tanto calor, tú pareces contenta aquí y en fin, no es por nada, pero los balnearios se han puesto por las nubes esta temporada. No es que no podamos permitírnoslo, pero estos abusos me hacen rabiar un poco, ¿qué derecho tienen a doblar las tarifas de un año para otro?, eso no es adecuado, no señor. Padre, dijo Sophie, ¿y la casa de campo? El señor Gottlieb forzó un gesto de asombro, como si le hubieran mencionado un detalle remoto y olvidado. Después contestó: Ah, ¿no te lo había dicho?, creía que sí. En fin, el caso es que la vendí hace algunos meses. ¿Por qué me miras así?, ¿qué tiene de raro?, sencillamente se presentó una oportunidad de venta y pensé que, bueno, que como vas a casarte y nos hacía falta una buena dote, digo, una cantidad honorable para la ocasión, ¿no?, y yo además quería...

(El señor Gottlieb siguió dándole explicaciones, pero Sophie ya no escuchaba. Ahora sólo pensaba en una cosa: en que podría estar con Hans todo el verano. ¡Todo un verano! Aunque no había querido decírselo a Hans, llevaba semanas temiendo el momento en que su padre le anunciara la fecha de su viaje, como cada mes de agosto. No cabía en sí de gozo y suerte. Aquello sí que era una noticia. Tenía que contárselo enseguida, tenía que escribirle.)

... Por eso te digo, hijita, concluyó el señor Gottlieb, que estoy seguro de que pasaremos un verano agradable y de que esta decisión ha sido para bien, por la boda y tu futuro. Aunque, te lo repito, si tú te habías hecho ilusiones de viajar, quizá podría ver si. ¡No, de ningún modo!, lo interrumpió Sophie, eso sí que no, padre. Me da un poco de pena no viajar como solemos, para qué ocultárselo. Pero lo más importante es que usted ha tomado una decisión meditada, y yo confío ciegamente en su criterio y me pongo en sus manos, como siempre. Hijita, dijo el señor Gottlieb, ¿estás segura? Completamente, padre, asintió ella con cara de estoicismo. Sophie, querida mía, se alegró su padre, ¡sabía que ibas a entenderlo!, ven, dame un beso, anda, tesoro, mi tesoro.

Tesoro, mi tesoro, no te lo vas a creer, estoy tan feliz...

Sophie interrumpió la escritura, se aseguró de que la puerta estaba bien cerrada y volvió a recostarse sobre el edredón naranja.

... en realidad el último verano ya había notado algo: cuando salimos de vacaciones, hicimos todo el viaje de espaldas a los caballos. Eso nunca había pasado antes. Mi padre me dijo que no había encontrado plazas de frente, pero a mí me pareció raro y durante el viaje vi cómo nos cruzábamos con varios coches con asientos libres. Mi padre siempre se explica a medias y en casa todo el mundo parece nervioso. Qué más da, estoy feliz. Voy a quedarme aquí, mi vida, traduciendo para nosotros. Y con suerte, con otra pizca de suerte, Rudi saldrá pronto de vacaciones y todo será más fácil, amore d'estate, estate d'amore...

Elsa tocó la puerta del despacho: la rozó tan temerosamente que debió hacerlo tres veces antes de que el señor Gottlieb levantara la vista del retrato de la joven pálida, se aclarase la garganta y contestase. En los años que Elsa llevaba viviendo en la casa, aquella era la segunda vez que el señor Gottlieb la llamaba a su despacho. La primera había sido cuando Gladys, la criada de la limpieza, amenazó con renunciar si no se le concedía un fin de semana libre al mes.

Pasa, querida, pasa, dijo el señor Gottlieb llenándose la copa de coñac, ¿cómo te encuentras, muchacha?, ¿todo en orden?, ¿mucho trabajo hoy?, bien, bien, me alegro. Vamos a ver, ya sabes que valoro mucho tu eficacia y tu sentido de la responsabilidad, ¡sin ti esta casa sería un pequeño desastre!, en fin, siempre he sabido que podía confiar en ti y contar con tu colaboración, ¿no es así, querida?, bien, muy bien. Te estarás preguntando por qué no llamo a Bertold, pero esto, esto no puedo preguntárselo a él porque tiene que ver con Sophie, es una cuestión delicada y claro, no quisiera, mucho más tan cerca de la boda, que esta conversación saliera de aquí, ni una palabra de esto a mi hija, ya sabes cómo es y lo difícil que se pone cuando no le gusta algo, ¿entendido? Bien. Se trata, sabes, de esos paseos y excursiones que haces con mi hija y, bueno, de las sesiones, ¿no?, de esas sesiones de trabajo con el señor Hans. Como tú siempre estás con ellos, quería preguntarte si ellos dos, o sea, si tú habías notado en algún momento, aunque fuera casualmente, no pongas esa cara, querida, esto no es un interrogatorio, relájate, tranquila, sólo es una charla, ¿no?, es así como yo la veo, el dueño de casa a veces se preocupa por la marcha de las cosas, nada más. Sí, claro que sí, querida, no me cabe la menor duda de que si hubieras notado cualquier... Pero a veces la gente habla, ¿entiendes?, y esas habladurías pueden llegar... Claro que nuestro nombre está por encima de eso, no hace falta que me lo recuerdes, lo que te estoy pidiendo, Elsa, y tómalo si quieres como una advertencia amable, es que redobles la atención y el cuidado en... Eso es, exacto. Queda claro, entonces.

En cuanto Elsa puso un pie en la cocina, Bertold se abalanzó sobre ella para preguntarle de qué había estado hablando con el señor Gottlieb. De nada en particular, contestó ella. No me vengas con eso, dijo Bertold tomándola del brazo, ¿te crees que soy tonto? Eso lo sabrás tú, dijo Elsa soltándose, y si no me crees, no preguntes. ¡Claro, disculpe usted!, exclamó él, ¡la señorita Elsa no quiere que la molesten!, ¡sobre todo porque entonces se acabarían sus paseítos y sus salidas al campo! Lo que se va a acabar, dijo ella, es mi paciencia, déjame en paz, Bertold, tengo que salir a comprar. ¡Será posible!, dijo él volviéndose hacia la cocinera, Petra, ¿la has escuchado?, ¿qué me dices?, ¿te parece bonito que esta vaya de aquí para allá con la señorita Gottlieb, mientras nosotros nos quedamos aquí dentro todo el día? Tras la mesada de mármol, frente a las cinco campanas de los cinco llamadores de las cinco habitaciones desde las que los señores podían reclamar al servicio, Petra levantó la cabeza, dejó de cortar tomate y contestó: A mí me da lo mismo lo que hagan todos, esta no es mi familia, es mi trabajo. Sí, Petra, dijo Bertold, ¡pero no es justo! Aquí lo único justo, bufó Petra partiendo otro tomate, sería que mi hija no tuviera que vivir pelando patatas.

Elsa y Bertold siguieron discutiendo mientras bajaban las escaleras. ¿A qué viene tanto secreto?, la perseguía él, ¿ya no confías en mí? Confío en ti, ironizó ella, tanto como tú en mí. Pero Elsita, preciosa, susurró él, ¿no te acuerdas de cuando pasábamos las noches enteras juntos?, ¿qué pasa?, ¿ya no podemos hablar? Me acuerdo perfectamente, contestó ella, por eso mismo no quiero que hablemos, porque te conozco. ¿Y son buenos, esos recuerdos tuyos?, dijo Bertold agarrándola por la cintura. Ni mejores ni peores que otros, dijo Elsa liberándose. ¡Puta!, gritó él. ¡Lacayo!, contestó ella. ¿A mí, lacayo?, se enfureció Bertold, ¿y tú me llamas lacayo a mí?, ¡pero si no haces otra cosa que obedecer a tu señorita!, ¡si no das un paso sin su permiso! Te equivocas, dijo ella frenándose frente al portón de entrada, no sabes de qué hablas y te equivocas, como siempre. No, contestó él, no me equivoco: en vez de serle leal al señor Gottlieb le sigues la corriente a tu amiguita, que no es quien nos paga. Me pagan por atenderla, dijo Elsa, y la señorita Gottlieb no es mi amiga ni lo va a ser nunca. ¿Entonces por qué la sigues?, dijo Bertold, ¿por qué la acompañas a esa posada cuando sabes que puede perjudicar el honor de los Wilderhaus y dejarnos a todos en la calle?, ¿qué haces en la posada, Elsa?, ¿por qué no me cuentas qué te dijo el señor Gottlieb? Ah, rió ella, así que te preocupa el honor de los Wilderhaus, ¡ya veo por dónde van tus lealtades!, ¿pero qué esperas, estúpido?, ¿que te dé un puesto de mayordomo?, ¿que te regale un carruaje? Estoy ahorrando, se defendió Bertold, ¿qué tiene de malo? No tiene nada de malo, contestó ella, yo también estoy ahorrando. Mira, Elsita, dijo él, trata de entenderme, necesito más dinero, si no hay boda te juro que me largo, lo que yo quiero es mejorar, no sé, tener mi propia tienda. Lo entiendo perfectamente, dijo ella, eres tú el que no entiende, yo también quiero progresar, tener mi vida, casarme. ¿Para eso estás ahorrando?, preguntó Bertold entrecerrando los ojos y desplegando la cicatriz. Puede que sí o puede que no, contestó Elsa abriendo el portón. ¿Pero con quién, con quién?, dijo él. Con nadie, dijo ella saliendo a la calle. ¡Elsa!, ¡pero Elsa!, vociferó Bertold mientras la veía salir, ¡espera, ven!, ¡nunca me cuentas nada! ¡Puta, más que puta! ¡Y para que lo sepas, yo tampoco me acuerdo de las noches que pasábamos!

El sacristán encontró al padre Pigherzog comiéndose una pata de pollo fría y bebiéndose el vino de la ceremonia. Padre mío, dijo el sacristán turbado, ya es casi la hora. Sí, sí, dijo el sacerdote masticando, voy enseguida. Padre mío, perdóneme, vaciló el sacristán, ¿no deberíamos estar ayunando? ¡Ja!, se relamió el padre Pigherzog, ¡aún te queda bastante doctrina por aprender! Dime, ¿acaso los apóstoles no recibieron la comunión de manos del mismísimo Jesucristo después de una gran cena?, ¿no habían comido y bebido hasta hartarse?, ¿te crees que la auténtica pureza de espíritu depende de un bocado más o menos?, ¿no va el cuerpo de Cristo en el pan de cualquier ágape? El sacristán se disculpó avergonzado y empezó a desplegar el alba y el amito. Espera, hijo mío, dijo el padre Pigherzog, ven aquí, por favor, y lávame los dedos.

La señora Pietzine se inclinó hacia el confesionario, acercó los labios a la rejilla. Las cuentas de su rosario se separaron del escote, chocando contra un lateral con un ruido de dados.

Adorado padre, musitó, menos mal que me ha recibido, se lo agradezco en el alma, llevaba demasiados días sin confesión y necesito comulgar mañana, enseguida, cuanto antes. Hija mía, dijo la voz del padre Pigherzog al otro lado de la rejilla, yo no soy el único que puede confesarte, si tanta urgencia tenías también está el padre Kleist, o. ¡Ay, padre, eso nunca!, lo interrumpió la señora Pietzine. Bueno, hija, bueno, dijo el sacerdote procurando no sonar orgulloso, aquí me tienes.

Durante veinte minutos la señora Pietzine se confesó sin dejar de hipar y cubrirse los labios con el abanico. El padre Pigherzog se mantuvo en silencio, aunque de vez en cuando podían oírse sus movimientos en el asiento o su respiración algo ronca. Cuando la señora Pietzine terminó, el sacerdote inspiró hondamente y dijo: Veo, hija mía, cuánto sufres. Y por supuesto haces bien en confesarte con semejante devoción, pues sosiega tu alma. Sin embargo la confesión tampoco debe caer en el exceso. Es preferible darle también lugar a la penitencia, para estimular nuestro sentido de la culpabilidad y consagrar lágrimas a Jesús (lo haré, lo haré, lo haré, se arrepentía la señora Pietzine). Yo te absuelvo, hija mía, con esa indicación y diez padrenuestros y seis avemarías (sea, sea, sea, asintió ella). Y ahora escucha, hay otra cosilla sobre la que quería llamarte la atención (soy toda oídos, padre) y que no es otra que esos vestidos un tanto, un tanto ostentosos, hija, que has empezado a usar, pese a que deberías guardar medio luto (padre mío, dijo la señora Pietzine tirándose hacia arriba del escote, ¡mi esposo falleció hace más de cinco años!), cinco años, en efecto, ¿y qué son cinco años, hija?, ¿cuánto representan para tu matrimonio entero?, ¿y qué son para el decurso de la vida eterna de la que goza ya tu difunto esposo?, ¿cinco años, dices?, ¿acaso no es perpetua la presencia de la muerte en nuestras vidas? (tiene razón, tiene razón, tiene razón, pero le suplico que me comprenda: aunque pueda sonarle frívolo para mí la ropa es un consuelo, ¿sabe?, es una de mis pocas distracciones, voy a comprar las telas, elijo los colores, el corte, eso tampoco me aleja del luto, padre, al contrario, si no lo tuviera siempre presente no necesitaría entretenerme con esas minucias), lo comprendo, hija mía, pero eso no significa que lo apruebe, esos vestidos, hija, son, son (dígame, padre, con todos mis respetos a su santa condición, ¿usted nunca ha sentido la tentación de probarse ropa nueva?, ¿un traje, algún abrigo?), ¿yo?, jamás, hija. Qué cosas. Me ordené de muy joven y siempre me he sentido cómodo en estos humildes hábitos.

Viendo su estado de ansiedad, el padre Pigherzog estimó conveniente hacer comulgar a la señora Pietzine en el acto, fuera de misa. Mandó llamar al monaguillo y le pidió que preparase el altar.

... en la medida en que su voluntad de contrición no se encuentra todavía al mismo nivel que su disposición al recogimiento. Habiéndosele señalado los excesos de su atuendo, la mencionada Frau H. J. de Pietzine se mostró algo renuente, lo cual viene a confirmar nuestros presagios negativos. En otro orden de cosas, sería aconsejable que dejase de leer esas historias sacrílegas de templarios y se entregase al estudio de los textos píos. Redoblar insistencia a este respecto.

... pasando en último lugar a exponer a su Altísima Dignidad, a quien beso las manos con encarecimiento y de quien me manifiesto su más fiel servidor, el estado de cuentas trimestrales de las tierras otorgadas en concesión por nuestra SMI. En términos generales, examinada pormenorizadamente la evolución de las contribuciones a lo largo del segundo trimestre, podemos afirmar con relativo pesar que la tendencia alcista que habían propiciado las Santas Pascuas no ha podido mantenerse durante las postrimerías de la primavera. Digo no obstante pesar relativo, porque aun teniendo que sobrellevar las carencias que son ya de su ilustre conocimiento, gracias a la caridad del Señor que todo provee y xxxxx xxxxx *acaso en una ínfima proporción a la modesta labor que venimos desempeñando, me hallo en condiciones de notificarle a su Altísima que el promedio de ingresos por colectas viene rozando*

los 10 groses por misa dominical, con lo que nos situaríamos a tan
sólo 2 del medio tálero con que cerramos el anterior ejercicio.

¿Qué nos toca traducir hoy?, dijo Sophie mientras se vestía. Ah, mademoiselle Gottlieb, contestó Hans abotonándose la camisa, nous avons des bonnes choses aujourd'hui!, pero antes quería mostrarte algo, ven, mira.

Hans se puso en cuclillas frente al arcón. Revolvió en su interior y le entregó a Sophie varios números antiguos de las revistas *Frankreich* y *Deutschland*. ¿De dónde las has sacado?, preguntó ella asombrada. ¿La verdad?, sonrió él, de la biblioteca pública. ¿Cómo?, dijo Sophie, ¡no las habrás! Las he robado, sí, admitió Hans, sé que no está bien, pero no pude evitarlo. Hans..., lo reprendió ella. Es que nadie las leía, se excusó él rodeándole la cintura, al contrario, hoy están muy mal vistas por estar dedicadas al diálogo franco-alemán, me sorprendió encontrármelas aquí, te prometo que nadie las va a echar en falta en los próximos cincuenta años. Ladrón, ronroneó Sophie dejándose abrazar. Ladrón, no, la apretó Hans, ¡coleccionista!

Ambos giraron durante el abrazo y Sophie se detuvo junto al arcón abierto. Espió discretamente hasta donde pudo: cuadernos en desorden, artilugios de utilidad desconocida, una multitud de papeles revueltos, pilas de libros de colores insólitos, con encuadernaciones extrañas que jamás había visto. Cuando Hans se volvió para llenar un vaso de agua, Sophie ya curioseaba entre los libros del arcón. ¿Y esto?, preguntó alzando un ejemplar. ¿Eso?, dijo él, el *Cromwell* de Víctor Hugo. Ya lo veo, dijo ella, ¿pero cómo lo has conseguido? Ah, contestó Hans, me lo mandaron por correo, ¿por? Por nada, se extrañó Sophie, es que aquí, en el colofón de imprenta, dice «París, Ambroise Dupont...». Sí, sí, la interrumpió él quitándole el libro de las manos, acaban de publicarlo, tiene un prefacio muy interesante, me lo hizo llegar Brockhaus, a lo mejor lo traducen el año que viene. ¿Nos ponemos a trabajar, amor mío?, se hace tarde.

Se sentaron frente a frente en el escritorio, cada uno con una pluma y el tintero en el centro. El trabajo consistía en hacer una pequeña selección de los últimos poetas franceses. Hans y Sophie se intercambiaban libros y revistas (ejemplares sueltos de *Le Conservateur Littéraire, Globe, Annales* o *La Minerve*) y anotaban en una lista los autores que más les gustaban. Este chico, comentó ella mientras subrayaba el prólogo de las *Nuevas odas,* tiene razón, no tiene sentido dividir a los autores entre clásicos y románticos, ¿por ejemplo Goethe qué sería?, un clásico bastante romántico, ¿no?, o este mismo Hugo, que escribe como un romántico entre clásicos, ¿a ti qué te parece? Estoy de acuerdo, dijo él, supongo que los románticos son clásicos inquietos. Lo que me apena de Hugo o de este otro, Lamartine, es que siendo tan jóvenes ya sean tan monárquicos y cristianos, ¡es como si Chateaubriand fuera una epidemia! Cierto, rió Sophie, y cuanto más declaman más se encuentran a Dios por el camino. Hugo está bien, ¿no?, dijo Hans hojeando un libro suyo, parece más despierto que los otros, aunque hay algo, no sé cómo decirlo, algo irritante en él, ¿verdad? Suena, dijo Sophie, como si se tomara demasiado en serio. ¡Exacto!, dijo Hans, además es hijo de un general napoleónico y se hace llamar vizconde, así que puedes imaginártelo, mucha grandeur perdue y mucho ay ay ay. ¿Sabes qué?, dijo ella, tengo la sensación de que la poesía francesa de ahora suena un poco patética por eso, se nota que está escrita de vuelta de un imperio. ¡Eso tienes que escribirlo!, dijo Hans rozándole un hombro con el reverso de su pluma.

Finalmente se quedaron con Hugo, Vigny, Lamartine y, a petición de Hans, con un joven casi inédito llamado Gérard de Nerval. Le propuso a Sophie que cada cual tradujera a dos poetas y después se corrigiesen mutuamente las versiones. Ella sugirió que, cuando terminaran cada borrador, lo leyesen en voz alta para ver cómo sonaba.

Hans levantó la cabeza, soltó la pluma y dijo: Este Nerval me gusta mucho, escribe como si estuviera medio dormido. Además conoce bien el alemán y se pasa la vida viajando, ¿sabías que es traductor?, acaba de publicar una traducción del *Fausto* y Goethe dice que su versión en francés es mejor que la original.

El poema que te voy a leer no está en el librito que tenemos, lo encontré en el último número de la *Muse Parisienne* y es mi favorito:

LA PARADA

Detenemos la marcha, bajamos del carruaje:
dejo atrás unas casas, me adentro en el paisaje
mareado del camino, del caballo y del látigo,
el cuerpo entumecido y el ojo fatigado.

De repente ante mí, verdoso y en silencio,
un valle de humedad y de lilas cubierto,
un arroyo que silba a través de los álamos,
¡y el ruido y el camino ya se me han olvidado!

Y me tiendo en la hierba y la escucho vivir,
embriagado del heno, de sus verdes olores,
y contemplo este cielo sin pensar más en mí...
Una voz grita entonces: «¡Al carruaje, señores!».

Muy propio de ti, asintió ella pensativa, muy propio de ti. La pregunta sería: ¿esa voz del final viene simplemente del cochero?, ¿o el viajero la escucha porque ese es su destino y no es capaz de quedarse en ese pequeño rincón donde es feliz? Sophie agachó la cabeza y siguió traduciendo.

Al cabo de un rato, su pie buscó el pie de Hans. ¡Listo!, anunció, he terminado, la verdad es que tengo debilidad por este poemita de Hugo. Por ahora sólo te digo las tres primeras estrofas, que son las únicas que me han quedado presentables:

DESEO

Si pudiera ser la hoja
que gira en alas del viento,
que en el agua veloz flota
y que el ojo sigue en sueños,

fresca aún me entregaría,
de mi rama liberándome,
a la brisa matutina
o al arroyo de la tarde.

¡Más allá del brusco río,
más allá del bosque espeso,
más allá del alto abismo
me escaparía, corriendo!

Felicitaciones, dijo Hans, ¡aunque veo que tu hoja tampoco quiere quedarse! Sí, contestó Sophie, pero hay una gran diferencia con tu viajero: esa hoja no es libre, está atrapada en su lugar de nacimiento, y le gustaría huir antes de marchitarse.

Trabajaron en otros dos poemas y alrededor de las seis se tomaron un descanso. Decidieron corregir el próximo día los borradores que tenían y dejar a Vigny y a Lamartine para la otra semana. Entonces Hans fue al cofre, buscó un par de libros de tapas oscuras y se los dio a Sophie con expresión traviesa. Ella leyó los nombres: Théophile de Viau, Saint Amant, Saint Evremond. ¿Estos no son...?, se sorprendió. ¡Son, sí!, asintió Hans, ¡los antiguos libertinos franceses! ¿Y vamos a traducirlos?, preguntó Sophie. Sí, vamos, contestó él. ¿No estaban prohibidos?, dijo ella. Están, sonrió él, pero tenemos un truco muy sencillo. Como en la lista oficial de la censura los libertinos franceses figuran con sus seudónimos, he convencido a Brockhaus para que publiquemos unos textos de Saint Amant y Saint Evremond con sus nombres de nacimiento: Marc Antoine Girard y Charles Marguetel. Les pondremos algún título inofensivo como *Divertimentos* o algo así. Los censores son tan ignorantes que no notarán nada. Y si por casualidad se dieran cuenta, alegaríamos que no teníamos ni idea de que esos caballeros de nombres tan corrientes fueran los mismísimos libertinos. Con De Viau no podemos hacer lo mismo porque nunca usó seudónimo, pero como sus *Coplas libertinas* se publicaron sin nombre hace ya doscientos años, las dejamos anónimas y nos lavamos las manos. No sé si funcionará, pero no tendremos que hacernos responsables. La editorial está acostumbrada y sabe cómo hacer estas cosas. A mí me entusiasma la idea de traducirlos, hicieron por la revolución francesa tanto como Voltaire, Montesquieu o Rousseau. Escucha, escucha:

SOBRE LA RESURRECCIÓN

Y llegó el feliz día, si uno cree la historia,
en el que el Creador, coronado de gloria,
venció su propia muerte y derrotó al infierno.
Amigo, si eso crees, ¡ve y que te joda un burro!
Al clavarlo teníamos los ojos bien abiertos:
cuando resucitó, ¡no miraba ninguno!

Qué bruto era De Viau, rió Sophie, ¡eso le encantaría al padre Pigherzog! Más adelante, agregó Hans, se pone serio:

¿Por qué tanta campana y tanta misa?
¿Pueden acaso revivir al muerto?
Transmitámonos la sabiduría
de que el alma se muere con el cuerpo.

Sophie corrió a sentarse encima de él. Eh, libertino mío, dijo rodeándole las piernas con la falda, ¿y si dejamos la poesía para mañana y hacemos algo por la mortalidad del cuerpo?

Tenemos que hacer algo, decía Elsa sacudiendo una pierna debajo de la falda. Las puertas de la Taberna Pícara crujieron y Álvaro se volvió para ver quién entraba. Aunque era improbable que en aquel lugar se encontrasen con algún conocido, él se sentía inquieto: rara vez se reunía con Elsa en lugares públicos. Te digo que tenemos que hacer algo, insistió ella, no puedo más con esta vida ni con esa casa, la señorita Sophie me obliga a encubrirla casi todos los días, ya no soporto al imbécil de Bertold y el señor Gottlieb cada día bebe más (Elsa, bonita, dijo Álvaro, tu situación con los Gottlieb no es tan mala, te aseguro que conozco muchas casas en las que), ¡tonterías!, ¡una sirvienta es una sirvienta!, ¿no me entiendes? (cómo no te voy a entender, contestó Álvaro, sólo digo que los Gottlieb te pagan razonablemente y), ¿razonablemente?, ¿eso qué quiere decir?, ¿según la razón de quién? (de acuerdo, bajó la voz Álvaro, disculpa, me refiero a que esa familia te respeta, ¿no?), ¡respeto, no me hagas reír!, mira, ¿sabes cómo aprendí a leer?, ¿lo sabes?, pues te lo voy a contar. Antes de entrar en el servicio de los Gottlieb mi madre me mandó a trabajar para la familia Saittemberg, ¿los conoces?, bueno, esos. En fin, puede que te sorprenda, pero aprendí a leer a los catorce años con las cartas de amor de Silke Saittemberg. La señorita Silke siempre venía y me pedía que guardara las cartas de su amante debajo de mi colchón, porque ella sabía que era el único lugar que su padre no iba a registrar nunca. Así, querido mío, aprendí a leer de corrido, y no solamente eso, también aprendí que los criados vivimos de los restos de los amos, crecemos con lo que ellos tiran, Álvaro, por eso un criado tiene que aprovechar cualquier ocasión, como hice yo con las cartas de la señorita Silke, que releía por las noches y que copié palabra por palabra, y después usé las copias para estudiar gramática con un libro que robé de la biblioteca del señor Saittemberg.

Un momento, un momento, dijo Álvaro, ¿las cartas de Sophie también las lees? Ella bajó la vista y removió el café tibio. Elsa, repitió Álvaro, contéstame, ¿las lees? Bueno, admitió ella, pero nunca se las he mostrado a nadie, ¡te lo juro!, las leo sólo por curiosidad, me ha quedado esa costumbre (Elsa, Elsa, niña, dijo él tomándole una mano, eso no está bien y lo sabes), ¿y cuántas cosas hacemos sabiendo que son malas?, mira, Álvaro, yo me limito a hacer lo mismo que ellos, a aprovechar como pueda mi posición. Piensa en las cartas de la señorita Silke, si yo hubiera sido discreta, como probablemente tú me hubieras aconsejado, ahora casi no sabría leer (tienes razón, dijo Álvaro, lo que intento decirte es que Sophie te aprecia y eso va a ser difícil que lo encuentres en otro sitio), ¡es que no pienso irme a otro sitio para hacer lo mismo!, y cielo, no te confundas, que ya no tienes edad para ser ingenuo, la señorita Sophie es amable, no tengo queja de su trato, pero me sentiría más cómoda si ella no fingiera que somos amigas, porque no lo somos. Yo soy su doncella. La sirvo. La atiendo. La ayudo a vestirse. La escucho. ¿Qué más tengo que hacer?, ¿quererla? (qué dura eres, dijo Álvaro), contigo no (¿no?, sonrió él), no. Sólo querría vivir juntos, empezar otra vida (no corras tanto, Elsa), ¡es que el tiempo corre!, y tú, amor mío, perdona que te lo diga, tienes menos tiempo que yo (y si te parezco tan mayor, ¿por qué te gusto?), ¡porque a mí me gustan así!, como tú, viejos.

Elsa apuró su café frío. ¿Y si nos vamos?, dijo, ¿y si salimos de viaje? No me mires así, no digo para siempre, te hablo de viajar, irnos a Inglaterra, nunca he estado en Inglaterra (eso no puede ser, murmuró él retirando la mano, de verdad, al menos por ahora no puede ser), ¿y por qué no?, explícamelo, ¿por qué?, sé sincero conmigo, te lo pido, ¿no será que te avergüenza querer a una criada, es eso, eh? (por supuesto que no, Elsa, dijo él volviendo a acercar la mano, ¡cómo se te ocurre!), ¿y entonces qué es?, ¿por qué no podemos mostrarnos?, ¿de qué nos escondemos? (¿y ahora qué?, gesticuló él, ¿no estamos mostrándonos aquí, ahora?), vamos, vamos, sabes muy bien que tus amigos ricachones nunca vienen a esta taberna (pero, ¿pero qué estás diciendo?, ¡qué dices!, ¿quieres que el próximo día nos encontremos en la Taberna Central?, ¿en el Café Europa?, ¿o dónde?, porque por mí no hay problema, ¿eso quieres?), no, amor mío, no quiero verte en otra taberna ni en ninguna parte, lo que quiero es ser libre, no esconderme más y salir de esa casa de una vez, eso quiero. Quiero hacer otras cosas. Estoy dejando de ser joven (para mí estás cada vez más joven. Y más atractiva). No me sobornes. Ay, no me sobornes.

Cuéntame, dijo ella dejándose besar la mano, ¿cómo es Inglaterra? (grande, contestó Álvaro suspirando, y complicada), pues yo estoy deseando complicarme, ¿sabes? Además he empezado a estudiar inglés. ¡En serio! ¿De qué te ríes, tonto?, ¿no me crees?, ¡será posible!, ¿no me... don't you... no... believe me not?, y que sepas... know you now that I... ¡que no pienso pasarme la vida entera así!, like this, ¿no?, en... being a... (a maid, sonrió Álvaro, se dice maid, ¡Elsa, no puedo creerlo!), créetelo, tonto, ¿así que es maid?, pues maid, en fin, querido dear, vete haciendo a la idea, y no sé de qué te sorprendes. Si tú aprendiste a hablar alemán, no veo por qué yo no puedo aprender inglés, o incluso español (claro que podrías, ¡de ti me creo cualquier cosa!, y además me gusta, Elsa, me gusta), ¿sí?, pues... ¡mucho bien!, porque también he visto en la casa un manual de español, ¡en unos meses voy a darte lecciones en tu idioma!

Elsa, dijo él, yo te quiero, tú lo sabes. ¡Más te vale!, dijo ella rozándole una pantorrilla y revelándole el inicio de una media de algodón.

Las manos de Lisa, delicadas de forma y de bordes arrasados, sostenían el lápiz con torpeza artesanal. El lápiz temblaba, giraba sobre su eje buscando la inclinación, el pulso. Hans espió la cara fresca de Lisa y la vio fruncir el ceño, tensar los párpados, asomar la punta de la lengua por la comisura de los labios. Su atención era tanta, pensó Hans, que Lisa ni siquiera reparaba en él: sólo había un renglón interminable, un lápiz lento, dos ojos encendidos y una mano insegura. Lo demás se había esfumado. El poder de concentración de Lisa no dejaba de asombrarlo. Hasta hacía diez minutos había estado yendo y viniendo al mercado, fregando a toda velocidad, cosiendo sin pausa, igual que enseguida volvería a hacerlo hasta el atardecer. Ahora mismo, sin embargo, sentada frente al escritorio de Hans y con la vista fija en la escritura, parecía una alumna que no hubiera salido jamás del aula de estudio. Teniendo en cuenta el escaso tiempo del que disponían para las clases, no más de media hora dos veces por semana, sus progresos eran formidables. Cometía pocos errores, y si incurría en alguno ella misma se reprendía y se imponía pequeños castigos que Hans, admirado, trataba de retirarle. Si vuelvo a equivocarme con este verbo, había dicho Lisa la semana anterior, me quemo un brazo con una vela, ¡cómo voy a hacer algo en la vida si ni siquiera sé conjugar el verbo *hacer*! Hans había tratado de animarla diciéndole que *hacer* era un verbo que no siempre se comportaba igual, y que era lógico que se confundiera al conjugarlo en tiempos diferentes. Lisa le había contestado que eso no era excusa, porque cuando ella hacía algo tampoco se comportaba siempre igual, algunas veces las cosas le salían de una forma y otras veces de otra, así que no tenía por qué confundirse tanto.

Recordando esta anécdota, Hans se distrajo. Cuando volvió a mirar la libreta de Lisa, sus cejas dieron un brinco: la tabla de verbos en presente y en pasado estaba completa, y junto a la columna del verbo *hacer* Lisa había añadido por su cuenta otra columna con el verbo *terminar*. Cuando una hace cosas, dijo ella, hay que saber terminarlas, ¿no?

Mientras Lisa recitaba con orgullosa dificultad las oraciones en presente y pretérito que Hans acababa de dictarle, se oyó un rugido desde la planta baja. Lisa soltó el lápiz de inmediato y se puso en pie atemorizada. El señor Zeit gritaba el nombre de su hija mientras subía pesadamente las escaleras. Lisa cerró el cuaderno, se despidió de Hans dejándole un beso rápido en la mejilla (beso que por otra parte, pensó él, delataba que el susto no era para tanto) y cruzó a la carrera el pasillo para esconderse en una de las habitaciones vacías. Hans se quedó escuchando por detrás de la puerta: cuando el señor Zeit la encontró, ella fingió estar cambiando las ropas de cama de la segunda planta. Pero el padre no se aplacaba, había subido realmente furioso.

¡Niña maldita!, gruñó, ¿de dónde has sacado esto? Lisa miró las manos de su padre y retrocedió espantada: eran sus maquillajes nuevos. ¿De dónde lo has sacado?, repitió el señor Zeit, ¿si apenas tienes dinero? Agarró a su hija por los pelos y la sacó de la habitación a rastras.

La señora Pietzine dobla la esquina de la calle Ojival. Se ha pasado la tarde en la iglesia, pensando. Ahora va con retraso y necesita un coche. En la plaza del Mercado no hay ninguno libre, así que sólo puede quedarse esperando allí o probar suerte en la parada del norte. Cuando suenan las campanas de las siete y media, la señora Pietzine duda. Piensa en cómo ha desatendido últimamente sus obligaciones de madre y en cuánto detestan sus hijos cenar con la criada. Entonces vuelve sobre sus pasos y camina hacia la parada del norte, cortando camino por las callejuelas diagonales.

Una vez dentro de la vivienda familiar, el posadero da un portazo, suelta a su hija y busca un saco. Al ver cómo su padre arroja sus pinturas y frascos de perfume dentro del saco, Lisa rompe a llorar. El señor Zeit avanza hacia ella con un puño en alto. ¿Cómo consigues estas porquerías?, grita, ¿no será con las vueltas de la compra?, ¿no habrás robado el dinero, el dinero de tu familia?, ¡contesta!, ¡criatura desagradecida!, ¿es así como haces feliz a tu padre?

La figura enmascarada oye ingresar a sus espaldas, en el callejón de la Lana, los zapatos apresurados de la señora Pietzine. Como no ha anochecido del todo, en vez de esperarla camina delante de ella con las manos en los bolsillos, sin hacer movimientos extraños, incluso acelerando para alejarse un poco. Hasta que lleguen a la curva del callejón del Señor, no conviene precipitarse.

Y no puede admitirse, aúlla el señor Zeit, que una jovencita, ¡una niña como tú!, se perfume de esa forma. Además de devolverle el dinero a tu madre, no se te ocurra volver a traer otro frasco a casa. Te lo prohíbo terminantemente. No pienso tolerar ni una sola vez más, ¡ni una sola!, que me desobedezcas. ¿Entendido? ¿Entendido?

Con la espalda pegada a la esquina en penumbra del callejón del Señor, la silueta se ladea el sombrero, se coloca la máscara y verifica el orden de sus herramientas. Los tacones se aproximan más y más. La máscara se mueve a la altura de las mejillas: el enmascarado sonríe. Tiene bastante suerte. Ha dejado de ir a los callejones durante varias semanas, por precaución. Los gendarmes han estado rondando la zona, él los ha visto al pasar por allí sin máscara. Incluso alguna vez los ha saludado con una respetuosa inclinación de cabeza. Pero la policía ya no monta guardia desde hace días, y aquella es la primera tarde que él sale de nuevo con su abrigo largo y su sombrero de ala negra. Cada vez pasan menos mujeres solas a partir de las siete.

Mordiéndose los labios hasta herirlos, Lisa se encierra en su cuarto y traba la puerta por dentro. Se tumba boca abajo, aprieta la cara contra la almohada y trata de no sentir el escozor en los brazos, en la espalda, en las nalgas. Se retuerce para asfixiar el llanto que ni su padre ni su madre se merecen arrancarle. Tiene que dejar de llorar como las niñas y aprender a hacerlo como las señoritas: sin escándalo, sin hipidos, sin moquear, dejando rodar las lágrimas con indiferencia, como si se pensara en otra cosa. Manoteando en la cama toca una de sus viejas muñecas de trapo. Se incorpora, la alza ante sus ojos y la contempla fijamente. Entonces descubre que la muñeca tiene un descosido entre los brazos y el pecho.

Lo primero que ella ve al doblar la esquina es la hoja del cuchillo. Por un segundo la señora Pietzine se olvida de gritar, impresionada por el filo y la proximidad con su cuello. Cuando intenta gritar, ya le han tapado la boca con un pañuelo.

Al otro lado de la puerta el señor Zeit todavía grita. Lisa no lo escucha, no quiere escucharlo, se concentra en su vieja muñeca de trapo y en el agujero bajo el pecho. Mientras suenan los golpes en la puerta, Lisa empieza a tirar de los hilos sueltos de la muñeca. Tira cada vez más fuerte, cada vez más rápido, y ve cómo el costado de la muñeca se va descosiendo. Siente un placer hiriente, una superioridad amarga, y se lanza a ensanchar el agujero, a deshacer el pecho de la muñeca.

La falda de la señora Pietzine se rasga un poco. Da patadas, manotea y se paraliza súbitamente cuando siente la punta del cuchillo perforándole casi el costado del cuello. Se queda quieta, ahogada, como esperando la caída de dos guillotinas diferentes. No empieza a rezar entonces. Primero piensa en sus hijos, en la cena y en la muerte. No se siente arrepentida, sí castigada. Cuando nota el primer frío en las piernas, comienza mentalmente una oración.

Lisa abre en dos la muñeca e indaga en sus entrañas. ¿Guarda algún secreto?, ¿qué esconde? Pero no hay nada interesante dentro de su querida muñeca. Hilos, tela, algodón, nada. Al otro lado de la puerta, tratando de forzar el picaporte, su padre grita su nombre.

En un último reflejo de resistencia, la señora Pietzine contrae los músculos y pega los brazos al tronco: acaba de des-

cubrirse una fuerza bruta que desconocía. El enmascarado se
sobresalta. Se paraliza por un instante. Duda: es la primera vez
que conoce a la víctima. Está a punto de soltarla. De retroceder.
Pero ya parece tarde para abandonar. Y además está ansioso.
Muy ansioso. Y en el fondo lo excita el imprevisto. Así que
finalmente el enmascarado se quita un guante para forcejear
mejor: entonces se libera un ligero aroma a manteca. Mientras
es doblegada, en una contracción de pánico, la señora Pietzine
cree reconocer esa mano o le resulta de algún modo familiar.
Después cree equivocarse. Le parece que delira, que sueña ho-
rriblemente, que ya despertará, que todo gira muy rápido, que
el dolor se le filtra por una grieta. Después tiene la sensación de
deslizarse por una pendiente muy brusca, y de que ya nada va
a importarle nunca.

Cuando el señor Zeit irrumpe iracundo en el cuarto, se
queda inmóvil durante un instante: su hija Lisa sostiene la cabeza arrancada de su muñeca de trapo y sonríe de forma ausente, como si él no estuviera ahí con un cinturón de hebilla entre
las manos.

Al tomar asiento y ver una silla libre, la señora Levin se
interesó por la ausencia de la señora Pietzine. Con el tiempo le
había tomado aprecio y, en el fondo de sus contrastes, sospechaba que ambas se parecían. La locuacidad compulsiva de la
señora Pietzine no era más que una timidez tan atroz como
la suya, igual que la viudez la había sumido en una soledad que
ella misma, como mujer casada desde hacía demasiado tiempo,
podía comprender muy bien.

Mientras servía la primera ronda de té, Sophie comunicó a sus invitados que aquella mañana había recibido un billete
de la señora Pietzine, que se encontraba indispuesta y lamentaba no poder asistir como cada viernes. Cuando se detuvo junto
a Hans y se encorvó para llenar su taza, a Sophie le pareció que
él alzaba un hombro para rozarle un pecho. Aunque Rudi tenía
la cabeza vuelta y conversaba con su padre, Sophie decidió ha-

cerle una advertencia a Hans y volcó unas gotas de té sobre su plato. Hans se enderezó de inmediato y susurró: Oh, no importa, señorita, no importa. Elsa y Bertold trajeron bandejas con cuencos de consomé y compota de frutas. Se oyó un arrastre de sillas y un cruce de cucharas. Álvaro buscó los ojos de Elsa, pero ella esquivó su mirada. Hans hizo un esfuerzo por entablar conversación con Rudi. Este respondió con amabilidad y le narró sus últimas anécdotas de caza. Viéndolos charlar juntos, Sophie respiró aliviada. Elsa salió del jardín. Álvaro se levantó y dijo que necesitaba subir al aseo.

Tras un documentado panegírico de Schiller a cargo del profesor Mietter (que mereció el elogio del señor Levin y el señor Gottlieb), Hans soltó sin pensarlo: ¡Schiller iba para teólogo y acabó siendo médico! Sepa, joven, reaccionó de inmediato el profesor Mietter (y Hans lo miró casi agradecido, porque se aburría), que Schiller fue uno de nuestros más grandes hombres, el único a la altura de Goethe, que escribió siempre a favor de la libertad y luchó contra la enfermedad trabajando hasta el último día, ¡no veo qué le hace tanta gracia! Veo, sonrió Hans, que prefiere que nos pongamos solemnes. Bueno. Hölderlin, que fue discípulo de Schiller, dice que la filosofía es el hospital del poeta, y en eso estamos de acuerdo. Schiller murió enfermo y filosofando. Eso me parece digno del mayor respeto. Lo que no entiendo es por qué Schiller le cantó a la alegría de joven, y después se pasó la vida entera regañando a los poetas jóvenes, que por cierto eran mejores que él. Eso, objetó el profesor Mietter, lo dirá usted. Disculpe, dijo Hans, eso lo dice la poesía. ¡No sea presuntuoso!, se ofendió el profesor Mietter cruzándose de brazos. Sophie intercedió, suave: Profesor, se lo ruego, continúe. En fin, accedió él equilibrándose la peluca, veamos. Schiller sólo les señaló a los jóvenes las reglas básicas del arte, no se trataba de censurarlos sino de recordarles la importancia de su estudio. En esto se limitó a seguir la *Crítica del juicio* y, si no recuerdo mal, el señor Hans ha defendido a Kant en más de una ocasión. ¿Estimado Hans?, basculó Sophie divertida, ¿algo que comentar? Hans, que se había propuesto guardar silencio para no crear más tensiones, vio la palmadita de felicitación con que Rudi obsequiaba al profesor, su sonrisa burlona, su manera olímpica de aspirar rapé, y contestó sin apartar los ojos de Sophie: Dice nuestro inestimable profesor que Schiller siguió a Kant. Cierto. Pero Kant fue un crítico libre, porque fundó sus normas. Así que obedecer a Kant es traicionarlo. ¿De veras creen ustedes que puede hablarse de un juicio universal, de estética objetiva, de un uso inadecuado de lo bello?, ¿qué demonios es eso?, ¿de qué se asustaba Schiller? Si eran las diferencias sociales lo entiendo, porque esas vienen impuestas (Rudi, querido, lo distrajo Sophie, ¿cómo encuentras la compota?), ¡pero oponerse a las diferencias estéticas, proponer un consenso del gusto, eso ya es exagerar!, ¿o queremos también policías del gusto?, ¿necesitamos más policía de la que ha puesto Metternich? Usted, contraatacó el profesor Mietter sujetándose los anteojos, confunde la censura con las reglas. En el arte, y también en la sociedad, toda libertad, ¡toda!, necesita su orden. Y el verdadero miedo está en negar esa evidencia. Muy bien, replicó Hans agitando su taza y derramando té en el plato, pero ese orden nunca puede ser permanente. Como decía Kant, eso sería caer en la minoría de edad. En la sumisión de la razón, en la muerte del räzonieren. Ha leído usted mal a Schiller, concluyó el profesor Mietter encogiéndose de hombros. Puede ser, dijo Hans, hasta que la policía me lo quite, supongo que todavía tengo ese derecho.

Señores míos, calma, pidió Sophie, aquí el mejor derecho que tenemos es el de discrepar sin perder las formas. Bien dicho, hija, la secundó el señor Gottlieb amarrándose un dedo a un extremo del bigote, y ya de paso, si nuestros invitados gustan, quisiera aprovechar este interesante debate para proponerles que el próximo viernes, como despedida del Salón hasta el final de las vacaciones, leamos unos pasajes de algún drama de Schiller. (Rudi miró a Hans y dejó escapar una risita.) Particularmente, sin ser ningún experto, debo decir que en esta casa siempre hemos admirado la obra de Schiller, y (querido suegro, lo interrumpió Rudi, ¿y dónde tendrán ustedes el placer de pasar las vacaciones?), ¿cómo?, ¿qué?, ¡oh, bueno, improvisaremos!, ya sabes cómo es agosto, querido yerno, ¡hay tantísima gente en todas partes!, así que dependiendo de lo que nos cuenten unos amigos u otros, consideraremos la posibilidad de viajar aquí o allá (bien pensado, aprobó Rudi, bien pensado), o incluso, ¡quién sabe!, también podríamos quedarnos aquí descansando, a mi edad las aglomeraciones de los balnearios se vuelven fastidiosas (mil perdones, ejem, retomó el señor Levin, ¿y qué obra le gustaría más?), ¿qué obra qué?, ¡ah, sí, discúlpeme!, en fin, naturalmente, no es que uno haya leído *todo* Schiller, quizá, no sé, ¿qué les parecería *Guillermo Tell*? (Por mí excelente, padre, dijo Sophie, si están todos de acuerdo...)

Aplaudo la sugerencia, opinó el profesor Mietter, ¡ojalá, con perdón, los jóvenes dramaturgos la vieran! Así escribirían buenos dramas, en vez de escribir dramáticamente. Una obra ejemplar, se sumó el señor Levin, ¿verdad, querida? Su esposa asintió sin entusiasmo. *Guillermo Tell,* bien, por supuesto, dudó Rudi. Lo único ejemplar (murmuró Hans al oído de Álvaro, que había tardado bastante en volver del aseo) es que el tirano muere. Álvaro soltó una carcajada y miró de reojo a Elsa.

Pasada la medianoche, los invitados empezaron a despedirse entre los farolillos de aceite del patio. El señor Gottlieb, que se había retirado al despacho, acababa de bajar de nuevo para saludarlos y quizá también para vigilar a su hija. Los primeros en marcharse fueron los Levin y Rudi Wilderhaus, que se ofreció a llevarlos en su carruaje. Sophie hizo un aparte con Rudi, se dejó besar el dorso de la mano y contestó que sí cuando su prometido mencionó un encuentro para el día siguiente. Aunque aguzó el oído, Hans no pudo escuchar más. El siguiente en saludar fue el profesor Mietter. Espero, dijo el profesor, que al menos *Guillermo Tell* sea del agrado de Herr Hans. No se preocupe, profesor, contestó él estirando la comisura de los labios, soy bastante fácil de conformar. En vez de impacientarse, que era lo que Hans buscaba, el profesor se le acercó, posó una mano sobre su hombro y replicó: Joven, es usted todavía impulsivo, y lo comprendo.

Sophie, Álvaro y Hans se quedaron conversando al fresco del patio. El señor Gottlieb orbitaba a su alrededor fingiendo darles órdenes a los sirvientes.

Después de que Sophie convenciera a su padre para que se acostase, se quedaron a solas en compañía de Elsa, que mostraba un raro interés en mantenerse despierta. Sophie admitió entre risas de licor de frutas: Lo que menos me gusta de Schiller es esa especie de terror al placer que hay en sus ideas, como si la sensualidad traicionara al intelecto. Baja la voz, niña, ironizó Hans. En serio, dijo Sophie, eso es lo que me deprime de Schiller y la escuela de ilustrados decentes. Es como si para ellos la emoción fuera un problema geométrico, «hasta aquí sí, hasta aquí no, bien, suficiente, no nos pongamos retóricos», y lo peor es que a eso lo llaman nobleza. En una palabra, con perdón de los caballeros presentes, los encuentro demasiado viriles. Pues a mí, opinó Álvaro, qué queréis que os diga, la nobleza viril no me parece tan mal. Hans lo rodeó con un brazo y dijo: *¡Viva España!* Los otros rieron, incluida Elsa. Al verla de pie en un rincón, Sophie la invitó a sentarse con ellos y le sirvió el oporto que quedaba. Álvaro dijo: Prost! Elsa respondió con naturalidad: *¡Salud!* De haber estado sobrios, Hans o Sophie se habrían extrañado.

Junto al portón, sin terminar de despedirse, charlaban dando voces. De vez en cuando Sophie susurraba: ¡Shh!, y después seguía gritando. Voy a confesar algo, dijo Hans, es triste pero cierto: en el fondo los ensayos de Schiller me parecen buenísimos, lo que pasa es que no pienso darle ese gusto al remilgado de Mietter. ¡Lo suponía!, festejó Sophie, no sé si te habrás dado cuenta, pero de hecho cuando el profesor no está, repites sus argumentos. Lo sé, lo sé, contestó Hans, ¿sabes qué es lo peor? Que en realidad discuto con él para evitar que me convenza, porque a veces me parece que tiene mucha razón. Álvaro se asomó a la calle y recitó: «*¡Todos sueñan lo que son, aunque ninguno lo entiende! ¿Qué es la vida? ¡Un frenesí! ¿Qué es la vida? ¡Una ilusión! ¡Una sombra, una ficción!*». Hans se trepó a su espalda, aullando: ¡Calla, barroco!

Inclinada junto al confesionario, a la señora Pietzine el llanto apenas la dejaba hablar. Había permanecido días enteros encerrada en casa sin querer ver a nadie, aquejada de fiebres y jaquecas. Esa mañana al fin había salido a la calle, había asistido a misa y después había ido a confesarse. No había mencionado, ni pensaba hacerlo jamás, lo ocurrido en el callejón del Señor. Se había convencido de que, más allá del oprobio, el escarnio y las habladurías, contarlo habría significado aceptar que era realmente cierto. Y ella estaba decidida a callar hasta olvidar, hasta borrar de su memoria aquellos minutos de espanto. La fiebre, bien lo sabía ella, era capaz de hacer estragos en la conciencia, era capaz de producir falsas visiones, dolores imposibles, alucinaciones infernales. ¿Por qué no podía haber sido todo, como tantas otras cosas en su vida, una terrible pesadilla?

Notándola más alterada que de costumbre, el padre Pigherzog interrogó a la señora Pietzine con mayor detalle. Hija mía, la sosegaba él, no debes torturarte tanto, el pecado anida en todos nosotros y es mejor asumir nuestra culpa. Pero padre, hipaba ella, si este valle de lágrimas es transitorio, ¿para qué vivir? El Creador, decía el sacerdote, merece que vivamos y lo honremos antes de ir a su encuentro. ¿Pero dónde?, aullaba la señora Pietzine, ¿dónde está el Creador cuando sufrimos? Hija mía, decía el padre Pigherzog, hoy el dolor de tu alma es distinto, sé sincera y cuéntamelo todo, todo, para aligerar tu carga.

... susodicho forastero al que nos hemos referido en anteriores ocasiones, que sin duda ejerce ya un nocivo influjo en la señorita Gottlieb (ya de por sí tendente a mostrarse demasiado voluble en el cumplimiento de sus obligaciones) y que, si la experiencia no me engaña, podría incluso distraer su próximo y dichoso enlace con el ilustre señor Wilderhaus hijo, varón de Dios e inmejorable cónyuge. La posibilidad de dialogar razonablemente con el interfecto, tras diversos intentos fallidos, se confirma como irrealizable: su alma está perdida, xxxxxx imo serio irascor. Quiera Dios que se marche pronto con su Voltaire a otra parte...

Mientras el padre Pigherzog volcaba su letra primorosa en el *Libro sobre el estado de las almas,* la señora Pietzine abandonaba la iglesia con una sensación de ausencia consumada: como si algo hubiera sido definitivamente desalojado de su interior, o como si alguna esquina rota hubiese terminado de desprenderse. Siempre, desde niña, había sospechado que el tiempo le depararía más sufrimiento que alegrías. Ahora se daba cuenta de que toda su angustia cobraba sentido, un sentido siniestro, pero ya del todo comprensible. El resto de su existencia sería el pasadizo hacia la vida eterna y sus hijos, la única razón de su permanencia en ese pasadizo. Al salir de San Nicolás con la mirada fija en el suelo, la señora Pietzine se quedó paralizada contemplando los restos de arroz de la boda de la mañana, dispersos en la escalinata como un jeroglífico.

La señora Pietzine se alejó de las torres torcidas de la iglesia y se dirigió a la plaza del Mercado evitando la calle Ojival. La misma calle que acababa de esquivar Elsa, conociendo la atención con que el padre Pigherzog y su fiel informante, el sacristán, espiaban a los viandantes. Venía de dejar a Sophie en la posada y avanzaba rápido, con media cara oculta bajo la sombrilla, en busca de una calesa que la llevase al campo. La señora Pietzine caminaba lenta, meditabunda, sujetándose la pamela con dos dedos del guante. Ambas se cruzaron frente a la parada de los cocheros: Elsa casi la arrolla. La señora Pietzine levantó la cabeza, se despejó la frente y miró a la muchacha con extrañeza. Al cambiarse de mano la sombrilla y toparse con la cara maquillada y triste de la señora Pietzine, Elsa abrió mucho los ojos, murmuró unas disculpas y siguió su camino a la carrera.

¿Por qué la señora Pietzine no le había dicho nada?, ¿o iba tan distraída que ni siquiera la había reconocido? Ojalá, pensó Elsa preocupada mientras se subía a la calesa, porque ese loro idiota es de lo más chismoso que hay en Wandernburgo.

A pocos metros del coche, con la mirada perdida, la señora Pietzine lo comprendía todo y, sin preocuparse de los pasajeros que la adelantaban en la cola, se decía en silencio: Ojalá sean felices.

En un rincón de la plaza, reverberando discretamente, el organillero giraba la manivela.

La ropa, ese placer contradictorio: se adora porque está y se desea que no esté. La faja de Sophie comprimía el afán de los pechos, las sorpresas del vientre, el arco de la espalda, presionaba la carne haciéndola impacientarse. Hans deshacía lazos, derribaba telas, soltaba ceñidores. Ella mientras eludía solapas, vencía botones, le bajaba las perneras de lienzo. Él solía desvestirla con prisa. Ella gozaba fingiendo no tenerla.

Recobrando el aliento, Hans y Sophie contemplaban el paisaje alborotado de sus ropas. Se miraron, sonrieron, se besaron con la punta de las lenguas. Él se levantó de un salto para recoger las prendas y colgarlas en el respaldo de una silla: como quien rehace un equipaje, después del sexo tenía la costumbre de doblar meticulosamente su chaqueta entallada, la camisa de lino, el pañuelo de satén. Sophie, que prefería ver la anarquía de las prendas y prolongar la evidencia de que habían sido arrancadas, se incorporó para preguntarle: Amor, ¿de qué te asustas? Hans detuvo su tarea. ¿Yo?, contestó volviéndose, de nada, ¿por? Entonces, dijo ella sin apartar la vista de las nalgas de Hans, ¿por qué te inquieta tanto la ropa desordenada? Él parpadeó varias veces, dejó caer de nuevo su camisa y dijo: Me parece que aquí la traductora eres tú.

Sonreiría: ¿qué más daba? En cuanto pisó el patio y los demás se pusieron en pie y se acercaron a saludarla, la señora Pietzine decidió que sí, que seguiría adelante. Si ya no esperaba nada de la vida, ¿qué más daba llorar o sonreír? Había pasado una semana entera guardando silencio en su dormitorio, y ahora que regresaba a la vida social y al Salón se daba cuenta de que no había ninguna diferencia: siempre estaría sola. En un acceso de furia, como si se tratara de una venganza íntima y no de un acto de buenos modales, se lanzó a saludar, chillar, festejar cada broma. Pero no lo hacía igual que antes. Ahora era consciente de que actuaba.

Querida mía, la recibió la señora Levin, ¡la echamos tanto de menos el viernes pasado!, por favor, siéntese aquí a mi lado, han servido unos pasteles deliciosos, ¿entonces cómo dice que se encuentra? Oh, muy repuesta, contestó la señora Pietzine, ¿cómo iba a perderme la despedida de la temporada?, no fue nada, querida, unos mareos tontos, unos, ¡ya sabe usted que a nuestra edad pasan ciertas cosas! Ah, dijo la señora Levin cerca de su oído, ¡pero yo, o sea nosotras, todavía somos jóvenes para *eso*! Mmm, contestó enigmáticamente la señora Pietzine. ¡Mmm!, la imitó la señora Levin, ¡usted lo ha dicho! Y ambas rieron juntas y se abrazaron, encantadas de ignorarse.

Aunque rara vez hablaba de más, el señor Levin tenía una tarde elocuente. Incluso por momentos dominaba el debate. Hans lo escuchaba sorprendido y meditaba sobre la incontinencia súbita de las personas calladas. La gente silenciosa tiene mucho que decir, sobre todo cuando no habla. Existen muchas clases de silenciosos. El silencioso avaro, que se reserva sus opiniones para repasarlas con mordacidad y detalle en cuanto se queda a solas. El silencioso resignado, que jamás se plantea la posibilidad de tomar la palabra porque está convencido de que no tiene nada que decir. El silencioso perverso, cuyo mayor placer es disfrutar de la curiosidad que su mutismo despierta en los demás. El silencioso impotente, que quisiera decir algo pero nunca encuentra el momento y es, en realidad, un hablador frustrado. El silencioso estricto, que ni siquiera cede a la tentación de confesarse a sí mismo sus secretos. O el silencioso precavido, como era quizás el caso del señor Levin. El señor Levin había aprendido a callarse ante las opiniones ajenas para no resultar incómodo. Esta disciplina de silencio le habría resultado mortalmente aburrida, de no ser porque le daba la ventaja de conocer qué pensaban los otros sin que ellos supieran lo que pensaba él. Y aunque no utilizase esa ventaja para nada en concreto, le parecía que esta forma ahorrativa de concebir la palabra era una especie de tesoro moral que tarde o temprano le daría dividendos.

Pero esta vez el señor Levin monologaba sin medida, sin precauciones, casi con lujuria. Alguien había tocado su tema predilecto, las interpretaciones de la Biblia. Y él había citado las siete esferas astrales, el carro de Ezequiel, y ya no había podido retenerse. Sophie, maravillada ante el fenómeno, hacía lo posible por interrumpir a los demás y prolongar su arrebato. Y sin embargo, querido profesor, sostenía el señor Levin, cuando Jesús se autodenominó *La Puerta* obviamente estaba remitiéndose a su metáfora inmediata: ¡hay que abrir esa puerta, abrirla! Quiero decir que las enseñanzas cristianas del amor a Dios y al prójimo tenían una clara base teosófica, ejem, me refiero, no se trataba de una simple emoción sentimental sino del amor griego, el ágape, un reconocimiento de la realidad suprema de la experiencia humana, que es la mía y la del otro, o sea, no es de nadie, ¿no?, en la medida en que todos los seres han sido engendrados como uno y por lo tanto debieran actuar como uno solo, ejem. Si se estudia con atención la letra se comprende que la divinidad tiene una naturaleza dinámica, centrípeta, esencialmente engendradora, y en este sentido, y dispénsenme ustedes, puede decirse que los astros copulan en el cielo. Todo copula entre sí y todo está en orden. La creación, amigos, no es otra cosa que un acto de fecundación recíproca... (¡querido, por favor!, dijo la señora Levin, ¡esas metáforas! Pero el efecto de su advertencia pareció el contrario: cuando ella se atrevía a discrepar, la obediencia final hacia su esposo se hacía más evidente. El profesor Mietter observaba al señor Levin con una contenida expresión de espanto, como si se le estuvieran tostando los bucles de la peluca. Cada vez que resonaba en el patio la palabra *cópula,* Hans y Sophie intercambiaban una mirada traviesa y procuraban tener alguna atención con Rudi, preguntarle si tenía calor, alcanzarle una jarra, sonreírle con amabilidad)... y la naturaleza se comporta como un organismo animado, ansioso. Es un ciclo infinito e infinitamente subordinado, o sea, los organismos individuales son remansos que interrumpen la corriente general para intensificarla. Por eso la muerte no existe, un individuo nace de otro. Lo mismo pasa con el pensamiento. El pensamiento también es una fuerza que avanza nutriéndose de todo, integrando lo adverso. Es el principio del cometa y la estela, que parecen dos realidades distintas cuando sólo son una consecuencia del otro. Todo gira en una rueda de calor y ese todo es la unidad primordial, lo único que vive. El resto es apariencia, pura reacción, ejem.

Cuando la energía giratoria, calórica y centrípeta del señor Levin pareció descansar, Sophie se permitió citar un nombre que hacía tiempo deseaba introducir en su Salón. Señor Levin, repóngase, dijo ella, pruebe un poco de este té indio, acaban de traérnoslo, espero que le guste, y a propósito de estas interesantes cuestiones religiosas, ¿por casualidad han leído ustedes a Schleiermacher?, tengo entendido que es un teólogo que se ocupa de asuntos terrenales. Ni idea, dijo la señora Pietzine, pero estoy muy de acuerdo en probar el té indio. ¿Schleiermacher?, bah, se encogió de hombros el profesor Mietter. ¿Té indio?, se interesó Rudi, ¿de Jaipur o Madrás? No sé, dudó el señor Gottlieb encendiéndose la pipa, creo que de Calcuta. Señor Hans, continuó Sophie defraudada, ¿y usted qué opina?, no del té: de Schleiermacher. Me parece un autor valioso, contestó Hans, aunque no se atrevió a recorrer el camino que señalaban sus ideas. Si la religión es cosa del sentimiento, como él dijo, el paso siguiente era admitir que Dios tiene una esencia subjetiva, o sea, con perdón, que se alimenta de las emociones humanas. Eso hubiera sido, ¿verdad, Álvaro?, más revolucionario que Descartes. Porque si la mismísima razón se apoya en la existencia de Dios, bueno, la religión se vuelve irrefutable. Pero siendo cosa del sentir... Señor Hans, sonrió Sophie complacida, ¿quiere usted decir que un sentimiento nunca es razonable? No, no, se avergonzó Hans, quiero decir que algunas ideas de Schleiermacher fueron avanzadas y otras reaccionarias, no hay más que ver a Schlegel, cómo se ha puesto a *sentir*. De decir «cuanta más formación, menos religión» pasó a anunciar que la religión era el centro de la humanidad, ¡una lástima!, ¡haber llegado tan lejos para volverse tan cobarde! Cuidado, joven, señaló el profesor Mietter, el ateísmo puede ser la mayor de las cobardías, «lo que no entiendo, no existe» tampoco parece el lema más valiente de la historia. Ejem, si me permiten, regresó el señor Levin tras vaciar en su taza, yo podría, señor Hans, aceptar la tesis de la cobardía del catolicismo, y aquí, querido señor Gottlieb, amigos, ya me entienden, no me refiero a los católicos sino a la ortodoxia misma que, ejem, que de algún modo pretende oprimir a sus fieles, en fin, eso puedo aceptarlo, pero en lo otro ya no puedo estar de acuerdo. No hay ninguna cobardía en el pensamiento divino, al contrario, se necesita un gran arrojo para lanzarse a su abismo, porque se trata de algo cuya forma no conocemos. De ahí que, ejem, insisto, la divinidad tenga una naturaleza dinámica y los astros copulen en el cielo.

La señora Levin posó su taza en el plato y exclamó: ¡Y dale con la cópula!, ¡qué fijación, Señor, qué fijación!

Y hablando de la naturaleza dinámica, dijo la señora Pietzine con un amargor en el paladar, ¿adónde piensan salir de vacaciones?

Nada del otro mundo, contestó enseguida Rudi peinándose las solapas, ya sabe usted, un poco aquí, un poco allá, supongo que en agosto iremos con mis padres a Baden (¿a Baden?, dijo la señora Levin abriendo mucho los ojos, ¿al balneario?), naturalmente, querida señora, ¿qué iba a hacer uno en Baden si no?, ¡es un lugar tan aburrido!, y más tarde pasaremos unos días en una mansioncita campestre cerca de Magdeburgo, no son muchas habitaciones, pero... Por cierto, mi Sophie (*¡mi Sophie!*, se asqueó Hans), que si reconsideras nuestra invitación, tenemos un jardincito muy coqueto y agradable que a ti (te lo agradezco en el alma, mi buen Rudi, ¿para qué ser impacientes?, ya conoces mis principios: iré con mucho gusto, pero después de la boda), sí, sí, claro, sólo sugería (¡bien!, masticó Hans).

Nosotros, explicó el señor Gottlieb, improvisaremos, a mi hija la divierte no saber qué haremos, ¿verdad, corazón mío?, precisamente el otro día les contaba a nuestros amigos lo fastidioso que hoy resulta viajar a cualquier parte, la gente está cada vez más ansiosa, las ruedas de un carruaje no le bastan, sólo quieren montarse en un vagón y bajarse en el acto, ¡cuanto más rápido vamos más rápido queremos ir!, supongo que viajar ha pasado de moda, la moda ahora es *llegar*. Completamente de acuerdo, señaló el profesor Mietter, y viendo el ritmo al que vamos empiezo a temer por la salud mental de los pasajeros, y no lo digo yo, ¡lo dicen los médicos!, cuanto menos humanos son los medios de transporte, más peligrosos se vuelven para los nervios, ¡la manía de la velocidad es una tontería!, los viajeros de hoy quieren preverlo todo, calcular la hora exacta, eliminar cualquier sorpresa. Alles klar, adelante, ¡todos a vapor y no se hable más!, pero cuando no les queden incertidumbres, ¿en qué van a pensar? (en lo mismo que ahora, dijo Hans: adónde ir), sí, ¿pero y el ritual?, ¿la emoción de partir? (le aseguro a usted, dijo Álvaro, que en los andenes de la estación de Liverpool los pasajeros se emocionan más que en misa).

Antes de que el patio oscureciera y se encendiesen las lámparas, los invitados procedieron a la prometida lectura del *Guillermo Tell* de Schiller. Acordaron representar informalmente la primera escena, la última y un par de escenas centrales. El reparto de papeles resultó interesante. Alguien sugirió que Rudi hiciese del poderoso barón de Attinghausen, o al menos de su sobrino. Pero él rehusó esos papeles y eligió ser Conrado Baumgarten, hombre del pueblo llano. Álvaro bromeó: ¡Ya nos dirá qué se siente! A Álvaro, que en realidad nunca había leído la obra, le tocó hacer del pescador Ruodi, y a Hans le pidieron que leyera la parte del cazador Werni para formar pareja con él en la primera escena. El señor Levin fue víctima de otra pequeña tentación y, sin proferir siquiera un *ejem,* pidió ser Ulrico de Rudenz, el rico sobrino del señor de Attinghausen. Todos coincidieron en que Berta de Bruneck, la joven heredera, sería un buen papel para Sophie. Después de insistir bastante, Sophie logró que el señor Gottlieb fuera Guillermo Tell, en homenaje al amor paterno. La señora Levin, que escondía la cara detrás del abanico, sonrió incómoda cuando la designaron entre aplausos como Hedwigia, esposa de Guillermo Tell. ¿Pero Hedwigia tiene que hablar mucho?, preguntó azorada, y Sophie la tranquilizó explicándole que en esas escenas apenas tenía cinco o seis frases. En cuanto al sanguinario y despótico gobernador Geszler, nadie quiso el papel. Tampoco el profesor Mietter, que rechazó la malintencionada propuesta de Hans argumentando que en vez de actuar tocaría el chelo para darle ambiente a la representación. Tras algunas discusiones, y como Geszler era imprescindible en una de las escenas, la señora Pietzine pidió la palabra y, con expresión de infinito cansancio, dijo: No importa, seré yo. Finalmente el profesor, que además de encargarse de la música se había erigido en director escénico, anunció pasando las páginas de su ejemplar: Un momento, nos hemos olvidado del pastor Kuoni, que tiene un par de frases en la primera escena. De inmediato el señor Gottlieb le hizo una seña a Bertold y el criado, suspirando con resignación, recibió un ejemplar del drama. También faltaría, añadió el profesor, por lo menos una aldeana. Los contertulios se volvieron hacia Elsa. Al principio ella no opuso mucha resistencia. Pero, en cuanto supo quién debía ser, no hubo forma de convencerla. ¿Ermengarda?, dijo Elsa, ¿con ese nombre?, ¡ni en sueños! Entonces Sophie se ofreció a leer las líneas de la aldeana, y todos los personajes quedaron atribuidos.

ACTO I, ESCENA PRIMERA

... RUDI *[en voz alta y potente]:* ¡Rápido, rápido, que me pisan los talones! Me persiguen los soldados del gobernador, y si me atrapan seré hombre muerto.

ÁLVARO *[sobreactuando un gesto de sorpresa]:* ¿Y por qué os persiguen?

RUDI *[más autoritario, menos suplicante de lo que debería]:* Salvadme primero; luego os lo diré.

HANS *[con buena entonación, aunque mirando de reojo y sin justificación a Berta, es decir a Sophie]:* Estáis manchado de sangre, ¿qué ha ocurrido?

RUDI *[volviéndose también hacia Sophie]:* El baile del emperador que residía en Rossberg...

BERTOLD *[desganado, con dolor de pies]:* ¿Os persigue Wo...?, eh, ¿os persigue Wolfenschieszen?

RUDI *[imitando el ademán de quien levanta una espada]:* No, ya no hará más daño a nadie; lo he abatido.

TODOS *[no precisamente al unísono]:* ¡Dios os perdone!, ¿qué habéis hecho?

Rudi [con verosímil cólera]: Lo que todo hombre libre en mi lugar. Me he valido de mi derecho contra quien ultrajó mi honor y el de mi esposa.

Bertold [exagerando la entonación de la pregunta; Hans empieza a prestar atención súbitamente]: ¿El baile ultrajó vuestro honor?

Rudi [clavando sus ojos en Hans]: Dios y mi hacha se han opuesto a sus infames designios.

Hans [tragando saliva]: ¿Le habéis... partido el cráneo de un hachazo?

Acto V, escena tercera

... Todos [a la señora Levin apenas se la oye; la señora Pietzine, aunque no le corresponde, chilla igual; el señor Gottlieb saluda, halagado]: ¡Viva Tell el cazador, el libertador!

Sophie [colocando bien la voz]: Amigos y confederados, admitid en vuestra alianza a la afortunada mujer que fue la primera en hallar auxilio en la tierra de la libertad. Fío mis derechos a vuestro robusto brazo, ¿queréis protegerme como vuestra ciudadana?

Elsa [convencida a última hora por el profesor, contestando en nombre de los aldeanos]: Sí, os ayudaremos con nuestros bienes y nuestra sangre.

Sophie [distrayéndose de pronto, sin saber muy bien por qué]: Pues bien; doy mi mano a este mancebo. La libre ciudadana va a ser esposa de un hombre libre.

Señor Levin: Y yo les doy, ejem, la libertad a mis siervos.

[El profesor Mietter hace vibrar una nota larga en el chelo y deja que se evapore en un diminuendo. Breve silencio. Aplausos, felicitaciones. Todos se abrazan y comienzan a despedirse alegremente, deseándose buen verano. Sophie saluda uno a uno, aunque de pronto parece preocupada. Cuando le toca el turno a Rudi, él le deja en la mano un beso efervescente y pronuncia: Después del verano, amor mío, será toda una dicha regresar a este Salón como

*tu legítimo esposo. El telón de la noche ha caído por completo. Una
lámpara se apaga.]*

¿Y qué flores había en la mesa?, preguntó el organillero.
Acacias, contestó Hans, eran acacias. ¿Cómo lo sabes?, dijo
Lamberg. Al oír la voz de Lamberg, Franz encogió el rabo. No
lo sabía, dijo Hans, se lo pregunté a la doncella. Eso está bien,
muy bien, sonrió el organillero dando otro trago de vino, las
acacias quieren decir amor oculto.

Después de devorar la cena, Lamberg se puso en pie.
¿Ya te vas?, se quejó Reichardt, ¡si mañana es domingo! Sí, contestó Lamberg, pero estoy cansado, tengo que volver. Mira que
queda vino, lo tentó Reichardt, y pienso beberme tu parte. Es
tuya, dijo Lamberg restregándose los ojos.

Lamberg pasó entre los molinos, rodeó las instalaciones
de la fábrica, atravesó el sendero de tierra donde se acumulaban
las viviendas de los trabajadores. Subió a tientas las escaleras:
los crujidos de los peldaños se confundieron con los ronquidos
de las habitaciones. Mientras iba dejando atrás puertas, Lamberg
averiguó quiénes dormían y quiénes habían salido a la ciudad
para aprovechar la noche libre. Comprobó satisfecho que las
habitaciones contiguas a la suya estaban vacías.

Entró de puntillas. Lo invadió un olor a axila. Distinguió
la silueta de Günter durmiendo. A los pies del jergón había una
botella de aguardiente y dos vasos de agua con mariposas de aceite encendidas. Lamberg sonrió entre sombras: le hacía gracia esa
debilidad de su compañero de habitación, tan barbudo, corpu-
lento y brusco, pero incapaz de conciliar el sueño a oscuras. Lamberg se acercó a Günter. Lo miró dormir. Estaba desnudo, tendido
boca abajo, con la sábana retorcida entre los muslos. Respiraba
por la boca. Un ligero sudor le rondaba los omóplatos, subrayán-
dolos. Alumbrado por las chispas de aceite el vello de Günter
parecía anaranjado, salpicaduras de lava. Todo en él parecía latir
plácidamente salvo los glúteos: los glúteos se contraían y después
descansaban, como si en su sueño Günter estuviera haciendo

algún esfuerzo físico. Lamberg fue a su litera, se desvistió con sigilo, se acostó boca arriba sin cerrar los ojos. Supo que tendría insomnio. Con dos cuerpos transpirando al mismo tiempo, la temperatura del cubículo se hacía insoportable en verano. Lamberg pensó que debería haber pasado por la Taberna Pícara, beber unas copas, entretenerse un rato. Pero entonces oyó la voz ronca de Günter arrancada del sueño: ¿Eres tú? Lamberg sonrió, giró la cara, dijo: Soy yo, ¿dormías? No, no, se revolvió Günter estirando los brazos, te estaba esperando. Lamberg se sentó en el jergón de enfrente. Acercó los labios a la barba colorada de Günter y le dijo al oído despacio: Dime, ¿qué soñabas? Nada, repitió Günter, ya te he dicho que estaba esperándote. ¿Seguro?, preguntó Lamberg mientras con una mano dispersaba el sudor del torso hinchado de Günter. Günter lo agarró por la muñeca, se la apretó hasta lastimarlo. Lamberg se dejó atraer. Al encontrarle la boca, lamió su lengua de aguardiente. Günter dobló las rodillas. Lamberg vio su miembro erguido sobre el vientre. Lo rodeó sin tocarlo, desordenándole el vello. Se demoró en los bordes de la cadera, en los bultos del abdomen. Günter dejó escapar un gruñido distinto, casi una súplica. Entonces Lamberg despegó el miembro del vientre, se inclinó y, con los ojos inyectados en sangre, sorbió el glande de Günter como si fuera una fresa.

Lo esperaban hojeando poemas de Quevedo. Hans y Sophie le habían pedido a Álvaro que les echara una mano con las traducciones del español. Cohibidos por su inminente visita, sonreían nerviosos y no se atrevían a tocarse. ¿A qué hora dijo que venía?, preguntó ella. A las tres y media, dijo él, y me extraña, porque es muy puntual.

Quince minutos más tarde tocaron a la puerta de la habitación número siete. Álvaro los saludó en castellano, imitando jocosamente el acento sajón de sus amigos, y se disculpó por el retraso. ¿Elsa sigue ahí?, preguntó Sophie. ¿Quién?, se inquietó Álvaro, ¿Elsa?, ah, sí, la he visto abajo, ¿por? No sé qué le pasa hoy, dijo Sophie, ha estado muy arisca, me ha puesto toda clase de excusas para no acompañarme y se ha quedado abajo en vez de irse en coche, como siempre. Bueno, carraspeó Álvaro, el servicio, hoy en día, ya se sabe.

Tenemos a Quevedo, enumeró Hans, a Lope de Vega, San Juan, Garcilaso... ¿Y Góngora?, dijo Álvaro. Góngora mejor no, contestó Hans, es intraducible. Pero, dijo Sophie, ¿tú no decías que la poesía siempre puede traducirse? Sí, sí, toda, sonrió Hans, menos Góngora. ¿Y has podido leerlo en español?, se extrañó Álvaro. Bueno, dijo Hans, más o menos, tengo un par de libros suyos en el arcón. ¿Pero tú cuántos idiomas sabes?, preguntó Álvaro. Unos cuantos, dijo Hans. ¿Y cómo los has aprendido?, preguntó Álvaro. Digamos que viajando, contestó Hans. Después fue hasta el arcón, removió su interior y extrajo un grueso volumen que llevó al escritorio. Álvaro lo estudió con curiosidad. Se trataba del *Dictionary of the Spanish and English Languages, Wherein the Words Are Correctly Explained, Agreeably to Their Different Meanings,* de Henry Neuman, impreso en Londres en 1823, que contenía gran cantidad de términos referentes a las artes, las ciencias, los negocios o la navegación. Esta maravilla, explicó Hans, me ha sacado de más de un apuro.

Lo que todavía no tenemos en nuestra antología europea, explicó Sophie, son poetas españoles de ahora, ¿tú conoces a alguno? No te molestes, bromeó Álvaro, en España todos los poetas modernos murieron en el barroco. Entonces, dijo Sophie, me gustaría incluir a Juana Inés de la Cruz, que vivió en el México colonial y tengo entendido que fue muy leída en España, ¿no?, he visto unos sonetos suyos, ¿dónde estaba ese tomito antiguo de Madrid?, Hans, ¿me lo pasas?, gracias, a ver, este, por ejemplo. En vez del enésimo caballero cortés alabando a su amada, una de esas chicas ausentes que no abren la boca en todo el poema, aquí es ella la que habla. Es un soneto cortés muy serio y muy irónico. Mira, lee:

Al que ingrato me deja, busco amante;
al que amante me sigue, dejo ingrata;
constante adoro a quien mi amor maltrata;
maltrato a quien mi amor busca constante.

Al que trato de amor, hallo diamante,
y soy diamante al que de amor me trata;
triunfante quiero ver al que me mata,
y mato al que me quiere ver triunfante.
Si a este pago, padece mi deseo;
Si ruego a aquel, mi pundonor enojo...

Si quieres traducir este, observó Álvaro, hay que tener mucho cuidado con el diamante, es un juego de palabras: *di-amante,* alguien precioso pero duro, impenetrable para el amor. Cierto, dijo Sophie levantando la vista del libro, ¡no me había dado cuenta!, y fíjate en el final. El poema empieza trágico pero termina de lo más práctico. Después de tantos desencuentros, la dama elige entre causar dolor o padecerlo. Y decide que el sufrimiento y la abnegación no le convienen para nada:

... de entrambos modos infeliz me veo.
Pero yo, por mejor partido, escojo
de quien no quiero, ser violento empleo,
que, de quien no me quiere, vil despojo.

El ideal, claro, continuó Sophie entusiasmada, sería la correspondencia, pero Juana Inés nos advierte que si tiene que haber una víctima, no va a ser ella. ¡Una monja mexicana del siglo diecisiete!, ¡si la leyeran mis amigas! (vamos a traducirlo, rió Hans, y se lo das el domingo a la salida de misa), ¡es que es tan diferente a otros sonetos amorosos por el estilo!, como por ejemplo estos de aquí, ¿no?, los de Garcilaso, maravillosos, delicados, pero siempre con esa espantosa idea de fondo: te amo si te callas, eres perfecta porque apenas te conozco, ni falta que me hace:

Escrito está en mi alma vuestro gesto
y cuanto yo escribir de vos deseo...

Si no he entendido mal, dijo Sophie señalando la página con un largo dedo, la imagen de la amada está tan clara en el alma del poeta, que él ni siquiera necesita estar ni hablar con ella: todo lo que pretende decir sobre ella lo tiene previsto, va escrito de antemano en su interior (¡vamos, por favor, vamos!, protestó Álvaro), por eso después dice, y corrígeme si me equivoco, querido, por eso reconoce que esa imagen que tiene de la amada prefiere contemplarla solo:

... vos sola lo escribisteis; yo lo leo
tan solo que aun de vos me guardo en esto...

Se supone, continuó Sophie, que ella tiene grandísimas virtudes que inspiran el poema. Pero el poeta *se guarda* de ella al interpretarlas, ¿eso quiere decir que se protege, no?, o que se esconde, para que su amada no interfiera demasiado. O sea, ¡él lo escribe solito, con los ojos cerrados, y se lo dice a sí mismo! (eh, Hans, suplicó Álvaro, ¡detenla, contéstale!, ¡que nos deja sin clásicos! Hans se encogió de hombros suspirando), y más abajo, fíjate, otro verso bellísimo y un poco sospechoso: «mi alma os ha cortado a su medida», ¿y por qué habría que cortar a alguien?

Con la ayuda de Álvaro, un par de diccionarios y una gramática española, trabajaron en poemas de Quevedo, Juana Inés, Garcilaso y San Juan. Primero los comentaban, discutían sus sentidos, y después hacían un primer borrador de traducción. El alemán de Álvaro era casi perfecto, pero no sabía medir versos. Si Hans o Sophie dudaban en algún verso, le pedían que lo tradujera lo más literalmente posible y trataban de adaptarlo a la rima y los pies métricos. A Álvaro le divertía escucharlos intercambiar sílabas y golpecitos, como si tuvieran un metrónomo en la boca. Los veía parecidos, felices y un poco ridículos. Cuando tardaban demasiado, Álvaro se preguntaba por qué era tan importante cómo decirlo, si ya sabían qué querían decir. Extraño pasatiempo, pensaba, y extraña manera de quererse. Pero no les decía nada (ni de los versos ni del amor) y esperaba a que se decidieran.

Hicieron un descanso. Hans le pidió a la señora Zeit que les subiera una jarra de limonada. Mientras charlaban,

Sophie habló de las diferencias que encontraba entre su idioma y el de Álvaro. Al revés de lo que creía, dijo ella, la métrica alemana o la inglesa parecen una danza, y la española un paseo militar. En la poesía alemana el bailarín va marcando los pasos hasta que decide dar media vuelta y pasar al verso siguiente, no importa cuántos pasos dé. Hay algo más oral, ¿no?, más de pulmón. Los versos en español son hermosos pero tienen algo rígido, algo obligatorio que no parece salir del habla, además de los acentos tienes que contar las sílabas, es una cosa casi pitagórica. Imagino que eso exige un mayor entrenamiento técnico, quizá por eso la poesía en español puede sonar tan retórica como la francesa, ¡Álvaro, qué difícil tiene que ser sonar coloquial en tu idioma respetando la métrica! Supongo, se encogió de hombros Álvaro, no sé mucho de versos. Aunque debo decirte que la sintaxis castellana me parece mucho más flexible, digamos más acuática que la alemana. El alemán y el inglés me hacen sentir como un tambor, ¡pum-pom!, ¡pum-pom!, ¡primero-segundo!, ¡sujeto-verbo!, nunca puedes salirte demasiado del camino de la oración, quizá por eso los alemanes sois tan contundentes razonando, vuestra lengua os permite improvisar menos en mitad de la frase, necesitáis premeditar la idea para respetar el orden. En cambio el español, ya veis, ¡la sintaxis hispana es igual que la política!, todo va según sale, a tirones. Ulrike me decía que cuando hablábamos en español yo me ponía más ocurrente y menos claro. Ich weiß nicht, puede ser.

Pero es mucho más difícil, intervino Hans, traducir un poema rimado del español al alemán que al revés, ¿no? En español las rimas asonantes son fáciles de conseguir y *suenan*. En cambio en alemán, por la variedad de vocales y este atasco de consonantes que tenemos, ach!, las asonancias son raras y débiles. A mí lo que me cansa de mi lengua, dijo Álvaro, es lo largos que son los adverbios, *larguísimamente largos, coño!,* y lo torpe que es uniendo sustantivos. En inglés o alemán dos o tres cosas pueden ser una sola, una cosa nueva, pero en español somos tan esencialistas con las palabras como con la religión, cada cosa es cada cosa, y si quieres otra tienes que usar otra palabra. Pero, contestó Hans, como tú decías antes, la sintaxis castellana, ¿se dice castellana o española? (¡puf!, resopló Álvaro, es un asunto aburridísimo, como quieras, me da lo mismo), bueno, en tu idioma la sintaxis te permite jugar con las palabras como en un rompecabezas, eso en poesía se nota enseguida. En alemán las oraciones se ensamblan como un buque, las piezas son pesadas, enormes. ¡Qué graciosos!, comentó Sophie, ¡Álvaro elogiando el alemán y Hans fascinado con el español! No tiene nada de raro, wandernburguesa, dijo Hans, ¿quién no querría ser un poco más extranjero?

Reanudaron el trabajo cuando la jarra de limonada quedó vacía. Habían dejado para el final el poema favorito de Álvaro. Después de consultarle la traducción de la palabra *antaños* y el verbo *huirse*, Sophie le rogó que leyera en voz alta el soneto de Quevedo:

REPRESÉNTASE LA BREVEDAD DE LO QUE SE VIVE
Y CUÁN NADA PARECE LO QUE SE VIVIÓ

«¡Ah de la vida!»... ¿Nadie me responde?
¡Aquí de los antaños que he vivido!
La Fortuna mis tiempos ha mordido;
las Horas mi locura las esconde.

¡Que sin poder saber cómo ni adónde
la salud y la edad se hayan huido!
Falta la vida, asiste lo vivido,
y no hay calamidad que no me ronde.

Ayer se fue; mañana no ha llegado;
hoy se está yendo sin parar un punto:
soy un fue, y un será, y un es cansado.

En el hoy y mañana y ayer, junto
pañales y mortaja, y he quedado
presentes sucesiones de difunto.

No sé qué me impresiona más, tragó saliva Sophie, si la velocidad con que se esfuma el tiempo en el poema, o la desesperanza del poeta con el tiempo que le queda. Un momento, dijo Hans, no sé si habré entendido bien, ¡este poema está partido en dos! (correcto, se burló Álvaro, ¡en cuartetos y tercetos!), muy gracioso. Si te fijas en el título, se supone que el poema va a hablar de la fugacidad del tiempo, de lo rápido que envejecemos, ¿no? Y de eso hablan los cuartetos. Lo raro es que los tercetos dicen casi lo contrario, ahí parece hablar una voz distinta, alguien cansado de vivir, un viejo al que se le está haciendo un poco largo el final, ¿por qué será? No lo había pensado nunca, se sorprendió Álvaro, y eso que me lo sé de memoria. Precisamente, contestó Hans, no lo habías pensado porque te lo sabías de memoria. Se me ocurre una idea, dijo Sophie pensativa, a lo mejor el secreto está en ese extrañísimo «soy un *fue*», o sea, ¿por qué no «soy un *fui*»? A lo mejor ese viejo asustado por los años, después de hacer memoria en los cuartetos, logra ver su vida entera y toma tanta distancia de sus recuerdos que los contempla como si fueran de otro, entonces se desprende de sí mismo y se convierte en la segunda voz, la que habla en los tercetos. *¡Bravo!*, exclamó Hans. Estáis locos, dijo Álvaro releyendo el soneto disimuladamente. Ahora que lo dices, asintió Hans, se me ocurre otra vuelta de tuerca: después de convertirse en otro que contempla su propia vida, el viejo sigue su camino hacia la muerte y al toparse con ella, o por lo menos al verla, completa el ciclo y encuentra la espalda del niño que fue, su propio origen. Entonces el ayer, el hoy y el mañana se funden en el último terceto. En ese caso, agregó Sophie, te propongo un final optimista: una vez alcanzado el origen, el cierre del círculo puede entenderse como una especie de infinito. De ahí salen las «presentes sucesiones de difunto». ¡Pero *presentes*!, ¡todavía está vivo!

¡Quevedo, Quevedo!, exclamó Álvaro, ¡resucita, diles algo!

Hans y Sophie se miraban sin pensar ya en Quevedo: sólo veían una sucesión de presentes.

Requerido por sus padres, finalmente Rudi no tuvo otro remedio que salir de Wandernburgo para pasar con ellos las vacaciones en Baden, donde cada verano la familia reservaba un sector del balneario, y después en la mansión campestre de los alrededores de Magdeburgo, donde los Wilderhaus poseían tierras que era preciso vigilar de vez en cuando. Rudi se despidió de Sophie con solemnidad, insistiéndole de nuevo para que lo acompañara. Ella volvió a negarse cortésmente invocando la necesidad que su padre tenía de su compañía, y el celo que el señor Gottlieb estaba poniendo en los detalles del protocolo. Ya sabes, amor mío, le había dicho Rudi antes de darle un último beso con sabor a rapé, que aunque vinieras conmigo yo jamás dudaría en respetarte hasta la ceremonia. Lo sé, lo sé, había parpadeado ella respondiendo a su beso con más fogosidad de la habitual, por eso te adoro tanto, mi vida, pero seamos pacientes, así gozaremos más de la recompensa.

Y así, con cien promesas y una vaga inquietud, Rudi emprendió su último viaje de vacaciones como hombre soltero. El día de su partida le entregó a un lacayo una enfática carta de amor dirigida a Sophie, en la que prometía escribirle a diario y regresar como muy tarde para el comienzo de la temporada de caza. Ella le contestó enseguida con una carta más breve que remitió a la dirección del balneario, para que Rudi pudiera leerla recién llegado a Baden. Pero antes garabateó unas líneas en un billete color violeta.

Amor, travieso amor: cuanto más breve es el tiempo más me parece hundirme en las cosas, como si la profundidad de la huella dependiera de la velocidad del pie. Me siento emocionada, asustada de mis actos y a la vez indiferente ante las consecuencias. ¿Es posible sentir todo eso junto? Sí, siendo más de una. La mujer que acaba de despedirse de Rudi se siente aliviada, y también se apena por él y se arrepiente aunque no quiera. Esa Sophie tiene que hacer funambulismos para que reine la normalidad en casa mientras todo se agita, y para que papá no dude de lo que es muy dudoso. La Sophie que te escribe, en cambio, es como una corriente rapidísima con dos temperaturas. Cuando necesita mentir o fingir, tiene una sangre fría que me asusta y en cierta forma me admira, porque nunca pensé que llegaría a tanto. Pero, en cuanto te ve o piensa en verte, el caudal se le desborda y empieza a bullir con una urgencia desconocida. Entonces da lo mismo todo, cualquier obligación, cualquier dolor mañana, con tal de no sufrir ahora lo peor, que sería alejarnos. En este momento el futuro me parece una montaña inútil y decorativa. Y yo estoy acostada en el valle, a la sombra, hablándote desnuda. E non abbiamo più.

Al menos hasta septiembre, con las vacaciones de todo el mundo, podremos vernos con más facilidad. Será cuestión de mantener las formas fuera de tu habitación, que es nuestro mundo. Estos días tengo ganas de divertirme, lo cual naturalmente incluye arriesgarse un poco. Cumplir con las visitas y conocidos de mi padre empieza a resultarme una tremenda carga. Me agota medir cada palabra, cada opinión. Me exaspera arreglarme y vestirme por deber. Detesto que la biblioteca pública esté cerrada. Y me aburro mortalmente con mis amigas. Si no es de vestidos, hablamos de jóvenes apuestos. Y si no es de jóvenes apuestos, hablamos de vestidos. ¡Peor sería hablar con ellas sobre Dante! ¿Te he dicho lo mucho que te quiero? Bueno, por si acaso.

Te veo mañana. ¡Qué espera tan larga! He encontrado en casa unos poemas de Calderón que podrían servirnos. Por cierto, ¿cuándo vas a mostrarme la famosa cueva de tu organillero?

El beso más políglota y cantarín de tu
S.

… y una tendencia a hundirte en las cosas, dices. Conozco esa sensación: como poner de nuevo el pie sobre la huella de lo que has gozado. Pero también está el viaje de vuelta. Uno se hunde en las cosas, pero después las cosas se hunden en uno. Y estos días, Sophie, lo sé muy bien, vayamos adonde vayamos, se han hundido en nosotros y eso ya no se elige. Yo tampoco sé xxxxxxx cuánto tiempo durará todo, pero ahora no me importa. Hoy es así, estamos de acuerdo, y contigo siempre es hoy.

Aun sabiéndolo, niña, ¿me permites decirte hasta mañana?
Todo el amor de
H.

En las ventanas amanecía con urgencia y atardecía con mansedumbre. La luz se estiraba, caliente. Poco a poco, sin que nadie reparase en su ausencia, Wandernburgo fue vaciándose de autoridades. El alcalde Ratztrinker se retiró con su familia a la finca ajardinada que el señor Gelding acababa de traspasarle. Los ediles dejaron desierto el ayuntamiento un viernes a media mañana. Y a lo largo de ese día, en una coincidencia que un cronista de *El Formidable* calificaría de «difamatoria», seis muchachas menores de edad abandonaron repentinamente sus hogares.

Quienes no descansaban eran los tenientes Gluck y Gluck. Discutían las distintas posibilidades, volvían a recorrer los callejones donde solía actuar el enmascarado, se reunían en el despacho para repasar sus notas. El hijo sostenía que ahora los sospechosos no eran más de tres. El padre, más cauto, opinaba que eran cuatro. ¡Entonces vayamos a interrogarlos!, se impacientaba el teniente Gluck, ¡y acabemos con esto de una vez! Todavía no, hijo, lo contenía su padre, no nos apresuremos. Si interrogamos a los sospechosos, lo más probable es que el culpable huya al día siguiente. Hay que esperar un poco más, no podemos equivocarnos. Necesitamos que haga algún otro movimiento. Y cuando estemos seguros, no interrogaremos a nadie: iremos a arrestarlo directamente con una orden del comisario. ¡Está usted perdiendo reflejos, padre!, se quejó el teniente Gluck. Subteniente, contestó el teniente Gluck, le ordeno que se calme.

Rumores. El rumor del rumor de boca en boca, de ventana en ventana, de nombre en nombre, el rumor que retumba como una melodía cambiante, que fecunda como un mal polen. En una ciudad pequeña las palabras son grandes, viscosas, son de nadie y de todos. En Wandernburgo la buena vecindad exigía saber quién era quién, dónde qué, cuándo cómo. Y para poder saber quiénes eran quiénes, todos aparentaban ser lo que no eran.

Las habladurías habían ido creciendo poco a poco, esquina por esquina, puerta a puerta. Ahora todo el mundo hablaba de lo mismo y callaba al mismo tiempo.

Sophie miraba más allá de la ventana. Llevaba largo rato quieta, hecha un ovillo sobre el edredón de tafetán naranja.

Tenía los ojos turbios, los párpados inflados, la punta de la nariz como quemada. Al pie de la cama estaba su álbum con las tapas abiertas, un espejito caído y un lío de hojas manuscritas con una pluma encima. No estaba segura de qué debía hacer, pero sabía muy bien qué deseaba hacer. Tampoco pretendía ninguna eternidad: sólo quería un poco más de tiempo. Tomó aire despacio, se frotó la nariz. Ordenó las hojas, las dobló, las metió en un sobre y después llamó a Elsa.

Cuando Elsa entró en la alcoba, le extendió el sobre cerrado. Querida, dijo, ¿puedes echar esto al buzón? Mañana mismo, señorita, asintió Elsa, en cuanto salga a comprar. No, no, dijo Sophie, ve ahora. Pero ahora, protestó Elsa, tengo que preparar la mesa para el almuerzo. No importa, dijo Sophie levantándose, yo me encargo de la mesa, y tú mientras ve al buzón. Ya sabe, señorita, resopló Elsa, que a su padre no le gusta que usted se ocupe de. Te he dicho, la interrumpió Sophie, que vayas ahora. Y al ver la expresión de Elsa, que no estaba acostumbrada a que le hablase en ese tono, agregó: Por favor. Elsa alzó los hombros, tomó el sobre y salió sin entender qué prisa había en echar al correo otra carta para el señorito Rudi. Cuando la puerta de la alcoba volvió a cerrarse, Sophie fue hasta el tocador. Se maquilló velozmente para disimular la hinchazón de los ojos. Se coloreó una pizca el cutis. Se peinó casi a golpes. Y corrió hasta el despacho de su padre.

... convencida de que, bien pensado, un acontecimiento de esta magnitud merece coincidir con las fiestas navideñas y con otro feliz aniversario, porque en esas venturosas fechas (¿recuerdas, amorcito?) se produjo la petición de mano. Además ten en cuenta que quedan algunos pequeños detalles de organización sin resolver que, al disponer de más tiempo, me gustaría supervisar personalmente. Sé que comprendes estas razones, y te lo agradezco de todo corazón. ¡Será maravilloso!

Tu carta llegó el jueves y la encontré deliciosa, como todas las tuyas. Creo que de vez en cuando deberías entretenerte leyendo versos, porque muy a tu pesar insisto en que tienes maneras de poeta, y así podríamos gozar compartiendo algunos libros que estoy

deseando que conozcas. ¿Lo harás, querido mío? Descansa mucho
en ese precioso balneario (que, por supuesto, visitaremos juntos el
próximo verano), cuida de tus encantadores padres y por favor salú-
dalos muy cariñosamente de mi parte. No juegues demasiado a las
cartas, que te conozco, ¡y estate muy atento con esa tal señorita
Hensel, que las tímidas son las peores! Por lo que cuentas de ella,
la verdad es que no me cae muy simpática. Pero claro que puedes
invitarla a pasar unos días en Magdeburgo, tonto, ya sabes que no
necesitas pedirme permiso para esas cosas. Y no es que sea poco ce-
losa, como me dices en tu carta: es que detesto disponer del tiempo
libre de los demás, tanto como detesto que dispongan del mío.

Un beso de tu «diurna lunita inaprensible» (¡qué preciosa
metáfora, Rudi mío!) y muchas gracias por el collar de gemas, ya
no sé cómo agradecerte tanto regalo. Yo también te echo muchísimo
de menos. Hasta la próxima carta, tu

S.

¡Qué!, bramó el señor Gottlieb, ¿que has hecho qué?,
¿y sin consultarme?, ¿es una broma de mal gusto?, ¿o te has vuelto loca? No es ninguna locura, padre, musitó Sophie, sólo es un
ligero cambio, unas pocas semanas, y además diciembre es mucho
mejor fecha que octubre. ¡Pero si estábamos a punto de empezar
con los preparativos!, rugió su padre arrojando la pipa sobre el
escritorio (la pipa chocó contra la botella de coñac e hizo un
ruido a campana). Por eso, padre, por eso, insistió ella, me pareció
que era un buen momento para comunicárselo a Rudi, antes
de que nos pusiéramos a organizarlo todo. ¿Y no has pensado en
qué dirán los Wilderhaus de nosotros, insensata?, dijo el señor
Gottlieb enroscándose el bigote, ¿o en qué pensará Rudi? Quédese tranquilo, padre, dijo ella, Rudi estará de acuerdo, se lo
prometo, yo ya le había sugerido un pequeño aplazamiento en la
última carta. ¡Cómo, cómo!, se escandalizó el señor Gottlieb, ¿y él
qué te contestó?, ¡dímelo exactamente o leeré esa carta yo mismo!
Me contestó, dijo Sophie, que no le gustaba demasiado la idea,
pero que si yo estaba segura y no había más remedio... ¡Válgame
Dios!, se desesperó el señor Gottlieb, ¡un día vas a acabar conmigo! No diga eso, padre, balbuceó ella. ¡Pues es lo que te digo!,

gritó su padre, ¡ah, bueno, y en cuanto a la verbena de esta noche, ni se te ocurra mencionármela, me oyes!, ¡por supuesto que no irás!, ¿entendido? Como usted diga, padre, asintió Sophie. ¡Y ahora sal de aquí!, concluyó él, ¡déjame solo, vete!

La verbena de Wandernburgo era como cualquier fiesta de provincias: aspiraba a ser fastuosa y parecía desvalida, tiernamente ridícula. Instalados en un pequeño parque frente a la Cuesta del Lamento, los farolillos de papel alegraban la noche de buena luna. Había una orquesta juvenil, columnas postizas de yeso alrededor de la pista de baile, guirnaldas de colores y tablones con bebidas. Hans pidió un cóctel con frutas y, oteando una vez más entre el gentío, se extrañó de no ver a Sophie: aquella era una buena ocasión para escaparse a algún rincón del parque, como habían convenido. Mientras le hablaba a Hans, Álvaro vigilaba de reojo los movimientos de Elsa, que parecía muy seria y seguía conversando con Bertold sin concederle un baile. De pronto, por detrás de Elsa, Álvaro distinguió la figura contraída de Lamberg deambulando por la pista. ¿Has visto?, le dijo a Hans señalándoselo, ¡lleva así como una hora, dando vueltas con una copa en la mano y sin bailar con nadie! Pobre Lamberg, dijo Hans, vamos a saludarlo, a ver si se anima un poco.

Lamberg pareció contento de encontrarlos, pero habló poco y sacudió la cabeza con irritación cuando le propusieron abordar a una chica de rizos rubios que lo miraba insistentemente, acariciándose los pliegues de la falda. Al rato lo perdieron de vista, y Álvaro se acercó a Elsa. Hans aprovechó para sumarse a la conversación y tratar de averiguar algo sobre Sophie. Pero Elsa, que tenía el encargo expreso de avisarle a Hans de su ausencia, no esperó a su pregunta y comentó distraídamente que aquella era una fiesta muy bonita, y que era una pena que la señorita se hubiese encontrado indispuesta.

Perfumada sin permiso de su padre y con un peinado que le dejaba la nuca al descubierto, Lisa Zeit atravesó radiante la pista vigilando la espalda de Hans. Lo que más le gustaba de él era esa cabellera suelta, tan poco apropiada para un caballero de su edad, y la voz grave y un poco seria que ponía cuando le daba clases de gramática. No era muy alto, pero caminaba erguido y eso era lo que importaba. También le gustaba que algunas mañanas no se afeitase. Lisa había logrado que su padre la dejara asistir a la verbena para estar un rato con sus amigas y volver a casa pronto, nunca más tarde de las once. Ella había montado un griterío, se había quejado de que a las once la fiesta estaría empezando, se había encerrado a llorar en su cuarto y finalmente, después de la merienda, había empezado a arreglarse como si nada hubiera pasado. Antes de salir el señor Zeit había insistido en sus recomendaciones y, al ir a besarla en la frente, le había dicho que podía volver a las once y media, ni un minuto más.

Hans sintió una caricia en el hombro y se volvió esperanzado. No le llevó más de un segundo sustituir su rictus de decepción por otro de cordialidad, aunque a Lisa ese gesto no le pasó desapercibido, y además le pareció que su vestido nuevo y sus zapatos altos merecían algo más que cordialidad. Hans observó aquel vestido: reconoció que le acentuaba muy favorablemente las incipientes formas, pero lo encontró demasiado formal y de un conmovedor mal gusto. El propósito del vestuario, el peinado y el perfume de Lisa, pensó él, era evidente: parecer mayor a toda costa. Pero ese afán, que se veía recompensado en la soltura de los brazos y las curvas del talle, en realidad subrayaba la auténtica edad de Lisa, que necesitaba disfrazarse de mujer porque aún no lo era. Buenas noches, señorita, sonrió Hans. Lisa pensó: Esa sonrisa ya está mejor. Buenas noches, caballero, saludó ella, me imaginaba que nos veríamos por aquí, conociendo tus costumbres nocturnas. Lo que me extraña, contestó Hans algo incómodo, es verte a ti por aquí, conociendo las tuyas. Ah, suspiró Lisa, las costumbres cambian, una cambia, el tiempo pasa rápido, ¿no? Rapidísimo, dijo Hans, no te imaginas cuánto. En fin, dijo ella mirando hacia los costados de manera muy ostensible, estaba buscando a unas amigas pero me parece que no han venido, es una lástima, me habían jurado que vendrían, supongo que sus padres no las habrán dejado, son casi un año más jóvenes que yo, ¿sabes?, habrán tenido que quedarse en casa. Dime, intentó distraerla él, ¿y cómo van los deberes?, ¿sale o no sale ese subjuntivo? Hans, contestó Lisa, ahora no estamos en clase, ¿verdad? Perdona, dijo él, no quería decir eso, era sólo por saber cómo estabas. ¿Entonces por qué no me lo preguntas, tonto?, rió ella, dime «¿cómo estás, Lisa?», yo te contesto, y conversamos tan tranquilos.

Hans fue a buscar el cóctel que Lisa le había pedido, indicándole al camarero que sirviera poco alcohol en la copa. Cuando Lisa probó el cóctel y dijo que estaba rico pero fuerte, Hans sonrió y sintió un vago alivio. Lisa hablaba en voz muy alta, movía mucho los hombros y no cabía de dicha. De vez en cuando Hans desviaba la vista, sin poder localizar a Álvaro. Su diálogo entrecortado fue diluyéndose hasta que se quedaron callados. Lisa miró hacia la orquesta como si acabara de reparar en ella, y dijo: ¿No sería de muy buena educación por tu parte pedirme un baile? Sinceramente, carraspeó Hans, sería de mejor educación no hacerlo. Lisa palideció, le pareció que se mareaba y estuvo a punto de dejar caer su copa. Sintió un dolor intenso en el estómago, como si se hubiera puesto a digerir cristales, y para contener las lágrimas apretó con fuerza los labios rosados. Hans contempló el gesto de su boca y la encontró hermosa. De veras que lo siento, murmuró él. Muy bien, dijo ella con un hilo de voz, no te preocupes, además no importa, acabo de ver a un amigo. Que te diviertas mucho, dijo él. No lo dudes, dijo ella dando media vuelta. Lisa, la frenó Hans, ¿pero entiendes? He entendido perfectamente, contestó ella alejándose, eres libre de bailar con quien te dé la gana, adiós, ya nos veremos.

En cuanto se mezcló entre el gentío, Lisa echó a correr fuera del parque sosteniéndose el vestido como una princesa rota.

Al principio, en las primeras sesiones, Hans y Sophie habían dudado si trabajar en las traducciones temprano y hacer el amor más tarde, o si empezar haciendo el amor para pasar, ya más calmados, a los libros. En un primer momento Sophie se mostró partidaria de demorar la zambullida en el catre, no por falta de ganas sino porque disfrutaba de la ansiedad de Hans y porque además había notado que, con la expectación carnal, ambos parecían más sensibles a las insinuaciones, los sobreentendidos y las sugerencias de los poemas. Hans se había apresurado a abogar por el sexo como preámbulo de la lectura, no sólo por la urgencia que lo invadía al verse a solas con Sophie, sino también por el convencimiento de que ese estado flotante y beatífico que les dejaba el placer resultaba óptimo para atender a los detalles de un poema.

Con el paso de las tardes, sin embargo, se habituaron a improvisar el orden de los factores. Nunca lo decidían de forma explícita: simplemente, al saludarse y cruzar las lenguas, palpaban la inclinación del otro y se dejaban llevar por la más apremiante. El hecho de no inscribir otra rutina dentro de la rutina de trabajo los mantenía alerta, acostumbrados pero ligeramente desconocidos. Esta alternancia también era sexual: a veces Sophie se mostraba autoritaria, casi brutal en sus impulsos, hasta asustar y maravillar a Hans; otras veces ella gozaba deslizándose debajo de su cuerpo y dejándose mecer de fuera adentro, de lento a rápido, en una especie de descanso intenso que también la complacía.

Ahora, por ejemplo, yacían reclinados sobre el precario cabecero del catre, hojeando hombro con hombro una novela. Su postura era incómoda, el resplandor hirviente que atravesaba la ventana hacía sombras en el libro y debían torcerse para evitarlas. No les importaba: sus músculos conservaban la flexibilidad del deseo recién saciado. Sophie y Hans releían juntos la *Lucinde* de Schlegel, una promesa que se habían hecho hacía tiempo. Y de vez en cuando se detenían en comentarios que se extendían más que la novela misma.

¿Sabes?, dijo él, en este momento tengo la sensación de que somos dos en uno. ¿Dos en uno?, preguntó ella girando el cuello y apoyando la cabeza en un hombro de él. Quiero decir, explicó Hans, que no es lo mismo que dos personas sean o crean ser una sola (qué horror, suspiró Sophie, eso sería como reducirse a la mitad), ¡exacto!, y no es lo mismo eso que, digamos, ser dos al mismo tiempo, ¿no?, dos al unísono. Aquí, ahora, tú y yo parecemos coincidir completamente, pero a la vez siento que cada uno de nosotros es quien es con más fuerza, no sé si me explico. Si te digo que me pasa lo mismo, rió Sophie, ¿voy a tener que darte la razón en todo?

Oye, dijo Sophie acariciándole una rodilla, ¿no tienes miedo de que nos hayamos enamorado porque lo teníamos prohibido? No sé, contestó Hans, no pienso en eso, sería complicarlo demasiado, ¿cómo saber qué sentiríamos si pudiésemos vernos normalmente?, ¿y qué demonios sería vernos *normalmente*?, yo sólo pienso en cuánto me gusta estar juntos. ¿Y qué es lo que más te gusta de estar juntos?, preguntó ella. No sé, dijo él, que podemos dejarnos ser, no fingir nada. Mmm, dudó Sophie, ¿no es demasiado *ser*?, a mí lo que más me gusta es que podemos ser el otro si queremos: tú una dulce muchacha que me recibe, o yo un hombre resuelto que te obliga a abrazarme. ¡Tú lees demasiado al primer Schlegel!, rió él. Nunca lo suficiente, dijo ella, para olvidar al segundo, querido.

«Al principio nada lo atrajo tanto ni lo impresionó tan poderosamente», leyó Sophie en voz alta, «como la percepción de que Lucinde era de similar o igual carácter y espíritu que él; ahora cada día descubría nuevas diferencias. Pero incluso estas diferencias se basaban en una igualdad más profunda, y cuanto más ricamente se desarrollaba la personalidad de ambos, más polifacética y emocionante se volvía su unión». ¿Ves?, para mí este es uno de los pasajes más importantes de la novela. Y qué lejos de eso estamos todavía, ¿te imaginas a una legión de narradores pensando en sus propios cambios porque las mujeres que aman han cambiado? ¿Y qué me dices de esto?, dijo Hans, mira, aquí, cuando él se compara con los amantes que se sienten ajenos al mundo, separados de todo porque se aman, y dice: «No así nosotros. Todo lo que amábamos antes, lo amamos más. El sentido del mundo se nos ha abierto», para mí esa visión es admirable, el amor no como huida sino como llegada al mundo, como forma de conocerlo. Eso quiere decir que una sociedad nueva empezaría por reinventar el amor. Muy cierto, dijo Sophie, aunque Schlegel también tiene sus contradicciones, acuérdate del capítulo que leímos hace un rato, ¿a ver?, creo que en este, hubo algo, espera, que me chocó bastante, y no me refiero a las tonterías de la mujer como el más puro de los seres y esas cosas, eso ya ni lo menciono, ah, aquí: «Cuanto más elevado es alguien, más semejante se vuelve a una planta, la más moral y hermosa de todas las formas de la naturaleza», eso. Más bien se trataría de todo lo contrario, ¿no?, de cuestionar las raíces, de oponernos a la supuesta naturaleza de las cosas, a veces por ejemplo una mujer necesita desobedecer a la naturaleza para crecer. Además las plantas también evolucionan, se adaptan al terreno, cambian de necesidades, como las personas. Y como las novelas, ¿no?, *Lucinde* es una especie de novela híbrida, sin naturaleza pura. ¡Prólogo!, aplaudió Hans, ¡queremos un prólogo tuyo para la próxima reedición! Eh, tú, protestó ella, ¡no me adules! Bueno, adúlame, pero sin que me dé cuenta.

¿Sabías que Schlegel quiso escribir una segunda parte de la historia?, comentó Sophie mientras le desordenaba a Hans el pubis con un dedo, parece que planeaba continuarla ya no desde el punto de vista de Julius, sino de ella. Porque es curioso que Lucinde apenas tenga voz en la novela. A veces pienso que si Schlegel hubiera escrito la segunda parte de *Lucinde,* su historia y la nuestra habrían sido distintas. Pero su esposa Dorothea, dijo Hans pellizcándole el vientre, publicó una novela paralela, ¿no? Cierto, contestó ella, y aunque cuenta la historia de una chica que desea enfrentarse a su familia y ver mundo, el libro acabó llamándose *Florentin,* como el joven vagabundo que la protagoniza. Dicen que Dorothea también quiso escribir una segunda parte y que iba a llamarse *Camilla,* un nombre de mujer contado por una mujer. Nunca la terminó. Silencio. Esa es la historia de la literatura.

La cuestión, dijo Hans para tirarle de la lengua, es que *Lucinde* habla del matrimonio, ¿no? En absoluto, se apresuró a contestar Sophie, habla de la unión amorosa en general. Pero esos personajes que se aman, insistió él, son marido y mujer. Amado mío, se disgustó ella, tu sagacidad se ofusca un poco cuando entra en materia de hombres y mujeres. La novela habla de amor, de otra clase de amor, y si eso pasa dentro de un matrimonio es para darle naturalidad a esa pasión, una especie de ejemplo cotidiano. Algunas lectoras, ¿sabes?, estamos hartas de enamoramientos trágicos y deseos imposibles, por eso pienso que Schlegel acertó dándole a la historia un marco conyugal, diario. Seré curioso, se atrevió Hans, ¿podremos decir lo mismo de tu matrimonio?

Sophie se levantó sin decir una palabra. Se puso en cuclillas sobre el orinal y, por unos instantes, lo único que se oyó en la habitación fue el goteo reflexivo de la orina. Cuando volvió al catre se quedó sentada en el borde, dándole la espalda a Hans. Él temió haberla ofendido más de lo esperado, pero cuando se disponía a pedirle disculpas, ella murmuró: He aplazado la boda. ¿Cómo?, se sobresaltó Hans. Ella repitió las mismas palabras en idéntico tono. Hans se sintió perplejo, eufórico, asustado. ¿Para cuándo?, tanteó. Para diciembre, contestó ella, en navidades. Él supo que debía quedarse callado. Sophie se mantuvo durante un buen rato así, desnuda al borde del catre, atendiendo a su propia respiración. Finalmente volvió a recostarse, acomodó la cabeza sobre el vientre de Hans y, descubriendo por casualidad las telarañas de las vigas, empezó a contarle.

Después de escucharla, Hans pensó que había llegado el momento de una pregunta tan evidente como incómoda que se había cuidado de hacerle. Él no quería ataduras ni tampoco las pedía. Pero lo cierto era que, desde que conocía a Sophie, sentía un insólito arraigo y asistía extrañado a su propia permanencia en Wandernburgo. Y ya que seguía allí, quizá fuera una muestra de cobardía, no de libertad, seguir actuando como si acabase de llegar. Sophie, dijo despacio, ¿cómo pudiste comprometerte con Rudi?, ¿por qué sigues con él?

Sophie sabía que Hans no solía hacer ese tipo de preguntas, y decidió ser relativamente sincera. Mira, dijo, yo no estoy enamorada de Rudi, en eso no voy a engañarte ni engañarme porque sería inútil. Pero nunca me opuse a la boda. Rudi me adora y yo le tengo cada vez más aprecio, que es menos de lo que una soñaba pero bastante más de lo que pueden decir muchas. Y bueno, más allá de las fantasías, un matrimonio así le asegura el futuro a cualquiera, dejará contento a mi padre y solucionará nuestros percances económicos. No es que haya buscado a Rudi, al principio no estaba en absoluto interesada en él. Pero mi padre empezó a invitarlo cada vez más a menudo, y después se incorporó al Salón. Un día me confesó que estaba enamorado y que esa era la única razón por la que venía a casa (en eso, pensó Hans, no puedo culparlo), yo no me lo tomé demasiado en serio, pero él me juró que seguiría viniendo hasta que empezase a quererlo o le prohibiese entrar, cosa que naturalmente no iba a hacer. Y siguió pasando el tiempo, a veces es tan simple como eso, ¿no? Yo no le dije ni que sí ni que no, me dejé halagar, mi padre me suplicaba que considerase su proposición y yo pensaba en las necesidades de la familia y en que de todas formas nunca me había enamorado de nadie. Muchos hombres me atraían, claro, me veía con ellos a escondidas, pero no los admiraba. Ninguno me parecía lo suficientemente sensible o inteligente, supongo que eso era vanidad juvenil. Terminé decidiendo que, para no amar a ningún hombre, prefería casarme con uno rico y cariñoso. Llámalo conformismo, yo lo llamo sentido común. Rudi me ha prometido que, mientras le dé hijos y sea una buena esposa, jamás me impedirá estudiar ni dedicarle tiempo a la música y los viajes (pero, dijo Hans, ¿no podías aspirar a otra clase de matrimonio?), yo no persigo ilusiones, quiero hechos, y las mujeres confundimos demasiadas veces el amor con las expectativas. Por lo menos Rudi es joven, atractivo (¿sí?, ¿de veras?), por supuesto, ¿estás ciego?, y aunque pueda parecerte poco sensible respeta mis gustos, es paciente conmigo y fue tenaz como nadie (cuéntame, ¿y cómo te cortejó el señorito Wilderhaus?, ¿qué hacía?), bueno, ya te imaginas, me hacía un montón de regalos, me llevaba a cenar, esas cosas, pero sobre todo me escribía cartas. Sus cartas eran tan apasionadas que yo de alguna forma lo envidiaba, quería enamorarme como él, enamorarme de su amor. Él me contaba cómo me veía, y a mí me parecía raro porque cuantas más virtudes me encontraba él, menos me reconocía yo en sus descripciones. Te confieso que llegué a utilizar sus cartas para saber cómo comportarme, ¡no pongas esa cara, Hans! Y a mí me daba igual, ya sabía de sobra que cuando un hombre retrata a su amada, autorretrata sus deseos. Y ahora te pido que no hablemos más de esto, por favor, y disfrutemos de la noticia. No me caso hasta diciembre y eso es lo que importa.

Lo que importa, decía Elsa al pie de la calesa, es qué va a pasar después, entiendes, ella tiene un futuro y no le conviene tirarlo por la borda. Pero, dijo Álvaro reteniéndola, ¿no te parece que se entiende muy bien con él? Yo no opino, contestó Elsa haciéndole un gesto al cochero para que esperase, él es tu amigo, ¿tú qué vas a decir? Algún día se irá por donde vino, y para la señorita todo serán problemas. Lo dudo, dijo Álvaro, y además te repito que eso es un problema sólo de ellos dos. Te equivocas, dijo Elsa, no es sólo de ellos dos, hay una familia entera en juego, incluyendo a los que trabajamos en la casa. Qué curioso, sonrió Álvaro, de repente hablas como si te interesara esa familia.

Elsa se inclinó, le dio un beso veloz y dijo: Tengo que irme, llego tarde a la fuente.

Pasos, en marcha, situarse, agarrados, el giro, más rápido, vivo, cruzar, traslación, agarrados de nuevo, cintura, la mano, muy bien, y las piernas más juntas, un-dos, un-dos-tres, va mejor, y los brazos, espera, así no, ya no importa, más vivo, los hombros, ¡qué torpe!, me encanta, talón y paramos, el cruce y cambiamos, no corras, el pie con el mío, te espero, ¿me sigues?, arriba, inclinarse, la vuelta, un momento, ¿qué haces...? Eh, ¿pero adónde vas?

Definitivamente, el vals no estaba hecho para Hans.

Los bailarines de la Sala Apolo vieron cómo abandonaba la pista en mitad del baile, y cómo Sophie salía en su busca sin parar de reír. Antes los habían visto pasar juntos al centro de una cuadrilla, y más de uno había notado que ella, una bailarina impecable y una muchacha bastante seria, se dejaba arrastrar por el susurro de aquel forastero y perdía el ritmo de manera grosera. Hans y Sophie subieron a la carrera las escaleras de mármol, atravesaron la galería y se acomodaron en una mesa libre, frente a una de las arañas de gas con forma de parra. Nunca Sophie se había atrevido a tanto en público, a la vista de todos. Tampoco nunca le había importado tan poco lo que pensaran los demás: el verano entero era una pista de baile y ella iba a aprovecharla hasta que la cerrasen. Y aunque su posición fuera cada vez más vulnerable, la emoción la hacía sentirse invulnerable.

Impulsada por el vals y exaltada por el ponche, Sophie le hablaba a Hans de la última carta de Rudi. Tras algunas resistencias, Rudi había aceptado posponer la boda e incluso parecía convencido de que la nueva fecha era más apropiada para un evento de esa trascendencia. Por lo demás, reconfortado por los esfuerzos literarios que Sophie había derrochado en sus cartas, Rudi se declaraba tan enamorado como siempre y orgulloso de la capacidad organizativa de su prometida, lo cual garantizaba el éxito de la ceremonia. Todo esto no era mentira, aunque tampoco exactamente cierto: Rudi llevaba una temporada mostrándose susceptible, oscilando entre un tono de orgullo ofendido y súplica sentimental. Durante algunos días había interrumpido el envío de regalos por correo, pero al comprobar que Sophie no hacía la menor mención al respecto, se había arrepentido de aquella represalia y había redoblado el contingente de ofrendas. Ella conocía bien el carácter de Rudi e imaginaba sus padecimientos. Por eso, igual que lamentaba no poder revelarle su verdadero estado de ánimo, también lamentaba no poder explicarle a Hans cuánto sufría Rudi: ambos eran un intruso moral a los ojos del otro.

No, Hans, amor, ni soy tan generosa como dices ni me entrego a ti sin más: lo que tú tomas de mí ya me lo diste antes, y cuando vuelve a tus manos es porque entre nosotros todo tiene un poder de ida y vuelta, un efecto de eco. Al pensar en ti, al darme, siento que me dirijo a mi propio encuentro, y eso me hace más fuerte y me da paz. La paz también consiste en poder brindar lo mismo que recibes. ¡Bendito egoísmo este, que se satisface en su generosidad!

Buenas noches, mi bien. Rózate un dedo del pie y dile que ha sido mi mano traviesa. Tu
S.

Sophie, delicia, has dado con una idea maravillosa: lo que tomas de mí ya me lo diste. He pensado todo el día en eso. Y creo que tu idea, que es más bien una vivencia (como todas las auténticas ideas), nos lleva a un estadio más elevado del amor: el del individualismo bien entendido. Los amantes clásicos se prometen ser los mismos para siempre, pero contigo he aprendido a cambiar de planes para bien. No te hablo de dejar libre a quien se ama por olímpico altruismo. Se trata de la certeza de que tu amplitud es mi horizonte.

Después de cada breve separación, después de este tranquilo recobrarnos a nosotros mismos por separado, me siento capaz de emprender una más dulce reconquista de nosotros juntos.
Contigo, amor de
H.

El humo de las mesas aureolaba el sombrero de Álvaro, recorría el ala como un fantasma sobre una cornisa, trepaba por la copa y se perdía titilando entre candiles. El Café Europa se había llenado de golpe, como si los clientes hubieran esperado una señal para asaltar la puerta. Álvaro había revisado unos presupuestos de la empresa, había pedido una taza de chocolate y ahora hojeaba un ejemplar atrasado del *Diario de avisos*. Hans bebía su sexto café del día y contemplaba distraído los caprichos del humo. Uno acababa de despedirse de Elsa, el otro venía de estar con Sophie. Ninguno de los dos se había referido nunca a esos encuentros simultáneos, no por desconfianza sino por discreción. Lo suyo con Elsa, pensaba

Álvaro, fuera lo que fuese, no iba a traer grandes consecuencias. Lo de Sophie era distinto, mucho más delicado. Y no sabía cómo ayudar mejor a Hans: callando como hasta ahora o hablando de una vez.

¿Has visto?, decidió disimular Álvaro abriendo otro periódico, ¿has visto *The Manchester Guardian*? Y extendió una doble página que rebasó los bordes de la mesa. Hans se asomó a los titulares: en Fráncfort acababan de celebrar el aniversario del nombramiento de Metternich como canciller. Habían asistido Francisco de Austria, Federico Guillermo de Prusia, Nicolás de Rusia, Jorge del Reino Unido y Carlos de Francia. Hans se encogió de hombros. ¿Has visto los discursos?, insistió Álvaro, escucha, escucha: «Su Majestad Imperial destacó», están hablando de Francisco, «el incremento continuo de sus méritos», de Metternich, «gracias al ininterrumpido celo», ¡realmente ininterrumpido, sí!, «la habilidad política y el coraje con que se ha consagrado a la preservación del orden general», ¡literal del discurso, eh!, «y al triunfo de la ley sobre los desórdenes de quienes intentan perturbar la paz dentro y fuera de nuestros estados», en fin, espera, bla, bla, aquí, «Su Majestad Friedrich Wilhelm III de Prusia ensalzó la trayectoria del homenajeado, elogió la labor de la Dieta, y advirtió de la necesidad de ampliar el margen de maniobra de los estados alemanes», ¡qué caradura!, después va el otro y, fíjate, «Siempre dentro de un clima de concordia y cooperación», ¡conmovedor!, «Su Majestad George IV subrayó la importancia de la Cuádruple Alianza, que refuerza los acuerdos económicos y comerciales entre estados por encima de su signo religioso», ¡ay, qué ingleses, los ingleses!, pero escucha, escucha lo que... Perdona, lo interrumpió Hans, ¿puedo? Álvaro le cedió el periódico y levantó los brazos en señal de inocencia. Hans leyó en silencio:

«Finalmente intervino el conde y príncipe de Metternich-Winnenburg, que concluyó expresando entre los aplausos del Parlamento: "La palabra libertad no posee valor alguno como punto de partida, sino como meta por la que se lucha. Es la palabra orden la que designa el punto de partida. Los admiradores de la prensa actual pretenden honrarla con el título de representante de la opinión pública, aunque lo escrito en ella sólo exprese la impresión personal de sus redactores. ¿Acaso esos mismos demagogos le reconocen dicha función, la de representar a la opinión pública, a las declaraciones consensuadas de nuestros gobiernos? La opinión pública es poderosa en todo sentido. Al igual que la religión, penetra allí donde no alcanzan las medidas administrativas. Despreciar el impacto de la prensa sería tan peligroso como despreciar la importancia de los principios morales. La posteridad jamás comprendería que respondiéramos con silencio al clamor de nuestros oponentes. La caída de los imperios depende de la propagación del descreimiento. Por eso la fe religiosa no sólo sigue siendo la primera de las virtudes, sino también el mayor de los poderes. Y por eso la religión no podrá declinar en nuestras naciones sin causar al mismo tiempo un declive de sus fuerzas"».

Hans suspiró.

Oye, volvió a disimular Álvaro, ¿qué tal el organillero? Ayer cené con él, dijo Hans, está igual que siempre, canta solo y duerme como un niño. A veces tose un poco. He logrado comprarle una camisa nueva y lo he amenazado con bañarlo. ¿Y él qué opina?, preguntó Álvaro. Dice que la higiene está sobrevalorada, contestó Hans, que depende de la culpa y que él se siente completamente en paz. Hans rió con su amigo, pero enseguida se quedó callado. Álvaro le preguntó cómo iban las traducciones y Hans dijo que bien, mencionó a tres o cuatro poetas y volvió a callarse. Entonces Álvaro tuvo la sensación de que Hans quizás estaba esperando otra pregunta, y se decidió a sacar el tema. Mientras entreabría los labios, en un rincón del fondo se oyó un choque de bolas y unos aullidos de celebración.

Oye, se lanzó por fin Álvaro mirándolo a los ojos, ¿tú sabes en qué lío te metes? Hans resopló con más alivio que incomodidad. Esbozó una sonrisa lenta. Después bajó la vista, se distrajo en los restos de la taza, se encogió de hombros y dijo: Ya no puedo controlarlo. Ni quiero controlarlo. Álvaro asintió.

Tras una pausa prudente, insistió: ¿Y ella? Ella, contestó Hans, es más valiente que cualquiera de nosotros. ¿Y la boda?, dijo Álvaro. Supongo que tendrá que celebrarse, murmuró Hans, Sophie no necesita que la salve, sólo que la quiera. ¿Pero tú la quieres en serio?, preguntó Álvaro. Tan en serio, contestó Hans, que sé muy bien que no debo entrometerme en esa boda. ¿Y después?, dijo Álvaro. Después, contestó Hans, no sé. O nos seguimos viendo... ¿O?, lo empujó Álvaro. O me voy a Dessau, terminó Hans, que el señor Lyotard me espera.

El sombrero de Álvaro humeaba, parecía arder. Una mosca que no vieron se posó sobre el ala. Le gustó. Se quedó ahí.

Explícame una cosa, dijo Álvaro, si tan enamorado estás de Sophie, ¿cómo puedes soportar que esté con otro hombre al mismo tiempo? Al mismo tiempo no, sonrió Hans, cuando está conmigo no está con nadie más. Bueno, dijo Álvaro, pero no eres el único, y cuando uno quiere de verdad a. Es que, lo interrumpió Hans, no somos únicos. En realidad todo el mundo está, o piensa en estar, con otros. ¡Vamos, vamos!, dijo Álvaro, ¡no me vengas con eso!, ¡es una pose!, ¿vas a decirme que no te da celos pensar en los momentos que ella pasa con Rudi? (La mosca recorría el sombrero, frotaba las patitas contra la tela brillante.) No digo que nunca sienta celos, contestó Hans, lo que digo es que no dependen de lo que ella haga. Uno puede morirse de celos por razones imaginarias. Pero, insistió Álvaro, ¿no te da miedo perderla?, ¿que pueda preferir a otro, Rudi o el que sea? ¡Claro que me da miedo perderla!, dijo Hans, lo que dudo es que eso pueda evitarse siendo el único hombre con el que ella se acuesta, ¿entiendes? Hasta te diría que es más fácil perder a una mujer si le impides que conozca a otros hombres. Y qué pasa, objetó Álvaro, si ella conoce a otro y le gusta demasiado. Puede ser un riesgo, admitió Hans, pero más peligrosa es la curiosidad insatisfecha. Podemos llegar a obsesionarnos con alguien sin tocarlo, o precisamente porque no lo hemos tocado. Por eso desconfío de las mujeres fieles, ¡no te rías!, son capaces de idealizar tanto a otro que no hay manera de evitar que se enamoren de él. ¿Acaso las parejas fieles no fracasan? ¡Y cuántos matrimonios se mantendrán en pie gracias a los amantes! Todavía no sé, dudó Álvaro, si me tomas el pelo o piensas eso de verdad. Querido, dijo Hans, ¡te has vuelto conservador! Eso lo dices, negó Álvaro, porque eres joven. Cuando uno es joven le gusta jugar a la incertidumbre. Pero al hacerte mayor vas perdiendo casi todas las certezas, y te aferras como un perro a lo poco que conoces: tu amor, tu familia, tu territorio. Soy mucho menos joven de lo que crees, replicó Hans, y aparte de Sophie ya he perdido las certezas. ¿Y ella qué?, dijo Álvaro, ¿está de acuerdo con tus teorías? Huy, rió Hans, ¡no sabes cuánto! Además... ¿Además?, se interesó Álvaro inclinándose hacia delante. (Las alitas de la mosca temblaron, amagaron con despegar.) Además, susurró Hans, así me da más gusto, ¡lo que aprenda por ahí, que me lo enseñe! ¡Vamos, hombre, por favor!, exclamó Álvaro alejándose, ¡eso ya es ser cínico! No, no, se ofendió Hans, es imposible ser cínico estando enamorado. Y yo estoy más enamorado de Sophie que de nadie jamás. Lo que pasa es que, cómo te lo explico, para mí no hay nada más hermoso que sentirme elegido, ¿entiendes? En fin. Ahora puedes denunciarme al padre Pigherzog o invitarme a otro café, que todavía no has pagado ninguno. Café no, dijo Álvaro, whisky. ¡Camarero!, ¡por favor, dos whiskies! ¡Los dos para el señor!

Entonces vieron a la mosca.

¿Qué nos toca traducir hoy?, preguntó ella volviendo a ponerse las medias blancas. Italianos, dijo él, y portugueses. Pero antes mira esto.

Hans buscó en el arcón y le extendió a Sophie un ejemplar de *Atlas,* En las páginas centrales aparecía una muestra de joven poesía francesa traducida por ellos dos. Y, debajo del encabezado, una nota introductoria firmada con el nombre de Sophie. ¿Y esto?, se asombró ella, ¿cuándo escribí yo esto? No lo escribiste, contestó él, lo dijiste. Ese día tomé nota de tus opiniones, las redacté y después las mandé con los poemas.

Y mira tú por dónde, a los de la revista les pareció brillante. C'est la vie, mademoiselle Bodenlieb.

Con Camões, dijo Hans, no podemos hacer nada, porque ya está editado y bien traducido. ¿Conoces a Bocage?, ¿no?, no tiene nada que envidiarle a los más grandes. He anotado algunas dudas, hay versos que no entiendo bien, ¿qué significa exactamente *pejo*?, ¿y *capir*?, tenemos esto (Hans le entregó a Sophie un ejemplar pequeño y grueso: *A Pocket Dictionary of Italian, Spanish, Portuguese and German Languages,* impreso en Londres en 1799), échale un vistazo a los poemas.

> *¡Oye, Marilia, flautas de pastores,*
> *qué bien suenan y cuánto es su deleite!*
> *¡Cómo sonríe el Tajo! ¿Y también sientes*
> *a los vientos brincando entre las flores?*
> *¡Mira cómo, frotándose de amores,*
> *incitan nuestros besos más ardientes!*
> *¡Y allí, de planta en planta, inocentes*
> *las vagas mariposas de colores!*
> *En ese arbusto el ruiseñor espera*
> *y entre las hojas una abeja para*
> *o de pronto, zumbando, el aire altera:*
> *¡qué alegre campo, qué mañana clara!*
> *Mas, ah, si viendo esto no te viera*
> *más pena que la muerte me causara.*

Sí, dijo Sophie, me parece mejor vientos que *céfiros*. ¿Y lo de las mariposas?, preguntó Hans, ¿no quedaría mejor si en vez de «las vagas mariposas» pusiéramos «ociosas mariposas»? No, no, contestó Sophie, mejor *vagas,* porque así se nota que no tienen preocupaciones, pero también parece que las vemos borrosas yendo de flor en flor.

Sophie trabajaba en silencio con la cabeza agachada. Revisaba las versiones, las pasaba a limpio y consultaba el diccionario. Hans se distrajo observándola: tenía los largos dedos de la mano derecha manchados de tinta y así, tan seria y concentrada, la encontró terriblemente bella. Él trató de volver al borrador del soneto que acababa de traducir, pero algo le zumbaba en los oídos como la abeja de Bocage. Cuéntame, dijo entonces, ¿qué tal Rudi? Sophie levantó la cabeza, sorprendida de que Hans lo mencionase, cosa que no hacía a menudo y que ella le agradecía. Bueno, contestó Sophie, bastante bien, parece que más calmado. El lunes recibí una pulsera de azabache y un peine de nácar, así que supongo que todo está en orden.

Importuna razón, no me persigas;
en vano tu voz áspera murmura;
si en ley de amor, si a fuerza de ternura
no domas, no contrastas, no mitigas;
  si atacas al mortal y no lo abrigas,
si (conociendo el mal) no le das cura,
déjame demorarme en mi locura,
importuna razón, no me persigas;
  es tu intento, tu fin llenar de celo
esta alma, la víctima de aquella
a quien, cambiante, en brazos de otros veo:
  tú quieres que me aparte de mi bella,
la acuse, la desdeñe; y mi deseo
es morder, delirar, morir por ella.

Este, sonrió Sophie, te ha quedado perfecto.

Se bebieron la jarra de limonada que les había subido Lisa y pasaron a los italianos. Para mí, dijo Hans, el mejor de los nuevos es Leopardi, aunque todavía es muy joven. También le ofrecí a la revista unos artículos de Mazzini, pero al director le parecieron demasiado escandalosos y me contestó que no era un buen momento para publicarlos, en fin, a lo que íbamos. En la *Gazzeta della Nuova Lira* he encontrado estos poemas de Leopardi. Dime cuáles prefieres.

Sophie los leyó y eligió *Canto de las fábulas antiguas* y *El sábado de la aldea*, que le recordaba los fines de semana en Wandernburgo cuando era niña. Hans propuso *Canto a Italia* porque, según dijo, le encantaban los poemas que hablaban con decepción de la patria, fuera la que fuese.

> *Veo, oh patria, los muros y los arcos*
> *y las columnas y los simulacros,*
> *las torres yermas de nuestros abuelos;*
> *sin embargo la gloria no la veo,*
> *tampoco veo el hierro*
> *ni el laurel que cubría*
> *a los antiguos padres. Hoy, vencida,*
> *con la frente desnuda y con el pecho*
> *desnudo, tú nos miras.*

Hay como dos nostalgias en Leopardi, opinó Hans, yo me quedo con la íntima. De acuerdo, asintió ella, su nostalgia histórica suena impostada, y la otra es mucho más carnal, como venida de la experiencia. Por ejemplo aquí:

> *La muchachita vuelve de los campos,*
> *cuando el sol atardece,*
> *con su atado de hierbas; en la mano*
> *lleva un ramo de rosas y violetas*
> *con las que, como suele,*
> *se adornará mañana, día de fiesta,*
> *el pecho y los cabellos.*
> *Se sienta en la escalera*
> *la viejecita a hilar con las vecinas,*
> *vuelta hacia donde ya se pierde el día,*
> *contando historias de sus buenos tiempos...*

¿No es conmovedor?, dijo Sophie, ¿cómo por un momento coinciden en la calle la joven de las flores y la anciana que hila? Seguro que la chica está enamorada, porque vuelve del campo con un ramo que piensa usar en la fiesta de mañana. La viejecita en cambio no tiene mañana, lo que ve es el atardecer, y espera la llegada de la noche recordando, hilando. Me la imagino viendo pasar a la chica, sonriendo y volviéndose para decirle a una vecina: yo, en mis tiempos... En fin, ¿seguimos corrigiendo la estrofa? No, no, contestó Hans, así está bien.

> ... *Muchacho juguetón, tu edad florida*
> *es como un día lleno de delicia,*
> *día sereno, claro,*
> *que precede a la fiesta de tu vida.*
> *Muchacho, goza de este dulce estado,*
> *de la estación alegre.*
> *No quiero decir más; pero si acaso*
> *tarda en venir la fiesta, no te pese.*

¡Cómo prefiero este tono!, se entusiasmó Hans, ¡cuánto más verdadero! Para los grandes temas lo mejor es fingir que se habla de cosas muy pequeñas.

Sophie se peinaba despacio, como quien resume el día, frente al reverso de la acuarela. Piernas y brazos en cruz, todavía agitado, Hans la contemplaba desde el catre tal como él había dicho que no debían mirarse los grandes temas: solemnemente. No sabía por qué esa manera precisa y ensimismada que tenía Sophie de arreglarse lo conmovía tanto, como si esos primorosos movimientos de repliegue contuvieran una despedida en miniatura.

Oye, susurró Hans, ¿sabes que eres mi suerte? Ella detuvo el peine, se volvió y dijo: Sé a lo que te refieres, amor, a mí me pasa igual, me levanto cada mañana, pienso que voy a verte y siento como un impulso de dar gracias. Pero después me despejo y me digo que no, que no ha sido la suerte, que más bien ha sido un atrevimiento, *nuestro* atrevimiento. Tú podrías haberte ido y te quedaste. Yo podría haberte ignorado e hice todo lo contrario. Todo esto es voluntario, mágicamente voluntario (hablas igual que el viejo, dijo Hans), ¿qué viejo? (el organillero, ¿quién va a ser?), ah, por cierto, a ver cuándo... (sí, sí, pronto), de hecho, ¿sabes?, a veces pienso que ni siquiera hemos tenido suerte. Quiero decir, podríamos habernos conocido en otro lugar, o más tarde. A veces me imagino cómo sería vivir en otro tiempo, a lo mejor entonces todo sería más fácil para nosotros.

Hans dijo: Sophie, mi vida, vendrán otros tiempos.
Y no serán *tan* distintos. ¿Es una profecía?, preguntó ella riéndose.

Esa misma mañana, antes de que Sophie viniera a traducir a Bocage y Leopardi, Hans había madrugado para despedir a Álvaro, que viajaba a Londres para reunirse con sus socios
y visitar a sus parientes. Se encontraron en el Café Europa.
Álvaro felicitó a Hans por haberse retrasado solamente diez minutos. Después del desayuno (chocolate y anís para uno, café
y café para el otro) dieron un paseo hasta la posta, donde el
criado de Álvaro los esperaba con el equipaje listo al pie de la
berlina. Al pasar junto a las torres torcidas de San Nicolás, Álvaro se santiguó al revés y murmuró: Te suplico, Señor, que a mi
vuelta se caigan.
   Ya frente a la berlina, los dos amigos se miraron como
si acabasen de darse cuenta de que uno de ellos se marchaba.
Alarmado, Hans tuvo la sensación de que estaban intercambiándose los papeles. Álvaro sonreía incómodo, tratando de
calmarse y tratando de entender por qué no se calmaba. No
supieron qué decir, cómo abrazarse. Voy a echarte de menos, le
gritó Hans finalmente a la cabeza que asomaba por un costado.
¡Son só-lo do-os sema-a-nas!, contestó la cabeza de Álvaro entre
traqueteos.
   Tal como había augurado la señora Zeit hacía meses, la
posada rozaba temporalmente un inconcebible lleno. Dos muchachas rubias y deslizantes ayudaban con el servicio y la limpieza. La mayoría de los huéspedes eran parientes lejanos, o amigos de parientes lejanos, de los wandernburgueses que se habían
quedado a pasar el verano en la ciudad. A veces Hans se cruzaba con ellos en las escaleras y, por falta de costumbre, tardaba
en reponerse del sobresalto y devolverles el saludo. Aquella mañana los Zeit esperaban la visita de sus propios familiares, que
venían a pasar unos días y no tendrían más remedio que repartirse entre la vivienda de los dueños y la habitación número tres,

la única libre. La misma en la que Lisa solía esconderse para hacer los deberes.

Los primos, sobrinos, tíos y demás progenie desfilaban alborotados y confundidos por el pasillo de la posada. Unos eran rollizos y lerdos como el señor Zeit, otros eran espigados y tensos igual que Lisa. Apostada en la puerta, la señora Zeit los iba recibiendo uno por uno, los besaba rápido y les propinaba un discreto empujón hacia el interior. En cuanto reconoció al primo Lottar, en cambio, se limpió las manos en el delantal y se adelantó para ir a su encuentro.

Lisa vio cómo Lottar entraba, soltaba el equipaje y se le acercaba con los brazos extendidos. Sabiendo que su madre la vigilaba, soltó un gritito y corrió a abrazarlo. Pero mientras le daba la bienvenida a su primo segundo, que dejaba caer los párpados y le apretaba el talle, ella desviaba la vista hacia la puerta, hacia la luz que rebosaba por los bordes del marco.

Desde el extremo opuesto de la posada, se oyó de pronto la voz nasal de uno de los parientes de los Zeit: ¡Querida, ven!, ¡por favor, ven!, ¡tu hijito no deja de, en fin, de...!, ¡el pequeño Thomas está...!, ¡está, suelta unos...!, ¿querida, me oyes?

Chocando su barriga con la barriga de su hermano, el señor Zeit proclamaba: ¡Ya es agosto, eh!, ¡parece mentira!

En un rincón de la cocina, la señora Zeit le hablaba en voz muy baja a su hija: ¿Queda claro o no?, comportándote así nunca vas a gustarle al primo Lottar (yo no quiero gustarle a Lottar, dijo Lisa), pues tendrá que gustarte. Es hijo de médico. Es honrado. No es mal hombre. Bastante hay con que se haya fijado en ti. Así que ni una palabra y sé más amable con él, ¿entendido? Contesta. ¡Lisa, contesta!

Lisa abandonó la cocina dando zancadas y su madre salió tras ella. En ese momento Hans, que acababa de entrar en la posada y miraba a su alrededor sorprendido por el trajín, estuvo a punto de tropezar con Lisa. Ella demoró su carrera para ordenarse el cabello y sonreírle. Entonces se volvió y le gritó a su madre: ¡Si alguna vez usted hubiera estado enamorada, no me hablaría así! La señora Zeit se detuvo, perpleja. ¿Cómo?, balbuceó, ¿qué?, ¿pero qué dices? Lisa se perdió pasillo abajo. A falta de otro interlocutor, la posadera miró a Hans y exclamó: ¡Santo Dios! ¡Será posible! ¿Usted la entiende?

Lisa pasó el resto de la mañana encerrada en su cuarto y se negó a almorzar. La señora Zeit le explicó al primo Lottar que su hija se encontraba indispuesta. El primo Lottar asintió con una sonrisa equívoca y dijo que le parecía perfectamente natural, porque Lisa había crecido mucho desde el verano pasado y ya no era ninguna niña.

Unos minutos antes de las cinco de la tarde, Lisa abandonó voluntariamente su encierro y se presentó en la cocina con una expresión de indiferencia que enfureció más a su madre. Sin decir una palabra ayudó a preparar la limonada, y a su debido tiempo se adelantó para subirla ella misma a la habitación número siete.

Antes de llamar a la puerta, Lisa se quedó escuchando. La voz de Hans, su voz grave y un poco seria, decía palabras bonitas:

> *... tú quieres que me aparte de mi bella,*
> *la acuse, la desdeñe; y mi deseo*
> *es morder, delirar, morir por ella.*

Lisa golpeó dos veces y, como solía, no esperó a que le dieran permiso. Por eso alcanzó a oír la respuesta de esa engreída estúpida que venía casi todas las tardes: «Este te ha quedado perfecto». No era gran cosa para decirle a un hombre como Hans.

Avanzó con deliberada lentitud con la jarra entre las manos; el sol de la ventana deshacía la pulpa del limón y disparaba los reflejos. Vuelto hacia ella, sonriéndole, el adorable Hans apretaba un papel lleno de anotaciones. Posando frente a él, muy tiesa, mal peinada, sosteniendo la pluma como una idiota, estaba la engreída. Lisa siguió avanzando. La habitación estaba hecha un desastre. Había libros abiertos por todas partes, el aguamanil estaba sucio y, para colmo, la engreída había tenido la torpeza de dejar caer al suelo ese precioso chal color melocotón que no se merecía. Incluso el catre, pobre Hans, estaba sin hacer: si las chicas de la limpieza no tenían más cuidado, se lo contaría a su madre. Lisa echó un vistazo a la ropa de cama y se quedó un instante absorta, contemplando el desorden de las sábanas, hasta que Hans carraspeó. Entonces reanudó sus movimientos como si nunca se hubiera detenido. Se acercó a ellos, se inclinó para llenar los vasos, dejó la jarra de limonada sobre el escritorio y se marchó cerrando con brusquedad.

Ya es de noche. Los ruidos, las voces, la inquietud de muebles han cesado hace horas. En el aire flota el grillo que nace del silencio. Por toda la posada se extiende una oscuridad suave, apenas interrumpida por los candiles de la planta baja. La sala se ha quedado desierta, el caldero no humea. Nada tiembla tampoco en el primer piso. Ninguna luz desvela los escalones. Pero en la segunda planta, en algún punto del pasillo, una llamita de aceite se mueve despacio. Lisa va descalza, camina como si el suelo pinchara, con la punta de los dedos, haciendo equilibrios para evitar que se derrame una sola gota del plato: sabe que eso podría delatarla a la mañana siguiente. Los pies fríos de Lisa llegan al fondo del pasillo y se paran frente a la puerta de la habitación número siete. Es ahora cuando el pulso de la mano se vuelve inseguro y ella teme volcar el plato o cometer cualquier error. El pecho puntiagudo se le inflama bajo el camisón, retiene un momento el aire, se le queda vacío. Ella se oye respirar. Se cuenta los latidos. Uno. Dos. Tres. Ahora o nunca.

Al girar el picaporte poco a poco y separar la hoja de la puerta, la mano de Lisa se ilumina con el fulgor del quinqué, los nudillos se le encienden, sus dedos parecen chorrear luz. Hans no se ha dado cuenta todavía, porque más que leer ya está olvidando, recitando entre sueños el libro que leía unos minutos antes. La llama del quinqué oscila sobre una silla, junto al catre. Hans está recostado y sólo viste un calzón corto blanco. Sobre sus pectorales descansa el libro abierto. Lisa observa las piernas largas de Hans, sus pies grandes separados. Se acerca al catre. Se agacha flexionando las rodillas y posa el disco de aceite en el suelo. Cuando se incorpora de nuevo, el corazón de Lisa da una voltereta: ahora los ojos de Hans brillan despiertos y la miran con una fijeza que la asusta.

Incorporado a medias, Hans observa a Lisa no menos espantado. Mira los hombros altos, picudos. Mira la mancha de la silueta al trasluz del camisón. Mira las mechas del vello en los muslos, esos muslos esbeltos que ahora se apoyan tímidamente en el catre. ¿Él dormita todavía? No, no duerme en absoluto y lo sabe muy bien. El tirante izquierdo de Lisa empieza a ceder, cede. Hans trata de pensar en el número trece. ¿Es un número alto o bajo? Sus hombros sí son altos, las clavículas también. Le cuesta bastante pensar. Lisa sigue desvistiéndose como una sonámbula, como si estuviera sola. ¿Es un número alto o bajo? Depende para qué, depende cuándo. La piel y el cabello de Lisa huelen a aceite tibio. Hans está quieto, quieto. No está haciendo nada, no es su culpa. Ve asomar un pezón que es un sol nuevo. Pero no puede evitar pensar que, a partir de cierto punto, la quietud es tan activa como cualquier movimiento. ¿Son muchos o pocos, trece? Las yemas de los dedos de Lisa son ásperas y a la vez delicadas. Esos dedos le interrogan los pectorales. La vida es miserable, miserable. Ahogado de fiebre, de dolores opuestos, Hans levanta apenas un brazo y detiene la muñeca de Lisa. Al principio esa muñeca se rebela. Después pierde firmeza. Lisa retira la mano, vuelve a ponerse el camisón. No quiere mirar a Hans y tampoco se deja atrapar el mentón, que va de un lado a otro, oscilando como la mecha de la lamparilla. Finalmente el mentón de Lisa se rinde, él lo aprieta con ambas manos, ella accede a mirarlo y le muestra las mejillas con lágrimas. No se dicen nada. Antes de separarse del catre, Lisa tiene el impulso de besarlo en los labios y él no la rechaza. El aliento de Lisa huele a caramelo.

Cuando la puerta se cierra Hans se queda clavado boca arriba, palpitando. La frente suda frío, la piel le arde. Trata de pensar un poco. Trata de convencerse de que ha hecho bien, trata de felicitarse. Pero sospecha seriamente que si Lisa hubiera insistido una sola vez más, si hubiera prolongado ese beso, él habría seguido e incluso colaborado. La vida es miserable, miserable. Se levanta de un salto, pisa el libro caído en el suelo, corre al aguamanil, se moja la cabeza varias veces, no siente el agua fresca.

En cuanto regresó de su viaje, lo primero que hizo Álvaro fue pasar por la calle del Caldero Viejo. Subió las escaleras sin dirigirse al señor Zeit, que lo miró con cara de siesta desde el mostrador. Al ver que nadie contestaba en la número siete, Álvaro tuvo un mal presentimiento. Cuando Lisa lo informó de que Hans acababa de salir, suspiró de alivio. Se encaminó a la plaza del Mercado y, viendo que el organillero se había marchado, fue en tílburi hasta la cueva. Allí encontró a los tres, a Hans, al viejo y Franz, cantando una canción napolitana al son del organillo: el viejo la entonaba con vocecilla ronca, Hans intentaba seguirlo sin saber la letra y, mientras, el perro ladraba y gruñía con un sentido del ritmo inverosímil.

De camino al Café Europa, Álvaro le confesó en tono casual, ese que ponen algunos hombres cuando se emocionan delante de otro hombre: ¿Sabes?, pensé que te habías ido. ¿Y eso?, preguntó Hans. Es difícil de explicar, contestó Álvaro, cada vez que me reencuentro con mi familia y paso una temporada hablando en mi idioma, empieza a parecerme que Wandernburgo no existe o ha desaparecido del mapa, ¿entiendes?, como si cada día estuviera más lejos, y entonces pienso que mis amigos ya no están ahí, o incluso que han sido cosa de mi imaginación. Álvaro, Alvarito, se burló Hans, no sé si eres un fantasioso o un sentimental. ¿Cuál sería la diferencia?, sonrió Álvaro.

Entre los reflejos cruzados del Camino de los Cristales, Hans se detuvo en seco. Un momento, dijo, pero, ¿pero el café no estaba ahí, enfrente de? Bah, se encogió de hombros Álvaro, siempre pasa lo mismo. Tú no hagas caso y sigue caminando, que ya aparecerá.

Jugaron al billar, hablaron de Londres y repasaron la prensa extranjera. En la tercera de *La Gaceta,* Álvaro leyó una crónica sobre la sublevación en Cataluña. Se habían visto banderas con el rey Fernando colgado de los pies, la revuelta avanzaba por Manresa, Vich, Cervera. Los campesinos se sumaban a la revuelta apoyados por militares disidentes. Buenas noticias, ¿no?, comentó Hans. Más o menos, dudó Álvaro, esto me huele a carlismo, ojalá no se trate de derrocar a un traidor para coronar a un retrógrado. ¿Y qué es el carlismo exactamente?, preguntó Hans. Uf, resopló Álvaro, eso mismo quisiéramos saber los españoles. En fin, si tienes tiempo haré lo que pueda. Aunque ni los carlistas podrían explicártelo.

Hans escuchaba asombrado el relato sobre la política española de los últimos años. Y, tal como le había advertido su amigo, no era fácil de entender. O sea, resumió Álvaro, primero Fernando el cabrón conspira contra el traidor de su padre, después lo juzgan y lo absuelven, y más tarde su padre abdica en él, ¿hasta aquí bien? Napoleón los secuestra a los dos y soborna a Fernando, Fernando le devuelve la corona a su padre y su padre se la vende al hermano de Napoleón. ¡Somos lo más grande! Fernando queda preso, o mejor dicho queda dándose banquetes en un castillo, hasta que termina la guerra de independencia. El cabrón de Fernando se disfraza de mártir y el pueblo, como siempre, lo recibe como al Mesías. Bonaparte reconoce a Fernando como rey cabrón de España, se suprime la constitución republicana y empieza la restauración, ¿no? El rey cabrón concede una amnistía, volvemos unos cuantos y él acepta a regañadientes la constitución de Cádiz, que como te imaginarás no duró mucho (entendido, asintió Hans, o más o menos, ¿y después tú qué hiciste?), por un tiempo creí que iba a quedarme en España, pero las cosas no pintaban bien y Ulrike tampoco estaba segura, nuestra vida ya estaba en otro lugar y, bueno, además pensábamos en tener esos niños alemanes que nunca tuvimos. Espera, que me tomo otra. Dios mío, ¡si existieras! Nos volvemos a ir, el liberalismo se acaba pronto, y en el 21 hay una sublevación en Barcelona. Yo intento viajar para apoyarla, pero cuando mi diligencia se acerca a los Pirineos nos enteramos de que la sublevación está siendo sofocada y entonces, lo confieso, doy media vuelta y vuelvo a Wandernburgo. ¿Sabes?, de lo que más me arrepiento en la vida, además de no haber tenido un hijo con Ulrike, es de no haber seguido viaje ese día (no digas tonterías, dijo Hans, ¿tú qué ibas a hacer?), ¡yo qué sé!, donar dinero, pegar tiros, ¡algo! (aunque sé que lo hiciste, me cuesta imaginarte disparando), no te extrañes tanto, en algunas circunstancias la violencia es la única manera de hacer justicia (lo dudo, objetó Hans cruzándose de brazos), que uno lo dude, mi querido amigo, o que tenga miedo, no significa que no sea cierto.

Sí, otra, gracias, ¿por dónde íbamos?, continuó Álvaro, ah, el 23. Y se veía venir, Metternich y Federico Guillermo ya lo habían probado en Italia. Llegaron los cien mil hijos de puta de San Luis, le echaron una mano a Fernandito, ¡con las armas, lo ves!, y adiós a la constitución y lo demás. La Santa Alianza ocupó España como nunca lo había hecho Bonaparte, persiguieron a medio país, la inquisición se puso en forma y así, querido mío, mi país volvió al lugar que más le gusta: el pasado. Así es España, Hans, un carrusel eterno. Scheiße! ¿A ti te gusta Goya?, a mí también, ¿y por casualidad no habrás oído hablar de un cuadro que se llama *Alegoría de la villa de Madrid*?, bueno, no importa. En ese cuadro aparecía un medallón con el retrato de Pepe Bonaparte, Goya le había jurado fidelidad como tantos ilustrados. Pero cuando Madrid se libera de los franceses, Goya sustituye la cabezota de Pepe Bonaparte por la palabra *constitución*, ¿qué te parece? Y unos meses después vuelve a poner la cabezota, cuando los franceses recuperan la ciudad. Don Francisco no duda en reescribir *constitución* después de la victoria final, ¡y atención!, en el 15 tapa la palabrita con un retrato de Fernando el cabrón, que aguanta su cabeza ahí hasta el trienio liberal. Entonces la constitución vuelve al cuadro hasta el maldito 23, y vuelta a empezar. ¿Somos o no somos un carrusel? Para mí Goya es el mayor genio de Europa, y ese cuadro el mejor ejemplo de la historia de España (no sabía, se sorprendió Hans, que Goya fuera tan calculador), ¡pero si no fue calculador, Hans!, así estuvo media España, viendo quién ganaba para salvar el pellejo. Unos lo hacían por sus hijos, otros por su trabajo, seguramente yo lo hubiera hecho por Ulrike. Así de simple. Al fin y al cabo, ¿qué hicimos otros? Irnos.

A la otra España, dijo Álvaro vaciando su jarra, siempre la desmantelan. Pasó con los reyes católicos, pasó con la contrarreforma, siguió pasando durante tres siglos, pasó en el 14, acaba de pasar en el 23, ya veremos cuándo toca la próxima. Un país tan conservador y monárquico sólo puede criar rebeldes rencorosos, y los rebeldes rencorosos sólo pueden terminar castigados por su patria (la patria no existe, dijo Hans, ¡tú le echas la culpa de todo a la patria!, los que castigan son los patriotas), no, no, te equivocas, por supuesto que existe, y por eso nos duele tanto (bueno, entonces, por puro patriotismo, te habrá dolido mucho perder las colonias), ¿a mí?, ¡qué va!, ¡a mí me alegra!, ya era hora de dejar de fingirnos un imperio y concentrarnos en nuestros propios desastres. Y los turcos en Atenas, lo mismo. A mí lo del pobre Riego me encantó, ¡eso sí que es un patriota!, masón, afrancesado y general de España (¿qué hizo?, cuéntame), pues mira, en vez de combatir a los independentistas americanos, el hombre se subleva, exige la constitución de Cádiz y extiende el movimiento por Galicia y Cataluña. ¡Perfecto!, ¿qué culpa tiene América? Dudo que Bolívar haga con su pueblo nada peor de lo que hicieron nuestros virreyes (él quizá no, ya veremos qué hacen con el pueblo las oligarquías nacionales después de independizarse), ah, ese es otro tema, yo creo que les convendría unirse (¿lo ves?, ¡los imperios existen, las patrias no!), mira que eres terco (oye, ¿y qué pasó con el general?), ¿con quién?, ¿con Riego?, nada, lo ejecutaron entre aplausos en una bonita plaza de Madrid.

El organillero había decorado la cueva para darle la bienvenida a Sophie. Frente a la entrada, a lo largo de la soga de la ropa, había colgado figuras geométricas recortadas en papel de periódico. Con la ayuda de Lamberg y Reichardt había limpiado las rocas más sobresalientes y las había cubierto con unos fardos de arpillera rellenos de lana para improvisar unos asientos. Había aprovechado el paraguas como pantalla de ambiente, posándolo abierto delante de una hilera de velas encendidas. Las vasijas de cerámica, los platos, las botellas y las jarritas de latón reposaban en perfecto orden sobre dos bandejas, cada una en una silla de paja. Afuera había varios montoncitos de retama y forraje con que encender el fuego para el té. Entre todos habían conseguido asear en el río a Franz, que se había resistido lo suyo y no había dejado de gruñir ante el tacto prensador de Lamberg. En el centro de la cueva, como una estatua casual o un discreto tótem, estaba el organillo sobre su alfombra: el viejo acababa de instalarle el rodillo que contenía un mayor número de danzas vivas. Aunque el plan era sólo una merienda en la hierba, el organillero conocía la importancia que tenía para Hans aquella visita, y deseaba causarle una impresión agradable a Sophie. ¿Tú crees que hay poca luz?, le preguntó a Reichardt señalando el paraguas. Reichardt se frotó la nariz, emitió un ruido de cañería atascada y contestó: Mientras se les vea el escote, no hay problema.

Al agacharse y pasar dentro de la cueva, la cara de Sophie se dividió en dos instantes, como si una mitad hubiera llegado después que la otra. En cierto sentido se la había imaginado mejor, y en cierto sentido peor. La encontró fea y conmovedora, inhóspita como una gruta cualquiera pero lógica como un hogar. Tardó unos minutos en acostumbrarse a la suciedad, en coordinar los movimientos dentro del vestido para no mancharse sin que se notara demasiado. Una vez superada la incomodidad, empezó a encontrarse a gusto en la frescura de la cueva y aceptó el primer té con una inclinación graciosa que hizo las delicias de Reichardt. Distinta fue la reacción de Elsa, que tras asomarse al interior torció la boca y prefirió quedarse ayudando a Álvaro a preparar el té.

Extendido el mantel sobre la hierba y desplegadas las viandas, la merienda resultó tan amable como insólita. Elsa y Sophie sostenían las jarritas de latón como si fueran tazas de porcelana, sorbían el té con lentitud, masticaban diminutos bocados tapándose los labios con dos dedos. Reichardt devoraba cuanto veía tragándoselo de golpe, dejando caer infinitas migas a su alrededor y eructando, eso sí, con menos estridencia de la habitual: había damas. Sin decir palabra, Lamberg mordía el pan a dentelladas y sus mandíbulas se llenaban de bultos. Álvaro hablaba en voz muy alta (más alta de lo que a Elsa le hubiera gustado) lanzando portentosas carcajadas que excitaban a Franz y lo atraían al centro del mantel, de donde su dueño lo expulsaba cariñosamente para que no pisase las faldas de las invitadas. El organillero ejercía de anfitrión guardando un silencio atento, interviniendo aquí o allá, dando la sensación de hacerle compañía a todo el mundo sin hablar apenas. Sophie, que observó pronto este comportamiento, quedó admirada por el clima de armonía que el viejo había logrado crear entre comensales tan distintos mientras él pasaba casi desapercibido. Hans, que había temido que ella deplorase la cueva o el aspecto de sus amigos, respiró aliviado. Y, de no ser quien era y de no estar tan viejo, incluso habría jurado que el organillero la cortejaba un poco.

Una vez consumida la merienda, el organillero propuso hacer una ronda de sueños. Hans le explicó a Sophie aquella costumbre y ella pareció encantada con el juego. Como nadie se decidía a comenzar, el organillero contó el primer sueño. Anoche, dijo, soñé con unos tipos que tomaban sopa en una posada. La mesa estaba oscura y sólo se veían tres o cuatro caras rojas. De pronto uno de los tipos lanza al aire una cucharada de sopa, y la sopa vuela fuera del sueño y vuelve a caer entera en la cuchara como si fuera un dado. Entonces el hombre se la toma, y dice: Seis. Y así con cada cucharada. Eso, conjeturó Álvaro, es que usted estaba pidiendo suerte. No digas tonterías, replicó Reichardt, ¡eso es que tenía hambre! Yo, contó Hans, el último sueño interesante que tuve fue la semana pasada. Soñé que estaba en una isla. Pero era una isla rara: no tenía mar alrededor. ¿Sin agua?, se interesó Lamberg, ¿cómo es eso? Ni mar, contestó Hans, ni agua ni nada. Alrededor de la isla había un vacío inmenso. Entonces, dijo Lamberg, ¿cómo sabes que era una isla? Buena pregunta, dijo Hans, y no lo sé, pero yo sabía que era una isla. Y quería salir, quería ir a otras islas que se divisaban a lo lejos. Pero era imposible, no sabía cómo llegar a ellas y me asustaba. Entonces me ponía a correr en círculos, a correr sin sentido, hasta que la isla empezaba a hundirse poco a poco. Y tenía que elegir entre saltar y caer al vacío o hundirme con mi isla. ¿Y qué carajo elegiste?, preguntó Reichardt. Despertarme, sonrió Hans. ¡Bueno!, aprobó el organillero, ¡muy bueno!, ¿y ustedes, queridas señoritas?, ¿no tendrían un sueño que regalarnos? Elsa negó con la cabeza y bajó la vista. Sophie lo miró un poco avergonzada y dijo: No sé, en fin, nunca sueño gran cosa, anoche, en realidad es una tontería, pero anoche...

Al final de la ronda, Sophie contó una leyenda que había leído de niña. ¿Y si los sueños de las personas que se quieren estuvieran unidos mientras duermen por unos hilos muy finos?, recordó ella, ¿unos hilos que movieran a los personajes de sus sueños como marionetas encima de sus cabezas, manejando sus fantasías para que al despertar unos piensen en los otros? ¡Qué tontería!, soltó Reichardt. A mí me parece cierto, la defendió Hans. No creo, dijo Lamberg. ¿Y si los hilos se enredan y al despertarte piensas en la persona equivocada?, bromeó Álvaro. Elsa lo miró ofendida. El organillero, que se había quedado pensativo y asintiendo, dijo de pronto: Como una manivela enorme, ¿no?, ¡la manivela de los sueños! Eso, sonrió Sophie, exactamente como eso.

Hans se había alejado un momento para orinar entre los pinos, cuando escuchó que Sophie lo llamaba. Se detuvo a esperarla y la recibió con un beso en el cuello. Hans, mi vida, dijo ella agitada por la carrera, este anciano es fantástico, ¡menudo personaje!, tenemos que traerlo al Salón para que todos lo vean. No, dijo él, al Salón no. ¿Por qué?, preguntó Sophie, ¿te da vergüenza que lo conozcan? Por supuesto que no, mintió Hans muy serio, pero el organillero no es una atracción de feria. Es mi amigo. Es un sabio. Y le gusta vivir tranquilo. Bueno, dijo ella besándolo, no hace falta que te enfades, pero prométeme que vendremos otro día. A Elsa no le gusta, dijo él. Es cierto, asintió ella, no está cómoda, aunque no sé si es por la cueva. ¿Te refieres a?, insinuó Hans. A él, sí, claro, contestó Sophie riendo.

Esa noche, el muro interminable con el que soñó Hans fue el mismo que Sophie se vio trepando, intimidada por su altura y sorprendida de ir desnuda, sin saber qué la esperaba al otro lado. Por encima del muro, la rama de un árbol hueco temblaba bajo el peso de Álvaro, que dormía ovillado e incómodo, a punto de caerse. Al pie del árbol hueco, Elsa enterraba un violín en el hoyo donde el organillero jugaba a los dados con un hombre sin cara, envuelto en lana negra.

¿Qué nos toca traducir hoy?, preguntó Sophie al entrar. Viendo que venía trabajadora, Hans intentó ignorar la erección que percutía sus pantalones. A ella la excitó este esfuerzo, porque había llegado con deseo y tenía ganas de provocarlo un poco. Pero Hans se excedió en su buena voluntad, y Sophie terminó creyendo que él prefería trabajar.

Esa tarde no iban a traducir. Al menos no de un idioma a otro: un tal señor Walker le había escrito a Hans en nombre de la *European Review* pidiéndole un ensayo sobre poesía alemana contemporánea. Pagaban bien y, cosa rara, la mitad por adelantado. Hans había aceptado de inmediato. Le propuso a Sophie escribirlo juntos. Dice Walker, explicó él, que le interesaría que incluyéramos a alguna mujer. Dile a Walker, contestó ella, que nuestras mejores poetas se impondrán por su propio mérito, pero que muchas gracias.

Yo mencionaría, dijo Sophie empezando a anotar nombres, a Jean Paul, Karoline von Günderrode, los hermanos Schlegel, Dorothea y, por supuesto, a la Mereau. También podríamos hablar de las canciones de Von Arnim, que por cierto tiene un castillo cerca de aquí, y Clemens Brentano. Sin olvidar las de su hermana Bettina, que son preciosas (no he leído ninguna, admitió Hans), mal hecho, caballero, porque tiene una canción de lo más edificante que termina diciendo:

Si es fiel tu niña, no sé.
Aunque ella ruega a los cielos
que tu amor nunca esté lejos,
si es fiel tu niña, no sé.

¡Incluida!, rió Hans. Y a ti, preguntó ella, ¿qué te parecen Brentano y Von Arnim? La verdad, resopló él, me recuerdan a esos estudiantes que salen con una guitarra, una bandolera y una chaqueta teutónica a oler flores y cantar hazañas medievales. Pero si tú fueras una princesa medieval, yo ni siquiera podría dirigirte la palabra. Sería un plebeyo, obedecería a mi señor y moriría de peste. Esa es la realidad. La realidad, objetó Sophie, es muchas cosas al mismo tiempo. Con la poesía puedes estar aquí y allá, en el pasado y en el futuro, en un castillo y en una universidad. Está bien, asintió Hans, sólo digo que si realmente pudiéramos ver el pasado, nos quedaríamos mudos de espanto. Otra cosa que me irrita del imbécil de Von Arnim es su fobia a Francia, ¿qué quiere?, ¿que quememos la mitad de nuestras bibliotecas? Pero, dijo Sophie, ¿no te parece valioso rescatar la poesía popular? Si la poesía tuviera algo de popular, replicó Hans, veríamos a la gente leyéndola por la calle. O déjame adivinar, ¡el buen hombre quiso captar la poesía del pueblo sin que el pueblo se enterase!, ¿esa tradición no era francesa? Mi querido, dijo Sophie divertida, la política te ciega y eres injusto con Von Arnim, que es uno de los poetas más subestimados de Alemania. Si es poco conocido no es sólo porque casi nadie lea poesía, sino porque se trata de un poeta más difícil de lo que parece, lleno de muerte y oscuridad. Además sus amigos católicos lo detestan por protestante, y los fanáticos protestantes por amigo de los católicos. No hay ningún patriotismo barato en *El cuerno maravilloso*. A lo mejor en los autores sí, pero en los textos no. En sus canciones de guerra nunca se sabe para qué pelean los soldados, sólo sabemos que tienen miedo, que se mueren, que están enamorados y quieren volver a casa. De niña me encantaba la canción del centinela:

> ... «*Ah, muchacho, no estés triste,*
> *y déjame que te espere*
> *en el jardín de las rosas,*
> *entre los tréboles verdes...*
> *¡No iré a los tréboles verdes!*
> *En el jardín de las armas*
> *me obligan a mantenerme,*
> *cargado con alabardas.*

Si combates, ¡Dios te ayude...!
¡Todo depende siempre
de la voluntad de Dios!
¿Pero eso quién lo cree?
Quien lo cree está muy lejos,
¡él es quien hace la guerra!
¡Es un káiser! ¡Es un rey!»
¡Alto! ¿Quién va? ¡Retroceda...!
¿Quién cantaba allí? ¿Quién era?
Era el pobre centinela
que cantaba a medianoche.
¡Medianoche! ¡Centinela!

Bueno, bueno, dijo Hans, ¡incluidos!

Ya está, dijo Sophie trazando una raya bajo su lista, ya tenemos a mis poetas, ¿los tuyos cuáles serían? Yo empezaría, dijo Hans, por los de Jena, claro. No sólo admiro su obra sino su proyecto de vida, la poesía también es eso, ¿no?, una manera de vivir de otra manera. Hay poetas que parecen muy seguros de dónde están, su lugar puede ser una tradición, un género, una patria o lo que sea. Mis preferidos son los poetas viajeros, o sea los que no están en ninguna parte. Ahí entrarían el primer Schlegel y los de *Athenäum,* que escribían en fragmentos, que no buscaban un sistema o les parecía imposible encontrar uno, lo único que buscaban era seguir buscando. Me gustaría incluir a Tieck, porque habla de su biblioteca como si fuera el mundo y él un caminante. Y a Hölderlin, porque a pesar de todo su poesía demuestra que no podemos ser dioses, y mucho menos griegos.

Hans sintió otra erección: le solía pasar cuando abusaba de la crítica literaria con Sophie.

Ah, sonrió él, y me he dejado para el final al mejor de todos: Novalis (tu Novalis, objetó Sophie, también vivía en sueños), cierto, pero a él no le interesaba la fantasía, sino lo desconocido. Su misticismo era, digamos, práctico. Un misticismo para analizar el presente. (Entiendo, dijo ella, pero hay algo que me extraña, ¿no hablamos de un poeta religioso?)

¡No, exacto, ahí está el punto!, yo creo que a Novalis le pasa como a Hölderlin, sus plegarias demuestran la imposibilidad de superar la condición terrenal, cuando dice «siento en mí un divino cansancio», ese cansancio es de aquí, esa decepción es lúcida (bueno, también dijo «¿quién, sin al cielo aspirar, / esta tierra podría soportar?», ¿eso cómo lo defiendes?, ¿cómo se puede entender a Novalis sin el paraíso?), tienes razón, con eso ya no puedo estar de acuerdo (¿entonces por qué tanta insistencia en Novalis, señor ateo?, ¿tu poeta no compuso cánticos a la Virgen y hasta un tratado sobre la cristiandad?), touché, touché, Novalis me fascina porque no puedo terminar de aceptarlo, tengo que pelearme con él para admirarlo. Y como nunca lo logro del todo, vuelvo a él sin parar. Pienso que nadie debería coincidir totalmente con un poeta genial, salvo que se crea otro genio. ¡No te rías! La cuestión es: ¿por qué los creyentes van a ser los únicos con derecho a hablar de espiritualidad?, ¿por qué los ateos tenemos que renunciar a lo invisible? Mi utopía de lector, porque todo lector tiene la suya, ¿no?, sería leer a Novalis sin la idea de Dios (¿y de verdad crees que es posible quitarle lo divino sin matarlo?), Novalis utilizaba la fe como palanca (Hans, mi vida, como crítico eres lo más raro que he visto. Yo creo que la religiosidad en el arte puede ser emocionante, piensa en la música sacra), precisamente, ¿por qué los ateos nos emocionamos con la música religiosa?, porque la trascendemos, mejor dicho al revés, nos la traemos abajo. Y la música se deja porque carece de dogmas, tiene la forma de un fervor, nada más. Y una última cosa, y te prometo que me callo, no olvides que cuando Novalis escribió sus mejores poemas acababa de perder a su amada, que murió muy joven. Vete a saber qué grandes poemas terrenales le hubiera escrito a un amor vivo. En cambio (¿en cambio?, repitió Sophie sentándose a horcajadas sobre él), eh, en cambio yo te tengo encima.

Desvestidos a medias, Hans y Sophie yacían con la vista en el techo, en el progreso manso de las telarañas. Él respiraba fuerte y se frotaba las puntas de los pies. Ella olía a agua de violetas ahogadas en otra cosa, en una flor más transpirada.

Sophie se incorporó, le besó un pie, dijo que tenía que irse y se levantó a beber agua de la jarra. Al caminar, el semen que Hans había derramado en sus muslos empezó a deslizarse. Cuando pasó por encima de las ropas desparramadas, una gota cayó sobre un zapato boquiabierto.

(Hans detestaba sus pies, o creía detestarlos, antes de conocer a Sophie: no sabían bailar, eran algo cuadrados y se retraían al mínimo roce. Él los sentía culpables de algo que ignoraba. Culpables de ser como eran, de dudar al descalzarse, de enfriarse por las noches. La tarde en que Sophie los desnudó por primera vez, ella se quedó contemplándolos un rato y los bendijo con sencillez: Me gustan tus pies, dijo. Y dejó un beso en la cima del dedo gordo. Eso fue todo. La vida, pensó Hans, te cambia por minucias. Un hombre que ha caminado tanto, le dijo Sophie, no debe avergonzarse de sus pies, sería desagradecido. Desde ese día Hans empezó a andar descalzo por la habitación.

Hans y Sophie habían decidido salir de excursión en vez de quedarse trabajando en la posada. El día era demasiado radiante, demasiado oloroso. Elsa secundó de buena gana el plan, que le permitía llegar a la plaza del Mercado decentemente acompañada y sin riesgo de levantar sospechas, aunque pidió subir a un carruaje distinto para mantener en secreto la identidad de su amante. Identidad que, de todas formas, Hans y Sophie conocían desde hacía tiempo.

Media hora antes de salir, como cada tarde cuando esperaba a Sophie, Hans se lavó los pies con agua tibia, sal y esencias. Los remojó en la tina de estaño, removió con los tobillos el agua, la dejó nadar a través de sus dedos abiertos, los masajeó, atendió a sus cosquillas como si acabaran de nacerle. Al explorarse las plantas mojadas notó que se excitaba, y experimentó una jugosa mezcla de prisa y calma. Se sentó un momento en la tina, cerró los ojos. Emergió desnudo y se afeitó frente al cuadrito. Sobre el aguamanil se frotó con agua, arenilla y jabón las manos, la cara, los antebrazos. Tardó en secarse. Dudó si masturbarse y no lo hizo, en parte para no llegar tarde a la cita y en parte por dulce flagelo. Utilizó un paño fino para el cuerpo y una esponja nueva para la cara. Se vistió, se calzó con cierta pena.

Si no crecido, el Nulte parecía satisfecho de su delgadez. Sus aguas corrían azules, verdes y ligeras. Hans y Sophie se tocaban por debajo de las ropas mientras charlaban de todo, de nada. A la sombra de un álamo, miraban el quehacer de la luz entre los trigales. Los dedos de Sophie se alargaban, se enredaban. A Hans le quemaban los zapatos. El aire caliente vibraba, se les escurría entre los brazos. Eran buenos los álamos, leales. Ella sintió que se le deshacía un ovillo en el vientre. A él le pareció que le ascendía una rama entre las piernas.

Es un paréntesis, ¿no?, susurró Hans, el verano, digo. Como si el resto del año fuera el texto y el verano un comentario, una frase aparte. Sí, contestó Sophie pensativa, ¿y sabes qué dice esa frase?, dice: «no duro mucho». Es raro, dijo Hans, siento que el tiempo estuviera detenido, y a la vez me doy cuenta de lo rápido que se va. ¿Eso será quererse?, dijo ella mirándolo. Será, sonrió él. A veces, dijo Sophie, me extraña no pensar en el futuro, como si no fuera a llegar. No te preocupes, dijo Hans, el futuro tampoco piensa mucho en nosotros. ¿Pero y después?, preguntó ella, ¿cuando el verano se acabe?

El resplandor se consumía, apagaba la hierba por el este. Ambos debían volver a la ciudad y ninguno se movía. A sus espaldas atardecía tramo a tramo. Y la luz, solidaria, no se marchaba del todo.)

Ella se abrochaba el corsé mientras Hans abría el arcón. Hoy, dijo, me gustaría traducir a un joven ruso que le he recomendado a Brockhaus. Pero, preguntó ella, ¿tú sabes ruso, Hans? ¿Yo?, contestó él, ¡yo no paso del alfabeto cirílico y veinte o treinta palabras! ¿Y entonces?, se asombró Sophie. Ah, rió Hans, les dije que tú lo hablabas perfectamente. Ya utilizaremos alguna lengua puente, deja de preocuparte. Aquí tenemos una edición original, mira, «Александр Сергеевич Цущкин», una traducción al francés, otra al inglés, y este bonito diccionario ruso-alemán, ¿qué te parece?

Seleccionaron varios poemas entre las traducciones de las que disponían. Copiaron las versiones inglesas y francesas, separando cada verso en un cuadrante. Para asegurarse del significado literal de los originales, consultaron palabra por palabra en el diccionario y anotaron las diferentes acepciones junto a los cuadrantes.

¿Sabes qué?, dijo Sophie con gesto pícaro, de este Pushkin me convencen más los amores adúlteros que los platónicos. ¡No esperaba menos de usted, Bodenlieb!, dijo Hans repasando el borrador recién concluido:

> De Dorida me gusta el pelo largo,
> su mirada azulada, el rostro pálido.
> Ayer abandoné la fiesta, amigos,
> y me bebí sus brazos aturdido;
> a cada impulso mío otro seguía,
> se saciaba el deseo y me volvía.
> Mas de repente, en la penumbra amarga,
> otros rasgos distintos recordaba:
> de secreta tristeza estaba lleno
> y en mis labios había un nombre ajeno.

Después de que Sophie se marchara, Hans se quedó revisando los borradores de las traducciones. Su cabeza fue cediendo, sus músculos se ablandaron y una de sus mejillas quedó sobre el escritorio, tostándose junto al quinqué. Antes de incorporarse tuvo una fugaz, extranjera pesadilla: soñó que traspasaba idiomas como quien atraviesa corriendo una hilera de sábanas tendidas. Cada vez que se topaba con un idioma, la cara se le mojaba y creía despertar en su lengua materna, hasta que la siguiente sábana le revelaba su equivocación. Sin dejar de correr, él hablaba consigo mismo y asistía de frente a la lengua que empleaba: podía contemplar claramente las palabras que pronunciaba, sus estructuras, sus cadencias, pero lo hacía siempre con retraso. Y, un instante antes de comprender el idioma en que soñaba, algo le golpeaba la cara y despertaba al idioma siguiente. Hans corrió a la desesperada, llegó tarde una y cien veces a la visión de aquellas lenguas, hasta que repentinamente supo que había despertado de verdad. Frente a sus ojos vio un quinqué enorme y un montón de papeles inclinados. Notó, al incorporarse, que le ardía una mejilla. Entonces enhebró con alivio sus primeros pensamientos, y se quedó un rato contemplando maravillado la lógica de su propio idioma, sus líneas familiares, su milagrosa armonía.

Oye, suplicaba el organillero frente a la orilla del río, ¿esto es completamente necesario?, ¿estás seguro? (Hans lo reprendió con la mirada y asintió varias veces), bueno, bueno, allá vamos.

Lento, torpe, como si cada prenda le pesara igual que un año, el viejo terminó de despojarse de la camisa horadada, las perneras de lienzo, los escarpines de estambre. Que sepas, agregó a modo de protesta final, que lo hago sólo para complacerte. Liberada de la piel flácida y seca del organillero, la ropa se encogió en un nudo maloliente. La tierra pareció absorberla.

Descalzo, con los pantalones doblados por la rodilla, Hans tomó del brazo al viejo para ayudarlo a entrar en el río. Lo vio sumergirse tramo a tramo: los tobillos de papel, las piernas vacilantes, las nalgas nulas, la espalda doblada. Después ya sólo vio la cabeza blanca y greñuda del organillero, que se volvió sonriendo con su boca vacía y se puso a bracear como un niño. ¡Eh!, lo llamó el viejo, ¡no está tan fría!, ¿por qué no vienes? ¡Muchas gracias!, contestó Hans, ¡pero suelo bañarme por las mañanas!, ¡*todas* las mañanas! ¡Bah!, gritó el organillero, ¡supersticiones!, ¡los príncipes se bañan en agua perfumada y mueren jóvenes!

Entre el asco y la fascinación, Hans contempló las ondas de mugre diluyéndose alrededor del cuerpo del organillero, que agitaba los brazos y jugaba plácidamente con ellas. ¡Mira!, bromeó el viejo señalando los grumos grises y marrones, ¡han venido los peces! Había, sí, pensaba Hans, algo repulsivo en semejante apego a la suciedad, pero también algo honesto. La falta de higiene, o mejor dicho de pudor, cobraba en aquel viejo una franqueza turbia, una especie de verdad. Tiempo atrás el organillero le había dicho una cosa ridícula y a la vez cierta: los perfumes fingían, querían ser otra cosa. Era posible. Aunque a Hans le encantaban los perfumes.

Lo ayudó a salir del río y rodeó con una toalla sus hombros arrugados. Las rodillas le temblaban, más por la impresión del agua que por su temperatura. Mientras se restregaba con la toalla, el organillero se puso a juguetear con sus testículos mojados. Hans no pudo evitar mirarlos de reojo, fijarse en el pene diminuto y retraído. El organillero lo advirtió enseguida y se rió de buena gana. Se rió de Hans, de él mismo, de su pene y del río. Oye, dijo, ¿tú te tocas mucho? Hans desvió la vista. No estés incómodo, dijo el viejo, estas cosas quedan entre nosotros. Entonces, ¿te tocas mucho? No, sí, contestó Hans, bueno, lo normal. Pues aunque te parezca raro, dijo el organillero, yo todavía, de vez en cuando, ¡plín! ¿Y sabes en qué pienso cuando me toco?, pienso en una mujer desnuda bailando un vals. Una mujer joven, que me sonríe. Y creo que Franz se da cuenta, porque cada vez que ¡plín!, el sinvergüenza se pone a ladrar como si hubiera entrado alguien.

Merendaron juntos, conversando y callando a ratos. Hans habló de Sophie, del temido final del verano. El mes que viene, dijo, todo va a cambiar. Pero, cof, dijo el viejo, todo está cambiando siempre, eso no tiene nada de malo. Ya lo sé, suspiró Hans, pero a veces las cosas cambian para peor. Por cierto: ¿y esa tos? ¿Tos?, dijo el organillero, ¿qué tos, cof? *Esa* tos, dijo Hans, ¿es por el agua? No, se encogió de hombros el viejo, es de antes, cof, no te preocupes, será que ya se huele el otoño, pero dime, ¿tú la quieres?, ¿la quieres muy en serio? Sí, contestó Hans. ¿Cómo puedes estar seguro tan pronto?, preguntó el viejo. Hans se quedó pensando y dijo: Porque la admiro. Ah, bueno, sonrió el organillero. Cof.

Dos días soleados después, la tos desapareció y el organillero dijo sentirse mejor que una cuerda nueva. Preocupado por la alimentación y los hábitos del viejo, Hans se propuso buscarle trabajo entre las amistades de Sophie. Le había oído contar al viejo que en verano siempre lo llamaban para alguna fiesta, pero no le constaba que ese año hubiera tenido ningún encargo semejante.

Lisa llamó a la puerta y le entregó un billete violeta sin mirarlo a los ojos. Hans le dio las gracias y le recordó que mañana tenían clase. Ella dijo «sí, sí», y se perdió por el pasillo a paso rápido. Hans se quedó mirándola, meditando sobre lo injusta que podía ser la edad, demasiado lenta para algunos y demasiado veloz para otros. Olvidó por completo el asunto en cuanto se sentó a leer la carta:

Amor, buenas noticias: la señorita Von Pogwisch, que es buena amiga mía (en fin, no tanto), ofrece un baile el sábado y la he convencido de que, en vez de un cuarteto tradicional, resultaría mucho más original contratar a un «auténtico» músico ambulante. Sé que la explicación suena bastante tonta, pero si conocieras a la señorita Von Pogwisch la encontrarías perfecta. He pensado en ella porque aunque su familia tiene un buen pasar, tampoco son ricos, así que sus padres estarán encantados de economizar gastos con la excusa de ser originales. ¿Te parece bien, mi vida? Estoy contenta. ¿Has visto cuánta luz había esta mañana? ¿O dormías como una marmota? Te quiere a mares, tu
S.

Ese sábado, tal como habían convenido, Hans se presentó a las seis y media en punto al final del camino del puente para recoger al organillero. Y también a Franz: la única condición que había puesto el viejo para aceptar el trabajo había sido que su perro los acompañase a la casa de los Pogwisch. Hans había contratado un dog-cart para que Franz viajara cómodo. Los vio venir marchando por el camino y esbozó una sonrisa. Obedeciendo sus indicaciones, el viejo se había puesto su única camisa nueva, unos pantalones relativamente ilesos y sus zapatos de domingo. Cuando estuvo más cerca del coche, Hans comprobó que incluso se había peinado la melena y se había emparejado un poco las barbas. Algo agitado, el organillero se encaramó al asiento sin permitir que el cochero se acercara a su instrumento. Puedo solo, le dijo, puedo solo. En ese momento Franz soltó dos ladridos idénticos, y Hans tuvo la sensación de que acababa de repetir las palabras de su dueño. Cuando los caballos del dog-cart empezaron a galopar, el organillero miró a su alrededor con repentino asombro. ¡Qué maravilla!, dijo, ¿sabes que ni me acuerdo de cuándo fue la última vez que subí a un coche?

Ya ves, querida, le decía a Sophie la señorita Kirchen, ¡con lo buena muchacha que ha sido siempre la pobre!, ¡qué cosa tan terrible!, y mientras tanto la policía cruzada de brazos, si fuera por ellos, ¿qué más les da?, ¡desde luego, hasta que no le ocurra algo a la hija del comisario, podemos esperar sentadas a que atrapen a ese enmascarado! Pero, preguntó Sophie, ¿cuándo ha sido? Parece que ayer mismo por la tarde, contestó la señorita Kirchen, ahí, en los alrededores de, ¡oh, santo Dios!, ¿has visto lo que yo, querida?, ¿alguna vez habías visto espanto semejante?, ¿pero quieres decirme qué es lo que lleva puesto Fanny?, últimamente va de mal en peor, ¿habrá perdido el gusto o la cabeza?, ¿y te he contado lo que le dijo Ottilie tomando el té en la casa de?

Sophie oyó un murmullo cerca de la puerta y salió al recibidor. Pudo ver a la señorita Von Pogwisch gesticulando frente a Hans y detrás de él, un poco retirados, al viejo y a su perro esperando junto al organillo. ¿Qué pasa, querida?, preguntó Sophie. Nada en particular, contestó la señorita Von Pogwisch, sólo estaba indicándoles al caballero y al señor músico que si pretenden entrar con ese chucho a cuestas, lo mínimo exigible es que lo laven antes. Estimada señorita, dijo el organillero quitándose el sombrero que Hans lo había obligado a ponerse, le prometo que mi perro, que es algo más que un chucho y está muy bien educado, se comportará como es debido y no se moverá de la entrada. En ese caso, contestó la señorita Pogwisch, le ruego que lo ate con una correa. Créame, sonrió el viejo, que no hace ninguna falta: Franz sólo molesta cuando lo atan.

Al verlo entrar en el salón, toda la concurrencia se volvió hacia el organillero. El viejo se detuvo, hizo una inclinación y siguió empujando su carretilla. Hans y Sophie lo acompañaron hasta el rincón que la señorita Pogwisch había dispuesto, y le ofrecieron una copa de vino antes de comenzar. Muchas gracias, chicos, explicó el viejo muy serio, pero cuando trabajo nunca bebo, si no se pierde el ritmo. ¡Muy profesional!, dijo Sophie guiñándole un ojo a Hans y yendo a saludar a una amiga.

A las ocho en punto, con el grueso de los invitados ya presente y reclamando baile, la dueña de casa le hizo una señal a Sophie. Ella le hizo una señal a Hans, Hans miró al organillero, y el viejo desplazó lentamente el asa del rodillo. Agachó la cabeza, tomó aire, cerró los ojos y empezó a girar la manivela.

Pese a las miradas de recelo que los invitados le dedicaban al viejo cuando pasaban cerca de él, las dos o tres piezas iniciales gustaron. Especialmente la primera, una popular polonesa que, atendiendo a la juventud de la concurrencia, el viejo tuvo el acierto de reproducir a un ritmo más vivo del que acostumbraba. Las filas de parejas empezaron a circular por el salón, alternando posiciones entre risas. Hans suspiró aliviado y por un momento creyó que todo iría bien. Poco a poco, sin embargo, el baile fue apagándose. A partir del tercer número, varias parejas desertaron cuchicheando. En los dos siguientes se escucharon algunas quejas. A la sexta o séptima pieza, el centro del salón había quedado desierto. Antes de que el organillero iniciara la siguiente, la señorita Pogwisch se acercó furiosa y le ordenó parar. El instrumento quedó temblando como un animal con frío.

Hans y Sophie trataban de calmar a la señorita Pogwisch y a los invitados más beligerantes. ¡Pero esto qué es!, decía uno,

¿a quién se le ocurre tocar minués? ¿Y los valses?, se indignaba otro, ¿dónde están los valses? Desde luego, apostilló alguien, si la idea era arrullarnos, ¡ha sido todo un éxito! ¿De qué siglo es esto?, chillaba una, ¿de qué siglo? ¡Que venga mi bisabuela!, exclamaba otra, ¡mi bisabuela! Pero a ver, se alzó una voz al fondo, ¿de dónde ha salido este payaso?, ¿de qué hospicio lo han sacado?

Hans se abrió paso a empujones. Encontró al organillero arrinconado en su puesto sin atreverse a dar un paso, abrazado a su organillo.

Cruzaron el salón entre burlas a media voz, risas agrias, abucheos. El organillero caminaba tras él con ese aire de ausencia que lo hacía a la vez frágil e invulnerable. Mientras llegaban al recibidor, alguien exclamó desde el interior de la casa: ¡Menos mal!, ¡aquí hay un piano de martinetes!, ¡Ralph!, ¡ven, Ralph!, ¿por qué no tocas algo movidito?

Asomar la cabeza por la puerta fue como zambullirse en una fuente de agua fresca. Se había hecho de noche y los grillos hilaban en el aire. Al verlos salir, Franz levantó las orejas, torció el rabo y frunció las cejas. Un instante después apareció Sophie. Detuvo a Hans, le tomó las dos manos y se las llevó a las mejillas, cerrando los ojos en señal de profunda disculpa. Creo, suspiró ella, que no fue buena idea elegir esta casa, es culpa mía. No, contestó Hans acariciándole un bucle, la culpa no ha sido tuya, y la idea tampoco. Sophie se acercó al organillero, le dio un abrazo largo y le dijo que lo sentía. Soy yo quien lo siente, niña mía, contestó el viejo, por haberle traído a su amiga canciones de hace treinta años. Creo que ya no estoy...

En ese momento apareció por la puerta la señorita Pogwisch. Contempló a Hans con dureza, a Sophie con sorna, y finalmente posó sus ojos en el organillero como quien divisa una insólita roca en su camino. Vengo, pronunció la señorita Pogwisch, a abonarle su concierto. Dejó varias monedas sobre la tapa del instrumento e hizo ademán de retirarse. Me parece justo, dijo Hans con ira, teniendo en cuenta que fue usted quien lo suspendió. De ninguna manera, señora, dijo el organillero (y el único rastro de ironía que Hans pudo detectar en sus palabras fue lo de *señora:* la anfitriona todavía era joven), no podría aceptar su dinero porque no he cumplido con mi trabajo, a mí me pagan por tocar, pero jamás he cobrado por no hacerlo. Buenas noches, señora, y lamento los inconvenientes.

¿Se puede saber por qué no aceptó?, lo reprendió Hans mientras viajaban de regreso, ¡ese dinero era suyo, le correspondía!, ¡usted hizo su trabajo lo mejor que pudo! Una cosa es la dignidad y otra la altanería. Porque usted, y Franz, y su organillo, los tres necesitaban el dinero y no se lo estaban robando a nadie. Pero ahora el mal trago ni siquiera ha valido la pena. Ah, no, perdona, contestó el organillero, en eso te equivocas, sí que ha valido la pena: me ha encantado pasear en un coche tan elegante.

(Siempre que estoy menstruando, había pensado Sophie mientras subía las escaleras de la posada, me pasa algo muy raro. Por un lado me siento, o en teoría me sé, más mujer que nunca. Pero por otro lado esto me interrumpe, limita mi plenitud. Por ejemplo, me imagino que Hans querrá hacer el amor en cuanto suba, o quiero imaginármelo. Y sé que yo también voy a desearlo y no voy a dejar de sentirme incómoda, un poco intrusa dentro de mi cuerpo. De cualquier forma voy a terminar sintiéndome culpable, que es algo que detesto. ¿Culpa por qué? Difícil ser sincera cuando la naturaleza te da una orden y la conciencia otra. ¿Pero es realmente una orden? ¿O es una maravillosa posibilidad que tengo el privilegio de rechazar? Lo único seguro es que hoy tengo calambres, se me revuelve el vientre, hay como un clavo ahí que me baja por la cintura, y no he tenido hambre en todo el día. Me gustaría contarle todo esto a Hans, pero no sé si él lo entendería, o si yo misma sería capaz de explicárselo...)

Tendida boca arriba, aprisionándole la espalda con las pantorrillas, Sophie dijo: Entonces esta vez quédate dentro.

El olor de la sangre primero los retrajo y después terminó desinhibiéndolos: compartieron las manchas, se ensuciaron queriendo. A ella le dio vergüenza que él la viera sangrar sobre la sábana, pero sintió que esa visión los unía o abolía un secreto. De pronto le pareció natural y profundamente verdadero: ahora, cuando él se volcara en su interior, quedarían unidos por el mutuo deseo de *no* fecundar, de liberar juntos un placer que nacía y moría entero en su propia duración. Si el pasado es una especie de padre (pensó ella de golpe, palpando los bordes del orgasmo e interrumpiendo sus pensamientos), el auténtico hijo vendría a ser ese presente absoluto, no el futuro.

Conversaban en voz baja, desnudos. Sophie tenía las ingles saturadas de rojo y Hans el pubis embadurnado, rígido. Mantenían esa mueca entre la concentración y el extravío de los que todavía no han vuelto del goce. Se oían respirar, movían los pies, se estiraban. Qué delicia, dijo él, no haberme retirado. Mmm, dijo ella. ¿O no lo has disfrutado?, se preocupó él. No es eso, contestó ella, no sé cómo decirlo, me ha encantado y al mismo tiempo me ha dado miedo, ¿entiendes? No estoy seguro, dijo él girando el cuello para mirarla. Es que yo desde siempre, continuó Sophie incorporándose, he temido ser madre. No me malinterpretes. Quiero tener hijos. Pero no quiero ser madre. ¿Se puede ser una chica egoísta y una madre generosa?, ¿cómo haces cuando te gustaría ser las dos cosas? Ay, amor mío, pienso en un montón de tonterías, en las molestias del embarazo, en el peso, en la pérdida de tersura, en el dolor físico. Supongo que no sé ser una mujer fuerte. Al revés, dijo Hans abrazándola, sólo una mujer fuerte confiesa esas cosas.

Sophie habló de su necesidad de independencia, de los planes familiares de Rudi, del tacto de las nalgas de su prometido por encima de las calzas, de cómo imaginaba la vida sexual con él, de los penes más torcidos que había visto, de la curiosidad que ella sentía por el semen, de sus molestias mensuales. Y acto seguido, insólitamente, habló de Kant. Según Kant, dijo Sophie, asesinar a un hijo bastardo es menos grave que una infidelidad. ¡Qué razón pura ni ocho cuartos! Él dice que lo lógico sería ignorar la existencia de ese hijo, porque legalmente no debería haber existido. Una relación adúltera es un amor falso. Y un niño ilegítimo es un ser inexistente, por tanto suprimirlo no sería un problema. Eso dice Kant. Y así nuestra moral, señor culo bonito, se vuelve lo contrario de la vida. Nos enseñan una moral para restringir nuestra vida, no para comprenderla. Pero bueno, dame un beso en la teta. Mejor no discutamos con papá.

Kant y la menstruación, pensó Hans, ¿por qué no?

«El nuevo y estremecedor ataque», leyó el teniente Gluck en la tercera de *El Formidable,* «habría tenido dramático lugar el viernes en las inmediaciones de la zona donde acostumbra actuar el interfecto; queremos decir, como bien conocen nuestros puntualmente informados lectores, en las angostas vías peatonales que transitan desde el supracitado callejón de la Lana hasta la calle Ojival. Si bien no ha trascendido oficialmente la identidad de la víctima, este periódico ha sabido por fuentes fiables que se trata de una joven cuyas iniciales se corresponderían con A. I. S., natural wandernburguesa de edad 28 años. La ausencia de testigos impide, una vez más, añadir nuevas hipótesis a las ya referidas en anteriores casos. Quisiéramos conjeturar que tanto el cuerpo de gendarmes como la policía especial emergerán de su inexplicable letargo y manifiesta inoperancia. O esa es la esperanza que late en los corazones de la amenazada ciudadanía, cuya inquietud no hemos dejado de recoger en estas páginas. Por si las antedichas fuerzas no dispusieran en sus archivos de mayores indicios que los que son ya de público dominio, este periódico se encuentra en condiciones de afirmar casi con certeza que el perseguido criminal de la máscara es un hombre de complexión robusta, estatura considerable y edad comprendida entre los 30 y 40 años. Sólo queda aguardar con resignada impaciencia a que...».

¡Esto es humillante!, se indignó el teniente Gluck arrojando el diario sobre el escritorio del despacho, ¡fuentes fiables, por Dios!, ¡esos imbéciles no tienen ni la más remota idea de lo que dicen, y encima pretenden darnos lecciones de peritaje! Déjalos, hijo, observó sin inmutarse el teniente Gluck, en realidad estas noticias nos convienen: si el criminal las lee se sentirá tranquilo, y tanto mejor para nosotros. Prefiero que no se imagine que casi lo tenemos. Y ahora olvídate de la prensa y dime, ¿has repasado el borrador del informe?, bien, perfecto, ¿las marcas en las muñecas son iguales? Idénticas, contestó el teniente Gluck, definitivamente prefiere cuerdas finas, eso indica que no anda tan sobrado de fuerzas. ¿Y qué dice la víctima del olor?, preguntó el padre. Parece que ha insistido, dijo el teniente Gluck, en lo de la manteca. De acuerdo, asintió el otro, ¿pero qué manteca? No está segura, explicó el hijo, dice que en un momento así no iba a andar fijándose en esos detalles, pero opina que sí, que podía ser de oso. ¿Y la víctima cocina?, quiso saber el teniente Gluck. ¿Disculpe, padre?, se asombró el teniente Gluck. Pregunto, dijo el padre, si la víctima suele cocinar ella misma o tiene criadas que lo hagan. Comprenderá, contestó el hijo, que las cuestiones domésticas no formaban parte del interrogatorio. No es ninguna cuestión doméstica, lo corrigió el teniente Gluck, al contrario, es fundamental: si la chica está acostumbrada a freír, jamás confundiría la manteca de oso con la de cerdo, por ejemplo. Y si ella nos corrobora ese punto, entonces ya sólo quedarían dos sospechosos. Así que ve y pide que la citen a declarar de nuevo, por favor. Mientras tanto yo me acerco a la Taberna Central para reservar mesa. Ya sabes que a esta hora se pone imposible.

Sin encargos urgentes de la editorial, con septiembre rondando y abreviando las luces, Hans y Sophie decidieron salir de excursión esa tarde. Dieron un paseo hasta la ribera del Nulte, evitando el camino principal y eligiendo un discreto sendero de tierra que comunicaba el extremo sureste de Wandernburgo con el campo abierto. Se sentaron frente al río. Se besaron con ansia, sin hacer el amor. Después se quedaron callados, leyendo las ondas.

De pronto se oyó un chapoteo y la frase del agua se borró. Levantaron la cabeza y vieron pasar una fila de cisnes. Hans los contempló con agrado: su armónica blancura le pareció un pequeño regalo. Sophie en cambio los observó con inquietud: en la superficie agitada del río los cisnes se veían deformados, rotos. Ahí un ala, aquí un remolino, más allá media cabeza. Un pico separado, una mancha de sol, dos patas sin sentido. Qué fácil y qué rápido, pensó Sophie, se deshace cualquier belleza.

Sophie se puso en pie y pareció que la tarde dudaba. El sol empezaba a fundirse detrás del campo inmenso, su resplandor desgastaba el contorno de los álamos. Visto a ras de tierra, desde donde Hans seguía sentado, cinco de las seis porciones del día eran cielo. La espalda de Sophie había crecido, tenía un tamiz resbaloso, como de zumo. Ella oteaba el horizonte y, al mover los brazos, los haces de luz le atravesaban las mangas. A los dos les costaba mirarse: pensaban más o menos en lo mismo.

¿No es preciosa?, dijo Sophie de espaldas señalando la hierba encendida. Sí, preciosa, contestó Hans. ¿No es especial esta luz?, preguntó ella. También, contestó él. ¿Y la colina?, dijo ella, ¿te has fijado en cómo brilla la colina? Me he fijado, asintió él. Ha escrito Rudi, anunció Sophie sin alterar el tono, dice que vuelve pronto. ¿Y los trigales?, dijo Hans, ¿los has visto? Por supuesto, contestó Sophie, ¡parecen mi edredón! Nunca he visto tu edredón, dijo Hans, ¿tiene ese color?, ¿de verdad? Bueno, casi, se encogió de hombros ella, es un poco más oscuro. ¿Y cuándo vuelve, Rudi?, preguntó él. Un poquito más oscuro, continuó Sophie, y como más alegre. Ah, dijo Hans, eso ya está mejor. Dentro de un par de semanas, suspiró Sophie, no creo que tarde mucho más. Es que el anaranjado, continuó él, sólo queda bien en los cuartos espaciosos, ¿el tuyo es espacioso? Ni grande ni pequeño, contestó ella, cómodo. ¿Y no podría quedarse más tiempo en esa maldita casa de campo?, preguntó Hans, ¿no puedes convencerlo, decirle lo que sea, entretenerlo un poco? Sophie se volvió, lo miró con los ojos temblorosos y exclamó: ¿Y qué demonios quieres que le diga? Un edredón naranja, dijo

Hans haciendo círculos con una ramita seca, queda un poco atrevido, la verdad, si la habitación no es muy grande o no hay una ventana cerca.

Tía, dijo la pequeña Wilhelmine, ¿para qué sirve una tela de araña? Sophie se volvió extrañada hacia su sobrina. Elsa y Hans rieron.

La pequeña Wilhelmine había venido a pasar unos días en Wandernburgo con su abuelo y su tía. Para desengaño del señor Gottlieb, su padre no la había acompañado y en su lugar había mandado a una criada. Mientras la niña correteaba por el campo, siempre vigilada por la criada, Hans y Sophie se alejaron unos metros para conversar a solas.

¿Conoces Dresde?, preguntó él. He ido algunas veces, contestó ella, a visitar a mi hermano. ¿Y te gusta?, dijo él. Mucho más que Wandernburgo, suspiró ella, aunque ahora se la ve un poco deteriorada. Napoleónica ciudad, dijo Hans, así le ha ido. Lo mejor es el Elba, dijo Sophie observando el Nulte, eso sí que es un río, y qué puentes, qué arcos. Lo único que le falta, opinó él, es un teatro más grande. Cómo, se sorprendió ella, ¿también has estado en Dresde?

Tía, tía, insistió Wilhelmine llegando a la carrera, ¿para qué sirve una tela de araña? Pero mi cielo, dijo Sophie acariciándole el cabello, ¿por qué lo preguntas? Ahí, en ese árbol, señaló la niña, hay una mariposa, está en la tela de araña y no puede salir. Ah, sonrió Sophie, ya entiendo, ¡pobrecita mariposa! Es muy bonita, repitió la niña, y no puede salir. ¿Quieres que la salvemos?, le propuso Sophie acercándose al árbol. Sí, contestó la niña con seriedad. ¡Así me gusta!, la felicitó su tía alzándola en brazos, ¡suéltala, araña fea!

Disculpa, susurró Hans mientras Wilhelmine estiraba con esfuerzo una ramita hacia la tela de araña, ¿por qué no le has contestado? ¿Cómo dices?, se volvió Sophie sin dejar de sostener a su sobrina. Pregunto, dijo Hans, por qué no le has contado la verdad. ¿Y cuál es la verdad, si puede saberse?, dijo

Sophie. Que por muy fea que parezca la araña, contestó él, en realidad no es mala y se limita a sobrevivir. Que esa tela es su medio. Que todo tiene un ciclo y la mariposa también, aunque sea bonita. Es ley de vida. Si fuera mi sobrina, le habría explicado eso. Pero no es tu sobrina, se disgustó ella, y además educarla también es enseñarle a proteger la belleza, aunque sea frágil o dure poco. Esa es otra ley de vida, señor sabelotodo. Y no veo por qué el escepticismo va a volverla más sabia que la compasión. Bueno, bueno, retrocedió Hans, no te enfades. No me enfado, dijo Sophie, me da pena.

En ese momento la ramita de la niña atravesó la tela e impactó contra el tronco, haciendo caer a la araña y aplastando a la mariposa.

Una lluvia veloz desordenaba la hierba, dejando sus punzones en la tierra agradecida. Desde el interior de la cueva todos la contemplaban en silencio, como si la tormenta fuese un monólogo o un invitado que no se atreve a pasar. Álvaro y Hans compartían una botella de vino. Lamberg y Reichardt competían por un queso. Al fondo, rodeado de velas, inclinado sobre el instrumento abierto con gesto de miope concentrado, el organillero manipulaba el mecanismo con una llave. ¿Cómo va eso, organillero?, preguntó Hans. Mejor, contestó el viejo alzando la cabeza, va mejor, aquí hay un par de cuerdas desgastadas, estoy pensando en ir a la tienda del señor Ricordi para cambiarlas. El otro día, ¿sabes?, en la fiesta, me pareció que algunos graves no sonaban bien, ¿tú crees que quizá no les gustó la música por eso?, la juventud de ahora tiene oído, van al conservatorio, estudian piano, digo yo, a lo mejor fue por eso.

Al mismo tiempo que el organillero cerró la tapa del instrumento, afuera la lluvia empezó a decaer, se hizo más lenta, perdió rabia y amainó. El pinar quedó en suspenso, goteando verde. La hierba se enjuagaba emitiendo una especie de soplido. ¡Excelente!, se alegró el organillero, si no refresca, esta noche hacemos un fueguito y dormimos en el campo. Eso, eso, aprobó Reichardt escupiendo un hueso de ciruela, yo me he traído manta, y además queda vino.

Las nubes se retiraban al oeste como prendas limpias a lo largo de una cuerda. Una lengua de luz se asomó a la boca de la cueva. Cargada del último vapor del verano, la tarde olía fuerte. Menos mal, dijo Álvaro, no había traído paraguas. De pronto hace calor, ¿no?, dijo Hans, qué raro está el tiempo. Lamberg arrugó la frente, parpadeó con fuerza y murmuró: No me gusta el buen tiempo, prefiero la tormenta. ¿Pero qué tonterías dices, niño?, preguntó Reichardt. Qué quieres, no me gusta, contestó Lamberg, cuando hace buen tiempo y hay luz y parece que todo el mundo tiene que alegrarse, la gente se pone tonta en cuanto sale el sol.

La noche vino cálida. Lamberg preparó el fuego sin despegar la vista de las llamas; cada vez que se movía, Franz encogía el rabo. Asaron unas sardinas y vaciaron las botellas. Cantaron, desvariaron, se contaron secretos, mintieron un poco. Álvaro confesó que Elsa lo tenía nervioso, y Hans puso cara de sorpresa al escuchar los detalles. Más tarde el organillero dispuso los turnos y cada uno contó un sueño alrededor de la fogata. A Álvaro le dio la impresión de que Hans había inventado el suyo. El organillero celebró especialmente el de Lamberg: dijo que le había gustado tanto que esa noche iba a tratar de soñar lo mismo. Lamberg se descalzó, acercó los pies al fuego, resopló con pesadez. ¿Te quedas?, le preguntó el viejo. Hoy es sábado, asintió Lamberg sin abrir los ojos. Reichardt buscó su manta y se recostó también. Álvaro se levantó y dijo que debía volver a casa. Su caballo dejó un galope flotando entre los grillos. Hans y el organillero se quedaron conversando en voz baja hasta que sus murmullos se hicieron cada vez más esporádicos, más inconexos. Poco después, en los alrededores de la cueva sólo se oían chispas y ronquidos.

Ronquidos, chispas, grillos, aves. Las estrellas parecen polvo fresco. El organillero duerme con la boca tan abierta que algún sapo podría elegirla como refugio. Lamberg respira por la nariz, la mandíbula apretada como un mecanismo. Franz ha buscado la manta de su dueño y de él sólo asoma un extremo del rabo. Dependiendo de quién seas, piensa Hans, pasar la noche a la intemperie te hace sentir indefenso o invulnerable. Todavía es temprano para él. Rodeado de durmientes, un poco intruso, trata de conciliar el sueño. Ha probado a escuchar el fuelle de sus propios pulmones, a contar las pequeñas combustiones del fuego, a reconocer los sonidos ululantes del pinar, a observar la posición de sus compañeros e incluso a imaginar con qué están soñando. Pero no se duerme. Es por eso, por una casualidad que pronto lamentará, que puede espiar en silencio los movimientos de Reichardt. Tras un temblor de mantas Reichardt se incorpora, se sacude la camisa, mira a su alrededor varias veces (cuando le llega el turno, Hans cierra los ojos) y se levanta con sigilo. Su semblante no es el mismo. Al resplandor de las llamas, las arrugas se endurecen y los labios dibujan una mueca de cansancio, de asco. Antes de dar un paso Reichardt vuelve a cerciorarse de que todos duermen. Mira el rabo de Franz, que asoma fuera de la manta, tan fijamente que Hans cree que hará algo con él. Reúne sus cosas, hace un nudo con la manta y procede a recolectar todo lo que encuentra en su camino: las alpargatas de Lamberg, el sombrero y las botellas del organillero, restos de víveres, el pañuelo desatado de Hans, las monedas que guarda en un bolsillo de la levita. Cuando siente el roce de la mano de Reichardt hurgando en su costado, Hans no puede evitar una contracción mínima. Lo suficiente para que Reichardt se detenga en el acto, retire la mano y le busque la cara. Entonces descubre sus ojos vigilantes. Las miradas de ambos se cruzan con violencia. Reichardt sostiene las monedas en la palma de la mano. Hans no acierta a decir palabra. En vez de apartarse, Reichardt se queda escrutándolo sin hacer ademán de improvisar ninguna excusa. Hans no alcanza a entender si esa pausa le pide permiso o lo amenaza. Al principio cree ver en la expresión de Reichardt un asomo de sorpresa, después le parece un gesto de desprecio. Finalmente Hans abre del todo los ojos, aguza la vista y tiene la certeza de que es una mueca humillada: Reichardt es capaz de robar a sus amigos, pero quizá no de hacerlo mientras uno de ellos está mirando.

Confuso y más sobresaltado que el propio Reichardt, Hans hace algo que no se ha propuesto, algo que Reichardt no esperaba y que lo alivia tanto como lo daña: vuelve a cerrar los ojos. Sin perder más tiempo, con una mezcla de vergüenza, gratitud y rencor, Reichardt reanuda sus movimientos. Toma el birrete de Hans, lo suma a su botín y echa a correr por el camino.

IV. Acorde oscuro

A través de los cristales, el cielo parecía una hoja de papel delante de una lámpara. La llovizna reincidía, molesta. Desde hacía unos días Hans y Sophie se despedían treinta minutos antes: ahora oscurecía más temprano.

¿Ya te vas?, preguntó Hans tocándole un pezón como quien pulsa un timbre. Sophie asintió y empezó a vestirse rápido. Espera, dijo él, quería contarte algo. Ella se volvió, arqueó las cejas y siguió vistiéndose.

Verás, comenzó Hans, la editorial opina, o sea, me ha escrito diciendo que quizá convendría que retocáramos un poco la traducción de los libertinos franceses, ¿te acuerdas?, los poemas De Viau, Saint Amant, ¿no?, en fin, eso (¿retocarlas?, preguntó Sophie deteniendo el ascenso de la media, ¿convendría?, ¿pero a qué te refieres?), sí, me refiero, mejor dicho se refieren ellos, a que Brockhaus ya ha tenido unos cuantos problemas en los últimos años, y por eso nos sugieren (sugieren, lo interrumpió ella, ¿o exigen?), bueno, depende de cómo lo veas, nos piden que hagamos lo posible para no alertar a la censura, por lo visto el mes pasado volvieron a llamarles la atención por una de las traducciones que les enviamos (¿cómo?, ¿cuál?), no estoy seguro, no me lo han dicho claramente, el asunto es que ahora, tú sabes cómo son los textos de los libertinos franceses, parece que en la editorial están nerviosos porque temen que puedan requisarles el catálogo, ¿entiendes?, sólo sería cosa de, no sé, de rebajar un poquito el tono, sin renunciar a (espera, espera, ¿tú no me habías dicho que imprimiéndolos con sus nombres corrientes la censura no se iba a dar cuenta de que eran autores prohibidos?), ¡y así ha sido, mi vida, así ha sido!, no se han dado cuenta, pero al ir a dar el visto bueno a las galeradas parece que el censor ha dicho algo, la editorial me ha explicado que no era el mismo de siempre, ¿sabes?, a ese lo tenemos de nuestra parte y nos deja pasar todo, la mala pata es que se ha puesto enfermo, y el cretino de su suplente ha dicho que hay por lo menos quince páginas impublicables, a menos que nosotros, ¿me sigues?, eso ha dicho Brockhaus, a menos que seamos lo bastante hábiles retocando ciertos pasajes, y...

Sophie, ya vestida, puso los brazos en jarra. Hans se quedó mirando al suelo sin terminar la frase.

Escucha, intentó él, a mí tampoco me hace gracia, pero si lo que queremos es publicar a los libertinos no nos queda más remedio que (es que entonces, dijo ella, no serían los libertinos), sí, sí serían, serían los libertinos publicados con esfuerzo, lo más libertinos posible en tiempos de censura, es eso o nada, peor sería retirar la traducción entera (francamente, suspiró ella, no sé si sería peor o más digno), ya, ya, ¿tú sabes cuántas amenazas recibió la revista *Isis*?, ¿y sabes qué pasó con el semanario de la *Literarisches Morgenblatt*?, lo suspendieron varias veces, Brockhaus le cambió el nombre, se lo volvieron a prohibir y así durante años, la editorial terminó perdiendo muchísimo dinero y decenas de miles de ejemplares, es lógico que traten de evitar problemas, el mundo del libro también es esto, Sophie, no todo iba a ser visitar bibliotecas, también está lo otro, la lucha contra los elementos (comprendo, entonces neguémonos a los cambios y dejemos que le encarguen la traducción a otro, así no impedimos que la editorial publique el libro pero tampoco somos cómplices de una censura), ¡si los textos están casi acabados!, ¡cómo vamos a tirar tantas horas de trabajo! (a mí también me da pena, pero prefiero tirar nuestro trabajo que nuestra dignidad), amor, sólo te pido que lo mires de otra forma, la censura es inevitable pero también estúpida, podemos reescribir los versos más conflictivos y decir lo mismo de manera sutil, incluso podríamos aprovechar para mejorar la traducción (no puedo creer que me estés proponiendo obedecer una orden como esa), no pienso obedecerla, sino manipularla a nuestro antojo (traducir y manipular son cosas diferentes, ¿no te parece?), sabes muy bien que esta situación me repugna tanto como a ti, pero si de verdad creemos en nuestra traducción (¡mi amor, es que precisamente porque creo en esa traducción, en nuestra traducción, me niego a renunciar a una sola coma!), de acuerdo, esa es la teoría, la triste realidad es otra, ¿no sería más valiente asumir esa realidad y pelear desde dentro para dejar los textos lo más? (¡y me hablas de pelear!, ¿por qué no peleamos en serio y nos negamos a aceptar este atropello?, escríbele a la editorial y diles que), eso no es pelear, Sophie, eso es rendirse, confía en mí, esto es algo que se ha hecho otras veces (¿cómo?, ¿ya lo has hecho antes?, ¿así es como trabajas?, ¡Hans, no te reconozco, en serio, no te reconozco!), ¡sí, no!, o sea, a veces, pero a mi manera, nunca le he hecho decir a un autor nada que no haya dicho o hubiera podido decir, te lo juro, sólo que, a ver si me explico, en vez de indignarme o cruzarme de brazos he intentado resolverlo con astucia, ¿entiendes?, siendo ambiguo, es cuestión de estrategia (es cuestión de principios, remató Sophie).

Hans cayó en un silencio irritado. Miró a Sophie, que recogía sus cosas para irse, y dijo: Cómo se nota que no te ganas la vida traduciendo. Rudi tampoco, claro.

Hans vio cómo la mano de Sophie se apretaba en torno al picaporte, cómo los suaves nudillos se crispaban. Sophie soltó el picaporte. Se ciñó lentamente los guantes y contestó de espaldas: Haz lo que te dé la gana. Al fin y al cabo, como tú mismo te has encargado de recordarme, yo sólo soy una aficionada y tú un profesional. Me pregunto si un profesional necesita la colaboración de una aficionada. Buenas tardes.

Amor mío: no sé cuál de los dos tenía razón. Pero sí sé que esa traducción, igual que todas las demás, nos pertenece a ambos. Y aunque no lo parezca, la discusión de ayer fue mi torpe manera de consultarte.

He escrito a Brockhaus diciendo que no modificaremos el texto, y que si desean publicar el libro tengan la bondad de encargarle el trabajo a otro traductor.

¿Me haría usted el honor de seguir colaborando conmigo y hacer de un servidor un mejor profesional, Fräulein Bodenlieb?

Mordiscos libertinos de su

H.

Señor libertino profesional: yo tampoco estoy segura de quién tenía razón, aunque me alegra ver que estamos de acuerdo en lo esencial: si trabajamos juntos, la decisión es de los dos.

Comprendo lo difícil que ha sido para usted escribir a la editorial. Leo un acto de amor en esa carta. Y, como tengo el honor de ser su traductora asistente, sería injusto por mi parte no interpretarlo así. Gracias.

Oh, mayores mordiscos le esperan a usted.

S.

Los hombros, por así decirlo, de Rudi Wilderhaus, pensaba Hans mirándolos, sus hombros parecían haber vuelto, cómo describirlos, con más carga tras las vacaciones. Y no era tampoco exactamente igual el tono que Rudi empleaba para dirigirse a él en el Salón, las palabras quizá sí, pero había algo nasal en su voz, algo de aire contenido cada vez que se volvía para decirle por ejemplo «que tenga buenas noches, me he alegrado de verlo» o «señor Hans, ¿me alcanzaría usted el cuenco del azúcar?», había, cómo describirlo, insistía en pensar Hans, algo de lupa entre los ojos en la turbia atención con que Rudi estudiaba sus gestos, cada reacción suya. Trató de ignorar todos estos matices y procuró mostrarse incluso más amable, erradicar cualquier posible indicio de culpa en sus maneras. Pero ahí estaba Rudi cada viernes, respirándole en la nuca, apretándole la mano al saludarlo de una forma demasiado enérgica. Pese a todo, con algún esfuerzo, el orden había regresado a las costumbres de ambas familias: los Wilderhaus se reinstalaron en la fastuosa mansión de la avenida Regia, Rudi estrenó la temporada de caza y en la casa Gottlieb se reanudaron los preparativos para la que iba a ser, sin duda, la boda del año en Wandernburgo.

En el portarretratos del escritorio, un rostro femenino y pálido extraviaba la mirada más allá de los ojos encharcados del señor Gottlieb, que contemplaba el retrato como esperando de él alguna palabra, un susurro, algo, mientras sostenía su sexta copa de coñac. Según oía Bertold, que en las últimas semanas solía apostarse al otro lado de la puerta del despacho, el señor Gottlieb se pasaba tardes enteras sin hacer otra cosa que abrir y cerrar cajones. La noche anterior, Bertold advirtió que su señor había incurrido en un olvido insólito e impropio en él: no le había dado cuerda al reloj de pared a las diez en punto, sino casi veinte minutos más tarde. Por lo demás, esa misma mañana el señor Gottlieb no había madrugado como era su gusto, y al mediodía había irrumpido en la cocina y le había gritado a Petra por algo relacionado con unas olivas negras.

Después de unos minutos de escucha, Bertold llamó con suavidad a la puerta del despacho. Al otro lado se oyó un gruñido. El criado entró con el mentón pegado al pecho. Señor, balbuceó Bertold, eh, llamaba, en fin, señor, para, quería recordarle que tiene usted pendiente una visita a casa de los Grass, y que ayer mismo volvieron a enviar una amabilísima invitación, era eso, mi señor, el coche está preparado para cuando usted disponga (¿los Grass?, exclamó el señor Gottlieb levantando la cabeza como un quelonio, ¿esos imbéciles?, ¿y desde cuándo tengo yo la obligación de visitar a unos imbéciles sólo porque me mandan un billetito cursi?, ¿para eso has llamado?, ¿para eso me molestas?), oh, no, señor, no era mi intención importunarlo, es que, y dispense usted que me atreva, es que hace días que el señor apenas sale a la calle y, francamente, empieza uno a preocuparse por su salud, señor, incluso la otra noche, señor, tuvo usted la imprudencia (¿imprudencia?, se encendió el señor Gottlieb, ¿imprudencia yo o tú?), eh, digo, la poca precaución de salir solo a dar un paseo nocturno, sin siquiera ordenarme que lo acompañase, exponiéndose a sabe Dios qué peligros, y tampoco sé si bien abrigado, señor, por eso esta tarde me he atrevido a considerar la posibilidad de preparar el coche, quizá para mañana, y además (puedes marcharte, Bertold, gracias, manoteó el señor Gottlieb).

Bertold retrocedió dos pasos y, disimulando su disgusto, alzó el mentón para decir: Hay una cosa más, señor, que venía a anunciarle. Bertold lo dijo firme, con aparente sentido de la obediencia pero deslizando en sus palabras una música insidiosa, casi de reproche: como si en el fondo, más que poniéndose al servicio del señor Gottlieb, estuviera intentando hacerle ver que ya era hora de recomponerse por el interés de ambos. Un lacayo de los Wilderhaus, agregó Bertold tras una calculada pausa, acaba de traer una tarjeta anunciando la visita del señorito Rudi. ¡Pero bueno!, reaccionó de inmediato el señor Gottlieb, ¿y ahora me lo dices?, ¿por qué demonios no me lo dijiste antes? Pretendía, señor, contestó Bertold, anunciárselo justo cuando usted me. Bah, bah, lo interrumpió el señor Gottlieb apartando la botella y arreglándose las solapas mientras se incorporaba, no perdamos más el tiempo, ve a pedirle a Petra que prepare un tentempié variado y una bandeja de tés indios, ¡pero por qué demonios no me lo dijiste antes!, ¿y cuándo ha dicho el lacayo que llega? Dentro de una hora, contestó Bertold irguiéndose. Entonces llévate esto, ordenó el señor Gottlieb señalándole la botella, y acompáñame a vestirme.

Los crujidos del charol cesaron frente al despacho. Se oyó un carraspeo. Como una súbita duda en mitad de un desfile, el zapato derecho de Rudi Wilderhaus se frotó contra la pernera izquierda. Denso, casi visible, el revuelo cítrico de su perfume se dispersó ante la puerta. Después hubo tres golpes consecutivos, firmes: Rudi sabía que un solo golpe en una puerta delata timidez, que dos suenan más bien serviciales, pero que tres siempre han sido una exigencia.

También al otro lado de la puerta carraspeó el señor Gottlieb, sin que ninguno de los dos hombres supiera que repetían gestos. El señor Gottlieb estuvo a punto de levantarse a abrir, pero tuvo la intuición de que, si le quedaba alguna fuerza intacta, no podría emplearla más que ahí, en el centro de su propio despacho, sin moverse de su butaca de cuero. Sí, adelante, recitó en un tono de fallida indiferencia y demasiado agudo. Rudi penetró en el despacho con deliberada brusquedad, similar a la del marido que regresa al hogar conyugal antes de tiempo y avanza pisando prendas. Se saludaron con acelerada ceremonia, hicieron dos o tres comentarios de rigor y entraron en materia.

Por eso le pregunto, estimado suegro, decía Rudi, y por el momento lo llamaremos sólo preguntas, cómo puede usted tolerar que su hija siga trabajando con ese hombre, ¡y para colmo en una posada mugrienta!, o cómo permite que ese caballero siga entrando en esta respetable casa. Ese caballero continúa visitando mi casa, contestó el señor Gottlieb con el mayor aplomo del que fue capaz, y haces bien llamándola *respetable,* porque no existen motivos reales para que el señor Hans deba dejar de asistir al Salón de mi hija. Porque si los hubiera, mi querido yerno, ¿acaso no habría puesto ya los remedios necesarios?, ¿no le habría prohibido terminantemente la entrada a ese hombre?, ¿no habría castigado a Sophie? Pero si no he tomado represalias, y créeme que comprendo bien tu inquietud, es precisamente porque no hay razones. Quiero decir, mi noble Rudi, ¿o tú sí tienes razones irrefutables?, ¿las tienes? Me cuentas que has estado oyendo cosas, ¡*cosas!,* ahora dime, ¿dudas del honor de mi hija, de tu futura esposa? Porque mientras su virtud esté fuera de duda, esta casa no vetará a nadie. Lo contrario equivaldría a aceptar oscuras infamias que, en nombre de mi decencia, ni siquiera me permitiré considerar.

Rudi reconoció en los ojos del señor Gottlieb una mezcla de severidad y miedo. Ahondando un poco más en el líquido de aquella mirada que lo desafiaba a duras penas, nadando en sus reflejos suplicantes, comprendió que el señor Gottlieb no estaba defendiendo a Hans, sino sólo actuando con auténtico decoro.

Yo, mi querido yerno, volvió a hablar el señor Gottlieb tirándose del bigote como si fuera el cordón de una bota, respondo por completo de mi hija, de su honorabilidad y buen nombre. Pero yo en tu lugar, si albergase la más mínima duda, como próximo marido de Sophie me encargaría de erradicarla de inmediato. Por supuesto, con la más absoluta discreción. Digo, llegado el caso. Porque, huelga decirlo, no es el caso.

Rudi sonrió con dureza y contestó: Por supuesto que no, querido señor Gottlieb, por supuesto que no. Es sólo una cuestión, ¿cómo decirle?, de corrección en las formas. Pero me tranquiliza usted. Quede con Dios.

La posada se había ido vaciando. Por las mañanas ya no había rumor de puertas, pasos por las escaleras ni inquietud en los pasillos. La madera del suelo crujía distinta, hueca. Las ventanas parecían más pequeñas, encogidas de luz. Había algo de anemia en los amaneceres y un eco pensativo en la lentitud de la señora Zeit cuando recorría las habitaciones desiertas como esperando una reaparición. La leña había empezado a acumularse en el cobertizo del patio trasero, las tenazas afloraban limpias junto a las chimeneas, las mantas de lana regresaron a los catres. El cartero apenas detenía su galope frente a la entrada, y los únicos paquetes que dejaba eran para el huésped de la número siete. El silencio ocupaba de nuevo la posada y sin embargo Hans, que se había pasado el verano lamentando los ruidos matinales que interrumpían su sueño, tampoco ahora podía descansar bien. Dormía con normalidad algunas horas y de golpe, sin causa aparente, empezaba a dar vueltas en el catre, desvelado por la expectativa de un trasiego que no tenía lugar. Hasta que esa mañana, tras levantarse y girar la acuarela para afeitarse, mirándose las ojeras y el granizo de barba en el mentón, intuyó el motivo de su desasosiego. No se debía sólo a ese aire estéril de los lugares que se despueblan. Se debía sobre todo a la consecuencia de ese vacío: con la caída del otoño, él había pasado de observador a protagonista en la posada. Se había acostumbrado a espiar a los ocupantes desconocidos, a leerles la vida en las caras, a conjeturar sus destinos. Ahora, de pronto, él volvía al centro de su propia mirada. Hans plegó la navaja, metió la lengua por detrás de los labios, se revisó los perfiles y giró de nuevo el espejo.

Contrariando sus hábitos noctámbulos, Hans pasó la mañana traduciendo. Al mediodía bajó a devorar las legumbres espesas de la señora Zeit. Después subió a cambiarse y perfumarse: era viernes. Salió de la posada guiñándole un ojo a Lisa (que al principio fingió apartar la cara) y se dirigió al Café Europa para tomar con Álvaro su cuarta taza del día. Pese a salir con tiempo, volvió a llegar tarde: necesitó rodear media docena de veces el Camino de los Cristales, y le juró a su amigo que no había manera de encontrar la bocacalle por la que solía venir. Los dos intercambiaron confidencias, se quejaron de cosas parecidas y fueron dando un paseo hasta la calle del Ciervo. Frente a las puertas de la casa Gottlieb, Hans comentó: Oye, perdona, te parecerá una tontería, ¿el aldabón de la golondrina no estaba a la derecha, y el del león a la izquierda? ¿Cómo dices?, se asombró Álvaro, ¿el qué?, ¿la golondrina a la dere?, Hans, ¿tú has dormido bien? La verdad es que no, contestó él.

Al emerger del pasillo destemplado, encontraron a Sophie sentada al piano y a su padre, Rudi y el profesor Mietter aplaudiendo. A Hans le pareció que ella estaba pálida y le sonreía con preocupación. ¿Nos concedería a los recién llegados el placer de un bis, estimada amiga?, saludó Hans. Ya sabe, contestó Rudi con sequedad, que «Paganini non ripete». Paganini, intervino Álvaro, toca el violín. Y eso, Herr *Urquiho,* se ofendió Rudi, ¿qué tiene que ver? Hans se deslizó hacia los ventanales. El cortinado azul parecía más denso. Por el hueco de los visillos se podía divisar una esquina nublada de la plaza del Mercado y la interrogación de la Torre del Viento. Hans intuyó que Sophie le miraba la espalda, pero prefirió ser prudente y quedarse contemplando la calle hasta que los demás llegaran. Álvaro, Rudi y el profesor Mietter se entretuvieron debatiendo sobre la función estética del bis. Entrecerrando los ojos y afinando el oído, Hans distinguió el susurro grueso y didáctico del señor Gottlieb dirigiéndose a su hija, cuya voz apenas se oía. Va a llover, pensó Hans, y un suspiro muy propio de Sophie (bien colocado, largo, con cierta alevosía irónica) acompañó su observación. Enseguida irrumpió la voz de la señora Pietzine, se oyó también a Bertold y se desató un campanilleo de tazas y cucharillas. Cuando Hans se volvió, alcanzó a captar el resorte de cejas de Elsa ante una sonrisa diagonal de Álvaro.

Más tensa que de costumbre, aunque sin renunciar a sus estratégicos modales, Sophie se aferraba a su papel de organizadora: era su modo de oponerse al desánimo que empezaba a rondarla y, sobre todo, de defender aquellas horas de discreta autonomía que tanto le había costado conquistar. Se levantó para recibir a los Levin, que acababan de llegar mostrando esa amabilidad forzada y un poco patética de las parejas que se han peleado un minuto antes de una fiesta. Bien, queridos amigos, anunció Sophie, ahora que estamos todos, quería proponerles que cumpliéramos la promesa que le hicimos la semana pasada al señor *Urquixo:* leer juntos algunos pasajes de nuestro amado Calderón (magnífico, se alegró Álvaro, magnífico), me he tomado la libertad de seleccionar unas escenas de *La vida es sueño,* porque suponía que todos la conocerían (Rudi carraspeó y se puso a aspirar rapé), ¿de acuerdo, entonces?, necesitaríamos, veamos, uno, dos, tres, siete personajes, en casa tenemos dos ejemplares de *La vida es sueño,* más otros dos que he tomado prestados de la biblioteca (ah, cayó en la cuenta Álvaro, ¿vamos a leerlo en alemán?), ¡naturalmente, *amigo*!, ¿cómo íbamos a hacerlo? (claro, asintió Álvaro decepcionado, lo comprendo, ¡pero en alemán!, *¡La vida es sueño!,* ay), véale la parte edificante, así podrá usted escucharlo como por primera vez (¿a ver la traducción?, se interesó Hans, ¿me permite los libros?), aquí tiene, ¡no se nos ponga demasiado profesional ahora, señor Hans!, en fin, si les parece, repartamos los papeles. ¿Voluntarios?

Se decidió por unanimidad que Rudi hiciera del príncipe Segismundo, lo que Hans celebró con un aplauso irónico. Sophie le rogó a Mietter que leyera la parte del rey Basilio y el profesor, halagado hasta la peluca, simuló negarse un poco antes de aceptar. A Hans le tocó Astolfo, también príncipe, aunque menos hablador que Segismundo. A la señora Pietzine le pareció bien encarnar a la dama Rosaura. No fue fácil convencer a la señora Levin para que se hiciera cargo de la tímida parte de la infanta Estrella. Como Álvaro se declaró incapaz de recitar a Calderón en alemán sajón y dijo que disfrutaría mucho más escuchando, Bertold no tuvo otro remedio que aceptar el papel de Clarín, el gracioso (si esto es sólo teatro, pensó Bertold, ¿por qué demonios no puedo hacer de príncipe o de rey?). Tampoco al señor Gottlieb le agradó saber que sería el viejo Cotaldo, aunque no se permitió más objeción que un retorcimiento de bigotes. El señor Levin, poco admirador de Calderón, se sentó junto a Álvaro para dar sensación de público. Sophie ejerció de directora de escena, y se puso a dar indicaciones hasta que todo estuvo listo para la representación.

JORNADA II, VERSOS 455-562

PROFESOR MIETTER *[con afectada agitación]*:
¿Qué ha sido esto?

RUDI *[digamos que en su salsa, mirando a Hans, o quizá no]*:
Nada ha sido.
A un hombre que me ha cansado
de ese balcón he arrojado.

BERTOLD *[asintiendo sin entusiasmo, de gracia ya ni hablemos]*:
Que es el Rey está advertido.

[Hans, que no tiene parte en la escena, deja de escuchar y se fija en Sophie: de perfil, tan atenta, parece una estatua melancólica.]

PROFESOR MIETTER *[¡qué temblor de peluca, qué ira egregia!]*:
Pésame mucho que cuando,
Príncipe, a verte he venido,
pensando hallarte advertido,
de hados y estrellas triunfando,
con tanto rigor te vea,
y que la primera acción
que has hecho en esta ocasión
un grave homicidio sea...

[La solemnidad del profesor y el énfasis que pone en cada acento divierten a Hans: el profesor, tan protestante, se ha puesto bastante católico. Álvaro le busca los ojos, intercambian guiños.]

… ¿Quién llegó
a ver desnudo el puñal
que dio una herida mortal,
que no temiese?

[Elsa entra con una bandeja de canapés, sorprende al profesor en pleno parlamento, duda si seguir avanzando o detenerse para no interrumpirlo, está a punto de resbalar, se rehace, equilibra la bandeja, suspira contrariada. Álvaro la observa con ternura.]

RUDI *[recordando de pronto, mientras lee, cierto episodio triste de su infancia]*:
… que un padre que contra mí
tanto rigor sabe usar
que con condición ingrata
de su lado me desvía…

[Abochornada por la entonación de Rudi, que al final de cada verso insiste en hacer una larga pausa que agujerea la sintaxis, Sophie renuncia a darle instrucciones y posa la mirada en el reflejo de Hans, a quien encuentra guapo y despeinado. Cuando vuelve en sí, la escena está acabando y ella fuerza una pose de concentración.]

PROFESOR MIETTER *[muy a sus anchas, más admonitorio que nunca]*:
… Y aunque sepas ya quién eres,
y desengañado estés,
y aunque en un lugar te ves
donde a todos te prefieres,
mira bien lo que te advierto:
que seas humilde y blando,

porque quizá estás soñando,
aunque ves que estás despierto.

[Con intachable disciplina, el profesor Mietter hace ademán de salir, tal como indica la acotación original. Hans sigue sus movimientos y piensa que, bien mirado, el profesor no es mal actor. Se lo imagina disfrazado sobre un escenario. Se lo imagina tan bien que por un instante entorna los párpados. Lo sobresalta su propio bostezo.]

Rudi:
... Pero ya informado estoy
de quién soy; y sé que soy
un compuesto de hombre y fiera.

[La primera que aplaude es la dama Rosaura, o sea la señora Pietzine. Álvaro y la señora Levin la imitan cortésmente. Sophie sonríe con alivio, pronunciando: «Y esa ha sido la última escena, amigos, felicitaciones».]

Al besarla, Hans supo que la boca de Sophie paladeaba algún temor: sus labios se apretaban, la lengua estaba tensa, los dientes parecían defenderse. ¿Pasa algo?, dijo Hans retirando su boca. Ella sonrió, agachó la cabeza y lo abrazó. Él no volvió a preguntar.

Sophie se acomodó frente al escritorio y miró a Hans en silencio, como cediéndole el turno. Él fue a abrir el arcón, buscó un libro y se lo entregó. ¿Te acuerdas de nuestro ensayo sobre poesía alemana?, dijo Hans tratando de sonar alegre, ¿el que nos encargó la *European Review*?, bueno, antes de mandarlo me gustaría incluir a un nuevo poeta, échale un ojo, me llegó ayer mismo de Hamburgo, es el *Libro de canciones* de Heinrich Heine, acaban de publicarlo, parece que está teniendo mucho éxito, leí una reseña en la revista *Hermes*. Sophie abrió el libro y se fijó en su aspecto. No era exactamente el de un ejemplar nuevo, pero no dijo nada: ya se había acostumbrado a los misterios bibliográficos de Hans. Él pareció advertir su extrañeza y aclaró: El correo funciona cada vez peor, los bestias de los carteros no tienen ningún cuidado.

¿Y?, preguntó él, ¿qué opinas? (no sé, contestó ella, suena incómodo, como si estropease a propósito la seriedad de sus poemas), ¡cierto!, y es lo que más me gusta. Por ahí hay un poema, no sé si lo habrás visto, sobre dos soldados franceses que vuelven a casa después de haber estado prisioneros en Rusia. Al pasar por Alemania se enteran de que Napoleón ha perdido y se echan a llorar. Ese poema me llama la atención porque se atreve a darle voz al enemigo, que es algo que los alemanes hubiéramos agradecido en un autor francés cuando los vencidos fuimos nosotros. Pienso que hoy en poesía no valen medias tintas: o aspiras a ser un Novalis, un Hölderlin, o renuncias al cielo y tratas de ser Heine (espera, dijo Sophie intercalando un dedo entre dos páginas, ¿este es el poema que decías?, *¿Los granaderos?*), ese, justo, ¿quieres que lo leamos?

> *... los soldados lloran juntos*
> *ante la fatal noticia.*
> *«¡Cómo duelen!», dice uno,*
> *«¡cómo arden mis heridas!»*
> *«Quisiera morir contigo»,*
> *dice el otro, «es el fin;*
> *pero tengo esposa, hijos,*
> *y no vivirán sin mí».*
> *«¿Mujer, hijos?, ¿y qué importa?,*
> *yo tengo un afán mayor;*
> *que se arreglen con limosnas,*
> *¡preso está mi Emperador!»*

Leyéndolo dos veces, opinó ella, no estoy segura de que el poema sea bonapartista. Ellos se sienten obligados a dar su sangre por Napoleón y esa lealtad es inhumana, como la respuesta fanática del primer granadero, que es incapaz de comprender al otro cuando teme por su familia. Puede ser, dijo

Hans, no lo había pensado. Quizás el acierto del poema es que no censura a ninguno de los granaderos, ¿no?, se limita a exponer dos maneras de entender el destino.

Con la cabeza reclinada sobre el hombro de Hans, Sophie observó la reacción mineral de sus pezones: seguían alzados, ya no de expectación sino de frío. Amor, dijo Sophie, ¿no iría siendo hora de usar la chimenea? Es verdad, dijo Hans incorporándose, hace un poco de fresco. Ya no es verano, susurró ella. Ya no, susurró él.

Oye, dijo Sophie, quiero decirte algo (Hans le entregó un zapato), ah, gracias, ¿dónde estaba? (Hans señaló el hueco entre la cama y la pared), bueno, quiero decirte algo y no sé cómo (él se encogió de hombros, sonriendo con tristeza), mira, mi padre está cada vez más nervioso, no para de beber, los Wilderhaus se están impacientando y yo disimulo todo lo que puedo, pero ya no sé cómo mantenerlos a raya. Ayer Rudi habló conmigo, ¿sabes?, estaba furioso, tuvimos una discusión y a duras penas conseguí tranquilizarlo, no sé por cuánto tiempo (¿entonces?, dijo él con los ojos cerrados), entonces pensé, digo, que a lo mejor sería buena idea, al menos por un tiempo, dejar de (¿de?, repitió él), me refiero, dejar de traducir, ¿no?, ¡pero mírame, Hans!, por un tiempo, hasta que las cosas se calmen un poco (ajá, respiró él muy despacio, ¿eso quiere decir que tampoco nos veríamos?), ¡no, claro que no!, mi vida, eso ya lo he pensado (ah, dime), mira, no va a ser tan distinto, sólo hace falta que nos veamos con cuidado y, bueno, quizá menos a menudo, Elsa me va a seguir ayudando, podemos encontrarnos una vez por semana como mínimo, ¿sabes?, cuando Elsa salga a hacer algún recado yo la voy a acompañar, voy a venir a verte y ella me va a esperar donde siempre a una hora prudente, calculo que así tendremos un par de horas sin vigilancia (si no hay otro remedio), por el momento no, creo que no.

Antes de que la puerta se cerrase, ella se volvió para decir: ¿Sabes qué me da rabia?, ¡dejar inacabada la antología europea! Media cara de Hans asomó para contestar: Algún día la terminaremos.

Abierto sobre el escritorio, un libro repetía unos versos de Heine:

Mucho hemos sentido el uno por el otro,
sin embargo tuvimos una exacta armonía.
A menudo jugamos a ser un matrimonio
sin tener que sufrir ni tropiezos ni riñas.
Nos divertimos juntos, gritamos con jolgorio,
nos dimos dulces besos y nos acariciamos.
Al final decidimos, con infantil placer,
jugar al escondite por los bosques y campos.
Así hemos logrado escondernos tan bien
que luego nunca más hemos vuelto a encontrarnos.

La pulpa de la tarde se exprimía sobre el campo. Desde el camino del puente Hans contempló las cúpulas brumosas, las torres cortantes de Wandernburgo. La tierra mantenía un olor revuelto a lluvia. El Nulte tintineaba a lo lejos. Algún carro cortaba la apatía del camino principal. Hans se quedó un buen rato ausente, hasta que bajó la vista y chasqueó la lengua: se había olvidado en la posada el queso de oveja para el organillero.

La cueva estaba fría. Las rocas del interior tenían una pátina resbalosa. Franz lo recibió olisqueándole con nerviosismo las manos, como intuyendo que deberían haber traído algo. El organillero y Lamberg acumulaban retamas, periódicos, restos de forraje. ¿Ayudo?, dijo Hans frotándose los brazos. Sí, gracias, contestó el viejo, hazme el favor, siéntate y piensa qué soñaste anoche, Lamberg hace días que no me sueña nada. Hans trató de hacer memoria y cayó en la cuenta de que no recordaba ningún sueño reciente: tendría que inventarlo, como tantas otras veces. Eso, resopló el organillero apilando la leña, es lo que más me divertía de Reichardt, siempre venía con algún sueño nuevo. ¿No ha vuelto a saber nada?, preguntó Lamberg, los jornaleros dicen que no lo ven hace tiempo. Nada, se lamentó el viejo, no sabemos nada. Hans se acercó y ayudó a avivar las llamas. Cuando el fuego se alzó iluminando las pieles, Hans vio una mancha redonda en el cuello de Lamberg: parecía una herida o una mordedura. Él interceptó su mirada y se subió las solapas del abrigo de lana.

Lamberg se fue temprano. Dijo que mañana iba a ser un día duro, que iban retrasados con los pedidos de otoño y en la fábrica se rumoreaba que podría haber más despidos. El organillero se echó una bufanda al cuello y salió a acompañarlo. Al cabo de unos minutos, viendo que no volvía, Hans se abrigó y salió en su busca.

Lloviznaba muy fino, como si no. Encontró al viejo absorto en el atardecer. Las nubes se consumían, lentos fuegos de artificio. Esta lluvia me pone nervioso, comentó Hans situándose a su lado. Siempre es así en estas fechas, dijo el organillero, es una lluvia lista, te avisa que se acerca el invierno y se ocupa de las flores. ¿Qué flores?, se extrañó Hans observando la hierba despojada. Esas, esas, contestó el viejo señalándole unos puntos de color alrededor de los troncos, las últimas flores del otoño son mucho más hermosas que las de primavera. Y se quedaron quietos, desiguales, viendo la luz romperse como un cordón umbilical.

Hans salió del Café Europa y se concentró en el angosto recorrido del Camino de los Cristales: si no se equivocaba, la tercera callejuela a la izquierda debía conducirlo hasta la calle del Alfarero, y de allí pasaría a la calle del Ducado, la del Banco de Wandernburgo, desde donde desembocaría directamente en la plaza del Mercado. Correcto, y era el camino más corto. ¿Pero dónde demonios estaba la calle del Alfarero?, ¿eran tres y a la izquierda pasado el Café Europa, o antes de llegar al Café Europa? Si podía dibujar de memoria un plano del centro de la ciudad, ¿por qué rara vez se cumplían sus cálculos?, ¿cómo era posible que?

¡Imbécil!, aulló un cochero desde lo alto de una calesa, ¿por dónde cree que va? Hans dio un brinco de gato, pegó la espalda al muro y se repitió la misma pregunta: eso, ¿por dónde iba? Las ruedas de la calesa pasaron a toda velocidad, rozándole las botas. Cuando el coche desapareció de su vista, al final de la calle, Hans se sorprendió al reconocer el empedrado de la plaza del Mercado.

Echándole un vistazo al reloj de la Torre del Viento, se alegró al comprobar que estaba a tiempo de saludar al organillero. Tenía ganas de escucharlo un rato y convidarlo a una cerveza. Hacía bastante que no daban un paseo juntos, últimamente sólo se veían en la cueva. Al principio no se dio cuenta: avanzó sin pensar hacia el rincón del organillero. Incluso cuando ya era evidente siguió caminando por costumbre, como si estuviera escuchando la música. Sólo a unos pocos metros de tropezar con el borde de la plaza, parpadeó varias veces y se detuvo. Por un instante tuvo la sensación de haberse equivocado de lugar. Hans volvió a consultar el reloj de la torre, miró a su alrededor desorientado: por primera vez en el año, el viejo no estaba en su puesto en horas de trabajo.

Entró agitado en la cueva. Lo encontró hecho un ovillo sobre el jergón de paja. El organillero trató de sonreírle. Hans le tocó la cara. Tenía la frente ardiendo, los labios fríos. Le temblaban los hombros y no dejaba de frotarse los pies. Una tos afilada puntuaba cada una de sus frases. Me duele la cabeza, dijo, pero, ¿sabes, cof?, no es la cabeza, es lo de dentro, cof, es lo de dentro. Oiga, organillero, dijo Hans echándose aliento entre las manos, esto está helado, ¿cómo no ha encendido un fuego? No es para tanto, contestó el viejo, cof, el año pasado fue peor, ¿te acuerdas, Franz?

El ladrido y la tos retumbaron al unísono.

Durante las cuatro mañanas siguientes, Hans madrugó (moderadamente) para llevarle el desayuno y algunas viandas. Lo obligó a tomar caldos, té de hierbas, limonada para el resfriado. También le trajo ropa de abrigo, que el organillero sólo aceptó a cuenta de las monedas que prometió entregarle en cuanto volviera a tocar. A medida que el viejo iba sudando, el jergón se ablandaba y sus ojos se aclaraban. No hubo forma de convencerlo para que lo visitara un médico. ¿Cómo se te ocurre?, había protestado, ¿con lo que cobran?, cof, ¿con lo que mienten? Tras varios intentos Hans había dejado de insistir, a cambio de que entonces obedeciera todas sus indicaciones. Los dos primeros días el organillero lo dejó hacer sin rechistar. Colaboró de buen grado, devoró cuanto le trajo y durmió tantas horas seguidas que de vez en cuando Franz le lamía las barbas para verlo parpadear. El tercer día amenazó con levantarse. Hans, querido, decía sin toser, escucha, ¿quién va a saber mejor que yo cómo me siento?, te agradezco en el alma tus cuidados, en serio, ya estoy bien, en el fondo esto ha sido un descanso, ¿entiendes?, uno ya está viejo para no permitirse unas vacaciones, ese ha sido mi error, y prometo abrigarme, de verdad, no, gracias, ya he tomado, sí, de maravilla, voy a salir un rato, ¡pero suéltame!, no soy un niño, ¿no me digas?, pues lo pareceré, qué le vamos a hacer, ¿no me sueltas?, será, ¿será posible?, Franz, ¡muérdele una bota!, Dios mío, qué tercos somos los dos, ¿eh, Hans?

Consiguió retenerlo en cama hasta el quinto día. Esa mañana, repuesto y con buen color, el viejo se puso en pie, se cambió de ropa, se embutió su flamante gorrito de lana gorda y abandonó la cueva empujando tranquilamente su organillo.

Después de la misa dominical, el padre Pigherzog departía con el alcalde bajo el pórtico de San Nicolás. Para no ser oídos, ambos se habían aproximado tanto que la nariz picuda del alcalde casi pinchaba el mentón de cera del párroco. Esto desagradaba un tanto al alcalde Ratztrinker, no sólo a causa del aliento del padre Pigherzog, sino porque la diferencia de estatura entre ellos quedaba excesivamente de manifiesto. De pronto algo distrajo la atención del párroco, que se volvió hacia el grupo de feligreses que abandonaba la iglesia. Al no encontrar la oreja contigua del sacerdote, la palabra *táleros* asomó bajo el bigote esmaltado del alcalde, quedó flotando y se diluyó como un gas.

Sophie salía del brazo del señor Gottlieb hacia la calle Ojival. El padre Pigherzog giró el cuello, carraspeó y la llamó un par de veces. Fue el señor Gottlieb, no ella, quien atendió a la llamada. Se acercaron al párroco, él sonriendo con amplitud, ella más seria, mientras el alcalde Ratztrinker se despedía diciendo: Mañana hablamos. Al cruzarse con los Gottlieb, el alcalde se rozó el ala del sombrero. Hija mía, dijo el párroco, celebro verte, te he tenido presente en mis últimas oraciones. Eso es muy generoso de su parte, contestó Sophie, ¿debo entender que antes no rezaba por mí? Buen padre, intervino azorado el señor Gottlieb, ya conoce el humor de mi hija. Ya lo creo, dijo el padre Pigherzog, descuide usted, descuide, he estado rezando por ti, querida (el párroco posó una mano sobre una mano de Sophie), y por la mayor de las venturas para tu enlace, ya sabes cuánto aprecio a la familia Wilderhaus y cómo me enorgullece ver a aquella niña curiosa y aplicada, ¿se acuerda, señor Gottlieb?, convertida en toda una mujer y felizmente unida a un hombre devoto, honrado y principal. Se lo agradezco, padre, de todo corazón, dijo ella, aunque faltan más de dos meses para. Precisamente de eso, la interrumpió el sacerdote, quería hablarte: he estado pensando en los detalles de la liturgia, en la missa pro sponso et sponsa, en el acondicionamiento del sagrado recinto, porque, en fin, como parte implicada, ¿me comprendes?, creo que no convendría dejar nada al azar, considerando la repercusión de. Oh, sí, sí, claro, se apresuró a exclamar el señor Gottlieb, faltaría más, nos sentiremos muy honrados de que nos asesore en todo lo necesario, y desde ya le confirmo, en realidad ya lo habíamos hablado, ¿verdad, Sophie, cariño?, desde ya le confirmo que no habíamos dudado ni un instante en encomendarle a usted el buen oficio de la boda, eso es algo, cómo decirle, que dábamos por sentado, de hecho estábamos a punto de solicitarle una reunión para. Naturalmente, naturalmente, sonrió el padre Pigherzog, si tenemos tiempo de sobra, sólo había pensado, ¿sabes, hija?, para facilitar los preparativos, que sería aconsejable reanudar temporalmente nuestras viejas entrevistas, quiero decir, aunque ya no acostumbres, existiendo como existe la obligación de confesarte antes de dar el sí, quería que supieras que me ofrezco a orientarte y a preparar tu alma para recibir en armonía la consagración. Mmm, murmuró Sophie mirando hacia la calle, lo tendré en cuenta, padre, muchas gracias. Estoy seguro, intervino el señor Gottlieb, de que habrá ocasión, ¡serán días tan atareados!, aunque naturalmente su propuesta nos resulta muy. Las entrevistas, lo interrumpió Sophie volviéndose hacia él, serían conmigo. No te noto serena, dijo el padre Pigherzog, ¿hay algo que te preocupe, hija mía?, podemos conversar con toda confianza, ¿estás inquieta por alguna razón?, ¿tienes algún temor en particular? Una siempre teme, padre, suspiró ella, la vida es un temor. Para eso mismo, dijo el párroco, está nuestro Señor que nos socorre cuando más lo necesitamos, no debes afligirte, todos arrastramos pecados y nuestra redención es su constante ofrecimiento, ya lo sabes, el hombre nace pecador. Dígame, padre, contestó Sophie, si el hombre nace ya pecador, ¿cómo puede darse cuenta de que peca?, ¿y las mujeres?, ¿qué hacemos mientras tanto?

¡Pero cómo se te ocurre!, se indignaba entre dientes el señor Gottlieb mientras se dirigían a la calle Ojival, ¡cómo se te ocurre ser tan insolente!, ¿por qué me haces pasar estos bochornos?, ¿dónde tienes la cabeza?, ¿qué te pasa? (Sophie se disponía a responder, cuando se topó con unos ojos quemantes y unos rasgos contraídos vagamente familiares: Lamberg volvió la cara con pudor, después hizo ademán de pararse a saludarla y al final, viendo que ella desviaba la vista, siguió caminando con el torso muy rígido), hija, ¿me escuchas?, ¿estás escuchándome? (sí, sí, dijo Sophie, no hago otra cosa que escucharlo), muy bien, entonces haz el favor de contestarme cuando te hablo, ¿te das cuenta de cómo te comportas con él? (¿con quién?, se desconcertó ella), ¡con quién va a ser, con él, con Rudi!, ¡cielo santo!, ¿pero estás escuchándome o no? (ah, reaccionó ella, ya le he dicho muchas veces que todo va bien, que son sólo los nervios), serán los nervios o lo que tú quieras, pero no puedes darle esa impresión justo ahora, tienes que prestarle más atención, mostrarte cariñosa, ser más solícita (ya no sé si quiere que me convierta en una buena esposa o en una buena actriz), ¡Sophie Gottlieb!, ¡mira!, ¡sabes muy bien que nunca he sido partidario de estas cosas, pero te advierto que estás ganándote unas cuantas bofetadas!, lo único que hago, y no debería hacer falta, es recordarte que no puedes ser tan fría con tu prometido y tan amable con ese hombre, ¿o te piensas que los invitados del Salón no notan nada? (disculpe, ¿qué está insinuando?), ¡yo no insinúo nada, faltaría más!, sólo digo, y te exijo, que a partir de ahora sólo te ocupes de lo importante y le dediques a tu compromiso todo el tiempo que merece (¿dedicarle tiempo, dice?, alzó la voz Sophie, ¿más todavía?, ¿no he dejado de hacer lo que más me entusiasmaba?, ¿no he dejado de trabajar con el señor Hans sólo por complacerlo a usted?, ¿qué quiere que haga ahora?, ¿que deje de pensar?).

A mí lo que me gusta, cof, protestaba el organillero, es salir a trabajar, no puedo quedarme aquí pensando todo el día. Lo que no puede hacer, lo reprendía Hans muy serio, es andar por la calle en ese estado. ¡Pero si no es más que un, cof, un resfriado!, insistía el viejo. Sus palabras sonaban lejanas, como si las mantas que Hans había apilado encima de él amortiguasen su voz.

No había transcurrido una semana desde su regreso a la plaza, cuando el organillero había tenido que volver a guardar cama. La brisa húmeda y la lluvia intermitente le habían provocado un enfriamiento. Ahora las toses era más largas, venían del pecho. La fiebre tardaba en bajar. Los huesos le dolían uno por uno. Envolviéndolo entre lanas, Hans lo ayudó a incorporarse y lo acompañó a orinar. De su mínimo miembro goteó con dificultad un líquido oscuro que horadó la escarcha.

Si Lamberg consideró la posibilidad de pararse a saludar a Sophie en la calle Ojival, fue sólo porque ella se había mostrado más afable de lo esperado en las dos o tres ocasiones en que habían coincidido. Lamberg tenía una opinión muy clara sobre los wandernburgueses como los Gottlieb: el apellido y las ropas les importaban más que las personas y sus actos. Él siempre había desconfiado de Sophie, pero la sencillez con que se había comportado en la cueva le había hecho recapacitar en parte. Por eso mismo le dolió tanto que, mientras él se atrevía a sonreírle y se decidía a acercarse, ella pasara de largo ignorándolo. ¿Se lo iba a contar a Hans al llegar a la cueva? No, para qué: él la justificaría. Qué idiota soy, se decía atravesando a paso furioso el camino del puente, nunca aprendo.

Lamberg vio al organillero menos pálido que la tarde anterior, aunque todavía bastante desmejorado. Al verlo entrar, el viejo soltó la cuchara y trató de levantarse. Hans lo detuvo suavemente y volvió a arroparlo. Álvaro, que acababa de llegar, le extendió una botella de aguardiente. Lamberg la rechazó con un movimiento seco que alarmó a Franz. Muchacho, dijo el organillero, al aguardiente nunca se le dice que no, ¡lo saben hasta los perros! Lamberg se permitió la segunda sonrisa del día, se sentó junto al jergón y levantó la botella.

La estatura del fuego se doblaba. El aire frío iba y venía como un columpio. El caballo de Álvaro ya no estaba. No quedaba aguardiente. ¿Y usted?, preguntó Lamberg, ¿qué ha soñado? Esta misma mañana, dijo el viejo, antes de despertarme soñé con un montón de mujeres en fila levantando la mano, ¿y sabes lo más curioso?, todas vestían de negro, menos una. ¿Y eso por qué?, se interesó Hans. ¿Y cómo quieres que lo sepa?, contestó el organillero, ¡era un sueño!

Así como los álamos del río sujetaban peor las hojas, así como las aguas del Nulte empezaban a escarcharse, así como las calles se volvían resbaladizas, los ánimos de Sophie y de Hans tiritaban, perdían firmeza. Cada vez les resultaba más complicado verse a solas. Las murmuraciones ya no eran una posibilidad o una vaga vigilancia, sino una rutina estricta que los acechaba en cada calle, cada esquina, tras los visillos de cada ventana. Antes de detenerse en la posada Elsa y Sophie debían rodearla, acercarse progresivamente a la puerta, mirar en todas direcciones, deslizarse con sigilo. Inconstantes, las citas se acortaban: oscurecía temprano y ellas regresaban antes a casa. A causa del horario o la precipitación, algunas tardes Elsa no podía visitar a Álvaro, lo que empeoraba su humor y su predisposición a encubrir las salidas de Sophie. Ella no siempre lograba mantener la calma con su padre y el trato cariñoso con su prometido. Tampoco Hans podía evitar acordarse de Dessau. Ahora de tarde en tarde discutían.

Yo no he dicho que quiera irme, contestó Hans removiendo las mantas. Antes de conocernos yo siempre viajaba, bueno, sólo quería saber si, llegado el caso, te atreverías a seguir viaje conmigo. Sophie se enderezó, tiró de la manta hacia su lado y dijo: *Llegado el caso* no me quedaría más remedio que recordarte que estoy a punto de casarme y que no puedo dejar solo a mi padre, y mucho menos causarle un escándalo. No lo olvides, te lo he dicho muchas veces: no es tan fácil salir de aquí. Al fin y al cabo, igual que yo podría irme contigo no sé adónde, tú también podrías seguir en Wandernburgo para estar conmigo, ¿no?, lo digo llegado el caso.

Se despidieron en círculos, sin darse ningún beso concluyente, como quienes ignoran cuándo volverán a encontrarse. Junto a la puerta, él se ofreció a acompañarla hasta la fuente barroca. ¿Salir juntos?, dijo ella, ¿estás loco?, ya hay bastantes habladurías, es mejor que vaya sola como siempre. Pero ahora es distinto, insistió él, está más oscuro y hay menos gente en la calle, puedo ir detrás de ti disimulando, sólo son unos minutos, si nos cubrimos bien nadie va a reconocernos. Amor, de veras, contestó ella calzándose los guantes y plegando en tres el chal de cachemira, te lo agradezco, tengo que irme.

Sophie se asoma a la calle del Caldero Viejo. Mira a izquierda y derecha, se ciñe el tocado y echa a andar. El contraste entre la tibieza de sus mejillas y la destemplanza del aire le causa cierto efecto de adversidad en el ánimo. Piensa que Elsa debe de estar impaciente y aprieta el paso. Todavía siente una cosquilla de humedad entre las piernas. Aunque incómodo, ese eco le arranca una sonrisa. Una luna mordida trepa el cielo.

Cerca de la esquina de la calle Ojival, incrustada en la penumbra entre dos faroles, la figura del abrigo largo oye llegar unos zapatos femeninos. Entrecierra los ojos, calcula la distancia, se coloca la máscara. Cuando Sophie cruza la esquina, espera unos segundos antes de despegar la espalda del muro. Se pone en marcha despacio. Sale del callejón del Señor y empieza a seguirla. Camina tras ella sin acercarse. Sophie oye o intuye algún movimiento detrás. Contiene la respiración para afinar el oído: sólo reconoce sus propios pasos, asustados de sí mismos. Sigue avanzando inquieta. Se vuelve a medias. No ve a nadie. Aun así, se da prisa. El enmascarado reduce poco a poco la distancia entre ambos, poniendo extremo cuidado en que sus zancadas golpeen el suelo a la vez que los nerviosos pies de su víctima. En doce o quince pasos, contabiliza, estará lo suficientemente cerca. En diez o doce pasos. En ocho o diez, apenas. A pocos metros de lo inevitable, Sophie tiene la idea afortunada de frenarse bruscamente. Sorprendido, el enmascarado no puede contener un par de pasos en falso antes de quedarse quieto. Ella oye resonar con claridad esas pisadas que no son suyas. Entonces reacciona. Deja caer al suelo todo: la sombrilla plegada, el chal, el bolso inútil. Toma impulso. Y rompe a correr con todas sus fuerzas, chillando a voz en cuello. El enmascarado tiene un instante de confusión: por lo general, sus víctimas tratan de huir cuando él se encuentra a menor distancia. Inicia la carrera contrariado, calculando el tiempo del que dispone hasta el final del callejón. Tras recuperar la mitad del terreno, sospecha que no podrá darle alcance antes de aproximarse peligrosamente a la siguiente calle, que está mucho mejor iluminada. Sin renunciar todavía a la persecución, reduce la velocidad. Sophie gana la esquina de la calle del Alfarero y entra en ella pidiendo auxilio. El enmascarado se detiene en el acto, da media vuelta y echa a correr en sentido contrario, hacia la oscuridad. En ese momento se oye el silbato de un sereno que se acerca agitando su farol.

A la mañana siguiente, Sophie se presentó con Elsa en la comisaría central de Wandernburgo. Las secundaba un adormilado Hans, que acababa de recibir una nota urgente y había salido a toda prisa hacia la calle de la Espuela. Dirección que milagrosamente, siguiendo el plano garabateado por Sophie, había encontrado al primer intento. Frente a la puerta de la comisaría, Hans supo del ataque fallido del enmascarado y apenas logró callar el reproche que de todas formas leyó en los ojos asustados de Sophie. Ella había decidido no decirle nada a Rudi, y mucho menos a su padre: hubiera sido el motivo que le faltaba para prohibirle salir de casa. Cuando Sophie terminó de contárselo, Hans la abrazó imprudentemente y ella no se lo impidió. Elsa carraspeó, ambos se separaron. Antes de entrar en la comisaría, Sophie echó un vistazo al aspecto de Hans y le pidió que se quitara el birrete. ¿No te lo habían robado?, le dijo al oído. Sí, contestó él guardándolo, pero tenía otro de repuesto. ¿Y dónde los consigues?, se extrañó ella, ¡llevan años prohibidos!

Herein!, se escuchó al otro lado de la puerta. El gendarme que los había escoltado se apartó para que Sophie, Elsa y Hans ingresaran en la oficina del comisario. El comisario era un hombre indefinido, fofo, del todo olvidable salvo por un detalle sutilmente aterrador: hacía castañear los dientes cuando hablaba, como si su dentadura llegara una fracción de segundo tarde a sus palabras, o como si un apetito incontrolado lo llevase a masticar lo que iba diciendo. Escuchó los balbuceos de Sophie, alzó un brazo para interrumpirla, ordenó que la condujeran a la oficina contigua. Y, entrechocando los dientes, mandó llamar al teniente Gluck y al subteniente Gluck.

Tras descubrirse ante su superior, el joven teniente Gluck puntualizó en voz baja: Teniente, mi señor comisario, ya teniente. El comisario castañeó un «ah» y, dirigiéndose al otro, dijo: Teniente Gluck, estará satisfecho del teniente Gluck. Desde luego, mi señor comisario, asintió el padre, estoy muy orgulloso de mi hi, del subte, del teniente, mi señor comisario, muchas gracias. De nada, teniente, castañeó el comisario, a mí siempre me interesan los progresos de mis hombres. Y hablando de progresos, ¿qué novedades hay en la investigación?, ¿tenemos sospechosos firmes?, la gente está nerviosa, los políticos preguntan. El joven teniente Gluck dio un paso al frente para contestar: Así es, mi señor comisario. ¿No me diga, subteniente?, se interesó su superior. Teniente, comisario, teniente, puntualizó el joven. Bueno, intervino su padre, en realidad no hay nada totalmente confirmado, mi señor comisario, sería conveniente no darlo por seguro todavía, ya sabe usted, con la ansiedad pública que ha generado el caso sería imposible rectificar un error. ¡Al contrario, al contrario!, castañeó el comisario, cuanto antes les demos un culpable más tranquilos nos quedaremos todos. Y opino que es probable que haya sido un judío. ¿Usted cree, mi señor comisario?, se asombró el teniente Gluck. Le recuerdo que hace nueve años, explicó el comisario, ya tuvimos un violador judío. No podemos descartar que este sea el segundo. Entiendo, dijo el teniente Gluck, es una buena hipótesis, mi señor comisario, la tendremos muy en cuenta. Espero, castañeó por última vez el comisario, que lo finiquiten enseguida, tenientes, esto se demora demasiado. Pueden retirarse. Vorwärts!

En cuanto salieron de la oficina principal, el teniente Gluck se arrimó a su hijo para decirle: No debes hablarle así al comisario, un subteniente no puede... Un teniente, insistió el teniente Gluck. Un teniente tampoco, se disgustó el teniente Gluck, y no seas atolondrado. Como usted diga, padre, dijo el teniente Gluck. Teniente, llámame teniente, lo corrigió su padre.

El teniente Gluck interrogaba a Sophie. Su padre guardaba silencio con la mirada perdida en el ventanuco del fondo. El despacho, mucho más pequeño que la oficina del comisario, olía a humedad estancada. El joven teniente tomaba notas de pie y, cada vez que Sophie vacilaba, daba vueltas alrededor del escritorio carcomido. ¿Es todo lo que recuerda?, preguntó arrojando la pluma en el tintero (la tinta tembló, lamió los bordes del recipiente, amagó con rebosar, se aquietó poco a poco), ¿está completamente segura de que no vio ningún otro detalle del agresor?, ¿cabello?, ¿color de piel?, ¿tamaño de las manos?, ¿nada? Ya le he dicho que había poca luz, contestó Sophie, y podrá figurarse que estaba demasiado ocupada huyendo como para fijarme en esas cosas. ¿Y el olor?, intentó el teniente, ¿algún olor en particular, aliento, sudor, algo? No se me acercó tanto, negó ella cabizbaja, de verdad, caballeros, siento muchísimo no poder serles de más ayuda. Lástima, dijo el teniente. Disculpen, intervino Hans, ¿y no se puede hacer nada más?, no sé, ¿y si montamos guardia por las noches fingiendo que paseamos?, me imagino que sus gendarmes no darán abasto, y serenos tampoco se ven muchos. Señor mío, contestó molesto el teniente, ya hemos organizado numerosas guardias especiales sin ningún resultado. Volver a hacerlo ahora serviría de poco, el enmascarado jamás ataca dos días seguidos, ni siquiera dos semanas seguidas. Es extremadamente paciente. Reincide por sorpresa, sin precipitarse. Aparece y desaparece. Como si se lo llevara el aire. Sophie (soltando los largos dedos que había mantenido entrelazados durante el interrogatorio, frotándolos contra las mangas del vestido, acariciando el borde dañado del escritorio) dijo con un nudo en la garganta: Pues ojalá lo atrapen pronto, señores, ayer me escapé por los pelos, pero la próxima vez quizá no tenga tanta suerte, ¡si hubiera tardado unos segundos más, Dios mío, no quiero ni pensarlo! Muy bien, señorita, suspiró el teniente, le agradecemos su testimonio. Puede marcharse a casa. Le sugerimos que redoble las precauciones y nos alegramos de que haya sido tan veloz. En fin, susurró Sophie levantándose, tampoco fui tan rápida, sólo iba advertida, una lee el periódico.

Al escuchar esto último, el teniente Gluck padre (que había permanecido ausente con la mirada fija en el ventanuco) se volvió de golpe para preguntar: Espere, espere, ¿entonces cuándo dice que empezó a correr? Casi sobresaltada por la voz del otro teniente, Sophie dijo: Perdone, ¿a qué se refiere? Le pregunto, explicó él, cuándo inició usted exactamente la huida. Acaba de decir que en realidad no fue tan rápida. ¿Por qué el enmascarado no pudo darle alcance?

Sophie volvió a tomar asiento y les relató de nuevo la persecución, mencionando esta vez la pequeña frenada que le había permitido descubrir que la seguían. Aparentemente entusiasmado, el teniente Gluck padre quiso saber por qué antes había omitido ese detalle. Sophie contestó que no había pensado que fuera importante, y que además todas las preguntas habían estado referidas a su perseguidor y no a ella misma. El teniente le rogó que reprodujera la situación de ambos en el callejón con la mayor exactitud posible, y calculase la distancia aproximada que los separaba en el momento en que ella había soltado sus cosas y echado a correr. Tras escucharla con los ojos cerrados, el teniente insistió: ¿Está segura de que la distancia entre los dos era más o menos esa?, ¿y dice que aun así no consiguió alcanzarla antes de llegar a la esquina siguiente? Sophie asintió, pálida. Entonces el teniente Gluck miró al teniente Gluck, dejó caer sus años en una silla y exclamó: ¡Excelente, excelente! Hijo mío, ahora sí. Señorita, es usted un encanto.

Repartidas por los rincones, dobladas entre repisas, extendidas a lo largo del edredón naranja, apiladas encima de la cómoda, separadas por cajas y tamaños, las prendas del ajuar de novia invadían la alcoba de Sophie. Elsa, que desde hacía meses cumplía con la tarea de recolectarlas, enumeraba cada pieza y revisaba la lista. Apoyado en el marco de la puerta, tirándose de las puntas del bigote como quien iguala unos cordones, el señor Gottlieb supervisaba el recuento. Sentada en un rincón, Sophie bostezaba con disimulo.

A ver, recapituló Elsa, la lencería: medias de hilo y de seda, lisas y con calados, enaguas, subcorsés, hasta aquí bien, los complementos, puños, cofias, bordados de camisolines, yo diría que tres juegos de docena serán suficientes, ¿no, señor? ¡Pero qué dices!, contestó el señor Gottlieb, ¿cómo tres?, deberían ser cuatro como mínimo, ¡qué digo cuatro, habría que contarlo todo por seis docenas! (padre, intervino Sophie, no exagere, ¿para qué gastar tanto?), hija querida, no estamos aquí para escatimar gastos sino para hacer las cosas como es debido, ¡tú te mereces eso y mucho más!, y descuida, que cuando seas una Wilderhaus no hará falta preocuparse del ahorro, en fin, Elsa, seis docenas entonces, continúa. Como usted disponga, señor, recitó Elsa: batas de tul claro para verano, de muaré oscuro para invierno, camisolas varias, zapatillas de raso, sí, correcto, sábanas de brocado y damasco, fundas de organdí para almohadas (¿organdí?, dijo Sophie, ¿para las almohadas?), así dormirá usted más cómoda, señorita, cobertores, cobijas, toallas de baño, toallitas de aguamanil, faciales, de reserva para invitados tres, digo seis docenas, ¿no?, está todo, faltarían tres de cada. (Insisto, protestó Sophie, en que no necesito ni la mitad, esto es absurdo.) Me duele, hija, mucho, la reprendió el señor Gottlieb, que hables así sabiendo durante cuántos años ha ahorrado tu padre para este momento, y conociendo las privaciones que pasó tu madre, a quien Dios tenga en su gloria, que tan dichosa se hubiera sentido viendo la abundancia de la que gozarás. Yo sólo quiero, hija, ¿tan difícil te resulta entenderlo?, que jamás te falte nada para poder tener una vejez en paz, con la conciencia tranquila y mi deber cumplido. Y la ingratitud no es, Sophie, la mejor manera de retribuirme ese esfuerzo. ¿Algo más, Elsa? (Vencida, Sophie guardó silencio y dejó caer los brazos.) Sí, reanudó Elsa, tres trajes entallados, un abrigo de nutria, una estola de marta, cuatro sombreros nuevos, ¿está bien dos de pluma y dos de flores, señor? No lo sé, dudó él, dóblalo todo por si acaso. Como usted disponga, señor, recitó Elsa, ¿y las marcas?, ¿qué hacemos con las marcas de la señorita?, ¿punto de cruz con hilo blanco? Nada de punto, la corrigió el señor Gottlieb, ¡bordado, todo bordado! (pero yo bordo mal, padre, le recordó Sophie), ¡que lo haga Elsa, demonios, que para eso está!, y vayamos terminando, que pronto llegarán los invitados.

A mitad de la tarde Hans se fijó en la leña que ardía en la chimenea de mármol: la encontró escasa para las dimensiones de la sala. Mirando en derredor, le pareció que las bujías eran menos blancas y olían quizá peor, por lo que sospechó que serían de una cera más barata que de costumbre. Los zapatos de charol de Rudi Wilderhaus crepitaron, sus hombros puntiagudos se crisparon y, por un instante, Hans creyó ver en él un candelabro de dos brazos. Sólo entonces volvió a escuchar sus palabras, a las que hacía rato no prestaba atención: Poco más de dos meses, pronunció Rudi. ¿Apenas?, se entusiasmó la señora Pietzine, ¡dos meses pasan volando! Sonriendo con satisfacción, Rudi le tomó una mano a Sophie, que se la cedió blandamente, y anunció: La luna de miel será en París. ¡Oh, mis queridos, oh!, redobló su emoción la señora Pietzine. Hans le rozó un codo a Álvaro. Este le susurró al oído: ¡*Coño*, qué original! La señora Pietzine interceptó la mueca sarcástica de Hans y levantó la voz:

Niña mía, los hombres jamás entenderán lo que significa la ceremonia para nosotras. Entrar en la iglesia de blanco, entre los acordes del órgano. Avanzar tomada del brazo, en medio de la nube de incienso. Contemplar de reojo a todos nuestros amigos y parientes reunidos por única vez, sonriéndonos entre lágrimas. Los hombres no pueden ni siquiera imaginar la intensidad del sueño que acariciamos desde jóvenes. Pero años después, querida, créeme, ese termina siendo el gran recuerdo de nuestras vidas, del que una no olvida el menor detalle: los mosaicos de flores, los cirios ardiendo, el canto de los niños del coro, la voz del sacerdote, el anillo en el dedo temblando, la bendición sagrada y sobre todo, ¿verdad, querido señor Gottlieb?, el abrazo del padre orgulloso. Hans intentó cazar los ojos de Sophie en el espejo. Ella los desvió manteniendo una sonrisa vacía.

La voz cúbica del profesor Mietter lo devolvió a la tertulia. ¿Y usted, Herr Hans, qué opina?, dijo el profesor, ¿coincide con Pascal? Sin saber si ironizaba, Hans optó por contestar: Si lo dice Pascal, no tengo inconveniente. Creo que Pascal dijo también que casi nadie sabe vivir en el presente. Eso me pasa a mí, así que les ruego que disculpen mis distracciones. Hablábamos, lo socorrió Sophie, de si Pascal tenía razón en que es peligroso hacerle ver al pueblo que una ley es injusta, porque el pueblo obedece las leyes precisamente por creerlas justas. Ah, improvisó Hans, mmm, una idea profunda, y quizá falsa, ¿no?, quiero decir que muchas leyes justas nacen después de que los pueblos se rebelen contra una ley injusta. Eso depende, dijo el señor Levin, eso depende. Con su permiso, intervino Álvaro, me gustaría citar un pensamiento de Pascal que encuentro deliciosamente republicano, «el poder de los reyes se fundamenta en la locura del pueblo», creo que eso nos aclara la cuestión de la ley. Válgame Dios, se lamentó el profesor Mietter enderezándose la peluca, ¡Pascal se merece algo más que demagogias!

El profesor Mietter parecía sediento de debate, exasperadamente dialéctico. Fíjese usted que el otro día, Herr *Urquiho*, contaba ahora el profesor, estuve repasando la traducción de

Tieck del *Quijote*, que para serle sincero no encontré tan superior a la de Bertuch (¿cómo que no?, reaccionó Hans, ¡si Bertuch le cambió hasta el título! ¿De veras?, se sorprendió Álvaro, ¿y cómo le puso? *¡Vida y milagros del sabio terrateniente don Quijote!*, contestó Hans, imagínate qué espanto. Y qué malentendido, agregó Álvaro, porque Alonso Quijano apenas posee tierras, y además tiene la virtud de fracasar en cada milagro que se propone. El único milagro, rió Hans, fue el de Bertuch, que aprendió español traduciendo el *Quijote*), puede ser, caballeros, puede ser. De todas formas, no me digan que no es gracioso que un romántico militante como Tieck haya traducido un libro que parodia todos sus idealismos. La traducción más acertada para mí es la de Soltau (demasiado anacrónica, negó Hans), alles klar, lo felicito, es usted más minucioso que yo, en fin, a lo que íbamos, el otro día releyendo el *Quijote* pensé: ¿no es don Quijote un conservador al fin y al cabo, un conservador en el mejor de los sentidos?, ¿por qué lo identifican con un héroe revolucionario, si lo que más añora es que la historia se detenga y el mundo vuelva a ser como antes, si en realidad es un nostálgico del feudalismo? (ah, despertó Rudi cerrando su cajita de rapé, ¡por algo lo llamaron sabio!), por otra parte, caballeros, para mí el discurso más brillante de todos, no sé qué opinarán ustedes, es el de las armas y las letras (estimado profesor, bromeó Hans, espero que no lo defraude saber que casi estamos de acuerdo), ¡caramba, joven, qué excepción tan grata! En ese discurso don Quijote refuta una división que por desgracia sigue vigente: la potencia física por un lado, la intelectual por el otro. Incluso me atrevería a decir que la cosa ha empeorado, porque hoy las letras mismas han sido divididas entre artes y ciencias, lo que prueba una vez más la decadencia de Occidente. ¿Cómo separar la sensibilidad del raciocinio?, ¿y cómo negar que una preparación física deficiente perjudica el entendimiento?, yo, por ejemplo, leo mucho mejor después de hacer gimnasia (pero don Quijote, objetó Hans, no hablaba de la fuerza física sino de la bélica), se equivoca, hablaba de ambas, que además son la misma, la guerra es tan necesaria para la paz de los pueblos como la fuerza física para la paz del espíritu (no nos venga con eso, dijo Hans, las guerras no se hacen para darle paz al pueblo, y la fuerza rara vez se utiliza para bien del espíritu. Bueno, intervino Álvaro, en eso el profesor tiene razón, algo así dice don Quijote en el discurso de las armas y las letras, ¿no?, «las armas tienen por objeto la paz, y esta paz es el verdadero fin de la guerra». Dicho así, contestó Hans disgustado, lo firmaría la Santa Alianza), ¡o Robespierre, Herr Hans, o Robespierre! (es que a mí, profesor, se enfadó Hans, Robespierre me asquea tanto como Metternich. ¿Qué?, se exaltó Álvaro, ¿estás hablando en serio?), caballeros, no saben cuánto me divierte verlos a ustedes dos discrepando (por favor, amigos, se deslizó Sophie, no perdamos la calma, estas reuniones sirven justamente para discrepar, de lo contrario no tendrían sentido. Les ruego que no se alteren. En cuanto a ese admirable discurso, desde mi inmensa ignorancia quisiera recordarles que quien compara las armas con las letras, nuestro héroe de la Mancha, se hace caballero por virtud de las letras, no de las armas. Y por cierto habla mucho más de lo que pelea, y antes que batallas gana discusiones. Elsa, cielo, ¿nos traes las pastas?).

Ah, no, disculpe usted, precisaba el profesor, si hablamos de Calderón hablamos de un poeta antes que de un dramaturgo, esto es algo evidente si se estudian los versos de sus dramas, siempre están muy por encima de la acción. Por otra parte, dicho sea con todos mis respetos, lieber Herr Gottlieb, porque sé que usted lo aprecia, en las flores poéticas de Calderón hay demasiada agua bendita. Una cosa es la fe y otra el furor litúrgico. Caramba, profesor, dijo Álvaro, ¡qué tarde tan española tiene! Tan española, contestó el profesor Mietter, como la confusión que acabo de mencionar. No se lo niego, sonrió Álvaro, no se lo niego. Para poetas católicos me quedo con Quevedo, que podía ser reaccionario pero jamás beato, ¡Dios mío, y con perdón, qué maldad maravillosa la suya! Lo que me impacienta de Calderón son sus autos sacramentales, ¡esos ricos y pobres iguales en la muerte, esos reyes unidos al final con sus vasallos!, ¿qué hubiera dicho Sancho Panza de *El gran teatro del mundo*? Estimado amigo, dijo con gravedad el profesor, es que si algo nos iguala, eso es la muerte. Es una verdad irremediable, y una idea teatral poderosa: escuchar a los muertos si pudieran saber qué les espera. Sólo politizando la filosofía se puede dudar de semejante cosa. Mire, contestó Álvaro, si el mundo de los vivos es un teatro, entonces Calderón se olvidó de describir las bambalinas. Tanta curiosidad por el más allá disimula las evidencias del más acá. Fíjese que Cervantes hizo justo lo contrario en el *Quijote:* conmovernos con las desigualdades, las injusticias terrenales, las corrupciones cotidianas. En cambio la muerte del personaje, y lo que pase después, apenas importa. Cómo no va a importar, objetó el profesor, ¡si Quijano se retracta mientras agoniza! Quijano se retracta, dijo Álvaro, pero don Quijote no.

Qué interesante, intervino la señora Pietzine, ¡yo adoro el *Quijote*! No lo he leído entero, pero hay episodios encantadores. Y usted, querido señor *Urquiho,* como lector español, ¿con quién se quedaría?, ¿con don Quijote o Sancho?, ¡espero no ponerlo en un aprieto! Señora, dijo Álvaro, no hay elección posible, la historia los necesita a los dos, y ninguno tendría sentido sin el otro. Don Quijote sin Sancho parecería un viejo sin rumbo y no sobreviviría ni una semana, y Sancho sin él sería un gordito conformista y perdería la curiosidad, que es su mayor tesoro. De acuerdo en todo, observó Hans, menos en una cosa: don Quijote no tiene rumbo, y ese es su secreto. «Prosiguió su camino», ¿te acuerdas?, «sin llevar otro que aquel que su caballo quería, creyendo que en aquello consistía la fuerza de las aventuras». Si no hay caballero sin escudero y viceversa, sin Rocinante no habría libro. Qué interesante, se admiró la señora Pietzine, ¡y estas pastas están de-li-cio-sas!, Sophie, querida, felicita a Petra de mi parte. Ah, se burló Rudi con una mota de rapé en la punta de la nariz, ¡por fin un comentario razonable!

Después de varios días de fiebre, toses y náuseas, el organillero accedió a ser visto por un médico. Y conste, cof, había declarado, que lo hago para que tú y Franz dejéis de preocuparos.

Hans lo lavó para la ocasión. Los músculos le colgaban como una cuerda suelta.

El doctor Müller llegó en carruaje. Hans lo esperaba al final del camino del puente. El doctor descendió de forma temeraria y se acercó dando saltitos: parecía caminar con los tobillos amarrados. ¿Nos conocemos de algo usted y yo?, preguntó el doctor. No creo, contestó Hans, aunque quién sabe. Qué extraño, dijo el doctor Müller, su cara me resulta familiar. Y casi nunca, no es por presumir, me olvido de una cara. A mí me pasa al revés, dijo Hans guiándolo a través del pinar, yo confundo las caras todo el tiempo.

Entraron en la cueva. Lejos de manifestar ningún asombro, el doctor Müller fue directo hacia el jergón del organillero. Lo contempló interesado, asintió varias veces, se echó al cuello un aparatoso estetoscopio (es francés, aclaró), auscultó al paciente y anunció: Este buen anciano padece pénfigo. ¿Qué cosa, doctor?, preguntó Hans ansioso. Pénfigo, contestó Müller, no es nada infrecuente. ¿O sea?, insistió Hans. Ampollas, explicó el doctor, ampollas cutáneas, en este caso sobre todo en las manos. Quizás el hombre ha trabajado con las manos, o al menos esa es mi impresión. Correcto, dijo Hans, ¿pero eso qué tendría que ver con su estado? ¿Con las fiebres y las toses?, dijo Müller, oh, poca cosa. Más bien nada. Pero en cuanto lo he visto lo detecté enseguida. Sin dudarlo. Pénfigo. ¿Y lo demás, doctor?, se impacientó Hans. Müller divagó sobre taras nerviosas, hervores, gripes mal curadas, la edad, el mal de huesos. En fin, concluyó el doctor Müller, no es grave. O, ya sabe usted, podría serlo.

Tras examinar con más detenimiento al organillero, el doctor Müller le recetó purgas corrientes de acíbar cada ocho horas. Media docena de ungüentos pectorales, uno por día, descansando los domingos. Enemas atemperantes matutinos, con tripa de gallina para su mejor deslizamiento. Emplastos de bizma por las tardes. Sinapismos de mostaza amarga después de la cena. Vinagre de Pomerania con cada comida. Cataplasmas de alholva para suavizar las digestiones. Cinco gramos de melisa desmenuzada para evitar las náuseas. Diez gramos de marrubio hervido y bien colado para la tos mediana. Cuatro tacitas de bayas de enebro al primer síntoma de tos convulsa y, en cuanto le bajara la fiebre, otras cuatro tacitas de infusión de árnica y culantrillo para facilitar las expectoraciones. Raíz de mandrágora con granos de pimienta macerados para combatir la debilidad. En caso de que el enfermo evacuara demasiado, raíz de bistorta a discreción. Y, si tuviera dolores agudos o antojo de bebida, un cóctel de lilas cocidas en leche y aguardiente. Por último, como recurso extremo ante la falta de mejoría, frotaciones enérgicas de hoja de celedonia en la frente y en las sienes.

¿No es demasiado, doctor?, preguntó Hans tomando nota. Dígame, se ofendió el doctor Müller, ¿conoce usted el método Reil?, ¿la anatomía experimental de Carus?, ¿los fluidos animales de Mesmer?, bien, entonces, si es usted tan amable, tenga confianza en la ciencia. Eso intento, resopló Hans, ¿alguna otra cosa? No, creo que no, contestó Müller pensativo, o sí, dedíquele al paciente unas cuantas oraciones, que no cuesta ningún trabajo y nunca está de más. En eso, dijo Hans, ya no puedo prometerle nada. Comprendo, sonrió el doctor, despreocúpese, yo tampoco soy hombre de grandes devociones. Lo que ocurre es que a veces los pacientes sienten más alivio con la oración que con el tratamiento.

El viejo parecía dormir plácidamente. El doctor Müller plegó su estetoscopio francés y se enderezó de un salto. Franz emitió dos ladridos. Bien, dijo Müller dando un rodeo para evitar a Franz, misión cumplida, ¿verdad?, en fin, me voy, o sea. ¿Cuánto?, preguntó Hans. Por ser usted, contestó el doctor, cinco florines. El organillero entreabrió un ojo vidrioso e intervino por sorpresa: ¡Hans, cof!, ¡no pases de tres táleros!, ¿me oyes?

Últimamente, cada vez que salía a la calle, Sophie notaba que la observaban. Que estudiaban sus gestos. Que cotejaban lo que veían con lo que habían escuchado. Que le miraban, por ejemplo, el talle. Que le miraban con insistencia el vestido y el vientre, que la escrutaban de perfil como por si acaso. Al principio no estuvo segura. Le costaba distinguir los rumores exteriores de sus temores íntimos, el juicio ajeno de sus propias prevenciones, y trató de convencerse de que no. Hasta que cierta mañana una señora vagamente conocida la había saludado de manera extraña, le había dado los buenos días entrecerrando los ojos, unos ojos pintarrajeados, atentos, y había comentado: Querida mía, la encuentro, cómo decírselo, de lo más saludable, ¿no le parece?, como más generosa y radiante, claro que hoy, ya se sabe, la ropa de mujer la cosen de una forma...

De nuevo en casa, turbada, Sophie había corrido a pesarse en la báscula. Entonces averiguó que no sólo no había engordado, sino que había perdido casi dos kilos desde el verano.

Una tarde, después del almuerzo, Elsa y Sophie salieron con el pretexto de hacer unos encargos para completar el ajuar. En la esquina de la calle del Caldero Viejo se toparon con la señora Pietzine. La señora Pietzine se mostró afectuosa, aunque sin abandonar cierto rictus de preocupación que incomodó a Sophie. Antes de despedirse formó un anzuelo de seda con un dedo índice, indicándole a Sophie que se acercara. Elsa se distanció dos pasos y se puso a contemplar los carruajes que pasaban.

Sólo le pido eso, que lo piense, susurraba la señora Pietzine, no vaya a ser que tire por la borda algo tan prometedor, un futuro tan privilegiado, por un afán insensato. Y no me mire así, se lo suplico, que soy su amiga. No sé si usted me considerará así, pero yo soy su amiga, y como tal le digo, es mi consejo, que procure que no la pierdan las pasiones. Mi apreciada señora, contestó Sophie en tono helado, esas son frases dignas de su confesor. ¡No sea injusta conmigo!, replicó la señora Pietzine con desconocida firmeza, y seamos sinceras de una vez, que es algo muy difícil en esta maldita ciudad. Sí, maldita, y sé perfectamente que usted opina igual. La comprendo muy bien, querida amiga, ¡una chica como usted!,

¡con su carácter!, ¿cómo no voy a comprenderla? No me refiero al pecado, me refiero al tiempo: las pasiones nos pierden, ¿sabe por qué?, porque les damos todo lo que tenemos, lo que hemos tardado media vida en ganar, por una recompensa que dura muy poco. Pero después de esa pasión hay que seguir viviendo, escuche lo que le digo, ¡hay que seguir viviendo, pase lo que pase! Al final, lo único que una tiene es lo que a veces rechaza: la familia, los amigos, los vecinos. No hay otra cosa que dure. Y no lo olvide, Sophie, una no es joven siempre. Todas lo sabemos, claro, pero preferimos no pensarlo hasta que es tarde. Cuando una es joven y alegre no quiere aceptar que su alegría se la debe a la juventud misma, y no a las decisiones imprudentes que va tomando. Pero un día se dará cuenta, ¡escúcheme!, de que ha envejecido. Sin remedio. Y lo que tenga ese día será lo único que tenga hasta el último día. No la molesto más, querida. Buenas tardes.

Tendida junto a Hans, con la frente arrugada y un pezón asomando por encima de la manta, Sophie disipó el silencio. ¿Sabes?, dijo, viniendo a la posada me encontré con la señora Pietzine y me dijo unas cosas terribles. Esa pobre mujer, contestó Hans, es una entrometida, no deberías escucharla. Una no debería escuchar a casi nadie, continuó Sophie, pero no es así de fácil. No es posible vivir como si estuviéramos solos, Hans. Además creo que la señora Pietzine no lo hizo con mala intención, yo sentí que quería ayudarme. Que estaba equivocada, pero quería ayudarme. Sí, claro, resopló él, ¡aquí todos quieren ayudarte a resolver tu vida!, ¡y los que más, los Wilderhaus, con su hijito a la cabeza!

El vientre de Sophie, sobre el que Hans apoyaba una oreja, se endureció de pronto. La escuchó contestar: ¿Cómo te atreves a criticar a alguien que me sigue queriendo a pesar de los rumores? Siempre hablas de largarte, pero opinas de los wandernburgueses como si te incumbieran. ¿En qué quedamos?, ¿estás aquí o no estás? No estoy criticando a Rudi, se defendió Hans, me preocupo por ti. Sabes muy bien que ese matrimonio no es lo que necesita una mujer como tú. ¿Y tú cómo lo sabes?, se indignó ella, ¿o tú también vas a decirme lo que debo hacer?, ¿quién te ha dicho a ti lo que yo necesito? ¡Tú!, gritó él, ¡me lo has dicho tú!, ¡aquí, entre estas cuatro paredes, de mil maneras distintas! Hans, suspiró ella, he llegado a aplazar mi boda por ti. No me hables como si no supiera lo que siento. ¿La aplazaste por mí?, preguntó él, ¿o fue por ti, por tu propia felicidad?

Sophie no contestó. Hubo una pausa. De pronto Hans se oyó a sí mismo decir: Ven a Dessau. ¿Qué?, se incorporó ella. Eso, ven, repitió él, te lo estoy pidiendo. Pero mi vida, dijo Sophie, yo no puedo irme así como así. O sea, dijo él, que no soy suficiente motivo para irte. No entiendo cómo esperas tanto de tu amante y tan poco de tu esposo. Eso es distinto, dijo ella. Yo no tengo expectativas con Rudi, contigo sí, ¿entiendes? Por eso a ti te pido algo, Hans, te pido que te quedes. Me angustia no saber si vas a estar mañana. A ti lo que te angustia, murmuró él, es no atreverte. ¿Y tú qué?, gritó Sophie, ¿eres muy libre o muy cobarde?, ¿a quién le das lecciones? Sé mujer un momento, solamente un momento, y verás qué distinta te parece la valentía, estúpido.

En un pliego manuscrito con prisa, color marrón papiro, no violeta, Hans leyó:

Ojos míos: este es el mensaje de las posibilidades, porque ya no tengo certezas. ¿Te escribiré otra vez? ¿Me escribirás tú? ¿Nos veremos? ¿Dejaremos de vernos? ¿Pensaré lo que escribo? ¿O pensaré escribiendo?

Hasta hace un momento yo quería que, si volvíamos a vernos, ese reencuentro fuera voluntad tuya, que tú me lo pidieras después de estos días de soledad. Mi razonamiento, si es que podía razonar, era que si yo te escribía pidiéndote que nos viéramos, tú habrías acudido (porque habrías acudido, ¿no?) por iniciativa mía y quizá contra tus dudas, nuestras dudas.

Pero resulta que ese razonamiento impecable acaba de romperse. Porque entre ayer y hoy sencillamente he descubierto que, por encima de todo eso, está el deseo de tocarte aunque sea una hora. De tenerte como yo quiera, y no como convenga o sea sensato. Y he descubierto que, si durante estos días he sido ecuánime, era porque en el fondo confiaba en que tú me buscarías, en que mi insistencia no sería necesaria. Me destroza el orgullo admitirlo. Aunque lo más orgulloso que tenemos es la inteligencia, y a ella la ofendía seguir con el engaño. No son exactamente mis sentimientos los que se imponen (mis sentimientos son un laberinto), sino las evidencias. Ingenua, ¿cómo pude estar tan segura de mí? ¿Cómo no vi antes que ese orgullo mío era valioso como un tesoro, sí, pero que ese tesoro también era un regalo de amor que podía darte? ¿Y cómo pude dar por sentado que tú querrías quedarte aquí siempre, incondicionalmente? Me consuelo pensando que lo hice con el mismo empecinamiento con que tú dabas por sentado que, tarde o temprano, yo aceptaría irme contigo adonde fueras.

Aunque sigo creyendo en la intensidad de las cosas, en su fugacidad, es sólo ahora, mientras atardece, cuando acabo de asimilar la idea de que quizá te vayas. No es que ahora lo sepa (lo he sabido siempre), sino que lo he sentido. Y la idea me ha parecido insoportable. No hay nada más insoportable que sufrir en la carne lo que se ha ensayado demasiado en la mente. Puede que mañana por la mañana yo reciba un billete parecido a este, unas líneas en las que tú me pidas que vaya a verte. O puede que cambies de opinión al leer este billete. O puede que ninguna de estas dos cosas ocurra, y los días sigan pasando. O incluso (me estremezco) puede que no leas estas líneas y ya estés en otra parte. Puede ser. Como te decía, este es el mensaje de las posibilidades.

Nada más que decirte. O muchas cosas, pero en otro lugar, en otro momento. Si es posible el amor, te beso aquí o allá, ahora o algún día.

Dueña de sí de pronto, o sea tuya,
S.

Al mediodía siguiente, en un breve billete de estela perfumada y color violeta, Hans leyó:

Tu respuesta me ha devuelto el ánimo. Leerla ha sido como un sorbo de agua en mitad del desierto. Yo también te perdono. Nos vemos en la posada de tres a cuatro y media. Hoy no. Mejor mañana, porque pasado hay Salón y me será más fácil encontrar alguna excusa para salir a buscar cualquier cosa. Eres un descarado. Te recompensaré como es debido. —S.

Sophie mordía el aire, aposentada encima de él con las rodillas separadas. Más que hacer el amor, aplastaba uvas. Cada vez que su cadera impactaba sobre el vientre de Hans, ella se propulsaba y ascendía más alto para percutir más fuerte. Debajo de la tormenta, entre abrumado y conmovido, Hans apenas podía reaccionar ante la corriente que lo arrastraba a algún lugar más allá de los dos, fuera de allí, dentro de él.

La chimenea balbuceaba entre chispas. Hans llevaba un rato con la vista clavada en las ascuas. Sophie no hacía nada, lo había absorbido todo. Hans apartó los ojos de la chimenea, giró la cabeza y se quedó mirándola. ¿Pasa algo, mi vida?, preguntó. Nada, contestó ella, no sé si he tenido un orgasmo o un presentimiento.

Elsa se había desnudado del todo, Álvaro no. Ahora él se abrochaba de nuevo el cinturón, metiendo la camisa dentro de los pantalones. Ella terminaba de vestirse a toda prisa y se recomponía el peinado. Álvaro se había quedado sumido en una pesadez soñolienta: le costaba moverse, incluso hablar. Elsa en cambio parecía dispersa, como a punto de decir algo. A él lo inquietaba verla en ese estado después del sexo, le sembraba una duda en su satisfacción. Además sabía que era en esos momentos cuando ella se mostraba más exigente con ciertos asuntos, y cuando más cedía él.

Mira, empezó Elsa, voy a tratar de decírtelo sin rodeos (Álvaro suspiró, se incorporó en el sofá, le hizo notar que la escuchaba), tú dices, y yo te creo, que antes de fundar tu negocio estabas del lado de los trabajadores (antes no, la corrigió Álvaro, ahora también), sí, pero ahora tienes dinero (he cambiado de situación económica, puntualizó él, no de ideas), bueno, lo que tú quieras, en eso te explicas mejor que yo, pero atiende. Lo que yo creo es que, por mucho que digas, tú te avergonzarías un poco de que nos vieran juntos (¿qué tonterías dices?), lo que oyes, tesoro, lo que oyes. Aquí en tu casa de campo parecemos iguales, pero en la calle yo no dejo de ser lo que soy y tú no dejas de ser quien eres (perdona, me ofendes. Y por si todavía no te has enterado, lo que me pesa es la viudez, no nuestra posición. Eso es lo que yo soy, un viudo, ¿tanto te cuesta entenderlo?), ay, Álvaro, claro que no, lo que pienso es que el presente nunca ofende al pasado, ¿no va siendo hora de dejarlo atrás?, quiero decir, ¿no a ella sino a su muerte? (necesito más tiempo, Elsa), tiempo tenemos, mi vida, ¡una eternidad no! (lo sé, lo sé), por ejemplo, ¿cuándo vas a dejarme acompañarte a Inglaterra (pronto, pronto), ¿pero de verdad pronto? (ya sabes que sí, mi cielo), ¡yo qué voy a saber! (do you speak english enough, princesa?), lo de después de *english* no lo entiendo, pero voy mejorando (nobody would deny it, dear), sí, nadie lo que tú digas, ¿entonces cuándo voy a conocer Inglaterra? (pronto, pronto...).

Es como si estuviera dos veces exiliado, dijo Álvaro mirando a través de la jarra, la primera por haber venido, y la segunda por haberme quedado. Así me siento, Hans, qué le vamos a hacer. Prost! Y *salud*.

Según Álvaro acababa de averiguar, las autoridades de Wandernburgo habían estado haciendo gestiones para que el señor Gelding y sus socios considerasen la posibilidad de cambiar de distribuidora textil. Idea que, al menos por el momento, el señor Gelding descartaba. No por lealtad alguna hacia la empresa de Álvaro, sino porque los balances seguían siendo muy satisfactorios y mantener la estructura comercial era lo más aconsejable. Al parecer, desde el ayuntamiento aumentaban las voces que, de manera más o menos discreta, hacían llegar sugerencias al entorno de la fábrica. Los ediles más voluntariosos calificaban la iniciativa de «estrategia de acción por incompatibilidad ideológica». El alcalde Ratztrinker lo denominaba «restablecimiento de la cordialidad empresarial». El señor Gelding prefería llamarlo «el mal humor de los muchachos».

¿Y por qué no vuelves a Londres?, preguntó Hans chocando su jarra con la de Álvaro. Aquí tengo mi casa, contestó Álvaro, y no pienso volver a irme de ninguna parte porque quieran echarme. Pero si decidieras irte por tu propia voluntad, dijo Hans, ¿no estarías mejor allá? Me imagino que sí, suspiró Álvaro, ¿a quién no le gusta Londres? Lo que pasa es que esta ciudad, ¡esta puta ciudad!, tiene, no sé cómo explicártelo. Algún día me largaré.

Pasaba de la medianoche. Las sillas reposaban boca abajo sobre las mesas. En una mitad de la barra algunos parroquianos apuraban el penúltimo trago, mientras un camarero restregaba un trapo mugriento en la otra mitad. Tú mira los cuadros del congreso de Viena, divagaba Álvaro, ¿qué ves?, ¡lo de siempre!, ¡decenas de señores gordos decidiendo el destino de Europa!, ¡payasos protocolarios reunidos para hincharse de comer y decidir la fecha de la próxima reunión!, ¡una legión de señoritos que se miran el anillo y firman en nombre de sus pueblos!, ¡que cruzan las piernas fofas, se frotan los zapatos contra las pantorrillas, miran la barriga del vecino y eructan en voz baja! Oye, dijo Hans muerto de risa, eres peor que Goya. ¡Amén!, eructó Álvaro.

Te digo, dijo Álvaro tropezando en la puerta de la Taberna Central, que aquí va a pasar algo, tiene que pasar algo. ¿Aquí do-dónde?, tartamudeó Hans, ¿en la taberna? ¡No, hombre, no!, contestó Álvaro, ¡en Europa! Cuida-dadito con la puerta, advirtió Hans tirándole del brazo. ¡Cuidadito con Europa!, vociferó Álvaro saliendo a la intemperie. Oye, que me ca-caigo, dijo Hans. ¡Que a lo mejor Europa se cae!, ¡que se agarre, *cojones!*, insistió Álvaro. Ve-ven, resopló Hans, es por aquí, Alvarito, que te-te me tuerces. ¿Adónde quieres ir?, se desorientó Álvaro. Vamos a ver al viejo, propuso Hans. ¿Ahora?, dijo Álvaro, ¿a la cueva?, ¿no te parece lejos? Pa-para nada, contestó Hans, los lugares no están lejos ni cerca, eso depe-pende, nos po-ponemos a caminar y aparecemos ahí enseguida, si-sígueme, vamos, ¿pero qué haces?, no te sientes ahí, dame un brazo, leva-vántate.

Álvaro no contestó. Tenía la cara oculta entre las manos, sus hombros subían y bajaban.

El día de los difuntos amaneció destemplado, con corrientes que inclinaban las ramas como dándoles un susto. El cielo se cargaba de bultos aguachentos. El aire olía a nieve próxima. El empedrado resbalaba, rociado de algo turbio. Los caballos relinchaban más de lo normal. La plaza del Mercado se había llenado de sombras que la cruzaban en silencio. Sobre el alero de la torre, pegajosas, las agujas del reloj parecían lastradas por alguna polea. La veleta chirriaba sin encontrar su ritmo. A espaldas de la plaza, recién salidos de la misa de Nona, los feligreses desfilaban cabizbajos.

Esa tarde Hans había salido a dar un paseo, menos por gusto que por inquietud: llevaba horas intentando concentrarse, sin poder traducir tres palabras seguidas. Su mente era un cubilete donde se agitaban imágenes, temores y raíces verbales. Lo angustiaba la dificultad del texto, la situación con Sophie y la salud del organillero. Dejándose guiar por el flujo de transeúntes, subió la Cuesta del Lamento hasta verse frente a las rejas del cementerio de Wandernburgo, que nunca había visitado. Contempló la multitud de paños negros, los abrigos a ras de tierra, los velos desplegados, los sombreros de fieltro inclinados hacia delante, los brazaletes oscuros, los zapatos sumidos en su propia negrura, el contraste rebelde de las ofrendas florales. ¿De dónde había salido toda aquella gente?, ¿por qué en Wandernburgo ni siquiera en primavera se veían tantos vivos por las calles como el día de los muertos?

Un mendigo deshecho esperaba limosna con la espalda hundida en el muro de entrada. Los visitantes que pasaban junto a él estiraban un brazo, dejaban caer unos groses sobre su regazo y aceleraban. Era el único día del año en que el mendigo no necesitaba hablar o mirar a sus benefactores. Se limitaba a recibir su caridad medio dormido, casi con indiferencia. El luto, pensó Hans, es desprendido: aspira a comprar una migaja

de supervivencia. Hans empezó a revolverse los bolsillos frente
al harapiento. El bulto abrió los ojos y gruñó: ¿Cómo está?
¿Quién?, se sobresaltó Hans, ¿yo?, bien, ¿y usted? No, contestó
el mendigo sacudiendo la cabeza con fastidio, tú no, el organillero, ¿está mejor? Ah, se sorprendió Hans, bueno, más o menos.
Cuando lo veas, dijo el mendigo, dile que su amigo Olaf lo está
esperando, no vayas a olvidarte, ¿eh?, Olaf, el de la plaza. Y ya
puedes irte, gracias, que me tapas la clientela.

Hans notó que nadie, absolutamente nadie a lo largo
y ancho del cementerio de Wandernburgo, ni siquiera al dirigirse a otros, se permitía el menor amago de sonrisa. Semejante unanimidad le pareció inverosímil. En un lugar así, ¿no era
tan razonable llorar como reír de puro asombro, reír por el ridículo, el milagro de estar vivos? Pero los concurrentes, más que
lápidas, parecían tener espejos delante. Las viudas se afligían
con el velo descubierto, ensayaban diversos preámbulos del des-
mayo. Los señores sacudían sus paraguas con reciedumbre, ejer-
citaban los hombros, mostraban las mandíbulas. Impresionados
por el espectáculo, los niños imitaban a sus padres con toda la
gravedad que podían. Cada vez que se alzaba un llanto, otro
llanto a su lado aumentaba de volumen. De pronto, entre las
siluetas de negro, Hans reconoció el perfil cosmético e hinchado de la señora Pietzine. Al verla en pleno trance derramando
lamentos, secándose los lagrimones por debajo de la redecilla,
no se atrevió a interrumpirla y siguió de largo.

Sendero arriba se topó con una extraña visión: en una
colina apartada, con los ojos cerrados y en silencio, un hombre
bailaba solo alrededor de una tumba decorada con crisantemos.
Su danza era serena y pasada de moda. En los rasgos del hombre,
por encima del recuerdo doloroso, asomaba una intensa gratitud.
Hans se alejó pensando que quizá fuera el duelo más sincero de
todos los que había presenciado.

Cerca de la salida, mientras se entretenía en leer los
nombres y fechas de las lápidas, Hans estuvo a punto de tropezar con un sepulcro cuyos bordes habían quedado disimulados
por las malas hierbas. Como surgida de la nada, se oyó una voz
a sus espaldas: «Cuidado con los muchachos, je». Era el sepul-

turero. Hans se volvió hacia él y lo observó con curiosidad. Le extrañó descubrir que era joven (¿por qué uno se imagina que los sepultureros son ancianos?) y bastante risueño. ¿Mucho trabajo, jefe?, dijo Hans por decir algo. No creas, contestó el sepulturero, el trabajo siempre te lo dan los vivos. Aquí los muchachos, a mí me gusta llamarlos así para tomarles cariño, ¿sabes?, aquí los muchachos están bastante tranquilitos, je. Perdone, dijo Hans, quería (¿por qué no me tuteas?, se quejó el sepulturero, ¿tanto miedo doy?), claro, perdona, es la primera vez que vengo al cementerio y quería preguntarte si los días normales viene mucha gente. ¿Mucha, dices?, rió el sepulturero, ¡nadie, nadie!, todo el mundo viene una vez al año, el día de los difuntos. En fin, dijo Hans palmeándole la espalda (una espalda extraordinariamente firme, como de madera), tengo que irme, encantado, mucha suerte. Gracias, lo mismo digo, contestó el sepulturero, si algún día me necesitas ya sabes dónde encontrarme. Espero, dijo Hans, y no te ofendas, no necesitarte. ¡Es cuestión de paciencia, je!, se despidió el sepulturero con un brazo en alto.

A través de la verja, lo primero que vio Hans no fue la altura desmesurada de la copa, ni las calzas de seda transparente, ni la casaca de terciopelo negro: fue la nariz picuda, rapaz del alcalde Ratztrinker descendiendo de una carretela. Mientras el bigote del alcalde se asomaba a la intemperie, un lacayo plegó la capota. En cuanto su excelencia pisó tierra, otro lacayo le extendió una corona fúnebre que el alcalde sostuvo como quien recibe un solemne salvavidas. El séquito avanzó despacio, dejándose saludar. Al pasar junto a Olaf, el alcalde Ratztrinker miró de reojo a un lacayo y este dejó caer un chorro de monedas sobre el mendigo. Buenas tardes, excelencia, murmuró Hans mientras se cruzaban en la entrada. El alcalde detuvo su marcha, le cedió la corona a un lacayo, se rozó el sombrero y le retribuyó el saludo con una demora que a Hans se le antojó sospechosa. Intercambiaron fórmulas de cortesía, mencionaron el empeoramiento del clima, y antes de despedirse el alcalde Ratztrinker dio un paso hacia delante. Miró a Hans de pies a cabeza, le señaló el birrete y dijo en tono casual: Los jacobinos no son bienvenidos en Wandern-burgo. Los adúlteros tampoco. Imagínese lo que pensamos de los jacobinos adúlteros. La policía, como es lógico, está inquieta. Buenas tardes.

Llegó a la cueva al mismo tiempo que la noche. El organillero conversaba con Lamberg, que le había traído la cena. Hans se sentó en una roca y tranquilizó el lomo de Franz. Llegas en, cof, le dijo el viejo, en buen momento, estaba contándole a Lamberg lo que soñé ayer (¿y cómo se siente?, preguntó Hans), ¿yo, cof?, bien, muy bien, ¡pareces una madre!, pero atiende, soñé, cof, que estaba solo en el bosque y tenía mucho frío, como si estuviera en pelotas, y entonces me ponía, cof, me ponía a temblar, y cuanto más temblaba más sudaba, ¿raro, no?, pero en vez de gotas, cof, en vez de gotas de sudor me salían sonidos del cuerpo, ¿entiendes?, como notas, y el viento las movía por el bosque, cof, y la música empezaba a sonarme familiar, y yo seguía temblando y sonando hasta que, cof, empiezo a reconocer la melodía que me sale del cuerpo, y justo en ese momento me desperté (de la impresión, ¿no?, preguntó Lamberg), no, no, cof, ¡del hambre!

Hans se echó a reír. Después se quedó muy serio. El organillero estiró un brazo flaco para indicarle que se acercara y preguntó alegremente: ¿Cómo está Olaf?

No, hija, no, le decía al oído el padre Pigherzog mientras el campanario de la torre redonda iba tosiendo los golpes del mediodía con un repiqueteo parecido al de monedas que caían dentro del recipiente de la santa voluntad, hija, serénate, pese a todo es mejor que no se lo cuentes a nadie, nemo infirmitatis animi inmune est, te comprendo, ya hablamos de eso el otro día, ¿recuerdas?, pero por mucho dolor que sientas sólo tú misma podrás redimirlo, eso es lo que nos hace dignos del Señor, la capacidad de convertir el mal en bondad y perdón, claro que no, hija mía, no digo que el Señor quiera que sufras tanto, lo que te digo es que el Señor quiere que ames al final de ese sufrimiento, así la recompensa será mucho mayor. Por eso no debes, hija, contar eso que te ha pasado.

Al pie de la otra torre de la iglesia, la puntiaguda, la señora Levin y Sophie movían los labios, asentían, levantaban los hombros, se defendían del aire frío sosteniéndose el tocado. Unos metros más adelante el alcalde Ratztrinker y el señor Gott-lieb retiraban los sombreros de sus cráneos, aunque por la escasa claridad del mediodía pudiera parecer, de lejos, que hacían lo contrario: retirar los cráneos de sus respectivos sombreros. Tras las despedidas, la última frase de su excelencia flotó viscosa, trepó entre las grietas de la torre, escaló los peldaños de la humedad otoñal, se abrió paso entre las nubes planas, se evaporó poco a poco: «... E insisto, señorita, en que se la ve radiante, ¡nada como el entusiasmo de una boda para encender la belleza de una mujer...!».

Aunque había sido apenas un instante, la señora Levin se sentía inmensamente dichosa por el saludo del alcalde Ratztrinker. Sin duda la presencia de los Gottlieb había influido. Pero era, de cualquier forma, la primera vez que el señor alcalde tenía la deferencia de dirigirse a ella y pronunciar su nombre. De reconocerla como ciudadana respetable y aceptarla, por fin, como buena cristiana. Por eso, ahora más que nunca, se sentía con fuerzas para hacer lo que iba a hacer. Lo que hacía algún tiempo le había pedido un vecino suyo que era gendarme. La señora Levin esperó a que pasaran los carruajes y cruzó la calle Ojival. Debía darse prisa. Sólo faltaba una hora para servirle el almuerzo a su marido, que seguía negándose a asistir a misa, y al que había tenido que mentirle para poder volver más tarde a casa. Mentirle a su marido le daba pánico: siempre le parecía que él se daba cuenta. Pero además de miedo, esa mañana ella sentía la euforia de ser útil, de ser por una vez realmente útil para las autoridades. La señora Levin miró a sus espaldas, a un lado y a otro, asegurándose de que nadie la observaba. Aceleró el paso. Se encaminó hacia la calle de la Espuela. Ahora, más que nunca, se sentía con fuerzas.

Ajá, castañeó el comisario. ¿Cabo, ha tomado nota? Continúe.

La señora Levin era, de pronto, un torrente de locuacidad. Apenas conseguía hacer una pausa, salir de su trance cuando el comisario movilizaba la dentadura para hacerle otra pregunta. Algunas preguntas eran fáciles de contestar: actividades profesionales del señor Hans, inclinaciones políticas del señor Hans, amistades del señor Hans, trasiego de libros en la posada del señor Hans, costumbres cotidianas del señor Hans, dudoso civismo del señor Hans. Otras preguntas eran un poco más difíciles o dudosas. Pero esas también las contestaba en el acto la señora Levin, contando con detalle lo que sabía, dando por seguro aquello que sospechaba y fabulando lo que desconociera. Al fin y al cabo no lo hacía sólo por ella: también lo estaba haciendo, aunque él no lo supiese, por el bien de su marido. Quizás algún día el señor alcalde lo saludaría a él también.

El comisario asentía, entrechocaba los dientes, verificaba que las notas del cabo siguieran el ritmo atolondrado del testimonio. De vez en cuando levantaba una mano, hacía callar a esa perra judía y se tomaba unos segundos para pasar a la siguiente pregunta.

Cuando la información reunida fue más que suficiente, el comisario levantó ambas manos con cansancio y dijo sin mirar a la judía: Gracias por venir.

De pie ante el escritorio, el señor Gottlieb terminaba de inventariar la dote: alhajas familiares, abanicos importados, guantes de piel, cepillos finos, frascos de perfume, esponjas de lujo, pomposas bomboneras. Después de cada pausa entre artículo y artículo, Sophie decía «sí» o decía «ya», su padre murmuraba «correcto» y la enumeración se reanudaba.

Cerrado el inventario, el semblante del señor Gottlieb cobró una repentina solemnidad. Dejó la pipa humeante en la mesa, se tiró del chaleco y se irguió como un general listo para emprender la misión definitiva. Le tendió una mano a su hija y la condujo a lo largo del invierno del pasillo. Si Sophie no se equivocaba, iban a los aposentos de su padre: hacía años que no franqueaba sus puertas.

Un sendero de luz rayaba la habitación desde los ventanales hasta la pared del fondo; el resto estaba en penumbra. El señor Gottlieb caminó con lentitud, subrayando cada paso, hasta el inmenso armario de caoba. Giró la doble llave, deshizo la pesada clausura y suspiró tres veces el nombre de su hija. Entonces sumergió los brazos en las profundidades del armario para extraer un resplandor alargado. Sophie reconoció el vestido de novia de su difunta madre. Era un vestido de una ingravidez insólita. Parecía hecho de luz. Estudió la prenda mientras su padre se la ofrecía: la caricia deslizante del raso, el mínimo entramado de organza del talle, el vapor de tul de la falda. Dejando el vestido entre los brazos de su hija como quien cede a un invisible bailarín, el señor Gottlieb dijo: Este es el blanco que le gustaba a tu madre, blanco huevo, blanco original, el más puro de todos, el de la inocencia de corazón. ¡Ojalá ella estuviera aquí para ayudarnos! Niña, niña mía, ¿me harás abuelo pronto? Siento tanto que apenas hayas conocido a tus abuelos. No quiero que a mis nietos les pase lo mismo. Pero ve, hija, ve. Necesitamos saber cómo te queda.

Un cuarto de hora más tarde, Sophie reapareció en los aposentos de su padre con el vestido puesto. Nada más ceñírselo, ella había sabido que era de su talla. Quizá los tres botones de perla le apretaran apenas en la parte posterior. Quizás el lazo dorado le adornase el escote un centímetro o dos por debajo de la altura ideal. Pero era, sin duda, de su misma talla. Elsa la había ayudado a fijar el antiguo corsé que estilizaba su figura, le elevaba el busto y redondeaba las prudentes transparencias del escote. Se había calzado unas medias de seda bordada y unas zapatillas de cintas forradas en raso. Antes de salir al pasillo, al mirarse en el espejo, una cosquilla rara, como de aguja, le había estremecido la curva de la espalda.

Un cuarto de hora más tarde, cuando Sophie reapareció en los aposentos de su padre con el vestido puesto, el señor Gottlieb no dijo nada. No dijo nada al principio y se quedó mirándola, mirando a través de ella como otean los miopes o acechan los ciegos. Se quedó quieto, atrás, ausente, hasta que de improviso desmesuró los ojos, ensanchó las pupilas, entreabrió los labios y opinó tardíamente: Es exacto, mi amor, exacto.

Hacía mucho, desde niña, que Sophie no escuchaba a su padre llamándola *mi amor*.

Después el señor Gottlieb dijo: Ven, hija, mi vida, acércate, mi amor.

Sophie avanzó hacia su padre. Se detuvo a dos pasos de él. Se dejó abrazar, inmóvil.

Tienes, dijo su padre, los hombros de tu madre.

Sophie se mareó un poco. En aquella habitación faltaba aire. El vestido de novia le oprimía el estómago. Como los brazos de su padre.

Tienes, dijo su padre, la cintura de tu madre.

El vestido blanco se reflejaba entero en el espejo del armario.

Y tienes, dijo su padre, la misma piel de tu madre.

El aire, el vestido, el espejo.

Como emergiendo de un pozo, Sophie retrocedió impulsándose con los brazos.

Pero no soy, dijo ella, igual que mi madre.

Los labios del señor Gottlieb volvieron a ocultarse tras los bigotes. Sus facciones se ablandaron. Sus pupilas se redujeron.

Hija, murmuró él, qué joven, pero qué joven eres (no diga eso, padre, contestó Sophie, a usted también le queda juventud), no, a mí ya no (claro que sí, padre, dijo ella), no son sólo los años, hija querida, es el daño, ¿sabes?, tú tienes mucha juventud por delante porque, ¿cómo decirte?, todavía tienes la sensación de estar intacta, y se nota que tienes la esperanza de seguir estándolo. Cuando se pierde eso, la sensación de estar intacto, tengas la edad que tengas, la juventud se termina, no sé si me entiendes. Y yo te quiero tanto.

Poco después los lacayos de Rudi llamaron a la puerta. La berlina esperaba en la calle del Ciervo.

¿Te pasa algo, querida?, preguntó Rudi retirando con un dedo las motas de rapé de su levita aterciopelada. ¿A mí?, contestó Sophie volviendo en sí, nada, ¿por? Por nada en particular, querida, dijo Rudi despidiendo una ola cítrica, o quizá porque llevo un buen rato intentando acordar de una vez el menú nupcial contigo, y tú apenas me contestas. Ah, dijo ella, ya sabes que a mí esos detalles no me preocupan mucho, decide tú, de veras. ¿No te preocupan mucho?, puntualizó él, ¿o no te importan en absoluto? Bueno, replicó ella, ¿y cuál sería la diferencia? ¡Cochero!, exclamó Rudi dando tres golpes en el techo, ¡pare aquí!

No pares, gemía ella, o lo pensaba. Pero el vaivén de Hans se detuvo, como si acabase de recordar algo. Algo que lo alejaba de la habitación y, al mismo tiempo, le permitía contemplarla con claridad. Ahí estaban los dos. Él se veía. Ella también.

Perpendiculares sobre el catre, él de costado y con las piernas pasando por debajo de las piernas de ella, ambos se vieron asaltados por la misma visión, la misma sin saberlo. Vieron dos torsos en L sumergidos en agua, como si se hubieran sorprendido fornicando con el propio reflejo, luchando por poseerlo y distinguirse de él. Como si, en su empuje opuesto, ninguno de los dos reconociera su final o su comienzo, y ya no supiesen si eran dos o estaban solos. Como si no pudieran descifrar al otro contemplándolo, contemplándose mientras se entregaban. Al gritar a la vez, con el temblor, la imagen se deshizo. El agua se aquietó. Se disolvió el azogue. Sus cuerpos quedaron fríos.

Después de dejar la mansión para emprender su habitual paseo en coche, en la acera derecha de la avenida Regia, a unos metros de la esquina con el Paseo de la Orla, Rudi lo vio pasar. Lo vio pasar con su birrete agitador, su levita vulgar, su pañuelo mal anudado, caminando a ese irritante compás suyo entre la distracción y el desafío, en parte descuidado y en parte medido, un poco al modo de su cabellera suelta, como si, al abandonarse a su capricho, no dejara de saberse observado. Lo vio a través de la ventanilla, estuvo a punto de alterarse, respiró en busca de cierta serenidad. Dio tres golpes pausados en el techo del coche, se dejó mecer por la cadencia de la frenada, deslizó las nalgas a lo largo del paño. Esperó a que el cochero abriese la portezuela, giró la cadera con gracia, dejó caer las botas sobre la escalerilla desplegada. La pisó con un tenue crujido de charol, echó hacia atrás el fornido torso para compensar la inclinación del coche, ganó la acera sin mancharse de barro las calzas. Se acercó a Hans por la espalda, siguió su ritmo durante varios pasos, extendió una zancada. Clavó el tacón afilado, amortiguó el estiramiento, juntó los flexibles tobillos. Elevó un brazo enguantado, lo extendió hacia Hans, posó un dedo en su hombro. Y cuando Hans se volvió hacia él, sin pronunciar palabra, le propinó un soberbio puñetazo en la cara.

Hans cayó como un muñeco y quedó tendido en la acera. Intentó incorporarse. Rudi le ofreció un brazo, lo ayudó a ponerse en pie y lo golpeó de nuevo. Dos veces más. Una con cada puño. Un puño en cada pómulo. Hans volvió a derrumbarse. Durante esta segunda caída, entre los clavos del dolor y el chisporroteo en la cara, alcanzó a darse cuenta. Recibió desde el suelo seis o siete puntapiés cortos, exactos, de charol. No intentó defenderse. Tampoco hubiera podido. Notó, entre el vendaval, que Rudi no intentaba destrozarle los huesos: elegía las partes blandas, le buscaba el estómago, eludía las costillas. Lo golpeaba con asombrosa fuerza pero sin perder el orden, como quien comunica un mensaje con tambores. Hans respondió al castigo tratando de no ahogarse ni aullar demasiado. Concluida la paliza, además del miedo, el sabor a bilis y el anillo de ardor en la cabeza, Hans sintió una humillante arcada de comprensión.

Algo agitado, Rudi revisó sus guantes para comprobar que no se habían ensuciado. Se felicitó por haber evitado la nariz o la boca: esa clase de impactos convierten al vencido en aparatosa víctima, y para colmo ensucian innecesariamente. Sosegó el pulso, se emparejó las mangas, corrigió la altura del mentón. Se percató de que había perdido su sombrero de hebilla, lo recogió del suelo doblando la cintura, se dedicó a soplarlo con delicadeza. Se encasquetó el sombrero, dio media vuelta, regresó al coche. Divisó a un gendarme a caballo, se detuvo a esperarlo, le hizo una seña al cochero.

El comisario lo recibió con una fofa mueca de interés, como si la visión de las heridas de Hans lo hubiera despertado de una siesta. Descolgó la mandíbula y en su boca sucedió algo parecido a una sonrisa. Antes de empezar a hablar entrechocó los dientes, emitiendo un sonido de dominó desparramado. De pie junto a la puerta, el gendarme que había arrestado a Hans desvió la mirada hacia el techo. Allí contó seis grietas, cuatro bujías inútiles y tres arañas tejiendo.

¿Otra vez por aquí?, castañeó el comisario, no pierde usted el tiempo, le gusta divertirse.

El comisario lo interrogó durante media hora. En el curso del interrogatorio, Hans pasó de ser *usted* a llamarse *forastero*. Al preguntar por Rudi, Hans fue informado de que el señorito Wilderhaus había sido eximido de cualquier proceso por tratarse de una cuestión de honor. Él, sin embargo, debería permanecer retenido durante algunas horas para dar cuenta de su relación e incidente con el ofendido. ¿El ofendido?, se asombró Hans. Viendo que el forastero se resistía a colaborar, el comisario ordenó que pasara la noche en el calabozo para que se le refrescasen las ideas.

El calabozo en sí no daba ningún miedo: era más feo que intimidatorio. Un simple cubo sumido en la oscuridad. No estaba más sucio que la morada del organillero. Era, naturalmente, frío. Y sobre todo húmedo, como si las paredes hubieran sido untadas con una mezcla de vapor y orina. El jergón tampoco era peor que otros. Aunque, por precaución, Hans prefirió retirar la colcha. El carcelero que vigilaba el calabozo mostraba cierta afición por los eructos y tenía un peculiar sentido del humor. No parecían importarle las detenciones ni nada de lo que ocurriera en la comisaría. Él simplemente abría y cerraba la jaula. Lo demás, según dijo, no era cosa suya, ni le pagaban lo suficiente como para preocuparse. Cuando Hans le preguntó si podía emplear la bacina como asiento, contestó encogiéndose de hombros: Mastúrbese, si quiere. Pero después añadió: Eso es lo que hacen todos con esa bacina. Hans la soltó en el acto y se acurrucó lo mejor que pudo.

Al principio a Hans le extrañó que el carcelero insistiera en darle de cenar. Incluso sus bromas crueles (si a uno lo ajustician, había dicho el carcelero, mejor que lo sorprendan con el estómago lleno) le resultaron graciosas. Hans devoró el pan salado, el trozo de tocino y la salchicha. A continuación, con inesperada diligencia, le fue concedida una segunda hogaza de pan salado. Pronto comprendió la razón de semejantes atenciones: el carcelero tenía instrucciones de no ofrecerle agua. No es nada personal, le dijo, y no se queje, que podría ser peor. ¿Qué esperaba?, ¿que lo atáramos?, ¿que le pegáramos?, ¿que lo colgáramos de los pies? No sea idiota. Aquí economizamos esfuerzos. Sufra un día entero de sed. O firme la declaración y váyase.

A medianoche lo despertó un alguacil golpeando los barrotes con una porra. Sin dejar de beber agua y derramarla ostensiblemente, el alguacil instó a Hans a reconocerse por escrito culpable de provocación y disturbios en la vía pública, a cambio de liberarlo de inmediato. Cada vez que Hans se negaba, el alguacil se volvía hacia el carcelero exclamando «¿has visto?», «¿te das cuenta?», «¿qué me dices?». A lo que el carcelero replicaba «dicen que ha estudiado en Jena», «es toda una eminencia» y cosas por el estilo. Si Hans invocaba las leyes o exigía un abogado, el alguacil repetía entre risas «¡un abogado!» y el carcelero apostillaba «¡qué maravilla!».

Antes de irse, molesto por la terquedad del preso (que en su fuero interno empezaba a asustarse de verdad), el alguacil le dijo: ¿Leyes?, ¿me hablas de leyes?, voy a recordarte cómo funcionan las leyes. Fritz Reuter se pasó dos años encerrado por mostrar una bandera negra, roja y amarilla. A Arnold Ruge lo condenaron a quince años por sospecha de pertenencia a clanes subversivos. Varios camaradas tuyos se han suicidado en sus celdas. Otros piden trabajos forzados con tal de beber agua o ver el sol. En la región del Harz la mutilación es legal. No es el único sitio. Por si no lo sabías, en este principado la pena capital puede ejecutarse con hacha. Se decapita a los campesinos que roban. Muchos pagan ocho groses para verlo. Hacen bien. Hay cosas edificantes. No sé si me he explicado. Esa es la ley. Esa es la realidad, hijo de puta. Buenas noches.

A la mañana siguiente, al ir a despertarlo, el carcelero lo encontró con los ojos abiertos. A través de los barrotes se colaba una luz espesa y grasosa como un caldo. Un cabo muy joven lo llevó ante el comisario, que no se había cambiado de ropa o se había puesto la misma. ¿Se encuentra más tranquilo el forastero?, lo saludó el comisario, ¿ha reflexionado?, ¿ya está en disposición de completar el trámite? Temeroso, contrariando las dudas que lo abrumaban, Hans se negó de nuevo a firmar la declaración. El comisario ordenó reingresarlo en el calabozo. Al fondo del cubo, Hans lloró en silencio. Minutos después el carcelero abrió las rejas y lo dejaron en libertad.

Hans abandonó desconcertado la comisaría. Álvaro lo esperaba en la esquina de la calle de la Espuela. ¡Por fin!, dijo, esto empezaba a tardar. ¿Cómo has conseguido que me suelten?, lo abrazó Hans. Fácil, contestó Álvaro, pagando la fianza. Ah, ¿pero había fianza?, se sorprendió Hans. Y no era demasiado alta, dijo Álvaro, ¿qué, no te lo dijeron? ¡Adivina!, resopló Hans, en fin, ¿a ti qué te contaron? Vine a primera hora, explicó Álvaro, y me dijeron que tenía que esperar porque estabas firmando una declaración.

Atravesaron cabizbajos la calle del Alfarero, zigzagueando hasta el Café Europa. Bueno, lo palmeó Álvaro, ¿cómo te sientes? ¡Como una rosa, *hombre*!, dijo Hans, sólo querían intimidarme. ¿Y lo lograron?, sonrió Álvaro. Bastante, contestó Hans.

Con el segundo café, la somnolencia de Hans dio paso a esa lucidez quemante que asalta a quienes han pasado la noche en vela. Le narró a su amigo la paliza en la avenida Regia, el interrogatorio del comisario, el arresto en el calabozo, la conversación con el alguacil. ¿Duele?, preguntó Álvaro señalando su pómulo inflamado y su nariz enrojecida. Hans se disponía a responderle cuando reparó en uno de los jugadores de las mesas del fondo: entre los chasquidos de las bolas de billar, Rudi le sonrió con sorna. Mira quién está, murmuró Hans apartando la vista y descubriendo que lo hacía con miedo. Señorito imbécil, gruñó Álvaro, ¡voy a decirle que lo espero a las ocho en el puente, a ver si tiene honor! No te pongas heroico, dijo Hans, pídete un té de hierbas. Te digo que lo reto, insistió Álvaro, y te, ¡suéltame el brazo!, ¡suéltame! Hans calmó a su amigo. Tampoco le costó tanto: lo que menos le convenía a Álvaro era un conflicto con los Wilderhaus. Cuando se levantaron para irse, el camarero les comunicó que el señorito Wilderhaus había pagado la cuenta.

En cuanto lo vio entrar, el posadero salió con desacostumbrada agilidad del mostrador. ¡Hoy ya es jueves!, lo recibió con gesto preocupado. Y tomándose la barriga como quien alza un saco de legumbres, agregó: Esta mañana unos gendarmes han subido a su habitación (¿cómo?, se alarmó Hans, ¿y usted lo permitió?), ¡oiga, que llevaban bayonetas!, traté de detenerlos, pero imagínese, subieron a registrar sus cosas (¡mierda!, exclamó Hans llevándose las manos a la cabeza), pero alcancé a pedirle a Lisa que escondiera su arcón en la número cinco, que está vacía. No, no me dé las gracias. Usted aquí siempre ha pagado. Y un cliente, señor, es un cliente.

Hans subió las escaleras a toda velocidad. En un rellano tropezó con Thomas, que se agachó como un felino, pasó entre sus piernas, le tiró de las perneras del pantalón y huyó escaleras abajo.

Entró en su habitación y se quedó observándola. Las sillas estaban volcadas, medio colchón asomaba fuera del catre, la maleta estaba abierta y con la ropa desparramada, la tina había cambiado de rincón, los papeles del escritorio estaban en desorden, la leña había sido desalojada de la chimenea. Revisó a fondo el cuarto y comprobó que los gendarmes no se habían llevado nada importante, salvo algún dinero que tenía guardado en la maleta dentro de un calcetín. El único daño grave era la acuarela, que recogió del suelo y cuyo espejito se había partido en varios pedazos. Salió al pasillo, se aseguró de que no había nadie y corrió a la habitación contigua: aliviado, encontró su arcón debajo de la cama, detrás de unas escobas y barreños que Lisa había dispuesto a modo de camuflaje.

Más tarde, tras un buen baño, un almuerzo y una siesta, Hans salió a buscar un coche y se dirigió a la cueva. Franz, que llevaba todo el día merodeando el jergón, lo recibió con la algarabía del centinela que ve llegar a su relevo. Hans encontró al organillero bastante debilitado. Tenía fiebre y los ojos hundidos. Los ojos, dijo el viejo, cof, me duelen, y tengo, cof, tengo un mareo que me tira de las orejas, como si flotara. ¿Ha estado solo mucho tiempo?, preguntó Hans. Solo no, dijo el organillero, Franz me cuida, cof, también ha estado Lamberg, cof, me ha traído comida. ¿Y se siente mejor?, dijo Hans. Ven, contestó el viejo, cof, ven, quédate un rato cerca.

El jueves por la tarde Hans recibió un billete color marrón papiro. El mensaje era escueto y de caligrafía un tanto rígida para el pulso de Sophie. Eso, conjeturó, significaba que lo había escrito contra su voluntad, o al menos obligándose a sí misma a decirle lo que le decía: que mañana mejor no asistiera al Salón.

Antes de la firma Hans leyó sin embargo la palabra *amor.* Y debajo de la firma, una posdata:

P. S.- Creo que ya sé por qué Lucinde no tuvo segunda parte.

Hans arrugó el billete y se vistió para salir. Se puso el birrete, dudó, se lo quitó, volvió a ponérselo, dudó de nuevo, y lo lanzó a la chimenea maldiciendo.

La cicatriz de Bertold se dilató de manera anómala, como si de ese labio crecieran dos sonrisas: una de cortesía, otra de burla. Lo siento, no está en casa, anunció Bertold, la señorita se encuentra tomando el té en la Mansión Wilderhaus, ¿desearía dejarle una nota? Desearía, contestó Hans casi sin pensarlo, saludar al señor Gottlieb.

Hans y el señor Gottlieb se escrutaron mutuamente. Este intentaba adivinar las verdaderas intenciones de aquella visita por sorpresa, el otro trataba de averiguar si su arresto y el incidente con Rudi se habían divulgado. Ninguno de los dos logró confirmar nada. Aunque ambos notaron diferencias: el siempre hospitalario señor Gottlieb se mostró seco e irritable, mientras Hans parecía nervioso, menos elegante que de costumbre. ¿Y esas heridas en la mejilla, Herr Hans?, preguntó el señor Gottlieb sin dejar entrever la menor pista tras el bigote. Los gatos, explicó Hans, mi posada está llena de gatos. Sí, dijo el señor Gottlieb, con los gatos nunca se sabe. En eso, dijo Hans, se parecen a los hombres. Usted mismo lo ha dicho, caballero, asintió con seriedad el señor Gottlieb, usted mismo lo ha dicho.

En ningún momento Hans fue invitado a marcharse, aunque tampoco le ofrecieron té. Cuando Hans inició la despedida, el señor Gottlieb le pidió que aguardase un instante, fue hasta su despacho y le entregó un díptico de suntuosos arabescos. Hemos tenido que personalizar las invitaciones, dijo el señor Gottlieb mordiendo su pipa, porque la concurrencia va a ser numerosa. Hans leyó los nombres impresos de los contrayentes y sintió un tornillo en las vísceras. Al remontar el pasillo hacia la salida, reparó en el jarrón que Sophie empleaba para los arreglos florales: eran violetas.

Hans se alejó de la calle del Ciervo y se sumó a la fila que esperaba un coche frente a la plaza del Mercado. Mientras aguardaba vio pasar al señor Zeit, agitando la barriga.

El posadero trotaba con dificultad: llegaba tarde para recoger a Thomas de catequesis. El sacristán lo saludó desde las escalinatas. Su hijo hacía piruetas bajo el pórtico. Cuando el señor Zeit empezó a subir las escalinatas, el sacristán se dejó absorber por las sombras del templo. Casi de inmediato, el padre Pigherzog reapareció en su lugar.

Buenas tardes te dé Dios, dijo el sacerdote, ¿cómo se encuentra tu esposa? Buenas tardes, padre, dijo el señor Zeit, perfectamente, muchas gracias. Me alegro, hijo, me alegro, sonrió el padre Pigherzog, la salud familiar es la máxima bendición. Y ya que estás aquí, quisiera preguntarte por ese huésped al que alojas. ¿Quién?, contestó el posadero, ¿él?, bien, bien. Nada especial. Se acuesta tarde y se levanta al mediodía. Pasa horas leyendo en su habitación. No molesta. ¿No ves que es un impío?, dijo el sacerdote. Yo veo poco, padre, se encogió de hombros el señor Zeit, y me voy haciendo viejo. Lo que veo son táleros y groses, ¿me comprende?, porque puedo apretarlos con las manos. No sé si el señor Hans será un hereje. Si usted lo dice, padre, yo no lo pongo en duda. Pero es puntual pagando, eso no hay quien lo niegue.

El organillero llevaba todo el día sin incorporarse. La frente le chorreaba. No tenía apetito. Con la presencia de Hans se reanimó un poco. Cuando Franz vio moverse a su dueño, corrió a lamerle las barbas. Y dices, cof, preguntó el viejo, ¿dices que había violetas? Un ramo enorme, confirmó Hans. Entonces, dijo el organillero dejando caer la cabeza, no te preocupes por ella, cof, esas flores las eligen los corazones tranquilos, ¿sabes qué soñé anoche?, era bastante raro, cof, había una legión de hombres sin manos. ¿Y qué hacían?, dijo Hans secándole la frente. Eso es lo raro, contestó el viejo, ¡me saludaban!

La figura del sombrero de ala negra descuelga el abrigo largo del perchero. Lo sostiene un momento por las solapas, como el cazador que estudia una pieza. Siente una inquietud indefinida, la insinuación de un presagio en el estómago. Vuelve a colgar el abrigo. Según acostumbra antes de salir, extiende y flexiona brazos y piernas. Lento. Rápido. Lento. Rápido. Bajo los pantalones nota una erección. Resopla. Se quita el sombrero. En la penumbra de la habitación busca un pañuelo de muselina. Le cuesta encontrarlo: sin los anteojos, que le impiden la correcta colocación de la máscara, cada vez ve menos. Encuentra el pañuelo entre los manuscritos de sus nuevos poemas. Se desabrocha los botones del pantalón. Introduce una mano en su ropa interior. Retira el miembro. Se masturba de forma mecánica, con la mente puesta en otras ideas. Sólo se trata de algo necesario para mantener la frialdad y la paciencia durante las esperas. Así también evita o reduce la polución de la mañana siguiente a las consumaciones, que es algo que le desagrada profundamente. Descarga el semen en el centro del pañuelo. Lo dobla en cuatro con cuidado. Se rebaña la punta del miembro con el reverso limpio del pañuelo. Se compone las ropas. Deposita el pañuelo en un cesto con prendas sucias. Se lava las manos con abundante jabón. Aprovecha para cortarse las uñas. Se refresca la cara con agua fría para estimular los reflejos. Percibe con disgusto el ligero aroma a manteca de oso que emana de su cabeza. Se perfuma el cráneo liso. Engulle tres medios tomates que tiene abiertos en un plato. Los efectos vigorizantes del tomate no son nada despreciables. Se enjuaga la boca. Vuelve a lavarse las manos. Regresa al perchero. Se anuda la bufanda. Vuelve a colocarse el sombrero. Se pone el abrigo. Revisa el contenido de los bolsillos: el cuchillo, la máscara, la cuerda, los guantes. Suspira. Piensa en Fichte. Se frota los ojos. Y sale de la casa ignorando el ardor en la boca del estómago. Cuando la puerta se cierra, en uno de los brazos del perchero queda oscilando una peluca de bucles blancos.

Herein!, castañeó el comisario abriendo la cajonera y extrayendo la comunicación urgente que acababa de traerle un guardia montado.

Tras algunos segundos de calculada inmovilidad, como si hubieran pretendido provocar la ansiedad del comisario, los tenientes Gluck y Gluck entraron en la oficina. Marchaban con parsimonia, deleitándose en la certeza de estar siendo observados. Los escoltaban dos gendarmes más armados de lo habitual. Entre ambos tenientes y ambos gendarmes, con las muñecas esposadas por detrás de la espalda, pálido, indiferente, iba el profesor Mietter.

El profesor Mietter oyó durante media hora el detallado informe de los tenientes y los cargos que se le imputaban. Respondió a las preguntas del comisario con monosílabos. Apenas parpadeaba. Un temblor previo a la risa dominaba sus labios.

Siguió como entre sueños las voces de sus captores. Oyó decir al teniente joven que en el domicilio del reo (el profesor tardó unos instantes en darse por aludido, y le hizo gracia aquella burda jerga de funcionarios: *el reo*) habían procedido a confiscar, entre otros enseres incriminatorios (¡*enseres!*, desaprobó el profesor, ¡qué ridículo!), una colección de máscaras venecianas y un juego de cuchillos de acero de Prusia. Oyó al teniente mayor (que, según observó el profesor, se expresaba con algo más de propiedad, tendiendo a la naturalidad léxica y evitando el exceso de perífrasis administrativas) describir con cierta precisión su modus operandi (aunque aquel oficial no había dicho *modus operandi,* ni era probable que el latín se contara entre sus facultades). Oyó al teniente joven enumerar (más bien justificar enrevesadamente) las dificultades que habían demorado el descarte de los últimos sospechosos, a causa de los constantes engaños y distracciones tramados por el reo (el profesor se permitió un parpadeo irónico: algunas de las trampas mencionadas ni siquiera se le habían ocurrido). Y lo oyó explicar cómo, tras un examen comparativo de los ataques, habían advertido que ninguno había tenido lugar un viernes, excepto una sola vez en agosto. Y que esta circunstancia los había puesto sobre la pista definitiva del reo, cuyos hábitos ya venían estudiando, incluida su asistencia al Salón Gottlieb, el cual sólo se interrumpía durante las vacaciones de verano (bien, pero, objetó para sí Mietter, ¿no habría sido todavía más sospechoso faltar algún viernes al Salón para atacar?). Oyó al teniente mayor puntualizar que uno de los motivos de duda había sido la agilidad del enmascarado en los trechos cortos, agilidad que en principio no parecía coincidir con un hombre de la edad del profesor (tomaremos esta aporía, se burló el profesor, como un elogio). Oyó al teniente joven comentar cómo, en efecto, el buen estado físico del susodicho (¡Dios santo!, ¡*susodicho!*) los había sorprendido, y cómo finalmente se habían informado de sus gimnasias y regímenes saludables. Oyó al teniente mayor añadir que, avanzada la investigación, un pequeño detalle había sido decisivo: el aroma a manteca, a manteca de oso para ser más exactos, que al menos dos de las víctimas decían haber

olido por debajo de la intensa colonia de su agresor. Hasta ese
momento, continuó el teniente, los sospechosos eran varios.
Cuando confirmamos lo de la manteca de oso, que es un remedio casero contra la calvicie, supimos que buscábamos a un
calvo descontento (qué tautología tan estúpida, razonó el profesor, ¿qué calvo está contento con su calvicie?) y este hombre,
mi señor comisario, nunca se quita la peluca. Así que puede
decirse que lo delató su coquetería.

Al oír esto último G. L. Mietter, doctor en Filología,
miembro honorario de la Sociedad Berlinesa para la Lengua
Alemana y la Academia Berlinesa de las Ciencias, catedrático
emérito de la Universidad de Berlín, colaborador asiduo del
Almanaque de las musas de Gotinga y crítico literario principal
de *El Formidable,* hizo lo único que nadie, ni siquiera él mismo,
hubiera esperado: romper a llorar desconsoladamente.

Caballeros, hemos hecho un buen trabajo, opinó el comisario.

Señor, felicitaciones, ironizó el teniente Gluck hijo.

Al mediodía siguiente, por medio de lacónicos billetes
color marrón papiro, los contertulios del Salón Gottlieb fueron
informados de que las reuniones quedaban anuladas con carácter indefinido.

Con los ojos cargados de sueño, mientras devoraba un
desayuno tardío en el Café Europa, Hans leyó en la tercera de
El Formidable el vehemente editorial que concluía:

«... de este oscuro individuo cuyas inclinaciones luteranas en más de una ocasión habían sembrado la inquietud entre
nuestras autoridades, por no mencionar sus posibles contactos
con sectas anabaptistas. Tampoco el pulso de su pluma parecía
ser el mismo de sus primeros años: si bien sus aptitudes preté-
ritas estaban fuera de duda, el nivel de sus colaboraciones —tal
como nuestros atentos lectores no habrán dejado de advertir—
había menguado ostensiblemente. Por estas y otras razones, este
periódico —dadas las execrables circunstancias, hoy podemos
revelarlo sin tapujos— llevaba largo tiempo sopesando el relevo
del antecitado de su espacio dominical, con el —creemos que
loable— propósito de dar entrada a voces jóvenes y renovadoras,

que es lo que nuestro público merece y lo que nuestra redacción se ha preciado siempre de ofrecerle. Los oprobiosos hechos acaecidos en la jornada de ayer tan sólo han provocado que ese inminente relevo se precipitara fatalmente: como sentenciara el sabio, hay ocasiones en que el destino de los canallas parece escrito con tinta indeleble. Desde lo más profundo de nuestros corazones celebramos, como profesionales de la prensa y como padres de familia, la consumación del fulminante arresto. No otra cosa habíamos venido exigiendo por activa y por pasiva desde esta misma tribuna. Ahora bien, nuestro deber nos impulsa asimismo a preguntarnos: ¿cierra esto el caso de forma definitiva e incuestionable? ¿Actuaba realmente a solas el funesto criminal? ¿Es, sin la menor vacilación, el perpetrador único de todos y cada uno de los ataques? ¿O se trata, acaso, de una versión oficial destinada a tranquilizar a la ciudadanía? La duda resulta legítima, y en su absoluto esclarecimiento se juega la seguridad de nuestros hogares. Y estamos convencidos de que, en este mismo instante, la inteligencia del lector rumia parecidas inquietudes. Nos referiremos a todo ello con mayor detalle en la edición de mañana.»

Noviembre se enfriaba, el organillero ardía. A mediados de mes el doctor Müller reconoció que el paciente empeoraba: sus bronquios se cerraban, los sudores aumentaban y en los últimos días había experimentado pérdidas momentáneas del conocimiento. A ratos volvía en sí, decía tres o cuatro cosas razonables y volvía a cerrar los ojos para caer en un sueño discontinuo. El doctor Müller seguía recetándole purgas, ungüentos, infusiones, emplastos, enemas. Pero lo hacía con menos convicción (o eso le parecía a Hans), como quien repasa una lista de minerales. La fe es tan poderosa como cualquier remedio, amigo mío, había opinado el doctor en su última visita. ¿Usted cree, doctor?, había dicho Hans retirando el orinal de entre las piernas secas del viejo. No me cabe la menor duda, había contestado Müller, la ciencia empieza en el espíritu. Tenga paciencia y fe, su amigo todavía puede reponerse. ¿Y si sigue empeorando?, había preguntado Hans. El doctor Müller había sonreído, se había encogido de hombros y había doblado el estetoscopio.

Los párpados del organillero se estremecieron como dos orugas. Se plegaron, se inflamaron, separaron sus bordes pegajosos y dejaron al descubierto dos globos oculares flotando en savia. Sus ojos dieron varias vueltas, se extraviaron entre parpadeos, hasta que poco a poco reenfocaron la visión. Un lengüetazo de Franz le refrescó la frente. Detrás, al fondo, lejos, Hans lo saludó agitando una mano. Hans se agachó, atravesó el estanque de reflejos y sombras que los separaba, y le habló al oído. Va a venir el doctor, le susurró. Lástima, tosió el viejo, pensaba salir de compras. Después se quedó en silencio, boca arriba.

Hans lo observaba sin atreverse a tocarlo, respirando con él, siguiendo el ir y venir del aire en sus pulmones, viéndolo entregar y recibir luz, en vilo durante cada intervalo. Se arrodilló junto al viejo, lo tomó por los hombros con suavidad y dijo: No se vaya.

El organillero volvió a despegar los párpados y contestó despacio, sin toser: Hans, mi querido, no me voy, al revés, pronto voy a estar en todas partes. Mira el campo. Mira las hojas de los abedules.

Dicho lo cual se entregó a un prolongado, aunque a la vez tranquilo, ataque de tos convulsa.

Hans le extendió un pañuelo y se volvió para mirar las hojas. Desde el interior de la cueva sólo se veía un abedul, con las ramas casi desnudas. Mantuvo la vista en las ramas, en el vaivén de las hojas opacas.

Hans, lo llamó el viejo. Qué, reaccionó él. Voy a pedirte un favor, dijo el viejo. Lo escucho, asintió Hans. Cof, por favor, tutéame, dijo el viejo. Bueno, sonrió Hans, dime, te escucho. Ya está, gracias, dijo el viejo. ¿Cómo?, preguntó Hans. Ya está, contestó el viejo, sólo era eso, cof, que me tutearas. Shh, no hable, susurró Hans, no hables tanto, ten paciencia, que vas a mejorar. Sí, suspiró el viejo, como ese abedul.

Afuera, junto al río, silbó el viento. Las ramas del pinar hacían de sonajeros. Dentro de los pulmones del organillero también crujía el aire, ascendía por el tronco, se ramificaba. Los pinos pinchaban la bruma. Su pecho trepaba las ramas.

Venciendo el pudor, o quizás intentando acompañarlo hasta donde podía, Hans sintió curiosidad. ¿Qué se siente?, le preguntó al oído. Al organillero pareció gustarle la pregunta. Se siente, dijo el viejo, se huele, se toca. Y sobre todo, cof, se oye. Vas entrando poco a poco, es como intercambiar algo con alguien. Pero todo muy lento, cof, muy lento, lo vas reconociendo, ¿entiendes?, se acerca y tú lo oyes, como si desaparecer fuera un, cof, no sé, un acorde oscuro, hay notas agudas y graves, se entienden bien, unas suben, otras bajan, cof, suben, bajan, ¿no las escuchas?, ¿no las escuchas?, ¿no las...?

El doctor Müller carraspeó dos veces. Hans se volvió sobresaltado, Müller se descubrió a modo de saludo. Pensé que ya no venía, dijo Hans más en tono de súplica que de reproche. Por desgracia, dijo el doctor, hay muchos enfermos que atender. Hans guardó silencio y se apartó del regazo del viejo. El doctor Müller se arrodilló sobre el jergón, lo auscultó, le tomó la temperatura, le colocó una píldora entre los labios. Tiene bastante fiebre, anunció Müller, y parece aliviado. Doctor, objetó Hans, ¡está sudando y tiembla!, ¿cómo va a estar aliviado? Caballero, dijo el doctor Müller poniéndose en pie, en mi vida he visto a muchos hombres pasar por este trance, y le aseguro que rara vez me he encontrado a uno que sufriera tan poco. Mire. Pálpele la muñeca. Tiene el pulso tranquilo, asombrosamente tranquilo para lo mal que respira, es como si durmiera, fíjese, ¡ah, bueno!, es que acaba de dormirse. Bien, era lo mejor que podía hacer. Necesita reposo, mucho reposo. Y ahora no se preocupe, caballero, que le he dado un somnífero. Descanse usted también.

La semana se fue lenta, con horas de barro. La salud tiene propiedades deslizantes: su transcurso acelerado es imperceptible. La enfermedad en cambio demora, detiene el tiempo, que paradójicamente es lo que extingue. Gradual, constante, la debilidad avanzaba sobre el cuerpo del organillero untándolo de sombras. Sus miembros habían adelgazado. Una lámina traslúcida le envolvía los huesos. Cuando la fiebre alcanzaba un pico, sus manos redoblaban los temblores y lanzaban al aire indescifrables dibujos. El viejo, sin embargo, parecía apagarse con confiada naturalidad. Cuando no lo extenuaban las náuseas o perdía el conocimiento, hacía el esfuerzo de incorporarse entre la mugre del jergón para otear algo que estaba en el pinar y más allá del pinar. Entonces Franz, que no se despegaba de su lecho más que para ir en busca de alimento o defecar entre los troncos, alzaba sus orejas triangulares y se sumaba a la atención. ¿Lo escuchas, Franz?, asentía el organillero, ¿estás escuchando al viento?

Hans acudía a la cueva cada mediodía. Le llevaba el almuerzo, se aseguraba de que bebiera líquido y le hacía compañía hasta el atardecer. Dependiendo de las fuerzas, conversaban o guardaban silencio. El organillero dormía mucho y se quejaba poco. Hans tenía la sensación de estar más asustado que el enfermo. También Franz andaba inquieto: se empeñaba en montar guardia, despedía vahos por el hocico y una tarde había intentado morder a Lamberg cuando se presentó en la cueva. Alguna noche Hans se había quedado adormilado junto al viejo y se había despertado tiritando frente a la leña consumida. Después de reavivar el fuego había regresado a la posada atravesando a oscuras el camino del puente, como tantas otras veces ese año. Pero si entonces las caminatas por el campo ciego solían parecerle misteriosas, con ese punto de euforia que da la exposición voluntaria al peligro, ahora se le hacían largas, fatigosas e imprudentes. Nada más entrar en su habitación, se abrigaba cuanto podía, se dejaba caer en el catre y dormía unas horas. Madrugaba a duras penas. Se empapaba de agua fría, bebía tres tazas seguidas de café, le escribía a Sophie y se sentaba a traducir. La mayor parte del tiempo permanecía absorto, balbuceando frente a un libro impreso en alguna lengua hostil, hermética, inconexa.

Uno de esos mediodías salió con retraso. Viendo que no pasaban coches libres y la fila que esperaba en la plaza del

Mercado, prefirió ir a pie. En vez de seguir el itinerario habitual por el Paseo del Río, tomó un atajo por un sendero que cruzaba el campo abierto y desembocaba en el camino principal, desde el que se accedía al pinar de la cueva. Echó a andar con la mente en blanco. Las lluvias frías habían ablandado el sendero. Floja como una bolsa rota, la brisa cambiaba de dirección. A lo lejos, arañados de surcos, los trigales del sur aparecían y desaparecían. Un resplandor devaluado menguaba los contornos del paisaje. Era un día (pensó Hans) para pintores, no para caminantes. Cuando intentó calcular la distancia que lo separaba del pinar, descubrió que se había perdido.

Consiguió reorientarse al divisar de frente, ya muy cercanos, los trigales. Caminó hacia ellos para asegurarse de dónde estaba. Paralela al horizonte, una hilera de campesinos se inclinaba sobre la tierra. Mientras se aproximaba al cerco, Hans distinguió la silueta encogida de un labriego entrado en años. Se detuvo a observarlo.

Al otro lado del cerco, un labriego levantó la cabeza intentando averiguar qué demonios miraba tan fijamente el tipo de cabellos al viento. Por un momento (se convenció de que no) le pareció que lo miraba a él. El labriego escupió (qué suerte la de algunos, ¿el señorito no tenía nada mejor que hacer?) y volvió a agacharse. (Había que apresurarse. No era ninguna broma. El capataz de los Rumenigge había venido echando espuma por la boca. Les había gritado que llevaban dos jornadas de retraso. Que el amelgado se había hecho tarde. Que algunos surcos estaban torcidos como culebras. Y que a partir de mañana les pagaría la mitad del jornal a menos que recuperasen el tiempo perdido. El capataz tenía razón, pero si amelgaban más rápido iba a ser peor. Y si enterraban el grano de cualquier manera, el nudo de las plantas iba a quedar poco cubierto. ¿Hacía cuánto que el capataz no sembraba? Corriendo demasiado, sembrarían mal. Pero si no corrían, les pagarían menos. Así estaban las cosas hoy en día. Al que no iba a buen ritmo no volvían a llamarlo nunca más, sobre todo a los más viejos, como le pasó a Reichardt. Y el idiota de los pelos, ¿qué seguía mirando?) Alzando de nuevo el saco y apretándolo contra su costado izquierdo, el labriego hundió la mano en la simiente y esparció otro puñado, procurando describir una curva completa con la muñeca (¿y cómo demonios iban a hacerlo rápido, si el viento cambiaba cada dos por tres y no había manera de repartir el grano?).

Hans se alejó del cerco sin apartar la vista de la hilera de campesinos que avanzaban peinando los surcos con escardas, almocafres, azadones. En los idiomas que creía conocer, pensó Hans mientras se iba, ¿cómo se decía azadón, almocafre, escarda? ¿Y por qué traducía tan mal últimamente?

Reencontrada la senda, aceleró con la mente puesta en los medicamentos que debía suministrarle al organillero. Ahora que el viejo flaqueaba, Hans se daba verdadera cuenta de lo frágil que era su viaje, su amor, su estancia en la ciudad, sus certezas. Y supo, o admitió, que no cuidaba a su amigo sólo por lealtad: lo hacía sobre todo por él mismo, por no cambiar otra vez de destino, por aferrarse a Wandernburgo, a Sophie, a los días de alegría en la cueva, por retrasar el momento de irse, que es lo que había hecho desde siempre en cada lugar, cada ciudad, cada país por el que había pasado.

Cerca del cruce del puente una bandada de cuervos atravesó las nubes incoloras y fue a repartirse entre las ramas de los árboles, a la espera de que el grano de los trigales se quedara solo. Uno de los cuervos cayó tan recto que pareció que alguien tiraba un adoquín desde alguna rama. Varios más lo siguieron graznando con escándalo. Entre el revuelo de sus picos Hans divisó el vientre abierto de una oveja, sus intestinos violáceos, el remolino de moscas.

Al agacharse junto al organillero, el viejo abrió los ojos esforzándose por sonreír. Has caminado mucho, dijo ahogando una tos, ¿adónde fuiste? ¿Cómo lo sabes?, se sorprendió Hans, ¡tú eres adivino! No seas bobo, dijo el viejo, llevas barro en las botas, mucho barro. Ah, sí, sonrió Hans, tomé un atajo y me perdí. Voy a contarte un secreto, dijo el organillero, cof, escucha: ¿sabes qué hay que hacer para no perderse en Wandernburgo? Elegir siempre el camino más largo.

Hans oyó desensillar un caballo y se asomó a ver quién era. El aire se había endurecido, el sol se retiraba de las cosas.

Me imaginé que estabas aquí, dijo Álvaro dándole un abrazo. Hans olió en su camisa una mezcla de crines de caballo y perfume de mujer. ¿Cómo estás?, dijo Álvaro (Hans se encogió de hombros), ¿y la editorial? (no muy contenta conmigo, dijo Hans, tengo todos los encargos atrasados), ¿y Sophie? (eso mismo quisiera saber yo, suspiró Hans). De pronto el organillero lanzó un grito y entraron en la cueva. Lo encontraron dormido, hablando solo. ¿Delira mucho?, preguntó Álvaro. A veces, contestó Hans refrescándole la cara, depende de la fiebre, estos días la ha tenido más alta. Ayer deliró tanto que no parecía de aquí. Creo que hoy está un poco mejor.

Viendo que su dueño quedaba vigilado, Franz salió a buscar comida. Sus ojos se llenaron de cielo. El horizonte corría. La luz ahuyentaba las nubes como una antorcha sembrando el pánico.

La fiebre subía y bajaba, ardía y enfriaba, trepaba por la frente del organillero y cedía un poco dejándolo descansar. Hans dormía cuatro horas por noche y había pedido una semana de asueto a la editorial.

Eh, Hans, carraspeó el viejo. Ah, se volvió él, ¿estás despierto? Yo siempre estoy despierto, contestó el viejo, cof, sobre todo cuando duermo. Hans no supo si le había subido la fiebre o hablaba en serio. Eh, ¿sabes con qué he soñado?, contó el organillero, algo increíble, cof, siempre te digo lo mismo, pero este es especial, a ver qué te parece, ¡un hombre con dos espaldas!, cof, soñé con un hombre que tenía dos espaldas. Hans se quedó mirándolo con una mezcla de asombro y susto. Trató de imaginarse al hombre de las dos espaldas, de hacerse una imagen nítida de semejante criatura, hasta que se estremeció. El hombre de las dos espaldas viviría mirando en dos direcciones, siempre yéndose dos veces, o llegando y al mismo tiempo yéndose de todas partes.

Eh, cof, dime, dijo el organillero, ¿tú crees que los sueños dicen la verdad? Quién sabe, contestó Hans tratando de no

pensar en el hombre de las dos espaldas, en fin, Novalis decía
que los sueños ocurren en un lugar que está entre el cuerpo y el
alma, o en un momento en que cuerpo y alma están químicamente unidos (ajá, cof, dijo el viejo, ¿y eso quiere decir que los
sueños dicen la verdad?), bueno, más o menos (eso es lo que me
parecía, dijo el organillero cerrando los ojos).

Eh, cof, Hans, dijo el organillero abriendo los ojos, ¿sigues ahí? (sigo, sigo, contestó él humedeciéndole la frente con
un pañuelo mojado), me aburro, Hans, hace un montón de
días, cof, ¿cuántos?, que no toco el organillo, si no, cof, si no
puedo tocarlo yo me aburro y él también (Hans miró hacia el
fondo de la cueva y no pudo evitar un escalofrío al ver el bulto
del instrumento cubierto por una manta), cof, eso es lo que me
da más pena, Franz y yo no tenemos música, cof, y nos pasamos
las horas escuchando el viento.

Cof, Hans, eh, Hans, volvió a despertarse el viejo, ¿me
cuentas algo? (¿algo como qué?, preguntó Hans), cualquier
cosa, lo que se te ocurra, tú siempre cuentas cosas (no sé, dudó
él, me toma, me tomas desprevenido, déjame pensar, a ver, no
se me ocurre nada, bueno, sí), cof, ¡ya me parecía! (voy a seguir
hablándote de Novalis, el que te dije antes, ¿te acuerdas?), cof,
claro, estoy moribundo, no amnésico (tú no estás moribundo),
sí, sí que estoy, sigue (bueno, ese, acabo de acordarme de otra
cosa que dijo sobre tu asunto favorito), ¿los organillos, cof? (no,
no, los sueños), ah, perfecto (algo así como que mientras dormimos el cuerpo digiere lo que ha visto el alma, o sea que el
sueño vendría a ser la digestión del alma, ¿me explico?, eh, organillero, eh, ¿estás despierto?), sí, cof, sí, estoy pensando.

Eh, Hans, escucha (¿ya te has despertado?, ¿tienes sed?),
sí, gracias, cof, pero dime, entonces, cof, a ver si lo he entendido, entonces cuando el cuerpo termina de digerir lo que comió
el alma, ¿no, cof?, cuando ya no le quedan sueños para digerir,
¿entonces de repente nos despertamos con hambre?

Cof, Hans, eh (¿sí?), tengo (¿sed?, ¿quieres más agua?),
gracias, no, sed no, cof, tengo miedo (¿miedo de morirte?), no, de
morirme no, eso pasa y ya está, cof, es apenas un momento, no
sé si dolerá, cof, pero el dolor del cuerpo ya lo conozco, ¿en-

tiendes?, el miedo que yo tengo es por el organillo, Hans, mi organillo, cof, cof, ¿quién va a tocar las canciones? ven, ven aquí (dime, dime), quiero pedirte algo (lo que quieras), cof, quiero que averigües cómo se dice *organillo* en todos los idiomas que puedas, me gustaría mucho que me digas los nombres, cof, necesito escucharlos, ¿me haces ese favor?, ¿eh, Hans?, ¿me haces ese favor?

Las tardes perdían claridad como un jarro de leche roto. Habían llegado las primeras nieves, las ramas se cargaban. Un aire helado lesionaba el campo. El viejo ya no tenía toses sino algo más denso y profundo en la caverna del pecho. Había que estar muy cerca de él para poder oírlo. Hablaba sin vibrar, perdiendo aire. Soplaba más que hablaba. En cuanto vio entrar a Hans, trató de incorporarse. ¿Los tienes?, susurró, ¿me has traído los nombres? Hans apartó el nudo rancio de sábanas, pajas, lanas. Se sentó en el jergón. Le tomó una mano sin carne y sacó una cuartilla del bolsillo.

Ya sabes que además de *Leierkasten*, dijo Hans sin soltarle la mano, nosotros lo llamamos *Drehorgel* (nunca me ha gustado ese nombre, susurró el organillero, prefiero Leierkasten, así se ha dicho siempre), aparte de eso, ¿por dónde empezamos?, a ver, bueno, por ejemplo en italiano lo llaman *organetto di Barberia* (ese nombre, dijo el organillero, tiene humor, ¿no?, es un nombre de fiesta) y en francés se parece mucho, fíjate: *orgue de Barbarie* (¡estos franceses!, rió el organillero al escucharlo pronunciar), en holandés se dice de muchas formas, hay un nombre parecido al que no te gusta, mejor no te lo digo, pero hay otro muy sencillo: *straatorgel* (bien dicho, sí señor, aprobó el organillero, eso es ni más ni menos, ¿sabes que el organillo nació ahí, en Holanda?), no, no sabía, pensé que lo habíamos inventado nosotros, ¿y qué más?, *lirekasse* en danés (eso está bien, muy bien, ahí parece que nos han copiado un poco, ¿no?), podría ser, o a lo mejor nosotros copiamos a los daneses (imposible, imposible, los organillos alemanes son más antiguos), bueno, sigo entonces, eh, en sueco se dice *positiv* (excelente, excelente), los noruegos lo llaman *fatorgan* (ese parece un nombre de instrumento más grande), los portugueses le dicen *realejo* (raro, pero bonito), en polaco es *katarynka* (¡fantástico!, ¡ese tiene campanillas!) y después, bueno, en inglés se dice de muchas maneras, ¿sabes?, según el tamaño o el uso (lógico, lógico, siempre tan prácticos, estos ingleses), a ver, por ejemplo le dicen *barrel organ* (ajá), también está *fair organ* (correcto), hay otro que es *street organ* (bien, bien) y está mi favorito: *hurdy-gurdy* (¡oh, sí!, ¡para niños...!).

Cuando Hans terminó de decirle los nombres, el organillero se quedó pensativo. Bonitos, asintió finalmente con una sonrisa que se le fue desdibujando, son muy bonitos, gracias, ya estoy mucho mejor. Un efímero alivio pareció relajar sus rasgos. Casi de inmediato, las convulsiones volvieron a crisparlos.

Ya no tose, dijo Hans, ¿eso es bueno? Yo diría más bien, contestó el doctor Müller, que es inevitable.

El organillero se pasaba las horas mirando al techo con los ojos vidriosos o gimiendo entre sueños que se interrumpían de golpe. Parecía dolerle respirar, como si en vez de aire estuviera tragando un brebaje viscoso. El vapor de su voz apenas traspasaba la barba. Costaba trabajo ayudarlo a hacer sus necesidades. Lavarle medio cuerpo era un triunfo. Tenía los miembros aceitosos, el cabello hecho una pulpa, la piel comida por las chinches. Se lo veía repulsivo, bello muy a su modo, digno de todo amor.

Pertrechado con mantas y ropas de la posada, Hans llevaba varias noches durmiendo en la cueva: había decidido instalarse ahí hasta el final. Álvaro les traía una cesta diaria con comida. Esa mañana Hans le había pedido también un libro de Novalis. Necesito discutir con él, había dicho. Cuando su amigo vino a entregárselo, Hans se alarmó: ese no era el ejemplar que había sobre el escritorio, tal como le había indicado, sino otro que guardaba (o al menos eso creía recordar) dentro del arcón. ¿Habría encontrado Álvaro la llave del arcón? ¿Se habría detenido a examinar su contenido? ¿Qué más habría visto? Hans lo miró a los ojos. No supo leer en ellos. Tampoco preguntó.

Hacia el atardecer, con un fondo de nieve aguada, Hans sintió que los párpados se le cerraban. Poco después, a oscuras, lo despertó un ruido a rama rota. Ya no caía nieve. Avivó las llamas, se volvió hacia el viejo y reconoció los ruidos. No eran ramas rotas, eran sus pulmones. Gemía con la cara tirante. El aire frío entraba por la boca de la cueva, pero apenas salía por la boca del viejo. ¿Qué te pasa?, se acercó Hans, ¿qué tienes? Nada, dijo el organillero, ya no tengo nada, es como si se estuviera yendo otro.

Eh, organillero, llamó Hans, ¿sigues ahí? No sé, contestó el viejo. ¡Qué susto!, dijo Hans, creí que. Pronto, pronto, gimió el organillero. Escucha, se acercó Hans, quería decirte una cosa, o sea, no quiero, pero tengo que decírtela, perdóname, ¿tú dónde prefieres que te entierren? ¿A mí?, contestó el viejo, déjame por aquí, gracias. ¿Cómo aquí?, dijo Hans, ¿aquí dónde? Por ahí, donde sea, contestó el viejo, acostado en la tierra. ¡Cómo que acostado!, protestó Hans, ¡por lo menos un entierro digno! No hace falta, gracias, dijo el viejo, si me dejas encima los cuervos y los buitres se comerán mi cuerpo, y si me entierran se lo van a comer los gusanos y las hormigas, ¿qué más da?

Eh, Hans, eh, susurró el organillero, ¿estás dormido? No, no, bostezó Hans, ¿qué necesitas? Nada, dijo el viejo, quería pedirte que cuando pase ordenes un poco la cueva.

El organillero llevaba todo el día sin hablar. No se revolvía en el lecho. No gemía. Estaba quieto y consciente. Sus rasgos parecían dibujados con el filo de un carbón. Su expresión era una mezcla de daño y pereza, como quien no tuviera ganas de saber lo que sabe. Junto a él, alerta, a oscuras, Hans sentía que esa espera era la máxima soledad y a la vez la mayor compañía.

De pronto el organillero empezó suavemente a decir unas plegarias. Hans lo miró asustado. Esa misma mañana se había ofrecido a traerle un sacerdote, pero el viejo se había negado. Sin saber muy bien qué hacer, lo besó en la barba sucia. Le preguntó al oído si quería alguna ceremonia. El viejo entreabrió los labios tiesos, le apretó una muñeca, susurró: Esta es la ceremonia.

Franz se acercó a lamer los dedos de su dueño. Hans miró instintivamente hacia la entrada de la cueva, aun sabiendo que no vendría nadie: Álvaro ya había pasado con la cesta, Lamberg estaba en la fábrica y al doctor Müller no le tocaba venir. Le extrañó la sencillez brutal del momento. Estaban juntos, solos, y no iba a haber nada más. Ni siquiera una gran frase. El organillero había tenido muchas palabras sabias durante su enfermedad y ahora, justo al final, se quedaba callado. Sólo miraba a Hans con una sonrisa débil, sin soltarle la mano, como un niño a punto de atreverse a saltar. Incapaz de soportar ese silencio, Hans preguntó: ¿Un poco más de agua?, ¿vino?, ¿qué te gustaría? El organillero movió apenas la cabeza y dijo: Me gustaría respirar. Después entornó los párpados, inspiró, y eso fue todo.

Hans se quedó mirándolo, incrédulo ante lo evidente. No lloró todavía. Se mantuvo un rato en la misma postura, como quien ha quebrado una copa y teme abrir los dedos. Después se puso en pie con lentitud, esforzándose por concentrarse en cada movimiento. Se propuso no mirar el jergón, no perderse del todo, antes de cumplir su promesa. Recorrió la cueva ordenando bártulos, agrupando herramientas, recogiendo objetos caídos. Cuando llegó al organillo, las piernas le temblaron. Dudó, retrocedió. Volvió a acercarse y tiró de la manta que lo cubría. Encima de la tapa del organillo encontró una nota sujeta con una piedra. La nota era un garabato que decía: «Hans».

Asomado a la boca de la cueva, Franz ladraba. El viento había empezado a soplar fuerte.

V. El viento es útil

La llovizna diluía la primera gran nevada que acababa de caer sobre Wandernburgo. Más que limpiar las calles, el agua flaca contribuía al barro: la tierra de las calzadas se batía, los bordes de las losas se manchaban, los huecos entre los adoquines se llenaban de café sucio. La luz de las mañanas se alzaba con dificultad, como izada por un brazo torpe. Las chimeneas oscurecían las nubes. Los abrigos engordaban las sombras que pasaban de largo.

Hans se detuvo en el centro de la plaza del Mercado. Desvió la vista una vez más hacia el rincón donde el organillero solía apostarse. Qué imperceptible, qué inmenso era el hueco que había dejado en la plaza. Hans intentó mirarla como el organillero la miraba, como él había sabido mirarla. La encontró simple y fea. Escondió las manos en los bolsillos de la levita, agachó la cabeza, siguió caminando.

Aunque había logrado recuperar parte del trabajo atrasado, Hans tenía la impresión de que trabajaba peor. Se encerraba tardes enteras, devoraba páginas, trasladaba vocabularios, volvía a ser eficaz, pero no se divertía. Y en sus horas de descanso, aparte de los encuentros con Álvaro, no encontraba qué hacer ni adónde ir. A Sophie era imposible verla: el señor Gottlieb la vigilaba todo el día y le había impuesto un encierro hasta la fecha de la boda. Sólo se le permitía salir en compañía de Rudi, iba siempre en coche, la llevaban de puerta a puerta. Lo único que tenían eran las cartas. Elsa colaboraba con el disgusto y la lealtad de costumbre. Cada vez que salía a la calle para algún recado, dejaba o recogía un billete en la recepción de la posada y desaparecía calle abajo.

Las extensas, encendidas cartas de Sophie dejaban a Hans en vilo, dividido entre el impulso de quedarse cerca de su remitente y la desesperación de no poder verle la cara. La cara de Sophie, que volvía a borrársele poco a poco, que volvía a parecerle una incógnita. En la memoria de Hans se barajaban instantes de sus rasgos, perfiles entrevistos, fragmentos sonrientes que no alcanzaban a completar un retrato. Sí recordaba en cambio, con toda exactitud, sus manos estirándose hacia él. Las manos y la voz. Esa voz que escuchaba cuando leía sus cartas. Que le hablaba de todo, salvo de lo inminente.

A Sophie los escuetos, ansiosos billetes de Hans la desconcertaban. Él seguía escribiéndole sin falta, mostrándole pasión, demostrando paciencia. Pero, por otro lado, en todo lo hermoso que le decía parecía haber un fondo de despedida, como si diera por hecho que no volverían a verse, como si cada carta fuese el preámbulo de su partida. ¿Hans decía lo que le decía porque sabía que estaba yéndose? ¿O justo al contrario, lo decía porque pese a todo había decidido quedarse? Y si así era, ¿qué esperaba realmente?, ¿por qué seguía en la ciudad? No eran cosas que pudieran preguntarse por carta. O mejor dicho no eran cosas a las que se pudiera responder de verdad sin mirarse a los ojos. ¿Y ella?, ¿qué esperaba ella? En el fondo esa pregunta era la más difícil de todas. Hasta donde le constaba, ella ya no podía esperar nada. Pero si hacía un esfuerzo por ser sincera consigo misma, esa resignación infrecuente en ella, esa tristeza a la que había empezado a acostumbrarse, quizá todavía esperasen algo.

Con el vaivén diario de cartas no se limitaban a confesarse, o disimular, sus agitados sentimientos. También hacían el amor por escrito. Y lo hacían tan literalmente como podían. Algunas mañanas Hans se despertaba con una nota violeta que decía sólo: *Te lamo la punta. Abres los ojos.* O: *Acabo de sentarme encima de ti. Buenos días.* Medio dormido, él contestaba: *Tienes tres dedos dentro. Abro la mano.* O: *Acabo de empaparte, lo siento por tu falda.* Después se masturbaba y bajaba a desayunar.

Hans cruzó la plaza con la cabeza agachada y las manos en los bolsillos de la levita. Cuando la incertidumbre lo abrumaba, caminar era lo único que conseguía tranquilizarlo.

El movimiento tenía la propiedad de consolarlo con la sensación de que todo quedaba atrás. Entonces, ¿había llegado el momento de seguir viaje? ¿Ese era su destino? ¿O esa era su fuga? ¿Quiénes eran más libres: los que se van aceptando su derrota, o los que insisten en quedarse para ser vencidos? Al pasar junto a la fuente barroca, el sombrero de Hans voló unos metros. La veleta de la Torre del Viento chirriaba desorientada. Alrededor de la torre giraban los vencejos, también ellos minutos.

Lisa entrecerraba los ojos, fruncía la nariz, respiraba por la boca. El hedor empezó a confundirse con una ola de cloro y sodio. Vació un par de cubos de agua, blanqueó las letrinas, volvió a enjuagarlas. En cuanto trabó las puertas, soltó el aire de golpe y pateó los cubos. Al recogerlos de mala gana, el filo de uno de ellos le hizo un corte en la mano. Lisa lanzó un chillido, se llevó los nudillos a la boca y, justo antes de lamérselos, se detuvo maldiciendo. Fue a lavarse las manos en el pozo. Mientras se las frotaba con jabón se quedó mirándolas con asco: así, con la marca del río en las muñecas, los nudillos ásperos, las uñas despellejadas y las yemas heridas, jamás les gustaría a hombres como Hans. Los hombres como él, pensó Lisa, preferían a las estúpidas con manos de princesa como la señorita Gottlieb, que seguramente ni siquiera sabía llenar cubos en un pozo, si es que era capaz de levantarlos. La señorita Gottlieb, que se empeñaba en sonreírle como una hipócrita cada vez que se cruzaban en las escaleras. La señorita Gottlieb, que sin esos vestidos que le compraba su padre y esos peinados que le hacían sus sirvientas no valía más que ella. La señorita Gottlieb, ¿que hacía cuánto, por cierto, no subía a visitar a Hans? Se veían poco y se escribían mucho. Eso, concluyó Lisa secándose las manos, era muy buena señal.

Lisa entró a la vivienda para guardar la ropa almidonada. Asegurándose de que Thomas no estaba en casa, se tomó unos minutos para refrescarse la cara y peinarse. Cruzó el pasillo canturreando. En el hogar de la sala crepitaba la leña, humeaba el caldero. El señor Zeit dormitaba detrás del mostrador. Lisa se asomó a la cocina. Su madre removía caldos y troceaba tocino mientras se asaban las patatas en el fuego. ¿Ya está todo planchado?, dijo la señora Zeit sin volverse. Lisa se preguntó cómo hacía su madre para detectar su presencia incluso de espaldas. Sí, madre, contestó Lisa, todo. ¿Y las letrinas?, preguntó la señora Zeit. También, suspiró Lisa. Muy bien, dijo la posadera, entonces ahora ve a llenar de aceite las. Disculpe, madre, la interrumpió Lisa, ¿esas legumbres son de hoy? Sí, dijo la señora Zeit volviéndose, ¿por? Porque el señor Hans, contestó tranquilamente Lisa descolgando un cucharón, me ha pedido que le suba la comida, después me dice lo otro, me llevo estos dos platos y este trozo de pan, enseguida vuelvo, madre.

Lisa apoyó la bandeja en el suelo. Tocó la puerta de Hans y, según su costumbre, abrió sin esperar la respuesta. El cuarto olía a preocupación. Lisa, que tenía un olfato extremadamente sensible, estaba convencida de que cuando alguien se encontraba preocupado respiraba mal y manchaba el aire. Las ascuas de la chimenea casi se habían consumido. Encima de una silla, toda revuelta, se arrugaba la ropa de Hans. Media cabeza despeinada sobresalía frente al atril, entre las pilas de libros de la mesa. La tenue luz que se filtraba por la ventana apenas aclaraba el laberinto de papeles, donde el quinqué y los candelabros permanecían apagados.

Te he traído comida, anunció Lisa en tono cantarín. Muy bien, gracias, murmuró Hans. ¿Abro más los postigos?, sugirió ella. Como quieras, dijo él. Lisa se llevó las manos a la cintura y lo observó, impaciente. Pareces cansado, dijo. Cansado, sí, contestó Hans sin despegar la vista del plato. ¿Estás enfadado?, probó ella. ¿Yo?, dijo él levantando la cabeza, ¿con quién?, ¿contigo? Lisa asintió afligida. Hans dejó el plato, se puso en pie y se le acercó. Niña mía, dijo sosteniéndole la cara entre las manos, ¿cómo voy a estar enfadado contigo? Ahora, al fin, Hans le había sonreído. Lisa pestañeó y se concentró en la calidez de las palmas de Hans, en la apertura de sus dedos, en la suave fuerza de los pulgares. Era así, exactamente así, como debía ser la vida siempre. Qué delicia, pensó, desmayarse ahora. Empezó a sentir que la sangre bajaba de su cabeza y le llenaba los pechos, el vientre, las piernas. Incluso le pareció que la boca de Hans se aproximaba un poco, no mucho, algo, a su boca. ¡Lisa!, resonó entonces el vozarrón de la señora Zeit escaleras arriba, ¡Lisa, el aceite! Hans retiró las manos de sus mejillas y retrocedió. Lisa se quedó rígida. Sus facciones se contrajeron en una mueca de odio. ¡Ya voy!, gritó saliendo de la habitación.

Esa noche Álvaro pasó por la posada, lo obligó a vestirse y salió con él. Hans se dejó arrastrar por la calle del Alfarero. El bullicio de la Taberna Pícara le hizo daño: todo el mundo reía, se emborrachaba o se tocaba con despreocupación. En las ruedas de hierro que pendían del techo sólo una de cada dos velas estaba encendida: a esas horas convenía que los movimientos de los clientes no se vieran demasiado. Hans contemplaba su jarra de cerveza como un calidoscopio. ¿No bebes?, se extrañó Álvaro. Sí, sí, murmuró Hans vaciando media jarra de un trago. Tras tantear sin éxito dos o tres temas, Álvaro le pasó un brazo sobre los hombros. ¿Hace cuánto no la ves?, preguntó. Hans resopló, contó en silencio y dijo: Dos semanas y media, casi tres. Álvaro empujó la jarra de Hans con la suya intentando animarlo. Hans, que se había quedado de nuevo pensativo, tuvo que reaccionar para evitar que su cerveza se derramase. La luz dorada de la jarra se alborotó, rozó el borde, se salvó temblando.

El líquido rojizo se encrespó como una lengua, reflejó en carrusel las lámparas de carburo, escaló el borde de la copa, se derramó violentamente sobre el mantel de guipur. Dos criados se acercaron de inmediato para aclarar la mancha con paños húmedos. Rudi enderezó su copa y los expulsó entre gritos, ordenándoles que corriesen las puertas del cenador y los dejaran solos.

Inmóvil a mitad de bocado, Sophie espió a Rudi entre los dientes del tenedor. Últimamente lo había visto levantar la voz más que en un año entero. En cuanto el cenador quedó en silencio, él exclamó: ¿Cómo te atreves a pronunciar ese nombre en mi casa? Lo siento, dijo ella, pensé que los criados no sabían quién era. ¡El servicio sabe todo!, contestó Rudi, ¡siempre sabe todo! Ya te he dicho que lo siento, repitió Sophie desviando la vista. ¡Pero cómo has podido!, gritó Rudi, ¡eso quiero saber, cómo has podido! ¡Hacía tiempo que mis amigos me lo advertían, me venían con maledicencias y yo no quería escucharlos! ¿Y sabes por qué, Sophie? ¡Porque confiaba en ti, porque confiaba! ¡Dios mío, qué traición! ¡Por no hablar del escándalo! ¿Se puede ser más ingrata? ¡No, aquí no hables! ¡Salgamos al jardín!

Tiritando bajo la humedad del jardín, con los párpados inflamados y la voz temblorosa, comprendiendo que era inútil seguir negándola, por fin Sophie admitió la verdad. Y para su sorpresa, en vez de enfurecerse más, Rudi se apaciguó al escucharla. Se quedó pensativo, dando vueltas en torno a los arbustos como el sabueso que acaba de desenterrar el botín. Viéndolo dar zancadas de un lado a otro, Sophie sintió compasión por él. Y no pudo evitar, mientras se maldecía, sentirse también culpable. Muchas veces se había prometido que, pasara lo que pasase, jamás se arrepentiría de haber obrado como lo había hecho, de haberse atrevido a hacer lo que deseaba. Ahora todo se le volvía un fracaso: había engañado a Rudi, su compromiso se tambaleaba, Hans parecía a punto de marcharse y para colmo, en contra de sus principios, ella empezaba a lamentar su osadía. En ese momento Rudi volvió a hablarle. ¿Y cómo?, dijo en tono implorante, ¿cómo pudiste preferirlo a él? Afectada por la debilidad de Rudi, Sophie trató de suavizar la historia. No es que lo prefiera, susurró, es que son sentimientos distintos. ¿Distintos?, dijo él, ¿cómo de distintos?, ¿a mí me aprecias y a él lo quieres?, ¿a mí me quieres y a él lo deseas?, ¡dime!, ¡habla! ¿Estás seguro de que quieres seguir hablando de esto?, preguntó ella, ¿no te he dicho bastante? Te exijo que me lo expliques, contestó él, quiero entenderlo,

¿no eras tan hábil con las palabras?, ¡entonces explícame! Incapaz de continuar sin herirlo más, Sophie prefirió guardar silencio. Sabía que la ira de los hombres necesita un oponente. Y que, si eludía el enfrentamiento, Rudi sería más indulgente con ella.

Media hora después, todavía en el jardín, los papeles empezaron a invertirse. Descubierto el secreto y admitido el engaño, de algún modo Sophie se sentía aliviada. Y era Rudi el que, concluida su acusación, de pronto se sentía indefenso. Ella había caminado durante meses sobre una cuerda floja y, como era previsible, había terminado cayéndose. Pero ahora podía mirar a Rudi sin ningún fingimiento. Y empezaba a notar que había más fortaleza en su sinceridad de mujer infiel que en la indignación rabiosa de su prometido. Él había pasado de la recriminación a la perplejidad, y de la perplejidad al dolor. ¡Me lo temía!, aullaba pateando el suelo, ¡te juro que me lo temía! ¡A mí! ¡Con ese fatuo! Y si tanto te lo temías, contestó Sophie en un arranque de orgullo conyugal que ella misma encontró sorprendente, ¿entonces por qué no volviste antes?, ¿por qué te quedaste en tu balneario?, ¿cómo podías sentirte tan seguro? Rudi dejó de moverse. Clavó la vista en el suelo y murmuró: No. No me sentía seguro. Nunca he estado enamorado así de nadie. Y nunca he estado menos seguro que contigo. ¡Rudi!, suspiró ella mordiéndose el labio. En Baden, continuó él, yo no hacía otra cosa que dudar. Dudar de mí, de ti, de todo. Algunas noches lloraba preguntándome si debía volver por sorpresa a Wandernburgo. Pero trataba de convencerme de que tenía que confiar en ti, en nosotros. De que no debía comportarme como el típico marido celoso que una mujer así, así como eres tú, jamás desearía tener. Y al final decidía quedarme, esperando que entendieras que mi ausencia no era una señal de despreocupación, sino la prueba de amor más difícil que podía darte.

Rudi hilvanó estas últimas frases con una claridad helada, como el médico que diagnostica su propia enfermedad. Sophie se quedó muda. Por un momento ambos se dedicaron a escuchar su silencio, el telegrama de la fuente. Hasta que Rudi agregó: Eso, si es que esta prueba de amor no es más difícil todavía. Yo sigo enamorado. Igual o más que al principio. ¡Dios mío! Sophie Gottlieb, mírame bien, escucha lo que te digo. Estoy dispuesto a perdonarte, a olvidar todo, ¿te das cuenta?, yo también estoy loco, todavía estoy dispuesto. Lo negaremos juntos, lo negaremos todo hasta que él se vaya, hasta que todo el mundo se olvide de esto. Qué me dices. Una señal tuya, ¿me oyes?, una sola señal y volvemos a estar como antes. Y aquí no ha pasado nada, ¿entiendes? Nada. Pídeme lo que quieras. Pídemelo.

Incapaz de abrir la boca, Sophie supo que nunca había respetado tanto a Rudi ni lo había querido menos.

Sus párpados abultaban, sacos rellenos de ropa. En las vigas del techo las telarañas engordaban. Incapaces de detenerse ni siquiera dormidos, sus ojos agotados seguían corriendo de izquierda a derecha, leyendo la oscuridad.

Soñó que el suelo giraba sobre un eje, que su cuerpo era un reloj, que la cama era una noria. Se movía sin avanzar, el espacio se plegaba en espirales, dibujaba una diana, órbitas dentro de órbitas. En el centro de todo esperaba un desagüe. Una mano surgía de la corriente y se agitaba pidiéndole auxilio. Y Hans iba y no iba, la tierra era una red pegajosa, sus piernas se ablandaban, y de repente le faltaba una mano.

Despertó como quien cae de espaldas. Hacía frío. Una mañana blanca envolvía la habitación. La cama estaba rara. Cuando se dio cuenta de que había amanecido con los pies en la almohada y la cabeza a los pies de la cama, supo que ya era tiempo. Se incorporó de un salto, se echó encima un abrigo de lana, se sentó a escribir dos cartas.

Elsa se asomó a ver quién era y bajó de inmediato para adelantarse a Bertold. La sorprendió que Lisa apareciera tan temprano: los billetes de Hans no solían llegar antes del desayuno. Escondió el billete en el escote. Acarició la cabeza de Lisa, le regaló unos caramelos de anís, cerró el portón. Lisa se dirigió al mercado masticando culpablemente un caramelo: ¿hasta cuándo seguiría aceptando golosinas como si fuera una niña?

Sophie se encerró en su alcoba para leer el billete. No pudo pensar nada. Sólo sintió un pinchazo en todo el cuerpo, un vacío en las venas. Se mordió los labios con fuerza. Trató de evadirse mirando por la ventana. Después llamó a Elsa y le dijo que fuera inventándose una excusa. Que esa tarde salían sí o sí.

Lloviznaba. Ahora siempre lloviznaba. A Hans le pareció mentira que, un par de meses atrás, él hubiera paseado por allí a pleno sol. Se apostó debajo de unos balcones. Esperó. La nariz le goteaba contando los segundos. Alzó la muñeca para secársela y entonces, en un punto borroso más allá de su nariz, reconoció el andar nervioso de Elsa entre caballos y paraguas. Pensó en hacerle una señal, se abstuvo por discreción. Le preocupó no ver a Sophie. De pronto Elsa hizo un gesto mínimo (un estirar el cuello, un despegar los talones) y retrocedió. Hans se inquietó, aunque enseguida Elsa volvió como si nada, con la cabeza erguida, y unos metros detrás apareció Sophie, que no pudo evitar mirarlo fijamente. Elsa se detuvo, le dijo algo a Sophie y se quedó en la esquina de la calle del Afilador. Mientras Sophie se acercaba ocultando su cara bajo el paraguas, Hans notó un remolino en el estómago. Lo mismo le pasó a Sophie mientras veía cada vez más grandes las botas, la levita, la bufanda de Hans.

Menos mal que has venido, dijo Hans. Había razones, dijo Sophie inclinando hacia atrás el paraguas. Los dos se miraron con extrañeza. Él encontró a Sophie bellísima y un punto cansada, como una actriz con ojeras. A ella le pareció que Hans estaba demasiado delgado y bastante guapo con los cabellos chorreando. Hubo un paréntesis, como si se hubieran citado sólo para mirarse. Fue Sophie, acostumbrada a defenderse poniéndose práctica, la que habló de nuevo. Elsa, explicó, va a esperar cinco minutos en esa esquina. Te pedí que mejor nos viéramos aquí porque es un barrio artesano, de esos que mis amistades nunca pisarían. Hans se rió y de inmediato se puso serio. Acabo de enviar mi renuncia a la editorial, dijo en voz baja. ¿Y la antología europea?, preguntó Sophie. No sé, contestó Hans, a lo mejor algún día. A lo mejor, susurró ella. También quería contarte, dijo él, que les he hablado de ti a los de Brockhaus, les mandé unas traducciones tuyas y unos poemas, no pongas esa cara, están interesados en conocerte. Hans, protestó Sophie, ¿quién te ha dado permiso?, ¿cuántas veces te?, en fin, te lo agradezco, ahora no puedo ocuparme de esas cosas. Por lo menos piénsalo, insistió él. Puedo arreglármelas sola, dijo ella. ¿Estás muy enfadada conmigo?, preguntó Hans. Para nada, contestó Sophie, te entiendo, tú tienes tu vida. Ahora yo tengo que concentrarme en la mía. Pero eso, dijo él, también es tu vida: traducir, escribir, ¿no? Esos, contestó ella, sólo son mis sueños.

Desde la esquina de la calle del Afilador, Elsa se cruzó de brazos y miró a Sophie moviendo la cabeza. Sophie levantó una mano indicándole que ya iba.

Escucha, aceleró Hans, ya no puedo quedarme más aquí, tengo que seguir viaje, necesito moverme, empezar de nuevo. Ya lo sé, ya lo sé, suspiró ella, ¿y adónde vas a ir? Supongo que a Dessau, contestó él, nunca se sabe. Ajá, dijo ella. Mírame, dijo él, por favor, mírame: aunque sé que no puedes, me gustaría que vinieras conmigo. Sophie guardó silencio. A Hans le relampaguearon los ojos. ¿O sí puedes?, insistió él, ¡estamos a tiempo!, ¿vendrías? Con gesto desolado pero firme, Sophie contestó: Es mejor no seguir a nadie, ¿no te parece? Hans se encogió de hombros. Sophie sonrió entre lágrimas. Elsa cruzó la calle.

Qué raras las despedidas. Tienen algo helador, como de muerte, y sin embargo despiertan la fuerza desesperada de la vida. Quizá las despedidas fundan un territorio, o nos devuelven al único territorio que de verdad nos pertenece, la soledad. Es como si, de tanto en tanto, una debiera regresar a esa zona, trazar una raya y decir: de aquí salí, esta era yo, ¿cómo soy yo? Antes creía que el amor me iba a dar certezas. Nuestro amor me ha llenado de dudas. ¿Cómo soy? No lo sé, nunca lo he sabido bien. Me he que-dado a solas conmigo (a un lado yo, a otro lado ella) y de alguna manera eso ha sido posible gracias a tu compañía. ¡Ay, mi vida, temo no explicarme! Espero que me entiendas aunque no sepas qué digo. Una especie de hola en el adiós, ¿no sería algo así? Y mucho dolor, claro, eso primero que nada. ¡Te estoy mareando! (Mejor, así podré xxx xxxx xxxx *robarte algún beso mientras das vueltas alrededor de estas líneas.) Hans, ¿te veré una vez más, aunque sea unos minutos, antes de que te vayas? Si me escapé una tarde, puedo escaparme dos. ¿Sabes qué dijo mi padre cuando me vio llegar con...?*

... para las despedidas, como tú dices. Creo que, en buena medida, vivir consiste en eso: en darles a las cosas la bienvenida que merecen, y en despedirlas con la debida gratitud. Sospecho que nadie alcanza esa maestría.

Sophie, voy a confesarte algo. Xxxx xxxx xxx xxx xxx *Antes, cuando volvía a algún lugar y me reencontraba con viejos amigos, era yo el que terminaba despidiéndose de todos. Ahora, no sé por qué, siento que los demás se despiden de mí. No sé si eso es bueno o malo. Uno pierde el temor a soltar el equipaje, pero también la certeza de que su contenido le pertenece.*

Mi amor (¿podré seguir diciéndote mi amor en el futuro?), claro que nos veremos. Aunque sea unos minutos. Ya pensaremos cómo. Hay tanto que quisiera decirte. En eso escribir se parece a estar enamorado: el tiempo nunca alcanza para decir lo que queremos.

Me preguntas si pienso en el viejo. Me acuerdo de él todos los días. Y también (no te rías) me preocupa Franz. Franz, el perro, ¿te acuerdas? No sé dónde estará. Lo he buscado por todas partes, pero no he...

... convencida de que los sedentarios tienen más nostalgias que los viajeros. ¿Tú qué opinas? Para las personas sedentarias el tiempo pasa lento, deja huella, una huella como de caracol en las hojas del calendario. Creo que la quietud es el alimento del recuer-do. La nostalgia cae del lado de los que nos quedamos, y sé de lo

que hablo. No hay nada que me deje más pensativa que ir a despedir a alguien, y quedarme viendo cómo el carruaje se hace pequeño hasta desaparecer. Entonces doy media vuelta, y me siento una extraña en mi propia ciudad. No dejo de pensar en cómo me sentiría yendo a despedirte, amor mío, y te juro que no me siento capaz. No quiero ni imaginarme cómo miraría a mi alrededor, cómo vería todo, cuando tu carruaje se...

... porque tampoco podría soportarlo. Yo también lo prefiero así.

Tienes razón, los viajeros huyen de la nostalgia. Cuando se viaja no hay tiempo para la memoria. Los ojos están llenos. Los músculos, cansados. Apenas quedan fuerzas ni atención para otra cosa que no sea seguir moviéndose. Hacer una maleta no te hace consciente de los cambios, más bien te obliga a postergar el pasado, y al presente lo absorbe la inquietud de lo inmediato. El tiempo resbala por la piel de los viajeros. (¿Cómo estará tu piel?, ¿a qué olerá hoy?, ¿de qué color serán tus medias?)

Resbala el tiempo, sí. Después de un largo viaje, como si la abundancia provocara amnesia, uno suele pensar: ¿ya está?, ¿esto ha sido todo?, ¿dónde he estado realmente en este...?

Había imaginado todas las posibilidades. Que no leyeran su nota. Que nadie bajase a abrirle. Que llamaran a los gendarmes. Ser insultado a gritos. Echado a patadas. Había imaginado todas las posibilidades, salvo esa: que el señor Gottlieb lo recibiese sin oponer ninguna resistencia.

Hans se había prometido no marcharse de Wandernburgo sin despedirse del señor Gottlieb, o sin intentarlo al menos. Se sentía, por un lado, en deuda por la hospitalidad y el afecto que el padre de Sophie le había dispensado al principio de su estancia. Por otro lado, abandonar la ciudad como un fugitivo habría equivalido a reconocer una culpa que se negaba a aceptar. Venciendo la incomodidad de la situación, su rabia por el despotismo del señor Gottlieb con su hija, qui-

zá también una íntima vergüenza, había enviado una nota solicitando una visita a la casa que no pisaba hacía más de un
mes, y se había encaminado por última vez a la calle del Ciervo. Pero ahora que estaba frente al portal, cara a cara con la
golondrina y el león de los aldabones, el asunto parecía diferente. ¿Qué demonios hacía ahí?, ¿por qué iba a confirmar la
autoridad de nadie?, ¿cuánto de disculpa podría interpretarse
en esa visita suya?, y en el fondo, ¿no era aquello una maldita
disculpa? En ese momento el portón de la derecha se hundió.
Bertold le franqueó el paso de mala gana y subió las escaleras
sin esperarlo. Hans se vio obligado casi a perseguirlo. Una vez
en el vestíbulo, evitando mirarlo, Bertold murmuró que el
señor estaba en su despacho. Él se atrevió a preguntar si la
señorita Gottlieb se encontraba en casa. Ha salido, contestó
Bertold dándole la espalda.

Hans volvió a experimentar el vértigo de ese pasillo, su
techo de bruma, su transición helada. Antes de detenerse en el
despacho, no pudo resistir la tentación de asomarse a la sala
donde había pasado tantos viernes: vio los muebles alineados
como en un museo, los sillones cubiertos por fundas, los jarro-
nes vacíos. Los cortinados cegaban los ventanales. El reloj de
pared no estaba en hora. El espejo redondo deformaba la chimenea apagada.

El despacho olía a tabaco, sudor, coñac. Más que oculto en la penumbra el señor Gottlieb parecía adherido a ella, un
retrato plano. En cuanto desplazó la lámpara de aceite hacia el
centro del escritorio, Hans se fijó en el entramado de rayas de
su cara: ¿qué edad tendría el señor Gottlieb? Los saludos tardaban en llegar. Denso, el silencio se alcoholizaba. La alfombra
respiraba polvo. Hans esperó el primer reproche, un gesto de
violencia, algún grito. Pero el dueño de la casa no parecía mirarlo con auténtica hostilidad: lo que colmaba sus ojos, lo que
más traslucían, era abatimiento. Tome asiento, dijo al fin. Hans
se sentó frente a la butaca de cuero. El señor Gottlieb le señaló
la botella, él se llenó un cuarto de copa. ¡Más!, ordenó el señor
Gottlieb. Hans se sirvió otro tanto, alzó la copa y no supo por qué
brindar.

La conversación empezó como todas las conversaciones decisivas: por otra parte. Comentaron la espantosa noticia del profesor Mietter. Hans se esforzó por mostrarse apenado. El señor Gottlieb expresó su incredulidad e incluso la esperanza de que se tratase de una atroz calumnia o un error policial. Lo dijo con tal convicción que Hans comprendió que aquel anfitrión derrotado jamás soportaría la idea de haber reunido en su casa a un violador y un adúltero. Hablaron de la ola de frío. De las bondades del coñac francés. De lo bonitos que eran los trineos. Después se quedaron callados. Entonces entraron en materia.

He venido, señor, carraspeó Hans, a despedirme. Ya lo sé, contestó el señor Gottlieb, mi hija me ha contado que se marcha usted. Sólo por eso lo recibo. Verá usted, intentó Hans, me hago cargo de los problemas que mi amistad con su hija pueda haberle causado (no, no, lo interrumpió tranquilamente el señor Gottlieb, no se hace cargo), créame que esa no era mi intención, pero cuando los sentimientos, cuando surgen los sentimientos, a veces no es posible, y quizá tampoco humano, prever hasta dónde... Ni se moleste, resopló el señor Gottlieb, así fueron las cosas. Y no puedo decir que me hayan sorprendido.

El señor Gottlieb trató de encender su pipa. El tabaco seco y frío se resistía a arder. No pronunció una palabra ni levantó la vista hasta conseguirlo. Vuelto el humo a sus ojos, siguió hablando. Sus bigotes tenían un aire de ave llovida.

Lo temí, continuó el señor Gottlieb, lo temí desde el principio. Desde que los vi a los dos, a mi hija y a usted, conversar juntos. Vi la fatalidad. Estaba ahí. No había nada que hacer. Los veía conversar y era terrible. A Sophie se le iluminaba la cara. Se le iluminaba la cara y yo sentía una mezcla de ternura y dolor. Luché hasta el final, claro. Luché, maldita sea. Como padre responsable y hombre de honor. Pero ya sospechaba que iba a ser inútil. Conozco bien a mi hija. Es, es (recordando su primera charla, Hans sugirió: ¿Fascinante y con carácter?), ¡Dios mío, eso mismo!, demasiado carácter. Al principio pensé en prohibirle a usted la entrada en esta casa. Así fue, no se asombre. Y pensé en evitar a toda costa que se viesen fuera. Pero conociendo a mi hija, simplemente me dije: eso va a ser peor. Se rebelará, se peleará conmigo, con los Wilderhaus, con todo el mundo. Así que decidí confiar en su sensatez y cruzar los dedos. Supuse que así, sin forzarla tanto, ella entraría en razón y terminaría perdiendo ese capricho con usted. Yo ya sabía que cuanto más me interpusiera, más lo convertiría ella en una especie de pasión heroica. Lo que no estaba en mis cálculos es que los dos llegaran tan lejos. O se pusieran a escribir juntos, qué ocurrencia. Espere un momento, déjeme terminar. Y tuve que aguantar. Y tuve que fingir. Delante de mi hija, delante de Rudi, delante de usted mismo. Fingir como un estúpido. Fueron meses de verdadera angustia. No podría contarle los pensamientos que cruzaron por mi mente, pero créame que fueron de toda clase. Entonces se me ocurrió hacer algunas averiguaciones sobre usted.

A Hans se le heló la sangre. Le costó no derramar su copa. ¿Qué clase de averiguaciones?, preguntó con la voz extraña de quien violenta la garganta para sonar natural.

En Jena, contestó el señor Gottlieb con la mirada absorta en los reflejos circulares de la bebida. Hace unos meses, mientras preparábamos la boda. Cuando el asunto ya empezaba a estar fuera de control, se me ocurrió escribir a la Universidad de Jena para pedir referencias sobre usted (¿y?, fue todo lo que pudo decir Hans). Y el resultado, claro, fue el que usted se imagina: en los archivos no consta que nadie con su nombre haya obtenido un título ni haya estudiado allí. Cuando tuve ese dato, no necesité saber más (señor Gottlieb, si yo pudiera explicarle), no hace falta, qué más da. (¿Y por qué no le dijo nada a Sophie?) Bueno, en realidad se lo conté. (¿Cómo que se lo contó?, se alarmó Hans, ¿y ella qué dijo?) Que no le importaba. Eso dijo. ¡Que eso no era lo importante! Así que no volvimos a hablar del tema. Y, por lo que veo, ella con usted tampoco. Sophie es una muchacha decidida. Qué más podía hacer yo. Me senté aquí y esperé. El resto, ya ve usted, ha sido una desgracia. Una verdadera desgracia. (Sólo puedo decirle que lo lamento de veras.) Me lo imagino, me lo imagino.

El señor Gottlieb se incorporó con dificultad. Hans empezaba a sentirse mareado. El señor Gottlieb dio unos cuantos pasos y se detuvo bajo el marco de la puerta: no pensaba salir al pasillo a despedirlo. Hans dudó entre improvisar unas palabras finales o desaparecer cuanto antes. La duda la resolvió el señor Gottlieb, que le puso una mano sobre el hombro, una mano cansada, oscurecida, y le dijo mirándolo con rencor: Deja usted sola a mi hija. No sé, contestó Hans, si le he entendido. Le digo, repitió el señor Gottlieb, que la deja muy sola, maldito hipócrita.

En su última tarde en Wandernburgo, Hans se citó con Sophie en el Café Europa. Se sentaron en una mesa del fondo y pidieron chocolate caliente. En la mesa contigua Elsa leía moviendo una pierna.

Hans hablaba con lentitud pero ella notó que la voz se le ahogaba, como si se apretase la nariz. La apariencia de Sophie era serena salvo por su colgante de coral, que él veía agitarse por encima del escote. Hans se peinaba de más. Ella palpaba la taza, el plato, la cuchara.

O sea, dijo Hans, que cancelaste la boda. Sophie se encogió de hombros, desviando la mirada al techo. ¿Y tu padre?, preguntó él, ¿estará furioso, no? Ella asintió sin énfasis, trató de sonreír y arrugó la boca. Qué raro todo, dijo Hans. Rarísimo, susurró Sophie.

Un camarero pasó entre las mesas sosteniendo un arpón con una llama. Las lámparas de candiles empezaron a encenderse como jaulas que recuperan su pájaro. ¿Qué hora será?, dijo Sophie. Hans le mostró su muñeca libre. Ella alzó la vista hacia el reloj de péndulo. Volvió a mirar a Hans, parpadeó rápido, frunció los labios. Hizo ademán de ponerse en pie. Elsa cerró su libro. Hans sintió cómo se le acumulaban las palabras que no había dicho. Escuchó a toda velocidad, dentro de su cabeza, las explicaciones que pudo haberle dado, los motivos por los que debía marcharse. Imaginó que se abalanzaba sobre ella. Que la besaba delante de todo el mundo. Que volcaba espectacularmente la mesita de mármol. Que le arrancaba la ropa. Se quedó inmóvil. Sophie se iba. Hans dejó unas monedas junto a las tazas, se levantó, fue tras ella. Los tres se encaminaron en fila hacia la salida. Mientras Sophie cruzaba la puerta, Hans la tomó de un brazo y la detuvo. Quedaron cara a cara, al otro lado de la puerta. Cualquier cliente sentado junto al escaparate podría haber observado cómo Elsa, al advertir el gesto de Hans, seguía avanzando con su libro entre los brazos, el cabello en movimiento bajo el pañuelo, caminando lentamente sin mirar atrás.

Hans y Sophie la vieron alejarse.

Sophie, yo, entiendes, balbuceó él abrochándose la levita, después de todo lo que ha pasado aquí ya no puedo, o sea, no podría. Shh, contestó ella anudándose el chal, está bien así. Está bien para los dos. Y ha valido la pena. Para mí, dijo Hans, fuiste como un milagro. Cállate, dijo Sophie besándose un dedo índice, vete. Los milagros no existen. Tú también.

Mientras terminaban de abrigarse en silencio, como dos compañeros de batalla que recuperan sus armaduras, Sophie vio a Hans llorar de frente, para ella. Y dudó y no dudó, supo que estaba haciendo lo más difícil y que hacía lo mejor. Qué caballero sigiloso, trató de bromear ella, te vas como has venido. Sí, contestó él recomponiéndose. No. No me voy igual que vine.

Al dar Hans el primer paso en dirección opuesta, Sophie gritó: Espera. Él se volvió velozmente.

—Gracias.

—Estaba pensando en decirte lo mismo. Gracias.

Hans echó a andar por el Camino de los Cristales. Su sombra se deslizaba de un escaparate a otro. Sophie se quedó mirándolo y tuvo frío en los ojos. Sin dejar de notar una aguja en el estómago, la misma que llevaba soportando desde que había llegado a la cafetería, se sintió extrañamente satisfecha.

Ella corrió un par de calles hasta alcanzar a Elsa. Él daba zancadas hacia la plaza del Mercado. Espiados desde arriba, desde algún balcón alto o un ventanuco de la Torre del Viento, podían parecer dos personajes mínimos, dos rayas a lo largo de la nieve. Vistos a ras de suelo, eran dos personas cargadas de vida.

Hans entró en la posada, subió y abrió el arcón. Revolvió entre sus pertenencias, buscando una extensa carta que había redactado la mañana en que había decidido irse de Wandernburgo. La revisó, tachó muchas palabras, agregó algunas. Pensó en dársela a Álvaro, pero temió que la leyera. Metió la carta en un sobre y bajó a buscar a Lisa.

Encontró a Lisa en la sala, avivando el fuego de rodillas. Ella se levantó de un salto, se sacudió los bajos de la falda, miró a Hans apenada. ¿De verdad te vas mañana?, preguntó. De verdad, contestó él reprimiendo el impulso de acariciarla. No puede ser, dijo ella negando con la cabeza. Sí, puede, sonrió él. Y agregó: ¿Puedo pedirte un último favor? El que quieras, dijo Lisa. Necesito, explicó Hans, que lleves hoy mismo este sobre a la casa Gottlieb, ¿es muy tarde?, ¿o todavía hay manera de que salgas? Lisa se asomó al patio, evaluó el resplandor de la tarde, y contestó muy erguida: Por ser hoy, sí podré. Fantástico, dijo Hans, escucha entonces. Debes darle esta carta a la doncella, como siempre. Pero es muy, muy importante que le digas que no la entregue hasta mañana después del desayuno. Así que esta noche debe guardarla y poner el máximo cuidado en que nadie la vea, ¿entendido? Te agradecería mucho que vayas cuanto antes. Mañana saldré al amanecer y quizá no nos veamos. No sabes lo importante que es este sobre para mí y cuánto aprecio tu ayuda, mi querida Lisa.

Ella tomó el sobre con expresión solemne. Lo escondió entre la falda y la camisa, suspiró y se arrojó en brazos de Hans, que apenas tuvo tiempo de reaccionar para evitar que ella cayera de bruces. Lisa se dio por abrazada, lo besó en la comisura de los labios y anunció: Voy a decirle a mi madre que Thomas se ha olvidado un cuaderno en la escuela y lo necesita para terminar sus deberes. ¿Y si tu hermano se entera?, se preocupó Hans, ¿si le dice a tu madre que no es cierto? Soltando un risita de heroína, ella contestó: ¿Y qué te crees que voy a robar del cuarto? Vas a llegar muy lejos, se asombró él. Ya veremos, dijo Lisa yendo hacia la puerta. Ah, y no nos vendría mal que entretuvieras un rato al demonio. Está ahí, jugando en el pasillo. Deséame suerte.

Hans fue en busca de Thomas, que andaba concentrado en la destrucción, disección y observación de un carrito de madera. ¿A qué juegas?, preguntó Hans. El niño le entregó un eje torcido y una rueda arrancada. Thomas, pequeño, se agachó Hans, mañana salgo de viaje, ¿sabes? ¿Y a mí qué?, dijo el niño pellizcándole una pierna.

Lisa había salido disparada hacia la calle del Ciervo. En una mano apretaba el sobre, con la otra se sostenía el tocado. Pensaba en su importante misión, en lo guapo que era Hans, en lo mucho que él siempre había confiado en ella. A mitad de camino, sin embargo, algo empezó a inquietarla, después a molestarla y finalmente a indignarla. Suavizó su carrera. Se frenó de repente. Contempló el sobre. La caligrafía fluida, experta de Hans. El nombre de la idiota de Sophie, que ahora ella era capaz de deletrear con odio. Buscó un portal con luz. Se sentó en el umbral y, sin pensarlo dos veces, abrió el sobre tratando de dañarlo lo menos posible. Leyó dificultosamente los primeros párrafos. Las oraciones eran larguísimas y la letra le resultaba confusa. Descifró pasajes sueltos, palabras aisladas. Reconoció muchos verbos, algunos sustantivos. No llegó a entender su contenido, pero era claramente una carta de amor para esa idiota. Una carta de amor de Hans que ella ni siquiera podía leer. Lisa se puso en pie rabiosa. ¿Qué estaba haciendo? ¿Cómo podía ser tan tonta? Echó a correr en dirección opuesta. Llegó a la Puerta Alta. En cuanto vio asomar el río bajo el camino del puente, rompió el sobre en un montón de pedazos y los dejó caer al Nulte.

Álvaro y Hans se citaron en la Taberna Central para despedirse. Ninguno de los dos hablaba mucho: se miraban, sonreían incómodos, entrechocaban las jarras. El frío se colaba por las rendijas del local, neutralizando las estufas de leña. Enfrente, en los laterales de la plaza del Mercado, los vendedores trasnochaban preparando los puestos navideños con matracas, pan de centeno, estrellas, piezas de azúcar, bolas brillantes, garrafas de vino, bujías de colores, pastas de almendra, guirnaldas.

No tenía que haber venido, rezongó Álvaro, las últimas noches siempre son un espanto. ¿Te pido otra cerveza, mártir?, dijo Hans palmeándole la espalda. ¿Entonces ahora sí?, insistió Álvaro, ¿te vas de verdad? Sí, sí, contestó Hans, ¿tanto te extraña? No, se encogió de hombros Álvaro, bueno, un poco, supongo que esperaba que pasase algo, qué sé yo, cualquier cosa, y al final te quedaras. *Amigo mío,* brindó Hans, tengo que seguir viaje. Y también, brindó Álvaro, tienes que mejorar tu acento español. Si quieres, dijo Hans, hablamos de tu acento alemán. La risa de ambos se interrumpió de golpe. En fin, suspiró Álvaro, nunca había visto a nadie dejar Wandernburgo. Siendo exactos, dijo Hans, todavía estoy aquí, ¿no? A nadie, repitió Álvaro incrédulo. Será, dijo Hans, que no soporto las navidades. Ni yo las despedidas, contestó Álvaro, por eso, si no te molesta, preferiría no estar ahí mañana cuando salga tu coche.

Abandonaron la taberna. Caminaron juntos tratando de cambiar de tema, de distraerse con cualquier cosa, hasta que se detuvieron en la esquina de la calle del Caldero Viejo. Se buscaron los ojos. Tomaron aire. Asintieron a la vez. Prometieron escribirse. Volvieron a tomar aire. Hans dio un paso adelante con los brazos extendidos, Álvaro retrocedió. No, mejor no, dijo Álvaro, ya está. No puedo, en serio. Bastante tengo con volver mañana solo a esa puta taberna. Finjamos que mañana nos vemos como siempre. Así. Sin más. Me voy a casa. Buenas noches. *Que descanses, hermano.*

Álvaro levantó un brazo, dio media vuelta rápido, se perdió calle arriba.

Se golpeó las mejillas con agua helada, dándose un susto a sí mismo. Se afeitó frente al espejo roto de la acuarela. Se cortó dos veces. Quiso pensar que había dormido algo, aunque tenía la sensación de haberse pasado la madrugada entera hablándose en voz baja.

Aplastó ropa, apretó libros, dobló papeles. Logró cerrar su equipaje. Revisó la habitación para confirmar que no se olvidaba nada. Debajo de la cama, entre pelusas, distinguió una amalgama de tela fina que al principio creyó un calcetín y que resultó ser algo más inesperado: sostuvo ante sus ojos el camisón de Lisa. Arrinconó las sillas, alineó los candelabros, entornó los postigos: los cristales emborronaban los tejados vecinos. Hans tiró de la maleta, las manijas del arcón y el resto de bártulos. Le pareció que su arcón pesaba más que a la ida. No se volvió para mirar la habitación vacía. Salió al pasillo cerrando la puerta.

Antes de llegar a las escaleras estuvo a punto de tropezar con un abeto que no recordaba haber visto el día anterior. Dejó el equipaje en el rellano. Fue hasta la planta baja y se encontró a la señora Zeit con la saya y el delantal puestos, ya en plena actividad. ¿Desayuna?, preguntó con un cubo de agua gris en cada mano. Solamente café, gracias, contestó Hans. ¿Cómo que solamente?, lo reprendió la posadera, ¿piensa salir de viaje con el estómago vacío?, de ninguna manera, espere. La señora Zeit soltó los cubos (dos trapos mugrientos se agitaron como pulpos entre el jabón) y entró en la cocina. Reapareció con dos longanizas, un queso entero y un cuenco tapado con servilletas y cordeles. Tome, le ordenó a Hans, y aliméntese mejor. Mi marido va enseguida para ayudarlo con sus cosas.

La cara del señor Zeit enrojecía, se hinchaba, relucía, soltaba aire como un globo. Mientras bajaban las escaleras Hans tuvo la sensación de que la barriga del posadero, doblada por la presión de los bultos y desparramada encima de ellos, añadía su peso al equipaje. Acomodaron todo detrás del mostrador de recepción. El señor Zeit se desplomó en una silla (tembloroso, el respaldo cedió como una hamaca) y abrió su libro de cuentas. Hoy ya es lunes, anunció sin convicción. Hans le entregó una talega con monedas. El posadero deshizo el paquete y lo miró interrogativamente. Hay propina, aclaró Hans. No hacía falta, dijo el señor Zeit, pero no soy de los que se niegan. Dígame, preguntó Hans, ¿Lisa está en casa? Acaba de salir, contestó el posadero, para llevar a Thomas a la escuela, ¿quiere que le diga algo? No, no, dudó Hans, nada.

Para hacer tiempo hasta la hora convenida con el cochero, salió a dar un último paseo por Wandernburgo. Las calles olían a barro, pan, orina. Las rejas de las tiendas empezaban a chirriar. El amanecer ablandaba la escarcha. Hans atravesó la calle Ojival, pasó junto a la iglesia, rodeó la plaza del Mercado, se detuvo en un rincón. Vio pasar a un mendigo dando patadas al aire para despertar sus piernas. Creyó reconocer a Olaf. Le gritó. El mendigo lo miró: no era él. Perdone, dijo Hans, ¿se acuerda del organillero que tocaba siempre aquí? ¿Qué organillero?, contestó el mendigo pasando de largo.

Hans miró el reloj de la Torre del Viento. Caminó lentamente de vuelta a la posada. Sólo al verse frente a ella, se percató con asombro de que no se había perdido. En la puerta tiritaba una corona navideña.

El viento es un rastrillo, una polea, una palanca, el viento sabe, alisa el mapa, corre por todas partes y siempre es forastero, se acerca, toma forma, dibuja un cinturón en torno a Wandernburgo, se deja caer, planea entre los tejados, desnuda chimeneas, despierta farolas, araña muros, se desliza silbando, revuelve la nieve, se posa en los umbrales, llama a las puertas, el viento rueda, ronda, callejea, se dirige hacia la plaza, en la plaza del Mercado no hay nadie, el empedrado resbala, los puestos navideños están sin terminar, de la fuente barroca mana casi una escarcha, el viento la sacude y la desprende, de pronto vira, acelera, remonta como por una rampa, se encarama a la torre, el suelo empequeñece, los aleros vibran, la torre no se inmuta pero sí el tiempo dentro, ese tiempo que, atrapado, tose en el reloj, el viento se entretiene estremeciendo la veleta que señala hacia otra parte, da un par de vueltas más, se estira y se catapulta, va cayendo en parábola, hace tirabuzones, se precipita sobre el techo de un coche, lo frena ligeramente, rebota y se arrastra entre las losas, zumba a las espaldas del ayuntamiento, en la plaza del Mercado no había nadie o casi nadie, hay al menos un perro husmeando entre los puestos, un perro negro de orejas triangulares, cola inquieta, hocico atento, el viento roza el lomo de Franz, le despeina la cola, Franz levanta la cabeza, el estómago le cruje, sigue andando, sale de la plaza, olisquea en varias puertas, revuelve con las patas, encuentra alguna cosa, tiras de grasa, cáscaras, fruta podrida, huesos, mira a su alrededor más aliviado, curiosea aquí y allá, cambia de esquina, cruza a la calle Ojival y al pasar frente a San Nicolás, frente a la fachada torcida de la iglesia que parece a punto de caer, Franz se detiene a orinar copiosamente en ella, el muro absorbe parte de la orina, Franz reanuda su marcha, dobla la esquina siguiente, se aleja, el resto de la orina queda secándose al viento, el viento frota el muro, se reparte entre las escalinatas, abarca el pórtico, pule los arcos, se infiltra bajo el portón de hierro, patina por la nave central, hace temblar los cirios y el aceite de las lámparas, circula entre las naves laterales, tropieza con las bancas, levanta escalofríos en las espaldas madrugadoras, una de ellas encoge los hombros, se lleva una mano al pecho y retuerce su rosario, la señora Pietzine mueve los labios maquillados, tiene ojeras y reza, reza, otra espalda más flaca repite en voz alta las mismas oraciones, la señora Levin las entona con énfasis, las mastica, el viento se desvía hacia el altar, repasa el crucifijo, los candelabros, enfría los pies de los ángeles mientras al otro lado del retablo, en la sacristía, el padre Pigherzog se ciñe el cíngulo y franquea la puerta, al abrirse la puerta de la sacristía la corriente interior colisiona con el viento y, como repelido por un émbolo, el viento da media vuelta, se cuela bajo el portón y se disgrega en la intemperie, durante unos instantes el aire en Wandernburgo queda inmóvil, el humo de las chimeneas se endereza, los cristales descansan, las ropas reposan, hasta que el viento encuentra sus partes, las reúne y se refuerza, brinca de nuevo por las escalinatas, gana altura, supera la iglesia, saca punta a una torre, sacude el campanario, sobrevuela unas cuantas calles y empieza a decaer, se suaviza, traspasa los balcones, gotea dividido junto al agua que pierden las macetas, se descompone en ramales, uno de ellos progresa a ras de suelo, deambula por el Camino de los

Cristales, se enreda entre caballos, ruedas, piernas, elude los escaparates, se ausenta de sus reflejos, lame la entrada del Café Europa, se impregna del aroma a chocolate, se demora frente a la puerta del café, al otro lado del cristal Álvaro tiene los codos clavados sobre un ejemplar de *La Gaceta*, no ha dormido, lleva así largo rato, sin leer, con la vista perdida en la pared del fondo, el viento pasa de largo, avanza, en la siguiente esquina se topa con el resto de sí mismo, se revuelve, engorda, atraviesa la calle del Caldero Viejo, penetra en la posada por el patio, barre el pasillo, invade la vivienda de los Zeit, visita el cuarto de los niños, mueve apenas los juguetes de Thomas, descubre a Lisa con una vela debajo de la cama, estudiando a escondidas, deletreando las palabras del cuaderno, al otro extremo del cuarto crepita la leña, el viento enfila el hueco de la chimenea, la recorre y sale propulsado al cielo blanco, se extiende elástico sobre el centro de la ciudad, se apoya en la torre de la plaza del Mercado, la rodea como si fuera un lazo, hace girar la veleta y traza una diagonal hasta la calle del Ciervo, los aldabones de la casa Gottlieb, león y golondrina, amagan con golpear la robusta madera o la golpean imperceptiblemente, las vibraciones se transmiten a la galería, las cocheras, el jardín helado, un ápice de viento es transportado escaleras arriba, arriba el señor Gottlieb duerme o no quiere levantarse, Bertold no se molesta en insistir, Petra maldice los alimentos que cocina frente a las cinco campanas de los cinco llamadores de las cinco habitaciones desde las que se puede reclamar al servicio, en la planta superior Elsa repasa sin convicción su manual de inglés, tiene poco trabajo últimamente, en la planta de abajo el reloj de pared espera a que alguien le dé cuerda, todo parece inerte en la sala de estar, y sin embargo las cortinas de azul prusiano se agitan, se doblan, se dejan plegar por las rachas de viento que ingresan por un hueco entre los ventanales mal cerrados, esas rachas de viento esparcen algunas cenizas fuera de la chimenea de mármol, sobre la cornisa se aburren las estatuillas doradas, los floreros inútiles, y a un lado de la chimenea, entre los retratos familiares, las copias de Tiziano, los bodegones y las escenas de caza, brilla discretamente el cuadro que muestra a un caminante adentrán-

dose en el bosque, en un bosque con nieve, un bosque parecido
al pinar donde ahora mismo también sopla el viento y se pro-
paga entre las rocas de la colina, los esqueletos de los álamos, la
cinta congelada del Nulte, los dardos de los pinos, la entrada
de una cueva vacía, en todo ingresa el viento y de todo se marcha, se marcha de los campos lisos y lechosos, del trigal sembrado, de los pastos duros, del rebaño de ovejas que empiezan
a parir en contra del invierno, se marcha de los cercos donde
los campesinos entierran las raíces, de las aspas de los molinos,
de la fábrica textil que tiñe el aire, de los senderos borrados, del
camino principal que roza Wandernburgo por el este y que transitan unas pocas diligencias hacia el norte, en dirección a Berlín,
o bien hacia el sur, en dirección a Leipzig, se marcha del camino
del puente donde ahora Sophie, de pie con dos maletas, sujetándose el tocado para que no se le vuele, espera la llegada del
próximo carruaje, dos maletas llenas de ropa, papeles y dudas,
y más allá, mucho más lejos, tira también el viento del carruaje
de Hans, que viaja adonde sea con su arcón rebotando encima de
la baca, apretado entre lonas, cuerdas, nieve, Hans que lleva
a sus pies un estuche de madera con un organillo dentro, Hans
que limpia con una manga la ventanilla, la abre, asoma la cabeza y siente cómo el viento le da la bienvenida.

Granada, junio de 2003-noviembre de 2008

Nota sobre las traducciones

Las versiones en español de los poemas citados en esta novela son obra del autor, ya sea por traducción directa del original o mediante lenguas puente. Toda lengua es un puente. Todo poema también.

La fuerza de una lengua no consiste en rechazar lo extraño, sino en devorarlo.

AXEL GASQUET

XII Premio Alfaguara de Novela 2009

El 23 de marzo de 2009, en Madrid, un jurado presidido por Luis Goytisolo, e integrado por Ana Clavel, Carlos Franz, Juan González (con voz pero sin voto), Julio Ortega y Gonzalo Suárez otorgó el **XII Premio Alfaguara de Novela** a *El viajero del siglo,* de **Andrés Neuman.**

Acta del Jurado

El Jurado del **XII Premio Alfaguara de Novela 2009,** después de una deliberación en la que tuvo que pronunciarse sobre seis novelas seleccionadas entre las quinientas cuarenta y seis presentadas, decidió otorgar por mayoría el **XII Premio Alfaguara de Novela 2009,** dotado con ciento setenta y cinco mil dólares, a la novela titulada *El viajero del siglo,* presentada bajo el seudónimo **von Stadler,** cuyo título y autor, una vez abierta la plica, resultó ser *El viajero del siglo* de **Andrés Neuman.**

El Jurado ha destacado «la ambición literaria y la calidad de una novela que recupera el aliento de la narrativa del siglo xix escrita con una visión actual y espléndidamente ambientada en la Alemania post-napoleónica».

Premio Alfaguara de Novela

El Premio Alfaguara de Novela tiene la vocación de contribuir a que desaparezcan las fronteras nacionales y geográficas del idioma, para que toda la familia de los escritores y lectores de habla española sea una sola, a uno y otro lado del Atlántico. Como señaló Carlos Fuentes durante la proclamación del **I Premio Alfaguara de Novela,** todos los escritores de la lengua española tienen un mismo origen: el territorio de La Mancha en el que nace nuestra novela.

El Premio Alfaguara de Novela está dotado con 175.000 dólares y una escultura del artista español Martín Chirino. El libro se publica simultáneamente en todo el ámbito de la lengua española.

Premios Alfaguara

Caracol Beach, Eliseo Alberto (1998)
Margarita, está linda la mar, Sergio Ramírez (1998)
Son de Mar, Manuel Vicent (1999)
Últimas noticias del paraíso, Clara Sánchez (2000)
La piel del cielo, Elena Poniatowska (2001)
El vuelo de la reina, Tomás Eloy Martínez (2002)
Diablo Guardián, Xavier Velasco (2003)
Delirio, Laura Restrepo (2004)
El turno del escriba, Graciela Montes y Ema Wolf (2005)
Abril rojo, Santiago Roncagliolo (2006)
Mira si yo te querré, Luis Leante (2007)
Chiquita, Antonio Orlando Rodríguez (2008)
El viajero del siglo, Andrés Neuman (2009)

Andrés Neuman

nació en 1977 en Buenos Aires, ciudad donde pasó su infancia. Hijo de músicos emigrados, terminó de criarse en Granada, en cuya universidad estudió y fue profesor de literatura hispanoamericana. Narrador, poeta y ensayista, es autor de las novelas *Bariloche, La vida en las ventanas* y *Una vez Argentina,* los libros de relatos *El que espera, El último minuto* y *Alumbramiento,* la colección de aforismos *El equilibrista* y el volumen *Década,* que reúne sus libros de poemas publicados hasta hoy. Ha recibido el Premio Hiperión de Poesía y el Finalista del Premio Herralde. Mediante la votación Bogotá-39, convocada por el Hay Festival, fue elegido como uno de los mejores nuevos autores nacidos en Latinoamérica.

www.andresneuman.com.

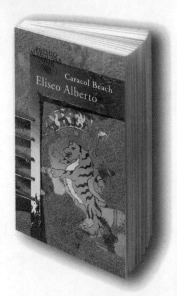

Premio
ALFAGUARA
de novela
1998

ELISEO ALBERTO
Caracol Beach

SERGIO RAMÍREZ
Margarita, está linda la mar

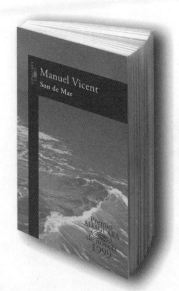

Premio
ALFAGUARA
de novela
1999

MANUEL VICENT
Son de Mar

Premio
ALFAGUARA
de novela
2000

CLARA SÁNCHEZ
Últimas noticias del paraíso

Premio
ALFAGUARA
de novela
2001

ELENA PONIATOWSKA
La piel del cielo

Premio
ALFAGUARA
de novela
2002

TOMÁS ELOY MARTÍNEZ
El vuelo de la reina

Premio
ALFAGUARA
de novela
2003

XAVIER VELASCO
Diablo Guardián

Premio
ALFAGUARA
de novela
2004

LAURA RESTREPO
Delirio

Premio
ALFAGUARA
de novela
2005

GRACIELA MONTES
EMA WOLF
El turno del escriba

Premio
ALFAGUARA
de novela
2006

SANTIAGO RONCAGLIOLO
Abril rojo

Premio
ALFAGUARA
de novela
2007

LUIS LEANTE
Mira si yo te querré

Premio
ALFAGUARA
de novela
2008

ANTONIO ORLANDO
RODRÍGUEZ
Chiquita

Alfaguara es un sello editorial del Grupo Santillana

www.alfaguara.com

Argentina
Av. Leandro N. Alem, 720
C 1001 AAP Buenos Aires
Tel. (54 114) 119 50 00
Fax (54 114) 912 74 40

Bolivia
Avda. Arce, 2333
La Paz
Tel. (591 2) 44 11 22
Fax (591 2) 44 22 08

Chile
Dr. Aníbal Ariztía, 1444
Providencia
Santiago de Chile
Tel. (56 2) 384 30 00
Fax (56 2) 384 30 60

Colombia
Calle 80, 9-69
Bogotá
Tel. (57 1) 635 12 00
Fax (57 1) 236 93 82

Costa Rica
La Uruca
Del Edificio de Aviación Civil 200 m al Oeste
San José de Costa Rica
Tel. (506) 22 20 42 42 y 25 20 05 05
Fax (506) 22 20 13 20

Ecuador
Avda. Eloy Alfaro, 33-3470 y Avda. 6 de
Diciembre
Quito
Tel. (593 2) 244 66 56 y 244 21 54
Fax (593 2) 244 87 91

El Salvador
Siemens, 51
Zona Industrial Santa Elena
Antiguo Cuscatlan - La Libertad
Tel. (503) 2 505 89 y 2 289 89 20
Fax (503) 2 278 60 66

España
Torrelaguna, 60
28043 Madrid
Tel. (34 91) 744 90 60
Fax (34 91) 744 92 24

Estados Unidos
2023 N.W. 84th Avenue
Doral, F.L. 33122
Tel. (1 305) 591 95 22 y 591 22 32
Fax (1 305) 591 74 73

Guatemala
7ª Avda. 11-11
Zona 9
Guatemala C.A.
Tel. (502) 24 29 43 00
Fax (502) 24 29 43 43

Honduras
Colonia Tepeyac Contigua a Banco Cuscatlan
Boulevard Juan Pablo, frente al Templo
Adventista 7º Día, Casa 1626
Tegucigalpa
Tel. (504) 239 98 84

México
Avda. Universidad, 767
Colonia del Valle
03100 México D.F.
Tel. (52 5) 554 20 75 30
Fax (52 5) 556 01 10 67

Panamá
Vía Transísmica, Urb. Industrial Orillac,
Calle segunda, local 9
Ciudad de Panamá.
Tel. (507) 261 29 95

Paraguay
Avda. Venezuela, 276,
entre Mariscal López y España
Asunción
Tel./fax (595 21) 213 294 y 214 983

Perú
Avda. Primavera 2160
Surco
Lima 33
Tel. (51 1) 313 4000
Fax (51 1) 313 4001

Puerto Rico
Avda. Roosevelt, 1506
Guaynabo 00968
Puerto Rico
Tel. (1 787) 781 98 00
Fax (1 787) 782 61 49

República Dominicana
Juan Sánchez Ramírez, 9
Gazcue
Santo Domingo R.D.
Tel. (1809) 682 13 82 y 221 08 70
Fax (1809) 689 10 22

Uruguay
Constitución, 1889
11800 Montevideo
Tel. (598 2) 402 73 42 y 402 72 71
Fax (598 2) 401 51 86

Venezuela
Avda. Rómulo Gallegos
Edificio Zulia, 1º - Sector Monte Cristo
Boleita Norte
Caracas
Tel. (58 212) 235 30 33
Fax (58 212) 239 10 51

Este libro se terminó de imprimir en el mes de
abril de 2009, en Edamsa Impresiones S.A. de C.V.
Av. Hidalgo No. 111, Col. Fracc. San Nicolás Tolentino C.P. 09850,
Del. Iztapalapa, México, D.F.